ROUSSE
LE
D1410191

ISBN 978-2-03-583305-1
978-2-03-541025-2

AVIS AU LECTEUR

Ce tout petit dictionnaire se veut d'abord un outil extrêmement maniable mais cherche aussi à apporter au lecteur un maximum d'informations.

On y trouvera le plus de mots possible, sélectionnés avec soin, accompagnés d'une courte définition, ou de plusieurs pour les mots qui ont diverses acceptions, souvent d'un exemple, et, chaque fois que c'est utile, de la prononciation ou de précisions sur le fonctionnement grammatical.

Cette nouvelle édition tient compte de l'évolution de la langue, des sciences et des techniques.

PRONONCIATION DU FRANÇAIS

Ont été indiquées dans cet ouvrage les prononciations des mots français qui présentent une difficulté.

VOYELLES ORALES

i	dans *i*l, hab*i*t, d*î*ner	[i]
é	dans th*é*, d*é*	[e]
è	dans *ê*tre, d*ai*s, proc*è*s	[ɛ]
a	dans *a*voir, P*a*ris, p*a*tte	[a]
a	dans *â*ne, p*â*te, m*â*t	[ɑ]
o	dans *o*r, r*o*be	[ɔ]
o	dans d*o*s, chev*aux*	[o]
ou	dans *ou*vrir, c*ou*vert, l*ou*p	[u]
u	dans *u*ser, t*u*, s*û*r	[y]
eu	dans c*œu*r, p*eu*r, n*eu*f	[œ]
eu	dans f*eu*, j*eu*, p*eu*	[ɸ]
e	dans l*e*, pr*e*mier	[ə]

VOYELLES NASALES

in	dans *in*térêt, pa*in*, s*ein*	[ɛ̃]
un	dans br*un*, parf*um*	[œ̃]
an	*en* dans *en*trer, bl*an*c	[ɑ̃]
on	dans *on*dée, b*on*, h*on*te	[ɔ̃]

SEMI-VOYELLES

y	+ voyelle dans *y*eux, l*i*eu	[j]
u	+ voyelle dans h*u*ile, l*u*i	[ɥ]
ou	+ voyelle dans *ou*i, L*ou*is	[w]

CONSONNES

p	dans *p*as, dé*p*asser, ca*p*	[p]
t	dans *t*u, é*t*aler, lu*tt*e	[t]
c, k, qu	dans *c*aste, a*cc*ueillir, ba*c*, *k*épi, *qu*e	[k]
b	dans *b*eau, a*b*îmer, clu*b*	[b]
d	dans *d*ur, bro*d*er, ble*d*	[d]
g	dans *g*are, va*g*ue, zigza*g*	[g]
f	dans *f*ou, a*ff*reux, che*f*	[f]
v	dans *v*ite, ou*v*rir	[v]
s	dans *s*ouffler, cha*ss*e, héla*s* !	[s]
z ou *s*	dans *z*one, rai*s*on, ga*z*	[z]
ch	dans *ch*eval, mâ*ch*er, Au*ch*	[ʃ]
j ou *g*	dans *j*ambe, â*g*é, pa*g*e	[ʒ]
l	dans *l*arge, mo*ll*esse, ma*l*	[l]
r	dans *r*ude, ma*r*i, ouv*r*ir	[r]
m	dans *m*aison, a*m*ener, blê*m*e	[m]
n	dans *n*ourrir, fa*n*al, dolme*n*	[n]
gn	dans a*gn*eau, bai*gn*er	[ɲ]
ng	dans campi*ng*	[ŋ]

ABRÉVIATIONS GRAMMATICALES

Absol.	absolu(ment)
abrév.	abréviation
adj.	adjectif
adj. num.	adjectif numérique
adj. ord.	adjectif ordinal
adv.	adverbe ; adverbial
autref.	autrefois
conj.	conjonction ; conjugaison
exclam.	exclamation
f., fém.	féminin
fpl.	féminin pluriel

impér.	impératif
ind.	indicatif
indéf.	indéfini
inf.	infinitif
interj.	interjection
interr.	interrogatif
inv.	invariable
loc.	locution
m., masc.	masculin
maj.	majuscule
mpl.	masculin pluriel
n.	nom
npl.	nom pluriel
p. p.	participe passé
pers.	personne
préf.	préfixe
prép.	préposition
prés.	présent
pron.	pronom
pron. dém.	pronom démonstratif
pron. interr.	pronom interrogatif
pron. pers.	pronom personnel
pron. poss.	pronom possessif
pron. rel.	pronom relatif
seul.	seulement
sing.	singulier
syn.	synonyme
V.	voir (renvoi)
vi.	verbe intransitif
vimpers.	verbe impersonnel
vpr.	verbe pronominal
vt.	verbe transitif

ABRÉVIATIONS ET RUBRIQUES

ALG.	algèbre
ANAT.	anatomie
ANC.	ancien(nement)
ARCHIT.	architecture
BOT.	botanique
CHIR.	chirurgie
COMM.	commerce
CONSTR.	construction
DR.	droit
ÉLECTR.	électricité
FAM.	familier
FIG.	figuré
GÉOGR.	géographie
GÉOM.	géométrie
GRAMM.	grammaire
INFORM.	informatique
IRON.	ironique
LITT.	littéraire
MAR.	marine
MATH.	mathématiques
MIL.	militaire
MUS.	musique
MYTH.	mythologie
MÉC.	mécanique
MÉD.	médecine
PÉJ.	péjoratif
PHOT.	photographie
PHYS.	physique
POÉT.	poétique
POP.	populaire
PSYCHAN.	psychanalyse
RELIG.	religion
THÉÂTR.	théâtre
THÉOL.	théologie
VX.	vieux
ZOOL.	zoologie

LANGUE FRANÇAISE

A

à prép. Indique but, situation, instrument, manière, possession, etc.
abaissement m. Action d'abaisser.
abaisser vt. Baisser. Humilier, dégrader.
abandon m. Délaissement : — *d'enfant*. Laisser-aller. *À l'*—, en désordre, négligé.
abandonner vt. Quitter. Renoncer à. Négliger. vpr. Se livrer : *s'— à la paresse*.
abasourdir vt. Étourdir, stupéfier.
abat-jour m. inv. Écran rabattant la lumière d'une lampe.
abats mpl. Pieds, rognons, foie, poumons, cœur des animaux de boucherie.
abattage m. Action d'abattre : — *d'arbres*.
abattant m. Tablette mobile d'un meuble.
abattement m. Accablement, découragement.
abattis mpl. Abats de volaille.
abattoir m. Lieu où l'on abat les bêtes de boucherie.
abattre vt. Jeter à bas : — *un arbre*. Démolir. Tuer. vpr. Tomber. Se jeter (sur).
abattu, e adj. Découragé, affaibli.
abbaye [abei] f. Monastère de certains ordres.
abbé, esse n. Supérieur d'une abbaye. m. Prêtre.
abcès [apsɛ] m. Amas de pus.
abdiquer vt., vi. Renoncer à : — *la couronne*.
abdomen [-mɛn] m. ANAT. Le ventre.
abeille f. Insecte qui produit le miel.
aberrant, e adj. Absurde, insensé.
aberration f. Erreur, illusion, égarement.
abîme m. Gouffre profond. Différence énorme.

abîmer vt. Endommager. vpr. S'enfoncer.
abject, e [abʒɛkt], adj. Méprisable, vil, bas.
abjurer vt. Renier : — *ses opinions.*
ablation f. CHIR. Action d'enlever.
ablette f. Petit poisson d'eau douce.
ablutions fpl. *Faire ses —*, se laver.
abnégation f. Dévouement, sacrifice de soi.
aboiement m. Cri du chien.
abois mpl. *Être aux —*, dans une situation désespérée.
abolir vt. Supprimer, annuler.
abolition f. Suppression, action d'abolir.
abominable adj. Détestable : *un crime —.*
abondance f. Grande quantité. FIG. Richesse.
abondant, e adj. Qui abonde : *une moisson —.*
abonder vi. Être en abondance.
abonnement m. Paiement pour un service régulier d'une durée déterminée.
abonner (s') vpr. Souscrire un abonnement.
abord m. Approche. Accueil : — *aimable. D'—*, au premier moment.
abordable adj. Accessible.
abordage m. Action d'aborder.
aborder vi., vt. Atteindre le rivage.
aborigène n. et adj. Indigène, natif.
aboutir vi. Arriver, toucher à. Finir par.
aboyer vi. Crier, en parlant du chien. FIG. Crier. *(Aboie ; aboyions, aboyiez.)*
abrasif, ive adj. Qui set à user (émeri, etc.).
abréger vt. Réduire. *(Abrège ; -égerai ; -geons.)*
abreuver vt. Faire boire.
abreuvoir m. Endroit où boit le bétail.
abréviation f. Réduction. Mot écrit en abrégé.
abri m. Lieu où l'on se met à couvert de.
abricot m. Fruit à noyau et à chair jaune.

abriter vt. Mettre à l'abri : *s'— du vent.*
abroger vt. Annuler. *(Abrogea, -geons.)*
abrupt, e adj. Escarpé : *chemin —.* FIG. Rude.
abrutir vt. Rendre stupide : *— de travail.*
abscisse f. L'une des coordonnées qui caractérisent un point dans un plan.
absence f. Fait d'être absent. Manque.
absent, e adj. Qui n'est pas où il est habituellement, où il doit être. Distrait.
absenter (s') vpr. S'éloigner, s'en aller.
abside f. Extrémité du chœur d'une église.
absinthe f. Plante aromatique. Liqueur.
absolu, e adj. Complet, souverain : *pouvoir —.*
absolution f. Grâce, pardon d'une faute.
absorber vt. S'imprégner, s'imbiber de. Boire, manger. Occuper entièrement.
absorption f. Action d'absorber (un aliment).
absoudre vt. Acquitter. Pardonner. *(Absolvons.)*
absoute f. Prière de l'office des morts.
abstenir (s') vpr. Éviter de. (Conj. comme *tenir.*)
abstention f. Fait de ne pas voter.
abstinence f. Privation d'un aliment.
abstraction f. Idée abstraite.
abstrait, e adj. Qui exprime une qualité séparée de son sujet. Obscur, difficile à saisir.
absurde adj. Contraire à la raison.
absurdité f. Chose absurde. Stupidité.
abus m. Usage excessif de : *— de médicaments.* Injustice.
abuser vt. Tromper. vi. Exagérer. User avec excès de.
abusif, ive adj. Où il y a de l'abus.
acacia m. Arbre épineux.
académicien m. Membre d'une académie.
académie f. Société d'écrivains, de savants, d'artistes. Division universitaire.

acajou m. Bois d'ébénisterie rougeâtre.
acariâtre adj. D'humeur désagréable.
accabler vt. Écraser sous le poids de.
accalmie f. Calme momentané. Arrêt, pause.
accaparer vt. Prendre pour soi seul.
accéder vi. Avoir accès à un lieu. Consentir.
accélérateur m. Mécanisme qui accélère.
accélérer vt. Rendre plus rapide. Hâter.
accent m. Intonation propre à une région. Signe graphique sur une voyelle.
accentuer vt. Mettre un accent. Insister.
accepter vt. Agréer, recevoir. Consentir.
acception f. Sens particulier d'un mot.
accès m. Entrée dans. Attaque : — *de fièvre*.
accessible adj. D'accès facile. Sensible.
accessit [aksɛsit] m. Récompense inférieure au prix.
accessoire adj. Secondaire. m. Objet utilisé avec un autre : — *d'auto*.
accident m. Événement fortuit et malheureux, qui peut entraîner des blessures ou des dommages.
accidenté, e adj. Victime d'un accident.
accidentel, elle adj. Qui arrive par hasard.
acclamation f. Cri d'enthousiasme. Ovation.
acclamer vt. Saluer par des acclamations.
acclimatation f. Action d'acclimater.
acclimater vt. Habituer à un autre climat.
accolade f. Embrassement. Trait qui réunit.
accommodant, e adj. Conciliant, complaisant.
accommodement m. Arrangement. Conciliation. Compromis.
accommoder vt. Arranger. Apprêter.
accompagnement m. Action d'accompagner.
accompagner vt. Aller avec. Escorter. Ajouter.
accomplir vt. S'acquitter de, exécuter : — *son devoir*.

accord m. Conformité. Harmonie.
accordéon m. Instrument musical à soufflet.
accorder vt. Mettre en harmonie. Consentir. Mus. Mettre au diapason.
accordeur m. Mus. Qui accorde des instruments.
accoster vt. Aborder : *— un navire.*
accouchement m. Action d'accoucher.
accoucher vi. Enfanter.
accouder (s') vpr. S'appuyer sur son coude.
accoupler vt. Unir deux à deux. vpr. S'unir pour la génération (animaux).
accourir vi. Venir en hâte. (Conj. c. *courir.*)
accoutrement m. Habillement ridicule.
accoutrer vt. Habiller ridiculement.
accoutumer vt. Habituer : *s'— à un travail.*
accréditer vt. Ouvrir un crédit. Autoriser. Propager : *— une nouvelle.*
accroc m. Déchirure. Fig. Difficulté, embarras.
accrochage m. Action d'accrocher.
accroche-cœur m. Boucle sur les tempes.
accrocher vt. Suspendre. Heurter.
accroire vt. *En faire —*, abuser de la crédulité (de quelqu'un).
accroître vt. Augmenter. (Conj. comme *croître.*)
accroupir (s') vpr. S'asseoir sur ses talons.
accueil [akœj] m. Réception : *faire bon —.*
accueillir [akœjir] vt. Recevoir.
acculer vt. Pousser dans un lieu sans issue. Obliger, pousser à : *— au désespoir.*
accumulateur m. Appareil qui emmagasine de l'électricité pour la restituer ensuite.
accumuler vt. Entasser. Amonceler, amasser.
accusateur, trice adj. et n. Qui accuse.
accusation f. Action d'accuser. Reproche.
accusé, e adj. et n. Personne accusée. m. Avis : *— de réception.*

accuser vt. Reprocher, imputer. Inculper.
acerbe adj. Âpre. Mordant, agressif : *voix* —.
acéré, e adj. Aigu. Mordant, blessant : *trait* —.
acétate m. Sel de l'acide acétique.
acétique adj. Se dit de l'acide du vinaigre.
acétone f. Liquide utilisé comme solvant.
acétylène m. Gaz obtenu en traitant le carbure de calcium par l'eau.
achalandé, e adj. Fourni en marchandises.
acharnement m. Opiniâtreté.
acharner (s') vpr. S'obstiner : *s'— sur un problème*. Persécuter.
achat m. Action d'acheter. Objet acheté.
acheminer vt. Diriger : *— le courrier*.
acheter vt. Acquérir à prix d'argent. Corrompre : *— des juges. (Achète ; achètera.)*
acheteur, euse n. Personne qui achète.
achèvement m. Fin, terminaison.
achever vt. Finir, terminer : *— son travail*.
acide adj. D'une saveur aigre : *fruit* —. m. Substance chimique qui peut ronger certaines matières.
acidité f. Saveur acide.
acidulé, e adj. Légèrement acide : *bonbon* —.
acier m. Fer contenant un peu de carbone.
aciérie f. Fabrique d'acier.
acné f. Maladie de la peau du visage.
acolyte m. Aide subalterne. FAM. Compagnon.
acompte m. Versement à valoir sur un total.
à-coup m. Mouvement et arrêt brusque, saccade.
acoustique adj. Relatif au son : *phénomène* —. f. Science qui étudie les sons.
acquéreur m. Acheteur.
acquérir vt. Obtenir par achat ou par apprentissage. *(Acquiers ; acquis ; acquerrai.)*

acquêt m. Acquisition faite après le mariage.
acquiescer vt. Consentir. *(Acquiesça, -çons.)*
acquis m. Savoir, expérience. Privilège conquis.
acquisition f. Chose acquise.
acquit m. Quittance, reçu.
acquittement m. Action d'acquitter.
acquitter vt. Payer. Innocenter. vpr. Faire ce qu'on doit : *s'— d'une obligation.*
âcre adj. Irritant au goût, à l'odorat : *fumée —* .
âcreté f. Qualité de ce qui est âcre.
acrimonie f. Aigreur : *répondre avec —*.
acrobate m. Artiste de cirque qui exécute des exercices d'agilité.
acrobatie [-si] f. Exercice d'acrobate.
acrylique m. Textile synthétique.
acte m. Action. Écrit juridique : *— de mariage.* Constatation : *prendre —*. Division d'une pièce de théâtre.
acteur, trice n. Comédien de théâtre, de cinéma.
actif, ive adj. Qui agit. Vif, laborieux. m. COMM. Ce que l'on possède.
action f. Fait d'agir ; ce que l'on fait. Mouvement : *mettre en —*. Combat. Part dans une société.
actionnaire n. Possesseur d'actions de sociétés.
actionner vt. Mettre en mouvement.
activer vt. Donner de l'activité. Accélérer.
activité f. Action. Vivacité. *En —*, en service.
actualité f. Ensemble des événements actuels.
actuel, elle adj. Du moment présent.
acuité f. Qualité de ce qui est aigu.
acupuncture [-pɔ̃k-] f. Traitement médical par des piqûres d'aiguilles.
adage m. Proverbe, maxime d'utilité pratique.
adaptation f. Action d'adapter.
adapter vt. Assembler. Transposer.

addition f. Action d'ajouter. Opération arithmétique. Note de restaurant.
additionnel, elle adj. Qui est ou doit être ajouté.
additionner vt. Ajouter : — *deux nombres.*
adduction f. Action d'amener : — *d'eau.*
adepte n. Partisan : *recruter des* —.
adéquat [adekwa], **e** adj. Qui convient exactement.
adhérence f. État d'une chose qui adhère à une autre.
adhérent, e adj. Qui colle. n. Membre d'une association.
adhérer vi. Être collé. S'inscrire à : — *à un parti.*
adhésif, ive adj. Collant. m. Tissu, papier enduit d'un produit collant.
adhésion f. Action de s'inscrire. Approbation.
adieu m. Terme de civilité en se quittant.
adipeux, euse adj. Graisseux : *tissu* —.
adjacent, e adj. Contigu : *angles* —.
adjectif m. Mot joint au nom pour le qualifier ou le déterminer.
adjoindre vt. Joindre, ajouter.
adjoint m. Celui qui assiste le maire et le supplée. Aide, assistant.
adjudant m. Le plus élevé des grades de sous-officiers.
adjudication f. Action d'adjuger.
adjuger vt. Attribuer : — *un prix, un marché.*
adjurer vt. Supplier avec instance.
admettre vt. Recevoir, accueillir.
administrateur, trice n. Qui administre.
administration f. Action d'administrer. Pouvoir qui administre. Service public.
administrer vt. Gouverner, diriger. Donner, appliquer : — *un médicament.*
admirable adj. Digne d'admiration : *conduite* —.

admirateur, trice adj. et n. Qui admire.
admiration f. Enthousiasme, émerveillement.
admirer vt. Regarder avec admiration.
admissible adj. Qui peut être admis, accepté.
admission f. Action d'admettre. Réception.
admonester vt. Réprimander.
A.D.N. m. Élément essentiel des chromosomes du noyau de la cellule vivante.
adolescence f. Âge qui suit l'enfance.
adolescent, e n. Qui est dans l'adolescence.
adonner (s') vpr. Se livrer à : *s'— à la lecture*.
adopter vt. Prendre pour enfant. Choisir.
adoption f. Action d'adopter.
adorateur, trice n. Qui adore.
adoration f. Action d'adorer. Grand amour.
adorer vt. Rendre un culte à. Aimer avec passion.
adosser vt. Appuyer contre : *s'— au mur*.
adoucir vt. Rendre plus doux : *— un chagrin*.
adoucissement m. Action d'adoucir.
adresse f. Dextérité : *jeu d'—*. Finesse, habileté. Domicile : *changer d'—*.
adresser vt. Envoyer : *— une lettre à quelqu'un*.
adroit, e adj. Qui a de la dextérité. Rusé.
aduler vt. Idolâtrer.
adulte n. Arrivé à l'âge d'homme.
adultère adj. et n. Qui viole la foi conjugale. m. Violation du devoir de fidélité entre époux.
advenir vi. Arriver (inf. et 3es pers.).
adverbe m. Mot qui modifie un verbe, un adjectif.
adversaire m. Celui que l'on combat. Rival.
adverse adj. Contraire, opposé : *la partie —*.
adversité f. Infortune : *lutter contre l'—*.
aérer vt. Donner de l'air : *— une salle*.
aérien, enne adj. Qui s'effectue dans les airs : *la navigation —*.

aérodrome m. Terrain d'aviation.
aérogare f. Dans un aéroport, bâtiments réservés aux voyageurs et aux marchandises.
aéronaute n. Personne qui pratique la navigation aérienne.
aéronautique f. Navigation aérienne.
aéronef m. Appareil se déplaçant dans les airs.
aéroport m. Lieu rassemblant les équipements nécessaires au trafic aérien.
aéroporté, e adj. Transporté par la voie des airs : *division —*.
aérosol m. Dispersion d'un liquide en particules très fines.
aérostat m. Ballon qui, grâce à un gaz, peut s'élever dans l'air.
affable adj. Aimable, courtois : *un ton —*.
affaiblir vt. Rendre faible : *— sa santé*.
affaiblissement m. Perte de force, d'intensité.
affaire f. Occupation. Transaction commerciale : *homme d'—*. Procès : *— embrouillée. Avoir — à*, être en rapport avec. *Se tirer d'—*, sortir d'embarras.
affairé, e adj. Très occupé : *avoir l'air —*.
affaissement m. État de ce qui est affaissé.
affaisser vt. Provoquer l'éboulement de.
affamé, e adj. Qui a grand-faim.
affectation f. Attribution. Manque de naturel.
affecter vt. Destiner : *— une somme*. Faire semblant. Prendre telle ou telle forme : *— la forme d'un cône*. Émouvoir.
affection f. Attachement, amitié. Maladie.
affectionner vt. Aimer : *— la solitude*.
affectueux, euse adj. Plein d'affection.
affermer vt. Donner ou prendre à ferme, à bail.
affermir vt. Rendre solide : *— la paix*.

affichage m. Action d'afficher.
affiche f. Avis placardé dans un lieu public.
afficher vt. Poser une affiche. Exprimer une opinion.
afficheur m. Poseur d'affiches.
affilée (d') loc. adv. Sans interruption.
affiler vt. Aiguiser.
affilier vt. Faire entrer dans un groupe, un parti.
affiner vt. Rendre plus fin, purifier : *— l'or.*
affinité f. Rapport, liaison. Conformité, accord.
affirmation f. Action d'affirmer.
affirmer vt. Assurer, soutenir.
affleurer vi. Apparaître à la surface : *rocher qui —.*
affliction f. Peine, chagrin très vif.
affliger vt. Causer de l'affliction. *(-gea,-geons.)*
affluence f. Grand nombre de personnes.
affluent m. Rivière qui se jette dans une autre.
affluer vi. Couler vers. Arriver en foule.
affolement m. Agitation due au désarroi.
affoler vt. Troubler profondément.
affranchir vt. Libérer, délivrer. Payer d'avance le port d'une lettre.
affranchissement m. Action d'affranchir.
affres fpl. Angoisses : *les — de la mort.*
affréter vt. Prendre un navire, un avion en louage.
affreux, euse adj. Effrayant. Repoussant, laid.
affriolant, e adj. Qui excite les sens.
affront m. Outrage public.
affronter vt. Attaquer, faire face.
affubler vt. Accoutrer.
affût m. Support de canon. Lieu où l'on se poste pour guetter. *À l'—*, aux aguets.
affûter vt. Aiguiser : *— un couteau.*
afin que loc. conj. Pour que.
a fortiori [-sjɔ-] loc. adv. À plus forte raison.

africain, e adj. et n. D'Afrique.
agacer vt. Irriter. Taquiner.
agapes fpl. Repas en commun entre amis.
agaric m. Nom de divers champignons.
agate f. Quartz à teintes vives, variées.
âge m. Durée de la vie. Vieillesse : *prendre de l'—*. Âge requis : *dispense d'—*. Époque.
âgé, e adj. Qui a tel âge. Vieux : *homme —*.
agence f. Entreprise commerciale s'occupant de différentes affaires : *— de voyages*.
agencer vt. Arranger, disposer. *(Agença, -çons.)*
agenda m. Carnet de notes journalier.
agenouiller (s') vpr. Se mettre à genoux.
agent m. Ce qui agit. Celui qui est chargé d'une fonction : *— d'assurances*. Policier en tenue.
agglomération f. Ensemble urbain.
agglomérer vt. Réunir en une seule masse.
agglutiner vt. Coller ensemble.
aggraver vt. Rendre plus grave, plus difficile à supporter.
agile adj. Leste, souple. Vif.
agilité f. Souplesse. Vivacité.
agiotage m. Spéculation excessive.
agir vi. Faire une action. Produire un effet. Se comporter : *bien —*.
agissements mpl. Façons d'agir blâmables.
agitateur, trice n. Qui incite à la révolte.
agitation f. Mouvement. Inquiétude, trouble.
agiter vt. Remuer. Troubler. Exciter : *— la foule*.
agneau m. Petit de la brebis.
agonie f. Lutte contre la mort. Déclin progressif.
agoniser vi. Être à l'agonie.
agrafe f. Crochet pour divers usages.
agrafer vt. Fixer avec des agrafes.
agraire adj. Relatif aux terres, à la culture.

agrandir vt. Rendre plus grand.
agrandissement m. Accroissement.
agréable adj. Qui plaît : *un — compagnon*.
agréer vt. Recevoir favorablement. vi. Plaire.
agrégation f. Assemblage de parties formant un tout. Concours de recrutement pour enseigner dans les lycées.
agrégé, e n. Professeur admis à l'agrégation.
agrément m. Consentement. Qualité de ce qui est agréable.
agrémenter vt. Orner : *habit — de broderies*.
agrès mpl. Cordages, appareils de gymnase.
agresseur m. Celui qui attaque.
agressif, ive adj. Porté à attaquer. Provocant.
agression f. Attaque : — *à main armée*.
agricole adj. Relatif à l'agriculture : *machine —*.
agriculteur, trice n. Personne qui cultive la terre.
agriculture f. Culture de la terre.
agripper vt. Saisir avec force.
agroalimentaire m. et adj. Industrie de transformation des produits agricoles.
agronomie f. Étude scientifique des questions agricoles.
agrumes mpl. Nom donné aux oranges, citrons, etc.
aguerrir vt. Habituer aux choses pénibles, difficiles.
aguets mpl. *Aux —*, qui guette, surveille.
aguicher vt. FAM. Exciter par des coquetteries.
ah! interj. de joie, de douleur, etc.
ahurir vt. Troubler, étourdir.
ahurissement m. Trouble, stupéfaction.
aide f. Secours. n. Personne qui aide.
aider vt. Secourir, assister. vi. Contribuer à.
aïeul, e n. Grand-père, grand-mère. mpl. *Les aïeux*, les ancêtres.

aigle m. Oiseau de proie. f. Étendard : *les — impériales.*
aiglon, onne n. Petit de l'aigle.
aigre adj. Acide. FIG. Criard, désagréable.
aigrefin m. Escroc.
aigrette f. Panache. Sorte de héron.
aigreur f. Goût aigre. Ton désagréable.
aigrir vt. Rendre aigre. vi. Devenir aigre.
aigu, ë adj. Pointu. Vif, perçant.
aiguillage m. Action d'aiguiller.
aiguille [egɥij] f. Tige fine d'acier servant pour coudre. Tige indiquant l'heure. Sommet pointu. Rail mobile pour les changements de voie.
aiguiller vt. Manœuvrer les aiguilles d'une voie ferrée. Orienter : *— une enquête.*
aiguilleur m. Qui est chargé de l'aiguillage des rails.
aiguillon m. Dard. FIG. Ce qui stimule.
aiguillonner vt. Piquer. Exciter.
aiguiser vt. Rendre aigu, coupant. Exciter.
ail [aj] m. Plante dont le bulbe est un condiment. (pl. *ails* ou *aulx*.)
aile f. Organe du vol des oiseaux, etc. Élément d'un avion, d'un moulin. Partie latérale.
ailé, e adj. Qui a des ailes : *un insecte —.*
ailette f. Pièce mécanique en forme de petite aile.
ailleurs adv. En un autre lieu.
aimable adj. Digne d'affection. Agréable.
aimant m. Oxyde de fer naturel qui attire le fer. Acier aimanté.
aimanter vt. Rendre semblable à l'aimant.
aimer vt. Avoir de l'amour, du goût pour.
aine f. Pli du haut de la cuisse.
aîné, e adj. Né le premier. Plus âgé.
aînesse f. Priorité d'âge entre frères et sœurs.

ainsi adv. De cette façon. Comme. Donc.
air m. Gaz de l'atmosphère. Vent. Manière. Aspect : *avoir bon —*. Musique d'un chant.
airain m. LITT. Bronze.
aire f. Surface. Lieu où on bat le grain.
aisance f. Facilité. Prospérité : *vivre dans l'—*.
aise f. Confort.
aisé, e adj. Commode. Facile. Fortuné.
aisselle f. Pli creux sous l'épaule.
ajonc m. Arbuste épineux à fleurs jaunes.
ajourer vt. Pratiquer des jours, des ouvertures.
ajourner vt. Renvoyer à un autre jour.
ajouter vt. Mettre en plus. Adjoindre.
ajuster vt. Adapter. Viser.
ajusteur m. Qui ajuste des pièces de métal.
alaise f. Toile interposée entre drap et matelas.
alambic m. Appareil pour distiller.
alambiqué, e adj. Compliqué, tortueux.
alarme f. Signal d'un danger. Inquiétude.
alarmer vt. Inquiéter : *s'— d'une nouvelle*.
albâtre m. Sorte de marbre translucide.
albinos m. Dont la peau et les cheveux sont très blancs, par suite de l'absence d'un pigment.
album m. Cahier ou classeur pour photos, timbres.
albumine f. Substance contenue dans le blanc d'œuf.
alchimie f. Art de la transmutation des métaux.
alcool m. Produit de la distillation du vin et d'autres liquides fermentés.
alcoolique adj. Qui contient de l'alcool. adj. et n. Qui abuse des boissons alcooliques.
alcoolisé, e adj. Qui contient de l'alcool.
alcoolisme m. Abus de l'alcool, des liqueurs.
alcôve f. Enfoncement dans une chambre, pour y placer un lit.

aléa m. Risque, hasard.
aléatoire adj. Hasardeux : *résultat —*.
alêne f. Poinçon du cordonnier.
alentour adv. Aux environs. mpl. Environs.
alerte f. Alarme. adj. Vif.
alerter vt. Donner l'alerte, avertir.
alésage m. Diamètre intérieur d'un cylindre.
aléser vt. Polir l'intérieur d'un tube.
alevin m. Menu poisson : *peupler d'— un étang.*
alexandrin m. Vers français de douze syllabes.
algarade f. Dispute vive et inattendue.
algèbre f. Calcul où les quantités sont remplacées par des lettres.
algérien, enne adj. et n. D'Algérie.
algue f. Plante aquatique.
alias [-jas] adv. Autrement dit, surnommé.
alibi m. Preuve qu'au moment des faits la personne soupçonnée se trouvait ailleurs.
aliénation f. Action d'aliéner. Folie.
aliéné, e n. Fou.
aliéner vt. Céder la propriété de.
aligner vt. Mettre en ligne.
aliment m. Ce qui nourrit : *— reconstituant.*
alimentaire adj. Propre à l'alimentation.
alimentation f. Nourriture.
alimenter vt. Nourrir.
alinéa m. Ligne en retrait qui indique un nouveau paragraphe.
aliter (s') vpr. Garder le lit.
alizé adj. et m. Vent d'est des tropiques.
allaiter vt. Nourrir de son lait.
allant m. Entrain, ardeur.
allécher vt. Attirer par un appât.
allée f. Chemin bordé d'arbres.
allégation f. Chose alléguée, affirmation.

allégeance f. Obligation d'obéissance.
alléger vt. Rendre plus léger.
allégorie f. Représentation symbolique.
allègre adj. Gai, vif.
allégresse f. Grande joie : *un cri d'—*.
alléguer vt. Prétexter : *— des empêchements*.
allemand, e adj. et n. D'Allemagne. m. Langue allemande.
aller vi. Se mouvoir d'un lieu vers un autre. Conduire : *où va ce chemin ?* Avancer, prospérer. Convenir : *cette robe me va*. Être sur le point de : *je vais sortir. S'en —*, partir. *(Vais, vas, va, vont ; irai ; allons, allez ; que j'aille.)*
allergie f. Réaction excessive à une substance.
alliage m. Combinaison de métaux par fusion.
alliance f. Union par mariage, par un traité.
allier vt. Mêler, unir. vpr. S'unir.
allô ! interj. servant à commencer un appel téléphonique.
allocation f. Action d'allouer. Somme allouée.
allocution f. Bref discours.
allonger vt. Rendre plus long. Étendre.
allouer vt. Accorder un crédit. Attribuer.
allumage m. Action d'allumer. Organes électriques d'un moteur à explosion.
allumer vt. Produire, communiquer le feu, la lumière. Susciter : *— la discorde, les désirs*.
allumette f. Petite tige de bois imprégnée de matière qui s'enflamme par frottement.
allure f. Façon de marcher, de se conduire.
allusion f. Évocation d'une personne, d'une chose, sans la nommer.
alluvions fpl. Dépôt laissé par les eaux.
almanach [-na] m. Calendrier contenant des renseignements divers.

aloi m. Titre légal des métaux précieux. *De bon* —, de bonne qualité.
alors adv. En ce temps-là, à ce moment-là.
alose f. Grand poisson voisin de la sardine.
alouette f. Petit oiseau des champs.
alourdir vt. Rendre plus lourd.
aloyau [alwajo] m. Pièce de bœuf à rôtir.
alpestre, alpin, e adj. Des Alpes.
alphabet m. Ensemble des lettres d'une langue.
alphanumérique adj. Qui comporte des chiffres et des caractères d'alphabet : *clavier* —.
alpinisme m. Sport des ascensions en montagne.
alpiniste n. Qui pratique l'alpinisme.
altération f. Détérioration. Falsification.
altercation f. Discussion, vif débat.
altérer vt. Détériorer. Falsifier. Donner soif.
alternance f. Passage de l'une à l'autre dans la succession régulière de deux choses.
alternatif, ive adj. Qui change tour à tour.
alterner vi. Se succéder régulièrement.
altesse f. Titre d'honneur des princes.
altier, ère adj. Fier, hautain, orgueilleux.
altitude f. Hauteur au-dessus du niveau de la mer.
alto m. Grand violon.
altruisme m. Amour d'autrui.
aluminium m. Métal blanc très léger.
alunir vt. Se poser sur la Lune.
alvéole m. Cavité dans les rayons d'une ruche.
amabilité f. Caractère aimable, prévenant.
amadouer vt. Gagner par des amabilités.
amaigrissement m. Fait de maigrir.
amalgame m. Mélange.
amande f. Graine comestible enfermée dans une coque dure.
amarre f. Câble servant pour amarrer.

amarrer vt. Attacher : *— une barque*.
amas m. Monceau, tas : *un — de détritus*.
amasser vt. Réunir, entasser : *— une fortune*.
amateur adj. et m. Qui cultive un art sans en faire sa profession : *musicien —*.
amazone f. Femme qui monte à cheval.
ambages mpl. Détours : *parler sans —*.
ambassade f. Fonction, local de l'ambassadeur.
ambassadeur m. Représentant d'un État auprès d'une puissance étrangère.
ambiance f. Ce qui entoure, atmosphère.
ambiant, e adj. Qui entoure : *l'air —*.
ambigu, ë adj. Équivoque, incertain.
ambitieux, euse adj. Qui a de l'ambition.
ambition f. Désir de gloire, de fortune.
ambivalent, e adj. Qui a deux valeurs différentes.
ambre m. Résine préhistorique jaune translucide.
ambré adj. Qui a la couleur, l'odeur de l'ambre.
ambulance f. Voiture servant au transport des malades, des blessés.
ambulancier m. Infirmier d'une ambulance.
ambulant, e adj. Qui va d'un lieu à un autre.
âme f. Esprit. Conscience. Habitant : *ville de 20 000 —*. Chef, organisateur : *l'— du complot*.
améliorer vt. Rendre meilleur : *— un vin*.
amen [amɛn] m. inv. Ainsi soit-il.
aménagement m. Action d'aménager. Son résultat.
aménager vt. Disposer, ordonner. *(-gea, -geons.)*
amende f. Peine pécuniaire : *payer une —*.
amendement m. Modification proposée d'un texte de loi.
amender vt. Améliorer : *— des terres*.
amène adj. Doux, agréable : *caractère —*.
amener vt. Mener. Apporter. Provoquer.
aménité f. Courtoisie.

amer, ère adj. De saveur âcre et rude. Pénible.
américain, e adj. et n. D'Amérique.
amerrir vi. Se poser sur l'eau (hydravion).
amertume f. Saveur amère. Aigreur. Affliction.
améthyste f. Pierre précieuse violette.
ameublement m. Mobilier.
ameuter vt. Assembler, soulever : — *la foule*.
ami, e n. Avec qui on est lié d'affection. Partisan. adj. Favorable.
amiable adj. De gré à gré : *arrangement à l'—*.
amiante m. Minerai incombustible.
amical adj. Inspiré par l'amitié : *conseil —*.
amidon m. Fécule des céréales : — *de blé*.
amidonner vt. Empeser avec de l'amidon.
amincir vt. Rendre mince.
amiral m. Grade le plus élevé dans la marine.
amirauté f. Commandement suprême des forces navales. Bâtiments où il siège.
amitié f. Attachement mutuel. Sympathie.
ammoniac m. Gaz très piquant.
ammoniaque f. Solution aqueuse d'ammoniac.
amnésie f. Diminution ou perte de la mémoire.
amniocentèse [-sɛ̃-] f. Ponction pour prélever du liquide de la cavité utérine pendant la grossesse, aux fins d'analyse.
amnistie f. Loi qui arrête les poursuites et efface les condamnations.
amoindrir vt. Rendre moindre, diminuer.
amollir vt. Rendre mou. Affaiblir.
amonceler vt. Entasser, accumuler. *(J'amoncelle.)*
amont m. La partie supérieure d'un fleuve.
amorce f. Appât. Poudre qui enflamme la charge d'une arme à feu, d'une bombe, etc.
amorcer vt. Appâter. Ébaucher, esquisser.
amorphe adj. Indolent, inconsistant.

amortir vt. Diminuer. Rembourser. Reconstituer le capital.
amortissement m. Action d'amortir.
amortisseur m. Dispositif qui amortit les chocs.
amour m. Attachement, passion : — *maternel.* Goût : — *des arts.* (Est du f. au pl.) — *-propre*, sentiment de sa propre dignité.
amouracher (s') vpr. Éprouver une passion soudaine et passagère pour quelqu'un.
amourette f. Amour passager : — *de jeunesse*.
amoureux, euse adj. et n. Qui aime.
amovible adj. Qui peut être déplacé.
ampère m. Unité de mesure d'intensité d'un courant électrique.
amphibie adj. Qui vit dans l'air et dans l'eau.
amphithéâtre m. Lieu circulaire garni de gradins autour d'une arène. Salle de cours à gradins.
amphore f. Vase antique à deux anses.
ample adj. Large, vaste.
ampleur f. Largeur. Étendue.
amplifier vt. Étendre, augmenter.
amplitude f. Ampleur, largeur.
ampoule f. Boursouflure dans l'épiderme. Enveloppe de verre d'une lampe électrique. Tube de verre hermétique contenant une dose de médicament.
amputer vt. Couper un membre, un organe.
amulette f. Talisman, porte-bonheur.
amusant, e adj. Qui amuse : *un journal* —.
amusement m. Action de s'amuser. Ce qui amuse.
amuser vt. Divertir. Récréer.
amuseur, euse n. Qui amuse.
amygdale f. Glande de chaque côté de la gorge.
an m. Année. *Jour de l'*—, le 1er janvier.
anachronisme m. Faute contre la chronologie.

anagramme f. Mot formé par la transposition des lettres d'un autre mot *(rage* et *gare)*.
analgésique adj. et m. Qui supprime la douleur.
analogie f. Conformité, similitude partielle.
analogue adj. Ressemblant.
analyse f. Décomposition d'un corps en ses éléments, d'une phrase en ses parties. Résumé.
analyser vt. Faire l'analyse de : — *une pièce*.
ananas m. Plante des pays chauds, à fruit très parfumé.
anarchie f. Absence de chef, d'autorité.
anarchique adj. Où règne l'anarchie.
anarchiste adj. et n. Partisan de l'anarchie.
anathème m. Condamnation publique.
anatomie f. Structure d'un corps. Dissection.
ancestral, e adj. Des ancêtres : *les coutumes* —.
ancêtre m. Ascendant très éloigné.
anche f. Languette de certains instruments à vent.
anchois m. Petit poisson de mer.
ancien, enne adj. Vieux, antique. Qui a cessé d'exercer une fonction : *un — professeur*.
ancienneté f. Caractère de ce qui est ancien. Temps passé dans une fonction.
ancre f. Pièce en acier, suspendue à un câble, et qui s'accroche au fond de l'eau pour fixer un bateau.
ancrer vt. Fixer avec une ancre. Inculquer.
andalou, se adj. et n. De l'Andalousie.
andouille f. Boyau rempli de morceaux de tripes de porc.
andouiller m. Corne du cerf, du daim, etc.
androgyne adj. et m. Qui tient des deux sexes.
âne, esse n. Quadrupède domestique. Homme ignorant et têtu.
anéantir vt. Réduire à néant.

anéantissement m. Action d'anéantir.
anecdote f. Petite histoire drôle ou satirique.
anémie f. Appauvrissement du sang.
anémique adj. Provoqué par l'anémie : *état —*.
anémone f. Plante aux fleurs décoratives.
ânerie f. Grande ignorance. Grosse sottise.
anesthésie f. Privation plus ou moins complète de la sensibilité.
anévrisme m. Dilatation d'une veine ou artère.
ange m. Créature céleste. Personne très bonne.
angélique adj. Très bon, très doux.
angine f. Inflammation de la gorge.
anglais, e adj. et n. D'Angleterre. m. Langue anglaise.
angle m. Coin. Intersection de deux lignes.
anglican, e n. Qui professe l'anglicanisme, religion d'État en Angleterre.
anglophone adj. et n. Qui parle anglais.
angoisse f. Grande inquiétude.
angoisser vt. Causer de l'angoisse.
angora m. Chèvre, chat, lapin à poils longs.
anguille f. Poisson de forme très allongée.
angulaire adj. Qui forme un angle.
anguleux, euse adj. Qui a des angles.
anicroche f. Petit ennui. Incident.
animal, e adj. Propre à l'animal. m. Être organisé, doué de mouvement et de sensibilité.
animation f. Vivacité, mouvement.
animer vt. Donner de l'animation. Exciter, encourager.
animisme m. Religion attribuant une âme aux objets et aux phénomènes naturels.
animosité f. Désir de nuire à quelqu'un.
anis [ani(s)] m. Plante ombellifère odorante.
anisette f. Liqueur composée avec de l'anis.

ankylose f. Rigidité d'une articulation.
annales fpl. Histoire écrite année par année.
anneau m. Cercle. Bague : *— de mariage.*
année f. Durée de douze mois : *l'— a 365 jours.*
annelé, e adj. Disposé en anneaux.
annexe adj. Relié à, dépendant de. f. Bâtiment annexe.
annexer vt. Joindre, unir, rattacher.
annexion f. Action d'annexer.
annihiler vt. Réduire à rien : *— des efforts.*
anniversaire m. Commémoration annuelle.
annonce f. Avis rendu public : *— de journal.*
annoncer vt. Faire savoir. Prédire.
Annonciation f. Message de l'ange Gabriel à la Vierge pour lui annoncer qu'elle mettra le Christ au monde.
annoter vt. Mettre des commentaires : *— un ouvrage.*
annuaire m. Publication annuelle d'un recueil de renseignements.
annuel, elle adj. Qui revient chaque année.
annuité f. Paiement annuel.
annulaire m. Le quatrième doigt.
annuler vt. Rendre nul, invalider.
anoblir vt. Accorder des titres de noblesse.
anodin, e adj. Inoffensif, bénin.
anomalie f. Irrégularité, exception.
ânon m. Petit âne.
ânonner vi. Lire, parler en hésitant.
anonyme adj. Non signé : *lettre —.* m. Inconnu.
anormal, e adj. Irrégulier, contraire à l'habitude.
anse f. Partie recourbée par laquelle on prend une tasse, un panier. GÉOGR. Petite baie.
ant, anté, anti préf. signifiant *avant, contre.*
antagonisme m. Rivalité, lutte.

antagoniste n. Adversaire, rival.
antan (d') loc. adj. D'autrefois.
antarctique adj. Du pôle Sud.
antécédent, e adj. Qui précède. mpl. Passé.
antédiluvien, enne adj. Antique, démodé.
antenne f. Élément métallique qui permet d'émettre ou de recevoir les ondes électromagnétiques (radio, télévision, etc.).
antérieur, e adj. Qui précède : *une époque* —.
anthologie f. Recueil de morceaux choisis.
anthracite m. Charbon dur à flamme courte.
anthrax m. Éruption de furoncles groupés.
anthropologie f. Étude de l'homme et de ses coutumes.
anthropométrie f. Mesure du corps humain.
anthropophage adj. Homme qui mange de la chair humaine.
anti. V. ANT.
antibiotique m. Substance qui empêche le développement de certains microbes.
antichambre f. Vestibule d'un appartement.
anticiper vt. Devancer, prévenir.
anticonceptionnel, elle adj. Qui permet la contraception.
anticorps m. Substance défensive engendrée par l'organisme.
antidater vt. Mettre une date antérieure.
antidote m. Contrepoison : *le lait est un bon* —.
antigel m. Produit qui empêche l'eau de geler.
antillais, e adj. et n. Des Antilles.
antilope f. Un ruminant voisin de la gazelle.
antimoine m. Métal blanc bleuâtre assez dur.
antinomie f. Contradiction, opposition.
antipathie f. Répugnance, aversion.
antipathique adj. Qui inspire de l'aversion.

antipode m. Lieu de la Terre diamétralement opposé à un autre. FIG. Le contraire.
antiquaire m. Marchand d'objets anciens.
antique adj. Très ancien. FIG. Passé de mode.
antiquité f. Temps anciens. Objet d'art ancien.
antisémite adj. Hostile aux Juifs.
antiseptique adj. Qui combat les microbes.
antithèse f. Opposition de mots, de pensées.
antonyme m. Mot dont le sens est opposé à celui d'un autre ; contraire.
antre m. Caverne, tanière.
anus m. Orifice du rectum.
anxiété f. Grande inquiétude : *vivre dans l'—.*
anxieux, euse adj. Qui est dans l'anxiété.
aorte f. Grosse artère partant du cœur.
août [u(t)] m. Huitième mois de l'année.
apaisement m. Action d'apaiser.
apaiser vt. Adoucir, calmer, rassurer.
aparté m. Ce qu'on dit à part soi.
apartheid m. Ségrégation raciale qui existait en Afrique du Sud.
apathie f. Indolence, nonchalance maladive.
apatride n. Qui n'a pas de nationalité.
apercevoir vt. Voir soudain. Découvrir.
aperçu m. Exposé sommaire, vue d'ensemble.
apéritif, ive adj. et m. Qui stimule l'appétit.
aphasie f. Trouble de la parole.
aphone adj. Sans voix, qui a perdu la parole.
aphrodisiaque adj. et m. Propre à exciter le désir sexuel.
aphte m. Petite lésion dans la bouche.
apiculture f. Art d'élever les abeilles.
apitoiement m. Compassion, pitié.
apitoyer vt. Susciter la pitié : *— le public.* vpr. Plaindre, compatir : *— sur quelqu'un.*

aplanir vt. Rendre uni. Faire disparaître (obstacle).
aplatir vt. Rendre plat. vpr. S'humilier.
aplomb m. Verticale. Équilibre. Confiance en soi.
apocalypse f. Événement épouvantable, catastrophe comparable à la fin du monde.
apocryphe adj. Non authentique : *testament —*.
apogée m. Point culminant : *l'— de la gloire*.
apolitique adj. Qui ne s'occupe pas de politique.
apologie f. Défense, justification.
apologue m. Court récit moral.
apoplexie f. Attaque causant une paralysie.
apostolat m. Mission d'un apôtre.
apostolique adj. D'apôtre. Du pape : *nonce —*.
apostrophe f. Interpellation. Signe orthographique indiquant une suppression de voyelle.
apothéose f. Honneurs extraordinaires, triomphe.
apôtre m. Chacun des douze principaux disciples de Jésus-Christ.
apparaître vi. Devenir visible. Se montrer soudain. (Conj. comme *paraître*.)
apparat m. Pompe, solennité : *un dîner d'—*.
appareil m. Mécanisme, machine : *— automatique*. Ensemble d'organes : *— respiratoire*.
appareiller vt. Disposer ensemble. vi. MAR. Partir.
apparence f. Aspect, dehors : *— trompeuses*.
appariteur m. Huissier d'université.
apparition f. Manifestation subite. Spectre.
appartement m. Logement de plusieurs pièces.
appartenir vi. Être à. Faire partie de. vpr. Être indépendant. (Conj. comme *tenir*.)
appas mpl. Attraits, charmes.
appât m. Morceau de nourriture, ver, pour attirer un animal. FIG. Ce qui attire : *l'— du gain*.
appâter vt. Attirer avec un appât.

appauvrir vt. Rendre pauvre.
appel m. Action d'appeler. Recours à un tribunal supérieur : *faire — d'un jugement.*
appeler vt. Inviter à venir. Désigner par un nom : — *son fils Jean.* vpr. Avoir un nom. vi. Faire appel : *en — d'un jugement. (J'appelle.)*
appellation f. Dénomination.
appendice [-pɛ̃-] m. Supplément. Organe étroit.
appendicite f. Inflammation de l'appendice du gros intestin *(cæcum).*
appentis [-pɑ̃-] m. Petit toit à une seule pente.
appert (il). Il résulte (du v. inusité *apparoir*).
appesantir vt. Rendre pesant. vpr. Insister.
appétissant, e adj. Qui excite l'appétit.
appétit m. Désir de manger. FIG. Convoitise.
applaudir vt. Frapper dans ses mains. Approuver.
applaudissement m. Action d'applaudir.
application f. Action d'appliquer, de s'appliquer : — *au travail.* Chose appliquée.
appliquer vt. Mettre sur. Mettre en pratique. vpr. — *à son travail*, y apporter beaucoup de soin, d'attention.
appoint m. Complément d'un compte.
appointements mpl. Salaire fixe.
apport m. Ce qu'on apporte.
apporter vt. Porter à. Fournir.
apposer vt. Appliquer, mettre : — *une marque.*
apposition f. Action d'apposer. Mot ou groupe de mots joints à un nom pour le préciser.
appréciation f. Action d'apprécier. Jugement.
apprécier vt. Évaluer, estimer. Faire cas de.
appréhender vt. Saisir : — *un voleur.* Craindre.
appréhension f. Crainte : *l'— de la mort.*
apprendre vt. Acquérir des connaissances. Informer : — *une nouvelle.* Enseigner : — *à lire.*

apprenti, e n. Qui apprend un métier. Novice.
apprentissage m. Action d'apprendre un métier.
apprêt m. Préparation. Ce qui sert à apprêter.
apprêter vt. Préparer. Cuisiner : — *un mets.*
apprivoiser vt. Domestiquer. Rendre sociable.
approbation f. Action d'approuver.
approche f. Action d'approcher. pl. Abords.
approcher vt. Mettre près de. vi. Être proche.
approfondir vt. Creuser.
approprier vt. Rendre propre à. vpr. S'emparer.
approuver vt. Agréer. Juger bon : — *un acte.*
approvisionner vt. Munir de provisions.
approximation f. Estimation, aperçu.
appui m. Soutien, support : *accorder son —.*
appuyer vt. Soutenir. vi. Peser, insister : — *sur un détail. (Appuie, appuyons.)*
âpre adj. Rude au goût, au toucher. Violent.
après prép. À la suite. Contre. Ensuite. *D'—*, suivant, selon. adv. *—-demain*, le jour qui suit demain. m. *—-midi*, de midi au soir.
âpreté f. État de ce qui est âpre. Rudesse.
a priori loc. adv. Au premier abord. m. inv. Préjugé.
à-propos m. Chose dite, faite opportunément.
apte adj. Propre à : — *au travail.*
aptitude f. Prédisposition, capacité.
aquarelle f. Peinture à l'eau.
aquarium m. Réservoir pour élever des poissons.
aquatique adj. Qui vit dans l'eau : *plante —.*
aqueduc m. Canal d'adduction d'eau.
aqueux, euse adj. De la nature de l'eau.
aquilin, e adj. En bec d'aigle : *un nez —.*
arabe adj. et n. D'Arabie. m. La langue arabe.
arabesque f. Entrelacs décoratif.
arabique adj. *Gomme —*, fournie par des acacias.

arachide f. Une plante oléagineuse : *huile d'—*.
arachnides [arak-] mpl. Classe des araignées, des scorpions.
araignée f. Arthropode à huit pattes : *toile d'—*.
araser vt. Mettre de niveau : *— un mur*.
arbalète f. Arc à ressort monté sur fût.
arbitrage m. Jugement rendu par un arbitre.
arbitraire adj. Qui dépend du bon vouloir de quelqu'un. m. Despotisme.
arbitre m. Qui tranche un différend. Médiateur.
arborer vt. Dresser. Hisser : *— un pavillon*.
arborescent, e adj. Qui ressemble à un arbre.
arbre m. Végétal de grande taille. MÉC. Axe.
arbrisseau, arbuste m. Petit arbre.
arc m. Arme pour lancer des flèches. Courbe couronnant une ouverture.
arcade f. Galerie couverte.
arc-boutant m. Pilier de soutien arqué. *(—s - —s.)*
arceau m. Petite arche, petit arc.
arc-en-ciel m. Phénomène lumineux en arc, présentant les couleurs du spectre. *(Arcs-.)*
archaïque adj. Vieilli : *expression —*.
archange [-kɑ̃ʒ] m. Ange d'un rang supérieur.
arche f. Voûte en arc : *— de pont*.
archéologie [-ke-] f. Science des civilisations antiques.
archer m. Soldat armé d'un arc.
archet m. Baguette garnie de crin pour jouer du violon.
archétype [-ke-] m. Modèle primitif, idéal.
archevêché m. Diocèse, palais de l'archevêque.
archevêque m. Chef de province ecclésiastique.
archi préf. signifiant *extrême, très grand*.
archiduc m. Prince de la maison d'Autriche.
archipel m. Groupe d'îles.

architecte n. Qui construit des édifices.
architecture f. Art de bâtir : *école d'—.*
archives fpl. Documents anciens qu'on garde.
arçon m. Armature de la selle.
arctique adj. Du pôle Nord.
ardemment [-da-] adv. Avec ardeur.
ardent, e adj. Brûlant. Actif, vif : *caractère —.*
ardeur f. Chaleur extrême. Vivacité, fougue.
ardoise f. Pierre tendre, bleuâtre, pour toiture.
ardu, e adj. Escarpé. Difficile : *travail —.*
are m. Superficie de 100 m^2.
arène f. Espace sablé au centre d'un amphithéâtre. FIG. Terrain de lutte.
arête f. Os de poisson. Angle saillant.
argent m. Métal blanc. Monnaie. Richesse.
argenter vt. Couvrir d'argent : *métal —.*
argenterie f. Vaisselle d'argent : *— de table.*
argentin, e adj. Qui a le son de l'argent. n. et adj. De l'Argentine.
argile f. Terre molle, grasse : *— à modeler.*
argot m. Vocabulaire particulier à un groupe, à une profession, etc.
arguer [argɥe] vi. Conclure. Prétexter.
argument m. Raisonnement qui appuie une affirmation.
argus m. Publication fournissant des renseignements spécialisés parus dans la presse.
argutie [-si] f. Raisonnement trop subtil.
aride adj. Sec, stérile : *sol —.*
aridité f. Sécheresse : *— d'une terre.*
aristocrate n. Membre de l'aristocratie.
aristocratie f. Classe des nobles.
aristocratique adj. De l'aristocratie.
arithmétique f. Art de calculer.
armagnac m. Eau-de-vie renommée.

armateur m. Qui arme ou équipe un navire.
armature f. Charpente métallique de soutien.
arme f. Instrument pour attaquer ou se défendre. pl. Carrière militaire. Blason.
armée f. Troupes régulières d'un État.
armement m. Action d'armer. Ensemble d'armes : *l'— moderne*. Équipement d'un navire.
armer vt. Pourvoir d'armes. Équiper un navire.
armistice m. Arrêt momentané de la guerre.
armoire f. Meuble à tablettes et à portes.
armoiries fpl. Blason : *les — de Paris*.
armure f. Défense métallique pour le corps.
armurerie f. Profession d'armurier. Son magasin.
armurier m. Qui fait ou qui vend des armes.
aromate m. Substance végétale parfumée.
aromatique adj. De la nature des aromates.
arôme m. Parfum, fumet.
arpège m. Accord de notes successives.
arpent m. Ancienne mesure agraire (50 ares).
arpenter vt. Mesurer une terre. Parcourir.
arpenteur m. Celui qui mesure une terre.
arquebuse f. Ancienne arme à feu.
arquer vt. Courber en arc.
arracher vt. Détacher avec effort. Extirper.
arrangement m. Action d'arranger.
arranger vt. Ordonner. Terminer à l'amiable.
arrérages mpl. Ce qui reste dû d'une rente.
arrestation f. Action d'arrêter un criminel.
arrêt m. Action d'arrêter. Jugement.
arrêté m. Décision de l'administration.
arrêter vt. Empêcher de marcher. Interrompre. Emprisonner. Fixer.
arrhes fpl. Versement en gage d'une commande.
arrière adv. En sens opposé. m. Partie postérieure.

arriéré, e adj. En retard. m. Ce qui reste dû.
arrière-garde f. Troupes fermant la marche.
arrière-goût m. Goût qui reste dans la bouche.
arrière-pensée f. Intention cachée. *(— - —s.)*
arrière-plan m. Fond d'un tableau, paysage.
arrimer vt. Fixer avec soin une charge.
arrivage m. Arrivée de marchandises.
arrivée f. Action d'arriver. Moment où on arrive.
arriver vi. Parvenir : — *chez soi*. Atteindre. Avoir lieu : *un accident est* —.
arrogance f. Morgue, hauteur : *parler avec* —.
arroger (s') vpr. S'attribuer, s'approprier.
arrondir vt. Rendre rond. Augmenter, grossir.
arrondissement m. Circonscription administrative.
arrosage m. Action d'arroser.
arroser vt. Mouiller par aspersion. Couler à travers : *la Seine — Paris*.
arrosoir m. Récipient pour arroser.
arsenal m. Dépôt d'armes, munitions. Chantier de construction pour navires de guerre.
arsenic m. Métalloïde très toxique.
art m. Manière de faire une chose avec talent. Talent, habileté. Peinture, sculpture, musique.
artère f. Vaisseau recevant le sang du cœur.
arthrite f. Inflammation d'une articulation.
arthropodes mpl. Embranchement du règne animal, comprenant les insectes, arachnides, crustacés, etc.
arthrose f. Affection non inflammatoire des articulations.
artichaut m. Plante potagère.
article m. Écrit : — *de journal*. Objet de commerce : — *de papeterie*. Particule qui précède le nom et le détermine : — *défini*, — *indéfini*.

articulation f. Jointure des os. Prononciation.
articuler vt. Assembler. Prononcer : *— un son.*
artifice m. Ruse. *Feu d'—*, tirs de fusées lumineuses.
artificiel, elle adj. Qui n'est pas naturel.
artificier m. Qui fait des feux d'artifice.
artificieux, euse adj. Rusé. Hypocrite.
artillerie f. Partie des armées de terre et de mer chargée du lancement des projectiles.
artilleur m. Soldat d'artillerie.
artisan m. Qui exerce une activité manuelle pour son propre compte. FIG. Auteur.
artisanat m. Qualité d'artisan : *— rural.*
artiste m. Qui exerce un des beaux-arts.
artistique adj. Relatif aux arts.
as m. Carte, dé marqués d'un point. Champion.
ascendant, e adj. Qui monte. m. Influence. pl. Les parents dont on descend.
ascenseur m. Appareil servant à élever ou à descendre verticalement les personnes.
ascension f. Action de monter ou de s'élever.
ascète m. Qui mène une vie austère par principe.
asepsie f. Absence de germes infectieux.
asexué, e adj. Sans sexe.
asiatique adj. et n. D'Asie.
asile m. Lieu de refuge. Hospice.
aspect m. Apparence. Tournure.
asperge f. Plante potagère.
asperger vt. Arroser. *(Aspergea, aspergeons.)*
aspérité f. Rugosité, saillie : *les — du sol.*
aspersion f. Action d'asperger.
asphalte m. Bitume pour chaussées.
asphyxie f. Arrêt de la respiration.
asphyxier vt. Causer l'asphyxie.
aspic m. Une vipère. Plat en gelée.

aspirant, e adj. Qui aspire. m. Enseigne de marine. Élève officier.
aspirateur m. Appareil pour aspirer les poussières.
aspiration f. Action d'aspirer. Vœu, désir.
aspirer vt. Attirer l'air, l'eau avec la bouche, avec une pompe, etc. vi. Prétendre, viser à.
assaillir vt. Attaquer vivement. Importuner.
assainir vt. Rendre sain : — *l'atmosphère*.
assaisonner vt. Accommoder un mets.
assassin m. Qui commet un meurtre.
assassinat m. Meurtre.
assassiner vt. Tuer.
assaut m. Attaque violente à plusieurs.
assécher vt. Mettre à sec : — *un étang*.
assemblage m. Action d'assembler. Réunion.
assemblée f. Réunion de personnes.
assembler vt. Réunir. Joindre. Convoquer.
assener vt. Porter avec violence : — *un coup*.
assentiment m. Consentement : *donner son* —.
asseoir vt. Mettre sur un siège. Établir : — *une théorie. (Assieds* ou *assois ; -eyons ; assis ; assiérai* ou *assoirai ; asseye* ou *assoie ; asseyant.)*
assermenter vt. Faire prêter serment.
assertion f. Affirmation.
asservir vt. Réduire à l'esclavage : — *un peuple*.
assesseur m. Adjoint d'un magistrat.
assez adv. En quantité suffisante.
assidu, e adj. Qui montre de l'assiduité.
assiduité f. Exactitude, application.
assiéger vt. Faire le siège d'un lieu. *(Assiégea.)*
assiette f. Pièce de vaisselle. Son contenu. Base de l'impôt.
assignat m. Papier-monnaie de la Révolution.
assigner vt. Appeler en justice. Prescrire.

assimiler vt. Comparer. Incorporer à l'organisme : — *une nourriture*.
assis, e adj. Qui est sur son séant. Bien établi. f. Rangée de pierres. *Cour d'assises*, tribunal qui juge les affaires criminelles.
assistance f. Secours, protection. Auditoire.
assister vi. Être présent. vt. Secourir, aider.
association f. Action d'associer. Union.
associer vt. Donner une part dans. Réunir.
assoiffé, e adj. Qui a soif.
assombrir vt. Rendre sombre. vpr. Devenir sombre.
assommer vt. Tuer ou étourdir avec un corps pesant. Accabler : — *de questions*.
Assomption f. Élévation de la Vierge au ciel. Fête qui commémore cet événement (15 août).
assortir vt. Réunir des personnes, des choses qui vont bien ensemble.
assoupir vt. Endormir à demi. Calmer.
assouplir vt. Rendre souple.
assourdir vt. Rendre comme sourd.
assouvir vt. Rassasier pleinement.
assujettir vt. Soumettre. Astreindre. Fixer.
assumer vt. Prendre en charge, accepter.
assurance f. Confiance. Garantie. Contrat avec un assureur.
assurer vt. Rendre sûr. Garantir contre un dommage : — *contre l'incendie*. Affirmer.
assureur m. Celui qui couvre des risques dans un contrat d'assurance.
astérisque m. Signe typographique (*).
asthme [asm] m. Gêne respiratoire.
asticot m. Larve de mouche, ver.
astigmatisme m. Un trouble visuel.
astiquer vt. Frotter, faire briller.

astragale m. Os du pied. Moulure de colonne.
astrakan m. Fourrure d'agneau à poil frisé.
astre m. Corps céleste, étoile, planète.
astreindre vt. Obliger. (Conj. comme *craindre*.)
astringent, e adj. Qui resserre les pores de la peau.
astrologie f. Prédiction d'après les astres.
astronautique f. Science de la navigation dans l'espace.
astronomie f. Étude des astres.
astuce f. Ruse. Finesse maligne : *avoir de l'—*.
astucieux, euse adj. Rusé : *un voleur —*.
asymétrie f. Défaut de symétrie.
atavisme m. Hérédité.
atelier m. Lieu où travaillent les ouvriers ou les artistes : *— de serrurier, de peintre*.
atermoiement m. Délai, faux-fuyant.
athée adj. et n. Qui ne croit pas en Dieu.
athlète n. Sportif de compétition.
athlétisme m. Ensemble des sports individuels.
atlas m. Recueil de cartes. Vertèbre du cou.
atmosphère f. Air qui environne la Terre.
atome m. Élément d'une molécule.
atomique adj. Relatif à l'atome.
atomiste n. Savant qui étudie les phénomènes atomiques.
atout m. Carte de la couleur gagnante. Chance.
atroce adj. Très cruel. Horrible : *douleur —*.
atrocité f. Action atroce : *commettre des —*.
atrophie f. Dépérissement d'un organe.
atrophier (s') vpr. Dépérir.
attabler (s') vpr. Se mettre à table.
attachant, e adj. Qui suscite un vif intérêt.
attache f. Lien. Point de fixation. Affection.
attaché n. Membre d'une ambassade, d'un cabinet ministériel, etc.

attachement m. Sentiment d'affection.
attacher vt. Joindre, fixer. Lier. Attribuer : — *de l'intérêt.* vpr. S'appliquer, s'intéresser.
attaque f. Action d'attaquer. Accès d'un mal.
attaquer vt. Assaillir. Provoquer. Ronger.
attarder (s') vpr. Se mettre en retard.
atteindre vt. Toucher. Joindre. (Conj. c. *craindre*.)
atteinte f. Préjudice. Début d'une maladie.
attelage m. Animaux attelés.
atteler vt. Attacher à une voiture : — *un cheval.*
attendre vt. Rester jusqu'à l'arrivée de. vpr. Compter sur. *Attendu que*, vu que.
attendrir vt. Rendre tendre. Émouvoir.
attendrissement m. Émotion. Tendresse.
attentat m. Agression criminelle.
attente f. État de celui qui attend.
attenter vi. Commettre un attentat contre.
attentif, ive adj. Qui prête attention à.
attention f. Application d'esprit. Égard.
atténuer vt. Diminuer, amortir : — *un choc.*
atterrer vt. Accabler : *un malheur qui nous —.*
atterrir vi. Se poser sur le sol : *l'avion —.*
atterrissage m. Action d'atterrir : *terrain d'—.*
attestation f. Certificat. Preuve.
attester vt. Certifier.
attifer vt. Fam. Accoutrer.
attirail m. Choses nécessaires : — *de pêche.*
attirer vt. Tirer à soi. Plaire à.
attiser vt. Activer le feu. Exciter.
attitude f. Façon de se tenir, posture.
attouchement m. Action de toucher.
attraction f. Action d'attirer. pl. Distractions.
attrait m. Ce qui attire. Penchant. Charme.
attrape f. Ruse, apparence trompeuse.
attraper vt. Saisir. Prendre au piège.

attrayant, e adj. Qui attire : *manières —.*
attribuer vt. Assigner. Imputer.
attribut m. Ce qui est propre à. Symbole.
attrister vt. Rendre triste.
attroupement m. Rassemblement.
aubade f. Concert qui était donné à l'aube sous les fenêtres de quelqu'un.
aubaine f. Profit inespéré.
aube f. Point du jour. Vêtement blanc des prêtres. Palette d'une roue, turbine, hélice, etc.
aubépine f. Arbrisseau épineux.
auberge f. Hôtellerie de campagne.
aubergine f. Plante solanacée comestible.
aubier m. Bois entre l'écorce et le cœur.
aucun, e adj. et pron. Pas un : *— enfant.*
audace f. Grande hardiesse, courage.
audacieux, euse adj. Qui a de l'audace.
audible adj. Que l'on peut entendre.
audience f. Fait d'être écouté ou lu. Entretien. Séance d'un tribunal.
audiovisuel, elle adj. et m. Se dit des méthodes de communication et d'enseignement qui utilisent l'image et le son.
auditeur m. Qui écoute : *un — attentif.*
audition f. Action d'entendre : *l'— des témoins.*
auditoire m. Ensemble d'auditeurs.
auge f. Récipient qui sert à divers usages.
augmentation f. Action d'augmenter : *— de salaire.*
augmenter vt. Accroître : *— ses chances.*
augure m. Celui qui prédit l'avenir. Présage.
augurer vt. Présumer. Prévoir.
auguste adj. Majestueux, imposant.
aujourd'hui adv. Dans le jour où l'on est.
aulne [on] m. Arbre qui croît près de l'eau.
aumône f. Don fait aux pauvres : *faire l'—.*

aumônier m. Prêtre attaché à un service.
aune f. Ancienne mesure de longueur (1,18 m).
auparavant adv. Avant.
auprès adv. À proximité de. — *de*, à côté de.
auréole f. Cercle lumineux autour de la tête des saints.
auriculaire adj. De l'oreille. m. Petit doigt.
aurifier vt. Obturer une dent avec de l'or.
aurore f. Lumière qui précède le jour.
ausculter vt. Écouter les bruits produits par les organes humains.
auspice m. Présage. pl. Protection.
aussi adv. De même, également. De plus. À ce point. C'est pourquoi.
aussitôt adv. Au moment même. — *que*, dès que.
austère adj. Sévère, rigoureux : *mœurs* —.
austérité f. Sévérité. Rigueur.
australien, enne adj. et n. D'Australie.
autant adv. De façon équivalente.
autarcie f. Indépendance économique.
autel m. Table pour célébrer la messe.
auteur m. Écrivain. Qui est cause de.
authentique adj. Certain, vrai : *document* —.
auto préf. signifiant *par soi-même*. f. Automobile.
autobus [-bys], **autocar** m. Gros véhicule automobile de transport de voyageurs.
autoclave m. Marmite pour cuire en vase clos.
autocollant, e adj. Recouvert d'une gomme adhérente.
autocrate m. Souverain absolu.
autocritique f. Jugement d'une personne sur sa propre conduite.
autodidacte adj. Qui s'est instruit seul.
auto-école f. Centre d'enseignement de la conduite automobile. (pl. — - —*s*.)

autogène adj. Sans autre matière (soudure).
autogestion f. Gestion d'une entreprise par un comité de travailleurs.
autographe m. Écrit de la main de l'auteur.
automate m. Machine qui imite le mouvement d'un être animé.
automatique adj. Dont l'effet est immédiat. Qui s'effectue par des moyens mécaniques.
automne m. Saison de l'année.
automobile adj. Qui se meut par soi-même. f. Véhicule automobile.
automobiliste n. Qui conduit une automobile.
autonome adj. Qui se gouverne par soi-même.
autopsie f. Dissection, examen d'un cadavre.
autoradio m. Poste de radio intégré dans une voiture.
autorail m. Voiture de chemin de fer à moteur.
autorisation f. Pouvoir, permission.
autoriser vt. Donner une autorisation.
autoritaire adj. Qui exige l'obéissance.
autorité f. Domination. Pouvoir. Commandement. pl. Représentants du pouvoir.
autoroute f. Route aménagée pour une circulation rapide.
auto-stop m. sing. Procédé consistant à arrêter un automobiliste pour lui demander d'être transporté gratuitement.
autour adv. Dans l'espace environnant.
autre adj. Différent. Second.
autrefois adv. Dans un passé lointain.
autrichien, enne adj. et n. D'Autriche.
autruche f. Grand oiseau coureur d'Afrique.
autrui pron. indéf. Les autres.
auvent m. Petit toit en saillie.
auxiliaire adj. et n. Qui aide : *personnel —. Verbes —*, les verbes *être* et *avoir*.

avachi, e adj. Déformé, usé.
aval m. Côté vers lequel coule une rivière. Garantie donnée par un tiers.
avalanche f. Masse de neige qui dévale.
avaler vt. Faire descendre par le gosier.
avance f. Espace parcouru avant quelqu'un : *prendre de l'—*. Paiement anticipé.
avancement m. Action d'avancer. Progrès.
avancer vt. Porter, mettre en avant. vi. Aller en avant.
avanie f. Affront public.
avant adv. Indique ce qui est antérieur. *En —*, devant. m. La partie antérieure.
avantage m. Ce qui est profitable. Succès.
avantageux, euse adj. Qui donne un avantage.
avant-bras m. Le bras, du coude au poignet.
avant-coureur adj. et m. Qui annonce un événement.
avant-dernier, ère adj. Qui précède le dernier.
avant-garde f. La première ligne d'une armée.
avant-goût m. Première impression d'une chose.
avant-hier adv. L'avant-veille.
avant-propos m. Préface.
avant-scène f. Partie de la scène devant le rideau.
avant-veille f. Jour avant la veille.
avare n. Qui aime accumuler l'argent.
avarice f. Amour excessif de l'argent.
avarie f. Dommage survenu à un navire.
avarier vt. Endommager, gâter.
avatar m. Incarnation. Métamorphose.
avec prép. En même temps que. Au moyen de. Envers : *charitable — les pauvres*.
avenant, e adj. Agréable. m. Modification d'un contrat.
avènement m. Venue, arrivée : *l'— d'un roi*.

avenir m. Temps futur. Situation future.
aventure f. Événement imprévu. Entreprise risquée : *aimer l'—*.
aventurer vt. Hasarder, risquer.
aventureux, euse adj. Exposé, risqué.
aventurier, ère n. Qui recherche les aventures.
avenue f. Large rue.
avérer (s') vpr. Se révéler, apparaître.
averse f. Pluie subite et abondante.
aversion f. Vive antipathie.
avertir vt. Informer, prévenir : *— de son départ*.
avertissement m. Action d'avertir.
aveu m. Action d'avouer. Déclaration.
aveugle n. et adj. Personne privée de la vue.
aveugler vt. Priver de la vue. Éblouir.
aveuglette (à l') loc. adv. Sans y voir.
aviateur, trice n. Qui pilote un avion.
aviation f. Navigation aérienne en avion.
avide adj. Qui désire ardemment.
avidité f. Désir ardent. Convoitise insatiable.
avilir vt. Déprécier. Rendre vil.
avion m. Appareil de navigation aérienne.
aviron m. Rame d'embarcation.
avis m. Opinion. Point de vue. Conseil.
aviser vt. Apercevoir. Avertir.
aviso m. Petit bâtiment de guerre.
avocat, e n. Qui plaide en justice.
avocat m. Fruit à noyau en forme de poire.
avoine f. Graminée pour nourrir les chevaux.
avoir vt. Posséder. Éprouver. Obtenir. (*Ai, as, a, avons, avez, ont ; eus,* etc. ; *aurai,* etc. ; *aie, ayons, ayez ; que j'aie,* etc.)
avoisiner vi. Être voisin de.
avorter vi. Accoucher avant terme. Rater.
avorton m. Tout être chétif, mal fait.

avoué m. Officier ministériel.
avouer vt. Confesser, reconnaître : — *ses torts.*
avril m. Quatrième mois de l'année.
axe m. Tige autour de laquelle tourne un corps.
axiome m. Principe admis comme évident.
ayatollah m. Chef religieux de l'islam.
azimut m. *Tous —*, toutes directions.
azote m. Gaz qui fait partie de l'air.
azur m. Couleur bleue du ciel.
azyme adj. Sans levain : *pain —.*

B

baba m. Gâteau imbibé de rhum. adj. FAM. Étonné.
babeurre m. Résidu de la fabrication du beurre.
babiller vi. Bavarder comme les enfants.
babine f. Lèvre pendante de certains animaux.
babiole f. FAM. Tout objet sans valeur.
bâbord m. Côté gauche d'un navire, dans le sens de la marche.
babouche f. Pantoufle laissant le talon libre.
babouin m. Sorte de singe.
bac m. Bateau long et plat. Baquet, cuve.
baccalauréat m. Premier diplôme universitaire.
baccara m. Un jeu de cartes.
bacchanale [-ka-] f. Débauche bruyante. pl. Fêtes antiques.
bâche f. Cuir, toile pour abriter des marchandises.
bachelier, ère n. Qui a obtenu le baccalauréat.
bacille [basil] m. Microbe en forme de bâtonnet.
bâcler vt. FAM. Faire à la hâte et sans soin.
bactérie f. Organisme minuscule présent dans le monde vivant.
badaud m. Qui s'attarde à regarder le spectacle de la rue.
baderne f. Homme âgé et d'esprit borné.
badge m. Insigne muni d'une inscription.
badigeon m. Enduit de chaux. Préparation pharmaceutique.
badigeonner vt. Enduire de badigeon.
badin, e adj. Enjoué.
badine f. Baguette, canne mince.
badiner vi. Plaisanter avec enjouement.
bafouer vt. Railler sans pitié. Ridiculiser.

bafouiller vt. Parler de façon inintelligible.
bâfrer vi. Manger avidement, avec excès.
bagage m. Équipement de voyage.
bagarre f. Dispute, querelle. Altercation.
bagatelle f. Chose de peu de valeur.
bagne m. Lieu où étaient détenus les condamnés aux travaux forcés.
bagout m. Tendance à parler beaucoup.
bague f. Anneau pour le doigt.
baguette f. Bâton menu et flexible.
bah ! interj. Marque l'étonnement, le doute.
bahut m. Buffet rustique.
bai, e adj. Rougeâtre à crins noirs (cheval).
baie f. Ouverture. Petit golfe. Fruit charnu.
baigner vt. Mettre dans un bain. Arroser. vi. Être plongé : — *dans l'eau.* vpr. Prendre un bain.
baigneur, euse n. Personne qui se baigne.
baignoire f. Récipient pour se baigner.
bail [baj] m. Contrat de louage. (pl. *baux.*)
bâiller vi. Ouvrir largement la bouche.
bâillon m. Tissu mis sur ou dans la bouche pour empêcher de crier.
bâillonner vt. Mettre un bâillon.
bain m. Liquide où on se baigne, où l'on plonge une chose. pl. Établissement de bains.
baïonnette f. Arme blanche fixée au fusil.
baisemain m. Baiser sur la main, en hommage.
baiser vt. Embrasser. m. L'action d'embrasser.
baisse f. Diminution : — *de valeur.*
baisser vt. Abaisser. Diminuer de hauteur.
bajoue f. Joue de certains animaux.
bal m. Assemblée où l'on danse. (pl. *bals.*)
balade f. Fam. Promenade.
balader (se) vpr. Fam. Se promener, flâner.
baladeuse f. Lampe électrique mobile.

baladin m. Bateleur.
balafre f. Cicatrice allongée au visage.
balai m. Faisceau de fibres pour nettoyer le sol.
balance f. Instrument pour peser.
balancement m. Mouvement d'oscillation.
balancer vt. Faire osciller. vi. Hésiter. vpr. Jouer sur une balançoire *(Balançons.)*
balancier m. Régulateur d'horloge.
balançoire f. Siège suspendu pour se balancer.
balayage m. Action de balayer.
balayer vt. Nettoyer avec un balai. Chasser : — *un doute. (Balaye* ou *balaie.)*
balayeur, euse n. Qui balaye.
balayure f. Ordure balayée.
balbutiement m. Action de balbutier.
balbutier [-sje] vt. Prononcer avec difficulté.
balcon m. Plate-forme saillant sur la façade.
baldaquin m. Tenture dressée au-dessus d'un trône, d'un lit, etc.
baleine f. Grand mammifère marin.
baleinière f. Embarcation légère et rapide.
balise f. Bouée, signal, dans un port, etc.
balistique f. Science des projectiles.
baliverne f. Propos futile : *raconter des —*.
ballade f. Petit poème.
ballant, e adj. Qui pend et oscille.
ballast m. Pierres concassées servant à maintenir des rails.
balle f. Petite sphère élastique pour jouer. Projectile des armes à feu. Gros paquet de marchandises.
balle f. Enveloppe du grain des céréales.
ballerine f. Danseuse professionnelle.
ballet m. Spectacle de chorégraphie.
ballon m. Grosse balle pour jouer. Aérostat.

ballonné, e adj. Gonflé, distendu.
ballot m. Petite balle, paquet : *— de linge*.
ballottage m. Scrutin sans majorité absolue.
ballotter vt. Agiter en tous sens. vi. Remuer.
balnéaire adj. Situé au bord de la mer.
balourd, e adj. Lourd, obtus : *un esprit —*.
balourdise f. Grosse sottise : *dire des —*.
balustrade f. Parapet, rampe.
bambin m. Petit enfant.
bambou m. Grand roseau des pays chauds.
ban m. Roulement de tambour. Applaudissements.
banal, e adj. Sans originalité.
banalité f. Caractère banal. Parole banale.
bananier m. Plante des pays chauds dont le fruit *(banane)* est un aliment excellent.
banc m. Siège étroit et long. Masse de sable sous l'eau. Troupe de poissons.
bancaire adj. Relatif à la banque.
bancal, e adj. FAM. Boiteux. Dont les pieds sont inégaux : *siège —*.
bandage m. Bande, appareil pour soutenir un pansement, etc. Cercle qui entoure la jante.
bande f. Lien plat, lanière. Ruban en matière plastique servant à l'enregistrement des sons et des images.
bandeau m. Bande qui entoure le front, qui couvre les yeux.
bander vt. Couvrir avec un bandage. Raidir en tendant.
banderille f. Pique pour courses de taureaux.
banderole f. Longue bande d'étoffe.
bandit m. Voleur armé.
bandoulière f. Bande qui soutient une arme, un sac.

banjo m. Sorte de guitare ronde.
banlieue f. Agglomération autour d'une grande ville.
bannière f. Enseigne, drapeau.
bannir vt. Expulser, proscrire.
banque f. Commerce de l'argent. Lieu où il s'exerce. JEUX. Mise de celui qui tient le jeu.
banqueroute f. Faillite frauduleuse.
banquet m. Grand repas, festin.
banqueter vi. Prendre part à un banquet.
banquette f. Siège d'une automobile, d'un train.
banquier m. Directeur d'une banque.
banquise f. Amas d'eau de mer gelée, aux pôles.
baobab m. Très gros arbre d'Afrique.
baptême [batɛm] m. Sacrement de l'Église.
baptiser vt. Conférer le baptême.
baquet m. Petite cuve de bois : *— de lessive*.
bar m. Débit de boissons où l'on peut consommer debout. Poisson de mer estimé.
baragouiner vt. et i. Parler mal une langue.
baraque f. Hutte en planches. Maison mal bâtie.
baraquement m. Construction en planches.
baratte f. Instrument pour faire le beurre.
barbare adj. Cruel. Incorrect : *style —*.
barbarie f. Sauvagerie. Cruauté.
barbarisme m. Mot inventé ou mal utilisé.
barbe f. Poil du menton et des joues.
barbeau m. Un poisson d'eau douce.
barbecue m. Appareil pour griller des viandes ou des poissons en plein air.
barbelé, e adj. Garni de pointes : *fil de fer —*.
barbiche f. Barbe courte.
barbier m. Celui qui a pour métier de raser.
barbiturique m. Médicament sédatif.
barbon m. Homme d'âge mûr.

barboter vi. Patauger.
barbouillage m. Mauvaise peinture.
barbouiller vt. et i. Peindre mal. Salir, tacher.
barbu, e adj. Qui a de la barbe.
barde m. Poète celte.
barde f. Bande de lard.
barder vt. Couvrir d'une barde : — *une volaille.*
barème m. Répertoire de tarifs, de valeurs.
baril [-ril] m. Petit tonneau.
barillet [-jɛ] m. Petit baril. Pièce cylindrique.
barioler vt. Peindre de couleurs vives.
barman [barman] m. Serveur dans un bar. (pl. *barmen* ou *barmans.*)
baromètre m. Instrument pour mesurer la pression atmosphérique.
baron, onne n. Titre de noblesse.
baroque adj. Irrégulier, bizarre : *idées —.*
barque f. Petit bateau : *une — de pêche.*
barrage m. Barrière, obstacle. Digue.
barre f. Pièce de bois, de fer longue et étroite. Barrière de tribunal. Tige du gouvernail. Obstacle à l'entrée d'un port. pl. Jeu.
barreau m. Petite barre. Ordre des avocats.
barrer vt. Obstruer. Biffer : — *un mot.*
barrette f. Pince pour tenir les cheveux.
barricade f. Obstacle dressé en travers d'une rue.
barricader vt. Fermer solidement. Obstruer.
barrière f. Fermeture à claire-voie. Obstacle.
barrique f. Tonneau pour les liquides.
baryton m. Voix entre le ténor et la basse.
bas, basse adj. Peu élevé. Vil : *sentiments —.* Modique. adv. Doucement : *parler —. À —,* cri d'hostilité. m. Partie basse. Vêtement qui couvre le pied et la jambe.
basalte m. Roche volcanique noire.

basané, e adj. Hâlé, bronzé : *teint —*.
bas-côté m. Nef latérale d'une église. Voie latérale réservée aux piétons.
bascule f. Sorte de balance. Balançoire.
basculer vi. Chavirer, tomber. Pivoter d'un côté.
base f. Fondement. Partie inférieure.
baser vt. Fonder, établir.
bas-fond m. Terrain bas, enfoncé. pl. FIG. Milieu, quartiers misérables et malfamés.
basket-ball ou **basket** m. Sport d'équipe où on lance un ballon dans un panier suspendu.
basque f. Partie tombante d'un vêtement. adj. et n. Du Pays basque. m. Langue basque.
bas-relief m. Sculpture en relief sur un fond. (pl. — - — *s*.)
basse f. Voix, instrument donnant des sons graves. Chanteur qui a une voix de basse.
basse-cour f. Partie d'une ferme où l'on élève la volaille. La volaille elle-même (pl. — *s* - — *s*.)
bassesse f. Caractère de ce qui est bas, vil.
basset m. Chien à courtes pattes.
bassin m. Récipient très large. ANAT. Ceinture osseuse au bas du tronc.
bassine f. Récipient circulaire en métal.
basson m. Instrument de musique.
bastille f. Ancienne prison d'État à Paris (avec maj.). Symbole du despotisme.
bastingage m. MAR. Garde-fou autour du pont.
bastion m. Ouvrage de fortification.
bastonnade f. Volée de coups de bâton.
bât m. Selle de bête de somme.
bataille f. Combat. Querelle.
batailler vi. Contester. Disputer.
bataillon m. Fraction d'un régiment. Troupe.
bâtard, e adj. et n. Né hors mariage. Hybride.

bateau m. Embarcation en général : — *de pêche*.
bateleur m. Saltimbanque.
batelier m. Qui conduit un bateau.
batellerie f. Industrie du transport par bateaux.
bat-flanc m. inv. Planche de séparation (écuries).
bathyscaphe m. Appareil autonome de plongée, permettant d'explorer les profondeurs marines.
bâti m. Assemblage.
bâtiment m. Édifice, construction. Navire.
bâtir vt. Édifier, construire. Assembler.
bâtisse f. Construction sans caractère.
batiste f. Toile de lin très fine.
bâton m. Long morceau de bois rond. Objet cylindrique : — *de réglisse, de sucre d'orge*.
bâtonnet m. Petit bâton.
bâtonnier m. Chef de l'ordre des avocats.
batraciens mpl. Classe des vertébrés ayant pour type la grenouille.
battage m. Action de battre : — *du blé*.
battant m. Partie mobile d'une porte. Marteau de cloche. adj. Qui bat : *pluie* —.
batte f. Outil pour aplanir.
battement m. Choc, coup répété. Mouvement alternatif. Pulsation : — *du cœur*.
batterie f. Unité d'artillerie. Groupe d'objets : — *de cuisine*. Ensemble d'accumulateurs électriques. Instruments à percussion d'un orchestre.
batteuse f. Machine à égrener les céréales.
battre vt. Frapper. Agiter fortement. Vaincre. Mélanger : — *des œufs, les cartes. (Bats, battons.)*
battu, e adj. Foulé, durci. f. Chasse organisée avec des rabatteurs.
baudet m. Âne.
baudrier m. Bande soutenant le sabre, l'épée.
baudruche f. Pellicule d'intestin de bœuf.

baume m. Résine odoriférante. Pommade cicatrisante.
bauxite f. Minerai d'aluminium.
bavard, e adj. et n. Qui parle beaucoup.
bavardage m. Action de bavarder.
bavarder vi. Parler de choses frivoles, jaser.
bave f. Salive qui coule de la bouche.
baver vi. Laisser couler de la bave.
bavoir m. Linge qu'on met à l'enfant qui bave.
bavure f. Trace de quelque chose qui a coulé. Faute grave commise dans l'exercice de ses fonctions.
bayer vi. — *aux corneilles*, rêvasser.
bazar m. Marché couvert en Orient. Magasin où l'on vend toutes sortes d'objets.
B.C.G. m. Vaccin contre la tuberculose.
B.D. f. FAM. Bande dessinée.
béant, e adj. Largement ouvert : *bouche* —.
béat, e adj. Qui exprime le contentement de soi.
béatitude f. Félicité des saints.
beau (**bel** devant voyelle et *h* muet), **belle** adj. Qui plaît à l'œil, à l'esprit. Noble : — *âme*. m. Ce qui est beau. adv. En vain. Qualificatif de diverses parentés par alliance : — *-père*, — *-fille*, — *-frère*, — *-sœur*, — *-parents*.
beaucoup adv. En quantité.
beauté f. Caractère de ce qui est beau.
beaux-arts mpl. Musique, peinture, etc.
bébé m. Petit enfant.
bec m. Partie cornée de la tête de l'oiseau.
bécarre m. Signe musical qui ramène une note à sa valeur.
bécasse f. Oiseau à long bec. FAM. Femme sotte.
bécassine f. Oiseau semblable à la bécasse.
bec-de-cane m. Poignée de porte en levier. *(Becs-.)*

bec-de-lièvre m. Lèvre supérieure fendue. *(Becs-.)*
béchamel f. Sauce blanche à la crème.
bêche f. Outil agricole à fer large et plat.
bêcher vt. Remuer avec la bêche.
becquée f. Ce qu'un oiseau prend dans le bec.
becqueter vt. Donner des coups de bec. *(-ette.)*
bedaine f. FAM. Gros ventre.
bée adj. f. *Bouche* —, frappé de stupeur.
beffroi m. Tour où l'on sonnait l'alarme.
bégayer vi. Parler en hésitant, avec peine.
bégonia m. Plante d'ornement à fleurs colorées.
bègue adj. et n. Qui bégaye.
bégueule adj. et n. Qui est excessivement prude.
béguin m. Passion passagère.
beige adj. Brun clair proche du jaune.
beignet m. Morceau de pâte cuite à la friture.
bêlement m. Cri du mouton, de la chèvre.
bêler vi. Émettre des bêlements.
belette f. Petit mammifère carnassier.
belge adj. et n. De Belgique.
bélier m. Mâle de la brebis. Machine de guerre.
bellâtre m. Homme beau mais fat.
belles-lettres fpl. Littérature et poésie.
belligérant, e adj. Combattant : *les nations* —.
belliqueux, euse adj. Qui aime la guerre.
belvédère m. Terrasse au sommet d'un édifice.
bémol m. Signe qui baisse le ton d'une note.
bénédicité m. Prière avant le repas.
bénédiction f. Action de bénir : *donner sa* —.
bénéfice m. Gain, profit. Avantage, privilège.
bénéficier vi. Tirer avantage de quelque chose.
benêt adj. Niais, nigaud.
bénévole adj. Qui agit sans y être obligé, sans être payé : *auxiliaire* —.
bénin, igne adj. Peu grave.

bénir vt. Appeler la protection du ciel sur : — *une église*. Remercier, glorifier.
bénitier m. Vase à eau bénite.
benjamin [bɛ̃-] m. Le plus jeune enfant d'une famille.
benne f. Caisson utilisé pour le transport.
béquille f. Canne surmontée d'une traverse.
bercail m. Maison paternelle.
berceau m. Lit de petit enfant. FIG. Origine.
bercer vt. Balancer pour endormir. *(Berçons.)*
berceuse f. Chanson pour endormir.
béret m. Toque ronde et plate.
berge f. Bord escarpé. Talus d'un fossé.
berger, ère n. Gardien de troupeaux. f. Fauteuil large et profond.
bergerie f. Endroit où on garde les moutons.
berline f. Voiture à quatre portes.
berlingot m. Bonbon de sucre cuit.
berlue f. FAM. *Avoir la* —, avoir une hallucination, se tromper.
bernard-l'ermite m. inv. Un petit crustacé.
berne f. *Drapeau en* —, hissé à mi-hauteur en signe de deuil.
berner vt. Duper.
besace f. Sac à deux poches.
besogne f. Travail, ouvrage.
besogneux, euse adj. Qui est dans le besoin.
besoin m. Manque du nécessaire. Pauvreté.
bestiaire m. Recueil ayant trait aux animaux.
bestial, e adj. Qui tient de la bête.
bestiaux mpl. Gros animaux domestiques.
bestiole f. Petite bête.
best-seller [bɛstsɛlœr] m. Livre à succès.
bétail m. Ensemble des animaux domestiques.
bête f. Animal. adj. Sot : *prendre un air* —.

bêtise f. Manque d'intelligence. Action, parole bête. Chose sans valeur, futilité.
béton m. Mélange de ciment, eau et sable.
betterave f. Plante à racine sucrée.
beuglement m. Cri du bœuf, de la vache.
beugler vi. Pousser des beuglements.
beurre m. Substance grasse extraite du lait.
beurrer vt. Couvrir de beurre : — *son pain*.
beurrier m. Récipient pour le beurre.
beuverie f. Partie de plaisir où l'on boit beaucoup.
bévue f. Erreur grossière : *commettre une* —.
bi préf. indiquant deux éléments : *bicorne, biplan*.
biais m. Moyen détourné.
biaiser vi. Tergiverser. User de biais.
bibelot m. Petit objet décoratif.
biberon m. Petite bouteille munie d'une tétine pour allaiter un bébé.
Bible f. Ensemble des livres saints.
bibliographie f. Ensemble des livres écrits sur un sujet.
bibliophile adj. Qui aime les livres.
bibliothèque f. Collection de livres. Meuble pour placer des livres.
biblique adj. Relatif à la Bible.
biceps [-sɛps] m. Muscle de l'avant-bras.
biche f. Femelle du cerf.
bichonner vt. Choyer. vpr. Se pomponner.
bicoque f. FAM. Maison sans valeur.
bicorne m. Chapeau à deux pointes.
bicyclette f. Véhicule à deux roues d'égal diamètre.
bidet m. Petit cheval. Cuvette oblongue pour la toilette intime.
bidon m. Bouteille, récipient de métal.
bidonville m. Baraquements misérables.
bidule m. FAM. Objet quelconque.

bief m. Espace entre deux écluses d'un canal.
bielle f. Pièce de transmission mécanique.
bien m. Ce qui est conforme au devoir. Ce qui est agréable, utile. Richesse. adv. Conformément au devoir. Beaucoup : *il est — tard.*
bien-être m. inv. État agréable du corps, de l'esprit.
bienfaisance f. *De —*, qui fait le bien.
bienfaisant, e adj. Qui fait du bien.
bienfait m. Acte de gentillesse. Service. Avantage.
bienfaiteur, trice n. Qui fait le bien.
bien-fondé m. Caractère légitime de.
bienheureux, euse adj. Extrêmement heureux.
biennal, e adj. Qui revient tous les deux ans.
bienséant, e adj. Qu'il sied de faire, dire.
bientôt adv. Dans peu de temps.
bienveillance f. Disposition favorable envers.
bienveillant, e adj. Favorable, bien disposé.
bienvenu, e adj. Accueilli avec plaisir. f. Accueil courtois et amical.
bière f. Boisson fermentée. Cercueil.
biffer vt. Rayer ce qui est écrit : *— un mot.*
bifteck m. Tranche de bœuf.
bifurquer vi. Diverger.
bigame adj. Marié à deux personnes à la fois.
bigarré, e adj. Qui a des couleurs variées.
bigarreau m. Sorte de cerise à chair ferme.
bigarrure f. Aspect bigarré.
bigot, e adj. et n. D'une dévotion outrée.
bigoudi m. Petite tige pour friser les cheveux.
bijou m. Joyau. Objet précieux. Chose très jolie.
bijouterie f. Commerce de bijoux.
bijoutier, ère n. Qui fait ou vend des bijoux.
Bikini m. (nom déposé.) Maillot de bain deux pièces, très réduit.

bilan m. État financier d'une firme.
bilatéral, e adj. À deux côtés.
bilboquet m. Jouet d'enfant.
bile f. Liquide jaunâtre sécrété par le foie.
bilingue adj. et n. Qui parle deux langues.
billard m. Table sur laquelle on pousse des boules avec une queue. Le jeu lui-même.
bille f. Boule de billard. Petite boule pour jouer. Rondin de bois.
billet m. Petite lettre. Carte, bulletin : — *de loterie*. Monnaie en papier : — *de banque*.
billetterie f. Distributeur automatique de billets de banque.
billevesée [bilvəze] f. Baliverne.
billot m. Tronçon de bois gros et court.
binaire adj. Qui a 2 pour base.
binette f. Outil de jardinier. Pop. Visage.
biniou m. Cornemuse bretonne.
binocle m. Lunettes sans branches se fixant sur le nez.
biodégradable adj. Qui peut être détruit par les bactéries.
biographie f. Histoire de la vie de quelqu'un.
biologie f. Science de la vie des organismes.
biopsie f. Méd. Prélèvement de tissu vivant pour en examiner les cellules.
biosciences fpl. Ensemble des sciences de la vie.
bipède adj. Qui a deux pieds : *l'homme est* —.
biplan m. Avion à deux plans parallèles.
bis [bis] préf. indiquant la répétition.
bis [bi], **e** adj. Gris-brun : *pain* —.
bisaïeul, e n. Arrière-grand-père, -mère.
bisannuel, elle adj. Qui a lieu tous les deux ans.
bisbille f. Petite querelle.
biscornu, e adj. D'une forme irrégulière. Fig. Bizarre.

biscotte f. Tranche de pain séchée au four.
biscuit m. Sorte de pâtisserie. Porcelaine blanc mat.
bise f. Vent du nord. Petit baiser.
biseau m. Bord taillé en oblique.
biseauter vt. Tailler en biseau : *glace* —.
bismuth m. Métal d'un blanc gris bleuâtre.
bison m. Bovidé sauvage à bosse.
bisque f. Sorte de potage.
bissectrice f. Ligne qui divise en deux parties égales.
bisser vt. Répéter un chant, etc. : — *un air*.
bissextile adj. *Année* —, de 366 jours.
bistouri m. Petit couteau de chirurgien.
bistre adj. et m. Couleur d'un brun noirâtre.
bistrer vt. Donner la teinte bistre.
bistrot ou **bistro** m. FAM. Débit de boissons.
bit m. INFORM. Unité élémentaire d'information.
bitume m. Matière dont on recouvre les chaussées, les trottoirs.
bivalve adj. À deux valves : *mollusque* —.
bivouac m. Campement en plein air.
bivouaquer vi. Camper en plein air.
bizarre adj. Fantasque. Étrange : *esprit* —.
bizarrerie f. Caractère bizarre. Singularité.
blafard, e adj. Pâle. Blême.
blague f. Pochette à tabac. Farce. Plaisanterie dite pour tromper.
blaguer vi. FAM. Dire des blagues. vt. Railler.
blaireau m. Mammifère puant. Brosse pour le savon à barbe.
blâme m. Critique, reproche. Sanction.
blâmer vt. Désapprouver : — *une décision*.
blanc, blanche adj. De la couleur du lait, de la neige. Innocent, pur. *Arme* —, tranchante. *Nuit*

—, sans dormir. n. Personne de race blanche. m. Couleur blanche. f. Note de musique.
blanc-bec m. Jeune homme sans expérience.
blanchâtre adj. Tirant sur le blanc.
blancheur f. Qualité de ce qui est blanc.
blanchiment m. Action de blanchir.
blanchir vt. Rendre blanc. vi. Devenir blanc.
blanchissage m. Action de nettoyer le linge.
blanchisserie f. Lieu où on lave le linge.
blanchisseur, euse n. Qui blanchit et repasse le linge.
blanquette f. Sorte de ragoût. Vin mousseux.
blaser vt. Rendre indifférent ou insensible.
blason m. Emblème en couleurs, propre à une famille, une ville, etc.
blasphème m. Parole qui outrage Dieu.
blasphémer vi. Prononcer des blasphèmes.
blatte f. Cafard, insecte noirâtre.
blazer [blazɛr] m. Veston droit en flanelle.
blé m. Graminée dont on fait le pain.
bled [blɛd] m. Fam. Village isolé.
blême adj. Très pâle : *un visage —*.
blêmir vi. Devenir blême : *— de rage*.
blennorragie f. Inflammation de la muqueuse des organes génitaux.
blesser vt. Causer une plaie, une lésion.
blessure f. Plaie, contusion.
blet, ette adj. Trop mûr.
bleu, e adj. Couleur d'azur. m. Couleur bleue.
bleuâtre adj. Dont la couleur tire sur le bleu.
bleuet m. Petite fleur bleue.
bleuir vt. Rendre bleu. vi. Devenir bleu.
bleuté, e adj. De nuance bleue : *papier —*.
blindage m. Cuirasse, protection : *— d'acier*.
blindé m. Véhicule de combat recouvert d'un blindage.

bloc m. Grande masse. Coalition.
blockhaus [blɔkos] m. Petit ouvrage de défense.
bloc-notes m. Carnet à feuilles détachables.
blocus [-kys] m. Encerclement.
blond, e adj. De couleur entre doré et châtain clair. m. Couleur blonde.
blondir vi. Devenir blond.
bloquer vt. Faire le blocus. Serrer à fond.
blottir (se) vpr. Se rouler en boule, se recroqueviller.
blouse f. Vêtement de travail. Corsage.
blouson m. Vêtement de sport, s'arrêtant aux hanches.
blue-jean [bludʒin] m. Pantalon collant en toile.
blues [bluz] m. Complainte du folklore noir américain.
bluff [blœf] m. Parole, action pour tromper.
bluter vt. Tamiser la farine.
boa m. Serpent d'Amérique.
bobine f. Cylindre pour enrouler un fil.
bobo m. FAM. Mal : *avoir un — à la main.*
bocage m. Région de champs clos par des haies.
bocal m. Récipient en verre à grande ouverture.
bock m. Verre à bière d'un quart de litre.
bœuf m. Animal ruminant à cornes. Sa chair.
bohème n. Qui vit au jour le jour.
bohémien, enne n. De Bohême. Vagabond.
boire vt. Absorber un liquide. Absol. S'enivrer. *(Bois, buvons, boivent ; buvais ; bus ; boive, buvions ; buvant, bu.)*
bois m. Substance dure des arbres. Lieu couvert d'arbres. pl. Cornes du cerf.
boisé, e adj. Abondamment garni d'arbres.
boiserie f. Menuiserie qui recouvre les murs.
boisseau m. Mesure ancienne (13 litres).

boisson f. Ce qu'on boit.
boîte f. Coffret de bois, métal, etc. Son contenu.
boiter vi. Marcher de façon défectueuse.
boiteux, euse adj. et n. Qui boite.
boîtier m. Boîte protectrice : — *de montre*.
bol m. Récipient demi-sphérique. Son contenu.
boléro m. Danse espagnole. Sorte de veste courte.
bolet m. Espèce de champignon.
bolide m. Véhicule qui va très vite.
bombance f. Repas copieux : *faire* —.
bombardement m. Attaque d'un objectif avec des bombes ou des obus.
bombarder vt. Lancer des bombes.
bombardier m. Avion de bombardement.
bombe f. Projectile creux explosif.
bomber vt. Gonfler : — *le torse*.
bombyx m. Genre de papillons.
bon, bonne adj. Bienveillant, sensible, humain. Propre à : — *à rien*. Heureux, avantageux. Favorable. Grand : *un — coup*. m. Billet qui autorise à recevoir de l'argent, un objet, etc.
bonasse adj. Trop bon, naïf.
bonbon m. Friandise sucrée.
bonbonne f. Sorte de récipient en verre.
bonbonnière f. Boîte à bonbons.
bond m. Mouvement brusque en hauteur.
bonde f. Trou de vidange. Son bouchon.
bondé, e adj. Rempli autant qu'il est possible.
bondieuserie f. FAM. Dévotion outrée. pl. Objets de piété.
bondir vi. Faire un bond, s'élancer.
bonheur m. État heureux. Félicité, joie.
bonhomie f. Bonté. Simplicité.
bonhomme m. FAM. Homme. Figure humaine dessinée grossièrement. adj. Simple, cordial.

boni m. Bénéfice fait sur une dépense prévue.
bonification f. Amélioration. Avantage.
bonifier vt. Rendre meilleur.
boniment m. Discours artificieux.
bonjour m. Salut du jour : *souhaiter le —*.
bonne f. Employée de maison.
bonnet m. Coiffure souple et sans rebord.
bonneterie f. Commerce du bonnetier.
bonnetier m. Fabricant de tricots, lingerie.
bonsaï [bɔ̃zaj] m. Arbre nain.
bonsoir m. Salut du soir.
bonté f. Bienveillance, douceur, gentillesse.
bonze m. Prêtre bouddhiste.
boom [bum] m. Hausse soudaine. Accroissement rapide.
bord m. Extrémité d'une surface. Rivage : *— de l'eau. À —*, dans un navire, un avion.
bordée f. Distance parcourue par un navire sans faire demi-tour.
border vt. Mettre un bord. Entourer.
bordereau m. Relevé récapitulatif d'un compte.
bordure f. Ce qui borde.
bore m. Un métalloïde.
boréal, e adj. Du nord : *les régions —*.
borgne adj. et n. Qui n'a qu'un œil.
borne f. Pierre servant de séparation, de division, de protection : *— kilométrique*.
borné, e adj. Limité, peu intelligent : *esprit —*.
borner vt. Mettre des bornes. Limiter.
bosquet m. Petit bois.
bosse f. Grosseur au dos, à la poitrine. Élévation arrondie sur une surface.
bosseler vt. Déformer par des bosses.
bosselure f. État d'une surface bosselée.
bossu, e adj. Qui a une bosse dans le dos.

bot, e adj. Se dit d'un pied, d'une main difformes.
botanique f. Science des végétaux.
botte f. Choses attachées : — *de radis*. Coup d'épée. Chaussure pour le pied et la jambe.
botteler vt. Lier en bottes. *(Je bottelle.)*
botter vt. Mettre des bottes. FAM. Convenir.
bottier m. Qui fait des chaussures sur mesure.
bottine f. Chaussure montante.
bouc m. Mâle de la chèvre.
boucan m. FAM. Vacarme.
boucaner vt. Fumer de la viande, du poisson.
boucanier m. Pirate, aventurier.
bouche f. Cavité de la tête qui reçoit les aliments et sert à parler. Orifice : — *de métro*. pl. Embouchure : — *du Rhône*.
bouchée f. Ce qu'on peut manger d'un coup.
boucher vt. Obstruer : — *un trou*.
boucher m. Qui tue les animaux et les débite.
boucherie f. Commerce du boucher. Massacre.
bouchon m. Ce qui sert à boucher une bouteille.
boucle f. Agrafe. Bijou pour les oreilles. Spirale de cheveux frisés. Courbe d'un fleuve.
boucler vt. Mettre en boucle. Encercler.
bouclier m. Arme défensive.
bouddhisme m. Religion d'Extrême-Orient.
bouder vi. Montrer du dépit, de l'humeur.
boudin m. Boyau rempli de sang de porc et de graisse. Spirale d'acier : *ressort à* —.
boudoir m. Petit salon de dame.
boue f. Terre détrempée.
bouée f. Anneau gonflable permettant de flotter.
boueux, euse adj. Plein de boue : *terrain* —.
bouffe adj. *Opéra* —, dont l'action est comique.
bouffée f. Souffle passager. Accès brusque.
bouffer vi. Se gonfler. vt. POP. Manger.

bouffi, e adj. Gonflé : — *d'orgueil,* vaniteux.
bouffon, onne adj. et m. Grotesque.
bouffonnerie f. Grosse plaisanterie.
bouge m. Taudis. Local sordide.
bougeoir m. Petit support de bougie.
bouger vi. Se mouvoir. vt. Déplacer. *(-gea.)*
bougie f. Chandelle de cire. Dispositif d'allumage d'un moteur.
bougonner vi. Murmurer, grogner.
bouillabaisse f. Sorte de soupe de poisson.
bouilleur m. — *de cru,* distillateur d'eau-de-vie.
bouillie f. Aliment liquide.
bouillir vi. Être en ébullition. *(Bous, bout, bouillons ; bouillis ; bouillirai ; bouille.)*
bouilloire f. Récipient pour faire bouillir l'eau.
bouillon m. Eau où on a fait bouillir de la viande, des légumes. Bulle à la surface d'un liquide bouillant.
bouillonner vi. Former des bouillons.
bouillotte f. Récipient qu'on remplit d'eau bouillante pour chauffer un lit.
boulanger, ère n. Qui fait ou vend du pain.
boulangerie f. Magasin du boulanger.
boule f. Corps sphérique.
bouleau m. Arbre à écorce blanche.
bouledogue m. Petit dogue à mâchoires proéminentes.
bouler vi. Rouler comme une boule.
boulet m. Projectile sphérique de canon. Poids attaché aux pieds des forçats.
boulette f. Petite boule. FAM. Bévue.
boulevard m. Large voie de circulation urbaine.
bouleverser vt. Mettre en désordre. Troubler.
boulimie f. Faim insatiable.
boulon m. Cheville à pas de vis pour écrou.

boulot, otte adj. Gros et rond. m. Pop. Travail.
bouquet m. Assemblage de fleurs. Parfum d'un vin. — *d'arbres*, bosquet.
bouquin m. Fam. Livre.
bouquiner vi. Fam. Lire un livre.
bouquiniste n. Marchand de vieux livres.
bourbeux, euse adj. Plein de boue : *étang* —.
bourbier m. Lieu plein de boue, de fange.
bourde f. Fam. Méprise, erreur.
bourdon m. Insecte à corps gros et velu.
bourdonnement m. Bruit sourd et confus.
bourdonner vi. Produire un bourdonnement.
bourg m. Gros village.
bourgade f. Petit village.
bourgeois, e n. Personne riche. adj. De bourgeois : *idées* —.
bourgeoisie f. Catégorie des gens aisés.
bourgeon m. Bouton d'un arbre.
bourgeonner vi. Produire des bourgeons.
bourgmestre m. Nom donné au maire dans certains pays.
bourlinguer vi. Fam. Mener une vie d'aventures.
bourrade f. Coup brusque, poussée.
bourrasque f. Coup de vent violent assez bref.
bourre f. Amas de poils, déchets de tissus pour rembourrer.
bourreau m. Exécuteur des sentences de justice.
bourrée f. Danse populaire d'Auvergne.
bourrelet m. Gaine ronde remplie de bourre.
bourrelier m. Marchand de harnais, de sacs.
bourrer vt. Garnir de bourre. Remplir : *sac* —.
bourriche f. Panier pour le poisson, etc.
bourrique f. Ânesse. Fam. Personne têtue.
bourru, e adj. Brusque, rude : *caractère* —.
bourse f. Petit sac. Argent qu'on y met. Pension allouée à certains étudiants. Marché financier.

boursier, ère n. Qui bénéficie d'une bourse.
boursoufler vt. Distendre, enfler.
boursouflure f. Enflure.
bousculer vt. Pousser avec violence. Hâter.
bouse f. Fiente de bœuf, de vache.
boussole f. Appareil qui contient une aiguille aimantée mobile indiquant le nord.
bout m. Extrémité. Fin. Fragment.
boutade f. Mot d'esprit.
boute-en-train m. inv. Joyeux animateur.
bouteille f. Vase à goulot pour liquides.
boutique f. Petit magasin.
boutiquier, ère n. Qui tient une boutique.
boutoir m. Groin du sanglier. *Coup de —*, attaque violente.
bouton m. Bourgeon. Saillie sur la peau. Rondelle pour attacher les vêtements, etc.
boutonner vt. Fixer avec des boutons.
boutonnière f. Fente pour passer un bouton.
bouture f. Pousse ou rejeton que l'on plante.
bouvreuil m. Genre de passereaux.
bovidés mpl. Famille de ruminants (bœufs).
bovin, e adj. De l'espèce du bœuf.
box m. Loge d'écurie, de garage.
boxe f. Art de boxer, pugilat : *un combat de —.*
boxer vi. Se battre à coups de poing.
boxeur m. Qui fait des combats de boxe.
boyau [bwajo] m. Intestin, tripe.
boycott m. Cessation volontaire de toutes relations avec un pays, une personne.
boycotter [bɔjkɔte] vt. Pratiquer le boycott de.
bracelet m. Ornement pour le bras.
braconner vi. Chasser sans autorisation.
braconnier m. Qui braconne.
brader vt. Vendre à bas prix.

braguette f. Fente de pantalon.
braillard, e adj. et n. Qui braille : *un enfant —.*
braille m. Écriture en relief à l'usage des aveugles.
brailler vi. Parler, chanter en criant.
braiment m. Cri prolongé de l'âne.
braire vi. Pousser un braiment.
braise f. Bois réduit en charbons, ardents ou éteints.
braiser vt. Cuire à feu doux.
brancard m. Civière. Chacune des deux pièces de bois servant pour atteler un cheval.
brancardier m. Qui porte un brancard.
branchage m. Amas de branches.
branche f. Ramification des tiges ligneuses d'un arbre. Division, section : *les — de l'enseignement.*
branchies fpl. Organes respiratoires des poissons.
brandebourg m. Galon, ruban.
brandir vt. Agiter avec menace : *— un sabre.*
branle-bas m. Préparatifs de combat. Agitation.
branler vt. Agiter, remuer : *— la tête.* vi. Osciller.
braque m. Chien de chasse. adj. FAM. Fou.
braquer vt. Diriger sur : *— ses regards.*
bras m. Membre supérieur de l'homme. Tige : *— de levier.* Support d'un siège. Branche de fleuve.
braser vt. Souder.
brasero [-ze-] m. Bassine remplie de braise.
brasier m. Feu incandescent. Incendie.
brassard m. Bande d'étoffe portée au bras pour servir d'insigne.
brasse f. Mesure de 1,83 m pour indiquer la profondeur de l'eau. Façon de nager.
brassée f. Ce que peuvent tenir les deux bras.
brasser vt. Agiter, remuer. Faire la bière.
brasserie f. Fabrique de bière. Débit de boissons avec restaurant.

brasseur m. Fabricant de bière.
brassière f. Petite chemise d'enfant.
bravade f. Action ou parole de défi.
brave adj. et n. Vaillant, courageux. Bon.
braver vt. Défier, affronter : — *la mort.*
bravo ! interj. Très bien. m. Approbation.
bravoure f. Vaillance, intrépidité.
break [brɛk] m. Automobile permettant de transporter des marchandises.
brebis f. Femelle du mouton.
brèche f. Ouverture faite dans un mur.
bréchet m. Sternum des oiseaux.
bredouille adj. Qui a échoué, qui n'a rien pris.
bredouiller vi. Parler de façon confuse.
bref, brève adj. Court. Brusque.
brelan m. Réunion de trois cartes semblables.
brème f. Un poisson d'eau douce.
bretelle f. Bande de tissu passée sur l'épaule pour tenir un pantalon. Bandoulière.
breton, onne adj. et n. De Bretagne.
breuvage m. Boisson.
brevet m. Titre, diplôme, certificat.
breveter vt. Donner un brevet. *(Brevète.)*
bribe f. Parcelle, fragment : *les — du repas.*
bric-à-brac m. inv. Marchandises d'occasion. Amas de vieilleries.
bricole f. Chose sans importance.
bricoler vi. S'occuper chez soi à de petits travaux manuels.
bricoleur, euse n. Qui bricole.
bride f. Partie du harnais. Lien plat.
brider vt. Mettre la bride à : — *un cheval.*
bridge m. Jeu de cartes. Appareil dentaire.
brièveté f. Courte durée. Concision.
brigade f. Petit détachement militaire.

brigadier m. Chef d'une unité de gendarmerie.
brigand m. Voleur à main armée.
briguer vt. Tâcher d'obtenir : *— un emploi.*
brillant, e adj. Qui brille. Illustre. m. Éclat.
brillantine f. Huile parfumée pour les cheveux.
briller vi. Avoir de l'éclat.
brimade f. Mesure vexatoire et inutile.
brimbaler vt. Balancer. vi. Osciller.
brimer vt. Imposer des brimades.
brin m. Filament. Petit bout. Tige d'arbre.
brindille f. Branche menue : *des — de bois.*
brio m. Entrain, vivacité : *chanter avec —.*
brioche f. Sorte de pâtisserie.
brique f. Terre argileuse moulée et cuite.
briquet m. Petit appareil servant à donner du feu.
briqueterie f. Fabrique de briques.
briquette f. Brique de charbon, de tourbe.
bris m. Fracture d'une porte, d'une glace, etc.
brisant m. Rocher ou écueil à fleur d'eau.
brise f. Petit vent doux : *la — marine.*
brisées fpl. *Aller sur les —,* concurrencer.
brise-lames m. Digue devant un port.
briser vt. Rompre. Casser. Détruire. Interrompre.
bristol m. Carton fin. Carte de visite.
brisure f. Cassure. Fragment.
britannique adj. et n. De Grande-Bretagne.
broc [bro] m. Grand vase à anse et à bec.
brocante f. Commerce des objets d'occasion.
brocart m. Étoffe brochée.
broche f. Tige de fer pour rôtir, etc. Bijou en forme d'épingle.
brocher vt. Passer de l'or, de la soie, dans une étoffe. Coudre les feuilles d'un livre.
brochet m. Poisson d'eau douce très vorace.
brochette f. Petite broche pour enfiler et faire griller des petites pièces de viande.

brochure f. Petit ouvrage broché.
brocoli m. Chou-fleur vert.
brodequin m. Chaussure lacée sur la cheville.
broder vt. Coudre des dessins en relief sur une étoffe. vi. Embellir un récit.
broderie f. Ouvrage brodé.
bronche f. Conduit de l'air dans le poumon.
broncher vi. Faire un faux pas. Bouger.
bronchite f. Inflammation des bronches.
bronze m. Alliage de cuivre, étain et zinc.
bronzer vt. Donner la couleur du bronze. Hâler.
brosse f. Ustensile de nettoyage. Gros pinceau.
brosser vt. Nettoyer, peindre avec la brosse.
brou m. Enveloppe de la noix.
brouet m. Aliment presque liquide.
brouette f. Petit chariot à une roue.
brouhaha m. Bruit confus, tumultueux.
brouillamini m. FAM. Désordre, complication.
brouillard m. Amas de gouttelettes d'eau en suspension dans l'air.
brouille f. Mésentente.
brouiller vt. Troubler, agiter. Mettre en désaccord.
brouillon m. Première forme d'un écrit : *le — d'une lettre.*
broussailles fpl. Épines, ronces mêlées.
brousse f. Végétation de buissons et d'arbustes des régions tropicales.
brouter vt. Manger l'herbe : *les vaches —.*
broutille f. Objet sans importance.
broyer vt. Écraser, mettre en poudre.
bru f. Femme du fils.
brugnon m. Pêche à peau lisse.
bruine f. Petite pluie froide.
bruire vi. Émettre un bruit confus : *le vent —.*
bruissement m. Bruit faible et confus.

bruit m. Mélange confus de sons. Nouvelle.
bruitage m. Imitation des bruits d'une action, à la radio, au cinéma, au théâtre.
brûle-pourpoint (à) loc. adv. De façon brusque.
brûler vt. Consumer par le feu. Causer de la douleur par le feu. Dessécher. Faire brûler : — *du bois.* vi. Être très chaud, se consumer.
brûleur m. Orifice par où se consume un gaz.
brûlot m. Journal se livrant à de vives polémiques.
brûlure f. Lésion produite par le feu.
brumaire m. Deuxième mois du calendrier républicain (22 octobre-22 novembre).
brume f. Brouillard épais.
brumeux, euse adj. Couvert de brume : *ciel* —.
brun, e adj. De couleur entre le jaune et le noir. m. Couleur brune. f. LITT. Déclin du jour.
brunir vt. Rendre brun. Polir un métal.
brusque adj. Prompt, subit. Vif, rude : *ton* —.
brusquer vt. Traiter de façon brusque.
brusquerie f. Action ou parole brusque.
brut, e [bryt] adj. Non raffiné. Grossier.
brutal, e adj. Grossier, violent.
brutaliser vt. Traiter avec brutalité.
brutalité f. Caractère brutal. Action brutale.
brute f. Personne cruelle et grossière.
bruyant, e adj. Qui fait du bruit.
bruyère f. Plante à petites fleurs.
buanderie f. Local où se fait la lessive.
bubon m. Ganglion lymphatique enflammé.
buccal, e adj. De la bouche : *la muqueuse* —.
bûche f. Morceau de bois de chauffage.
bûcher m. Lieu où l'on range le bois. Tas de bois pour brûler un corps.
bûcheron m. Celui qui abat des arbres.
bucolique adj. Qui évoque la vie des bergers.

budget m. Prévision de recettes et dépenses.
buée f. Dépôt de vapeur.
buffet m. Armoire à vaisselle. Restaurant.
buffle m. Espèce de bœuf sauvage. Son cuir.
building [bildiŋ] m. Immeuble ayant un grand nombre d'étages.
buis m. Arbuste toujours vert.
buisson m. Touffe d'arbrisseaux. Taillis.
buissonnière adj. f. *Faire l'école —*, se promener au lieu d'aller en classe.
bulbe m. Oignon de plante. ANAT. Partie renflée.
bulldozer [buldozœr] m. Engin à chenilles pour aplanir ou déblayer le sol.
bulle f. Globule d'air dans un liquide. Acte officiel, scellé jadis d'une boule de plomb.
bulletin m. Billet de vote. Publication officielle.
bungalow m. Construction de plain-pied en matériaux légers.
buraliste n. Tenancier d'un bureau de tabac.
bure f. Grosse étoffe de laine.
bureau m. Table pour écrire. Pièce où se trouve ce meuble. Local d'une entreprise, d'une administration. Établissement public : *— de poste.*
bureaucrate m. Employé de bureau.
burette f. Petit flacon à goulot rétréci.
burin m. Instrument pour graver.
burlesque adj. D'un comique extravagant.
burnous m. Manteau arabe à capuchon.
buse f. Oiseau rapace. Tuyau : *— d'aération.*
busqué, e adj. Courbé : *nez —.*
buste m. Partie supérieure du corps humain.
bustier m. Vêtement féminin sans bretelles couvrant le buste.
but m. Point visé. Ce qu'on veut atteindre. JEUX. Cadre où l'on doit faire entrer le ballon ; point marqué.

buter vi. Heurter un obstacle. Être arrêté par une difficulté. vpr. S'obstiner.
butin m. Ce qu'on prend à l'ennemi. Profit.
butiner vi. Récolter du pollen (abeilles).
butoir m. Pièce sur laquelle bute une autre.
butor m. Oiseau échassier. Personne grossière.
butte f. Petite colline. *En — à*, exposé à.
buvard m. Papier qui boit l'encre.
buvette f. Débit de boissons : *— de gare*.
buveur, euse n. Qui aime à boire.
byzantin, e adj. De Byzance : *l'art —*.

C

ça pron. dém. FAM. Cette chose-là.
çà interj. d'encouragement, de surprise.
cabale f. Menées secrètes. Intrigue.
cabalistique adj. Magique, mystérieux : *signe* —.
caban m. Grande veste des marins.
cabane f. Hutte, baraque.
cabanon m. Petite cabane.
cabaret m. Établissement de spectacle où l'on peut consommer.
cabas m. Panier souple en paille ou en tissu.
cabestan m. Sorte de treuil vertical.
cabillaud m. Morue fraîche.
cabine f. Petit édifice : — *téléphonique*.
cabinet m. Petite chambre. Bureau : — *d'avocat*. Locaux où exerce un praticien : — *dentaire*. pl. Pièce réservée aux besoins naturels.
câble m. Cordage. Faisceau de fils tordus.
câbler vt. Envoyer un télégramme.
caboche f. FAM. Tête.
cabochon m. Pierre précieuse non taillée.
cabosser vt. Bosseler : — *une casserole*.
cabotage m. Navigation côtière marchande.
caboteur m. Bateau qui fait le cabotage.
cabotin, e n. Mauvais acteur.
cabrer (se) vpr. Se dresser sur ses pieds (cheval). FIG. Se révolter.
cabriole f. Saut agile en se retournant.
cabriolet m. Voiture légère munie d'une capote.
cacahouète ou **cacahuète** f. Fruit de l'arachide.
cacao m. Fruit d'un arbre d'Amérique dont on extrait une poudre.
cachalot m. Grand cétacé.

cache f. Lieu pour cacher.
cache-cache m. inv. Jeu d'enfants.
cachemire m. Sorte de tissu de laine.
cache-nez m. Large écharpe de laine.
cacher vt. Soustraire à la vue, dissimuler.
cachet m. Petit sceau gravé. Marque. Capsule médicamenteuse plate. Rétribution d'un artiste.
cacheter vt. Fermer d'un cachet. *(Je cachette.)*
cachette f. Petite cache.
cachot m. Cellule de prison.
cachotterie f. Mystère fait sur des bagatelles.
cachou m. Substance vendue en pastilles à sucer.
cacophonie f. Mélange de sons discordants.
cactus m. Plante grasse épineuse.
cadastre m. Registre public des propriétés.
cadavéreux, euse, cadavérique adj. De cadavre.
cadavre m. Corps d'un mort.
cadeau m. Don, présent : *faire un —.*
cadenas m. Sorte de serrure mobile.
cadence f. Répétition régulière ou mesurée. Rythme.
cadencer vt. Donner un rythme.
cadet, ette adj. et n. Plus jeune.
cadran m. Disque portant des chiffres.
cadre m. Bordure de glace, de tableau. Limites. Employé exerçant une fonction de direction.
cadrer vi. Avoir un rapport avec, concorder.
cadreur m. Opérateur chargé de la caméra.
caduc, uque adj. Périmé. *Feuilles —,* qui se renouvellent chaque année.
caducée m. Attribut du corps médical.
cæcum [sekɔm] m. Partie du gros intestin.
cafard m. Blatte. FAM. Idées noires.
café m. Fruit du caféier. Infusion de café. Lieu public où l'on prend du café.

cafétéria f. Lieu où l'on sert des repas rapides.
cafetière f. Appareil où l'on fait le café.
cafouiller vi. FAM. Agir de façon désordonnée.
cage f. Loge grillée pour animaux.
cageot m. Emballage à claire-voie pour transporter des fruits, des légumes.
cagibi m. FAM. Réduit, pièce exiguë.
cagneux, euse adj. Qui a les jambes tordues.
cagnotte f. Caisse commune dans laquelle on dépose de l'argent. Son contenu.
cagoule f. Capuchon percé à l'endroit des yeux.
cahier m. Assemblage de feuilles de papier.
cahin-caha adv. Tant bien que mal.
cahot m. Secousse d'un véhicule.
cahoter vi. Être secoué, ballotté.
caïd [kaid] m. FAM. Chef de gang.
caille f. Oiseau voisin des perdrix.
caillebotis m. Treillis de lattes sur le sol.
cailler vt. Figer. Coaguler.
caillot m. Masse de sang coagulé.
caillou m. Pierre de petite dimension.
caïman [kaimɑ̃] m. Espèce de crocodile.
caisse f. Coffre, boîte. Bureau où l'on manipule l'argent. Corps d'une voiture. Tambour.
caissier, ère n. Qui tient la caisse.
caisson m. Coffre d'où l'on peut travailler sous l'eau.
cajoler vt. Flatter, caresser.
cajun [-ʒœ̃] n.inv. et adj. Habitant francophone de la Louisiane.
cal m. Cicatrice d'un os brisé. Durillon.
calamité f. Grand malheur.
calandre f. Pièce devant un radiateur d'automobile.
calanque f. Petite crique en Méditerranée.

calcaire adj. et m. Qui contient de la chaux.
calciner vt. Brûler. Carboniser.
calcium m. Métal blanc, base de la chaux.
calcul m. Opération mathématique.
calculatrice f. Machine qui effectue des calculs.
calculer vi. Faire des calculs. Combiner.
cale f. Objet pour caler. Fond du bateau. Lieu où l'on construit et répare les bateaux.
calebasse f. Fruit d'une espèce de courge.
calèche f. Voiture à cheval découverte.
caleçon m. Sous-vêtement masculin en forme de pantalon ou de culotte.
calembour m. Jeu de mots.
calembredaine f. Vain propos, baliverne.
calendes fpl. Premier jour du mois à Rome.
calendrier m. Tableau des jours de l'année.
calepin m. Carnet pour notes.
caler vt. Assujettir avec des cales. vi. S'arrêter net (moteur). FAM. Céder, reculer.
calfater vt. Boucher les joints d'un bateau.
calfeutrer vt. Boucher les interstices (porte, fenêtre).
calibre m. Diamètre d'un cylindre creux, d'un projectile. Mesure, étalon.
calice m. Vase sacré en forme de coupe. Enveloppe extérieure de la fleur.
calicot m. Toile de coton.
calife m. Titre des successeurs de Mahomet.
califourchon (à) loc. adv. Jambe d'un côté, jambe de l'autre.
câlin, e adj. Doux, caressant : *un enfant* —.
câliner vt. Caresser, cajoler.
calleux, euse adj. Qui a des cals : *mains* —.
calligraphie f. Belle écriture.
calme adj. Tranquille. m. Tranquillité.

calmer vt. Apaiser : — *la colère, la soif.*
calomnie f. Accusation fausse.
calorie f. Unité de quantité de chaleur.
calorifuge adj. Qui conserve la chaleur.
calot m. Coiffure militaire.
calotte f. Petit bonnet rond. FAM. Tape sur la tête.
calque m. Copie sur papier transparent.
calquer vt. Reproduire par calque.
calumet m. Pipe indienne à long tuyau.
calvaire m. Croix érigée en plein air. Longue suite de souffrances.
calvinisme m. Doctrine de Calvin.
calvitie [-si] f. État d'une tête chauve.
camaïeu [kamajφ] m. Peinture faite avec les tons d'une seule couleur.
camarade n. Compagnon, ami.
camaraderie f. Familiarité entre camarades.
cambiste n. Personne qui s'occupe des changes de monnaies.
cambouis m. Graisse d'une roue, d'une machine.
cambrer vt. Courber en arc.
cambrioler vt. Dévaliser un appartement.
cambrioleur, euse n. Qui cambriole.
cambrure f. Courbure en arc.
came f. Pièce mécanique qui transmet un mouvement.
camé, e n. POP. Celui qui se drogue.
camée m. Pierre fine sculptée en relief.
caméléon m. Lézard de couleur changeante.
camélia m. Arbrisseau à belles fleurs.
camelot m. Marchand ambulant.
camelote f. Marchandise médiocre.
camembert m. Fromage à pâte molle.
caméra f. Appareil de prise de vues, pour le cinéma ou la télévision.

Caméscope m. (nom déposé) Caméra portative à magnétoscope intégré.
camion m. Grand véhicule automobile de transport de marchandises.
camionnette f. Petit camion.
camionneur m. Conducteur d'un camion.
camisole f. Vêtement court à manches.
camomille f. Plante médicinale. Sa fleur.
camoufler vt. Maquiller, déguiser.
camouflet m. Vexation humiliante.
camp m. Lieu où s'établit une armée, où l'on campe.
campagnard, e n. Qui habite la campagne.
campagne f. Étendue de pays plat. Les champs.
campanile m. Tour abritant les cloches d'une église.
campanule f. Plante à fleurs en clochette.
campement m. Lieu où l'on campe.
camper vi. Établir un camp. Faire du camping.
camphre m. Substance aromatique.
camping [kɑ̃piŋ] m. Sport consistant à camper en plein air. Terrain aménagé pour camper.
canadien, enne adj. et n. Du Canada.
canaille f. Individu méprisable.
canal m. Conduit pour l'eau, le gaz. Voie navigable creusée par l'homme.
canalisation f. Action de canaliser. Conduit.
canaliser vt. Rendre navigable. Diriger.
canapé m. Long siège à dossier.
canard m. Oiseau palmipède. FAM. Journal.
canarder vt. FAM. Tirer sur quelqu'un d'un lieu abrité.
canari m. Serin.
cancan m. Commérage.
cancer m. Tumeur maligne.

cancérigène adj. Qui peut provoquer l'apparition d'un cancer.
cancre m. Mauvais élève.
candélabre m. Chandelier à branches.
candeur f. Ingénuité. Pureté d'âme.
candi adj. m. Cristallisé (sucre).
candidat, e n. Aspirant à un poste, un titre.
candidature f. Qualité de candidat.
candide adj. Qui a de la candeur : *regard —*.
cane f. Femelle du canard.
canette f. Bouteille pour la bière.
canevas m. Grosse toile claire. Esquisse, plan.
caniche m. Chien à poils frisés.
canicule f. Période la plus chaude de l'été.
canif m. Petit couteau de poche.
canin, e adj. Du chien. f. Dent pointue à côté des incisives.
caniveau m. Rigole au bord du trottoir.
canne f. Grand roseau. Bâton pour s'appuyer.
canneler vt. Orner de cannelures.
cannelle f. Écorce odoriférante d'un laurier.
cannelure f. Rainure creuse : *— de colonne*.
canner vt. Garnir de jonc tressé : *siège —*.
cannibale adj. et m. Anthropophage.
canoë m. Pirogue légère.
canon m. Pièce d'artillerie. Tube d'arme à feu. Chœur où les voix attaquent l'une après l'autre.
canon m. Règle religieuse.
canonique adj. Conforme aux canons religieux.
canoniser vt. Mettre au nombre des saints.
canonnade f. Suite de coups de canon.
canot m. Petit bateau non ponté : *— à moteur*.
canoter vi. Naviguer sur un canot.
canotier m. Qui canote. Chapeau de paille.
cantate f. Composition musicale à une ou plusieurs voix avec accompagnement.

cantatrice f. Chanteuse professionnelle d'opéra.
cantine f. Restaurant d'usine, d'école. Petite malle.
cantinier, ère n. Qui tient une cantine.
cantique m. Chant religieux.
canton m. Subdivision d'un arrondissement.
cantonade f. *Parler à la —*, assez fort pour être entendu de tout le monde.
cantonnement m. Lieu où l'on cantonne.
cantonner vt. Installer des troupes dans une localité. vpr. Se renfermer dans.
cantonnier m. Qui entretient une route.
canular m. FAM. Mystification, blague.
canule f. Petit tuyau au bout d'une seringue.
caoutchouc [kautʃu] m. Substance élastique.
caoutchouter vt. Enduire de caoutchouc.
cap m. Tête : *de pied en —*. Pointe de terre.
capable adj. Qui peut faire. Habile.
capacité f. Contenance : *mesure de —*. Aptitude.
cape f. Manteau sans manches.
capeline f. Chapeau de femme à large bord souple.
capharnaüm [-ɔm] m. Lieu en grand désordre.
capillaire adj. Relatif aux cheveux.
capilotade f. *Mettre en —*, mettre en pièces.
capitaine m. Chef d'une troupe, d'un navire. Officier entre lieutenant et commandant.
capital, e adj. Principal. *Peine —*, de mort. *Lettre —*, majuscule. f. Ville principale. m. Somme qui rapporte intérêt. Fonds, biens.
capitaliste m. Qui possède des capitaux.
capiteux, euse adj. Qui enivre : *vin —*.
capitonner vt. Rembourrer : *— un fauteuil*.
capitulation f. Reddition d'une troupe.
capituler vi. Se reconnaître vaincu.
caporal m. Grade le moins élevé de l'infanterie.
capot adj. inv. Se dit du joueur qui n'a pas fait de levée. m. Couverture d'un moteur de voiture.

capote f. Manteau militaire. Toit mobile d'une voiture.
capoter vi. Se retourner : *automobile qui —*.
câpre f. Bouton comestible d'un arbuste.
caprice m. Décision subite et irréfléchie.
capricieux, euse adj. Qui a des caprices.
capsule f. Enveloppe de graine. Enveloppe d'un médicament. Amorce. Coiffe métallique d'une bouteille. Véhicule spatial.
capter vt. Recevoir des émissions. Obtenir par ruse.
captif, ive adj. et n. Prisonnier.
captiver vt. Intéresser. Charmer.
captivité f. Privation de liberté.
capture f. Action de capturer. Chose capturée.
capturer vt. S'emparer de.
capuchon m. Partie de vêtement qui se rabat sur la tête.
caquet m. Bavardage importun.
caqueter vi. Jaser, babiller.
car conj. Marque la preuve. m. Autocar.
carabine f. Fusil court, léger.
caracoler vi. Sauter de tous côtés.
caractère m. Manière d'être habituelle d'une personne. Signe d'imprimerie.
caractériel, elle n. et adj. Enfant inadapté.
caractériser vt. Déterminer avec précision.
carafe f. Bouteille à large base : *— d'eau.*
carambolage m. Collision en chaîne de véhicules.
caramboler vi. Au billard, toucher deux des boules avec la troisième.
caramel m. Sucre fondu. Bonbon.
carapace f. Enveloppe dure de la tortue, etc.
carat m. 1/24 d'un alliage d'or fin. Poids de 2 décigrammes pour diamants, perles, etc.

caravane f. Groupement de véhicules ou de montures qui voyagent ensemble. Remorque de camping.
caravansérail m. Abri pour caravanes.
caravelle f. Ancien navire : *les — de Colomb.*
carbone m. Corps simple qui forme le charbon.
carbonique adj. Gaz formé de carbone et d'oxygène : *le gaz — est asphyxiant.*
carboniser vt. Réduire en charbon : *bois —.*
carburant m. Essence pour moteur.
carburation f. Mélange d'air et de carburant dans un moteur.
carbure m. Combinaison du carbone avec un autre corps simple.
carcan m. Vx. Collier de fer. Fig. Contrainte.
carcasse f. Charpente, armature. Fam. Corps.
carcéral, e adj. Relatif aux prisons.
carder vt. Peigner, démêler la laine.
cardiaque adj. Du cœur : *région —.* n. Personne atteinte d'une maladie de cœur.
cardinal m. Prélat qui élit le pape.
cardio-vasculaire adj. Relatif au cœur et aux vaisseaux.
carême m. Temps d'abstinence avant Pâques.
carence f. Manque, absence.
carène f. Coque du navire.
caresse f. Attouchement tendre.
caresser vt. Faire des caresses. Effleurer.
car-ferry m. Navire qui transporte des véhicules.
cargaison f. Charge d'un navire.
cargo m. Navire pour le transport des marchandises.
cari ou **curry** m. Épice composée de piment, de gingembre, etc.
cariatide f. Statue soutenant une corniche.

caricature f. Portrait satirique.
carie f. Maladie des dents.
carillon m. Sonnerie de cloches accordées.
carillonner vi. Sonner un carillon.
caritatif, ive adj. Qui a pour objet d'apporter une aide matérielle et morale aux personnes démunies.
carlingue f. Partie d'un avion pour les passagers et l'équipage.
carmin m. Couleur d'un rouge vif.
carnage m. Massacre, tuerie.
carnassier m. Animal qui se nourrit de chair.
carnation f. Teint.
carnaval m. Divertissements avant le carême.
carnet m. Petit cahier de poche.
carnivore adj. Qui se nourrit de chair.
carotide f. Grosse artère de chaque côté du cou.
carotte f. Plante à racine comestible.
carpe m. ANAT. Les os du poignet. f. Un poisson.
carpette f. Petit tapis.
carré m. Quadrilatère à côtés égaux et à quatre angles droits. Produit d'un nombre par lui-même. adj. En forme de carré.
carreau m. Verre de fenêtre. Une couleur au jeu de cartes.
carrefour m. Croisement de routes ou de rues.
carrelage m. Sol carrelé.
carreler vt. Paver de carreaux. *(Je carrelle.)*
carrément adv. Avec franchise, fermeté.
carrer (se) vpr. S'installer à l'aise.
carrière f. Profession. Gisement de pierre.
carriole f. Petite charrette.
carrossable adj. Où peuvent passer les voitures.
carrosse m. Voiture de luxe, tirée par des chevaux.
carrosserie f. Caisse de voiture.

carrossier m. Qui fabrique des carrosseries.
carrousel m. Parade pour cavaliers.
carrure f. Largeur du dos.
cartable m. Sac d'écolier.
carte f. Carton mince. Carte à figure servant à jouer. Document d'identité. Menu. Représentation géographique : — *d'Europe*.
cartel m. Entente professionnelle, politique.
cartilage m. Tissu élastique du squelette.
cartographe n. Dessinateur de cartes de géographie.
cartomancie f. Prédiction par les cartes.
carton m. Papier épais, rigide. Boîte en carton.
cartonnage m. Ouvrage en carton.
cartouche f. Cylindre contenant la charge d'une arme à feu.
cartouchière f. Sacoche pour les cartouches.
caryotype m. Ensemble des chromosomes d'une cellule.
cas m. Événement fortuit. Circonstance.
casanier, ère adj. Qui aime rester chez soi.
casaque f. Veste de jockey.
cascade f. Chute d'eau.
cascadeur, euse n. Artiste spécialisé dans les scènes dangereuses.
case f. Cabane. Compartiment : — *d'échiquier*.
caser vt. Ranger, mettre. Procurer un emploi.
caserne f. Bâtiment pour loger les troupes.
casier m. Meuble à cases. Antécédents judiciaires.
casino m. Établissement de jeux d'argent.
casque m. Coiffure qui protège la tête.
casquette f. Coiffure à visière.
cassant, e adj. Fragile. Tranchant : *ton* —.
cassation f. Annulation : *la — d'un jugement*.
casse f. Action de casser. Récipient, casier.

casse-cou m. inv. Qui prend des risques.
casse-croûte m. inv. Repas sommaire.
casse-noix m. Instrument pour casser les noix.
casser vt. Briser. Annuler : — *un arrêt.*
casserole f. Récipient de cuisine à manche.
casse-tête m. Massue. Difficultés insolubles.
cassette f. Petit coffre. Boîtier contenant une bande magnétique.
casseur, euse n. Qui casse : — *de pierres.*
cassis m. Sorte de groseillier. Liqueur de cassis. Rigole en travers d'une route.
cassoulet m. Ragoût d'oie languedocien.
cassure f. Endroit où un objet est brisé.
castagnettes fpl. Instrument de percussion.
caste f. Division hiérarchique de la société.
castor m. Mammifère rongeur à poil très fin.
castrer vt. Châtrer.
cataclysme m. Grand bouleversement.
catacombe f. Souterrain pour sépultures.
catafalque m. Estrade funèbre.
catalepsie f. Arrêt apparent de la vie.
catalogue m. Liste ordonnée : — *de librairie.*
cataplasme m. Bouillie médicinale que l'on applique sur la peau.
catapulte f. Ancienne machine de guerre.
cataracte f. Grande cascade. Maladie de l'œil.
catastrophe f. Événement soudain et funeste.
catch m. Lutte où presque toutes les prises sont permises.
catéchisme m. Instruction religieuse.
catéchumène [-ky-] n. Aspirant au baptême.
catégorie f. Classe : *diviser en —.*
cathédrale f. Église épiscopale.
cathode f. ÉLECTR. Pôle négatif.
catholicisme m. Religion catholique.

catholique adj. De l'Église romaine.
catimini (en) loc. adv. En cachette : *agir —*.
cauchemar m. Rêve pénible.
caudal, e adj. De la queue.
cause f. Motif. Parti : *la — de la justice*.
causer vt. Motiver. vi. S'entretenir (avec).
causerie f. Entretien familier : *— littéraire*.
causeur, euse n. Qui aime à causer. f. Siège.
caustique adj. Corrosif. Acerbe ; *parole —*.
cauteleux, euse adj. Rusé ; sournois.
cautère m. Ce qui brûle les chairs malades.
cautériser vt. Brûler : *— une blessure*.
caution f., **cautionnement** m. Garantie, gage.
cautionner vt. Garantir : *— un emprunt*.
cavalcade f. Course désordonnée et bruyante.
cavale f. Pop. Évasion, fuite.
cavalerie f. Troupes à cheval : *régiment de —*.
cavalier, ère n. Homme, femme à cheval. Partenaire. adj. Désinvolte.
cave adj. Creux. f. Souterrain pour garder le vin, etc. Le vin même : *avoir une bonne —*.
caveau m. Fosse cimentée pour sépulture.
caverne f. Grotte. Cavité.
caviar m. Œufs d'esturgeon.
caviarder vt. Censurer.
cavité f. Creux, vide.
ce, cet, cette, ces adj. dém. Désigne une chose, une personne.
ceci pron. dém. Cette chose-ci.
cécité f. Infirmité de l'aveugle.
céder vt. Laisser, abandonner. Vendre. vi. Se soumettre : *— à la force*. S'affaisser.
cédille f. Signe orthographique sous le *c (ç)*.
cèdre m. Grand arbre conifère : *— du Liban*.
ceindre vt. Entourer. (Conj. comme *craindre*.)

ceinture f. Bande autour de la taille. Taille.
ceinturon m. Ceinture large, en cuir.
cela pron. dém. Cette chose-là.
célèbre adj. Fameux, renommé : *écrivain* —.
célébrer vt. Fêter avec pompe. Glorifier.
célébrité f. Renommée. Personnage célèbre.
céleri m. Plante comestible.
célérité f. Vitesse : *agir avec grande* —.
céleste adj. Du ciel : *les espaces* —.
célibataire adj. et n. Non marié : *un vieux* —.
cellier m. Local frais où l'on conserve des provisions.
cellulaire adj. Relatif aux cellules vivantes.
cellule f. Petite chambre. Cachot. Alvéole. Élément constitutif de tout être vivant.
cellulite f. Gonflement du tissu cellulaire sous-cutané.
Celluloïd m. (nom déposé). Matière plastique.
cellulose f. Substance organisée du végétal.
celui, celle, ceux, celles pron. dém. Désigne une personne, une chose.
cénacle m. Cercle de gens de lettres, d'artistes.
cendre f. Résidu de toute combustion.
cendré, e adj. De couleur de cendre.
cendrier m. Récipient pour la cendre de tabac.
Cène f. Dernier repas de Jésus.
cens [sɑ̃s] m. Impôt pour être électeur.
censé, e adj. Supposé, présumé : *nul n'est — ignorer la loi.*
censeur m. Qui critique, contrôle les opinions, les attitudes des autres.
censure f. Interdiction d'un film, d'une publication.
censurer vt. Interdire en totalité ou en partie un ouvrage, un spectacle, etc.
cent adj. et m. Dix fois dix.

centaine f. Cent : *une — de personnes.*
centaure m. Être mi-homme, mi-cheval.
centenaire adj. Qui a cent ans. m. Centième anniversaire : *célébrer un —.*
centième adj. et n. Qui vient après le 99ᵉ.
centime m. Centième du franc.
centimètre m. Centième du mètre.
central, e adj. et m. Qui est au centre : *poste —.*
centre m. Milieu. Siège principal.
centrifuge adj. Qui éloigne du centre : *force —.*
centripète adj. Qui rapproche du centre.
centuple adj. et n. Cent fois autant.
cep m. Pied de vigne.
cépage m. Plant, variété de vigne.
cèpe m. Bolet comestible.
cependant adv. Pendant ce temps. Néanmoins.
céramique f. Art du potier. Objet de terre cuite.
cerbère m. Portier, gardien sévère.
cerceau m. Cercle. Jouet d'enfant.
cercle m. Surface incluse dans une circonférence. Circonférence : *tracer un —.* Lieu de réunion.
cercueil [-kœj] m. Coffre pour les morts.
céréale f. Plante dont les grains réduits en farine servent à la nourriture.
cérébral, e adj. Du cerveau.
cérémonial m. Étiquette, protocole.
cérémonie f. Acte solennel pour célébrer.
cérémonieux, euse adj. Trop solennel.
cerf [sɛr] m. Mammifère ruminant.
cerfeuil [-fœj] m. Plante aromatique.
cerf-volant m. Jouet qu'on fait voler dans le vent. Insecte.
cerise f. Petit fruit à noyau.
cerne m. Marque sous les yeux.
cerner vt. Entourer. Encercler.

certain, e adj. Sûr, assuré. adj. et pron. indéf. Quelque. pl. Plusieurs.
certainement, certes adv. Sûrement.
certificat m. Écrit qui atteste un fait. Garantie.
certifier vt. Assurer comme certain.
certitude f. Assurance. Conviction ferme.
cérumen [-mɛn] m. Cire des oreilles.
cerveau m. Centre nerveux situé dans le crâne. Fig. Esprit.
cervelas m. Grosse saucisse.
cervelet m. Centre nerveux situé sous le cerveau.
cervelle f. Substance du cerveau.
césarienne f. Opération chirurgicale consistant à extraire le fœtus par incision de la paroi de l'abdomen.
cessation f. Suspension, arrêt : — *d'activité*.
cesse f. *Sans —*, sans arrêt.
cesser vt. et i. Finir : *le vent a —*.
cessez-le-feu m. inv. Arrêt des hostilités.
cession f. Action de céder : — *d'une créance*.
césure f. Repos à l'intérieur d'un vers.
cétacé m. Grand mammifère marin (baleine).
chacal m. Mammifère carnassier se nourrissant de cadavres.
chacun, e pron. indéf. Chaque personne ou chose.
chafouin, e adj. et n. Sournois : *visage —*.
chagrin, e adj. Triste, mélancolique. m. Peine.
chahut m. Fam. Tapage, vacarme.
chai m. Local à vins, à eaux-de-vie.
chaîne f. Lien d'anneaux enlacés. Suite de montagnes.
chaînon m. Anneau d'une chaîne.
chair f. Substance musculaire. Pulpe de fruit.
chaire f. Tribune élevée pour un prédicateur.
chaise f. Siège sans bras.

chaland m. Bateau plat. Acheteur, client.
châle m. Grande pièce d'étoffe couvrant les épaules.
chalet m. Habitation en bois.
chaleur f. Élévation de température. Ardeur.
chaleureux, euse adj. Cordial.
chaloupe f. Grand canot sur un navire.
chalumeau m. Appareil produisant une flamme très chaude pour souder ou découper les métaux.
chalut m. Sorte de filet de pêche.
chamailler (se) vpr. Se quereller.
chamarrer vt. Orner à l'excès.
chambranle m. Encadrement de porte ou fenêtre.
chambre f. Pièce où l'on dort. Salle d'un tribunal.
chambrée f. Soldats logeant ensemble.
chameau m. Mammifère ruminant à deux bosses.
chamois m. Antilope des montagnes. Sa peau.
champ m. Étendue de terre. Perspective, sujet : — *des hypothèses*. pl. Campagne.
champagne m. Vin mousseux de la Champagne.
champêtre adj. Des champs.
champignon m. Végétal cryptogame : — *vénéneux*. FAM. Accélérateur.
champion m. Vainqueur d'une épreuve sportive. Défenseur.
championnat m. Épreuve sportive : — *de ski*.
chance f. Hasard heureux. Bonne fortune.
chanceler vi. Perdre l'équilibre, pencher. *(Je chancelle.)*
chancelier m. Chef du gouvernement, en Allemagne. Dignité honorifique.
chancellerie f. Bureau du chancelier.
chanceux, euse adj. Qui a de la chance.
chancre m. Ulcère.

chandail m. Tricot de laine couvrant le torse.
Chandeleur f. Fête de la Purification de la Vierge.
chandelier m. Support pour chandelle, bougie.
chandelle f. Flambeau de suif, de résine, etc.
change m. Échange de monnaies.
changement m. Action de changer.
changer vt. Faire un troc. Remplacer. vi. Passer d'un état à un autre. *(Changea.)*
chanson f. Pièce musicale de vers en couplets.
chansonnier m. Auteur de pièces satiriques.
chant m. Suite de sons modulés. Action de chanter.
chantage m. Extorsion d'argent sous menace de scandale.
chanter vt. Émettre un chant. Louer, vanter.
chanteur, euse adj. et n. Qui chante.
chantier m. Lieu où l'on fait des travaux de construction, de réparation.
chantonner vi. Chanter à mi-voix.
chantre m. Chanteur. Poète.
chanvre m. Plante textile : *toile de —*.
chaos [kao] m. Confusion générale. Désordre.
chaparder vt. Voler de petits objets.
chape f. Épaisseur de gomme sur un pneu.
chapeau m. Coiffure à bords.
chapelain m. Prêtre d'une chapelle privée.
chapelet m. Objet de piété formé de grains enfilés.
chapelier, ère n. Qui fait ou vend des chapeaux.
chapelle f. Petite église. Partie d'église.
chapelure f. Croûte de pain râpée.
chaperon m. Personne qui accompagne une jeune fille dans le monde.
chapiteau m. Tête, sommet de colonne.
chapitre m. Division d'un livre.
chapon m. Coq châtré et engraissé.

chaque adj. indéf. Toute chose ou personne.
char m. Dans l'Antiquité, voiture à deux roues. Véhicule blindé sur chenilles.
charabia m. Langage bizarre, inintelligible.
charade f. Sorte d'énigme.
charançon m. Insecte nuisible aux graines.
charbon m. Combustible solide de couleur noire, d'origine végétale.
charbonnage m. Houillère.
charcuterie f. Commerce du charcutier.
charcutier m. Qui vend de la chair de porc.
chardon m. Une plante épineuse très commune.
chardonneret m. Un passereau chanteur.
charge f. Fardeau. Obligation, embarras. Impôt. Caricature. Fonction publique. Mission. Grief. Attaque. Poudre et projectiles d'une cartouche.
chargement m. Action de charger. Charge.
charger vt. Mettre une charge. Donner une mission. Mettre la charge dans une arme. Attaquer.
chargeur m. Qui charge. Dispositif de charge.
chariot m. Voiture pour les fardeaux.
charitable adj. Qui a de la charité.
charité f. Altruisme. Bonté. Aumône.
charivari m. Tapage.
charlatan m. Guérisseur ignorant. Imposteur.
charmant, e adj. Très agréable : *endroit* —.
charme m. Enchantement. Un arbre. pl. Appas.
charmer vt. Plaire beaucoup.
charmille f. Allée plantée d'arbustes.
charnel, elle adj. Relatif aux plaisirs des sens.
charnier m. Entassement de cadavres.
charnière f. Joint métallique mobile.
charnu, e adj. Bien en chair.
charogne f. Cadavre décomposé d'une bête.
charpente f. Armature de bois, de métal.

charpentier m. Ouvrier qui fait la charpente.
charpie f. Filaments de vieux linge.
charrette f. Voiture de charge à deux roues.
charrier vt. Transporter en charrette. Emporter.
charrue f. Instrument pour labourer la terre.
charte f. Loi, règle fondamentale.
charter [ʃartɛr] m. Avion spécialement affrété, dont les tarifs sont inférieurs à ceux des lignes régulières.
chas m. Trou d'aiguille.
chasse f. Action de chasser. Gibier. Poursuite.
châsse f. Coffre pour reliques. Monture.
chassé-croisé m. Mouvement par lequel deux personnes se croisent. (pl. — *s-* — *s.*).
chasse-neige m. inv. Véhicule servant à déblayer la neige sur une route.
chasser vt. Jeter dehors : — *un importun*. Poursuivre le gibier. Dissiper : — *les soucis*.
chasseur, euse n. Qui chasse. Groom.
chassie f. Humeur qui coule des yeux.
châssis m. Cadre, encadrement.
chaste adj. Innocent, pudique.
chasteté f. Continence, pureté, vertu.
chat, chatte n. Petit mammifère domestique.
châtaigne f. Fruit du châtaignier.
châtain adj. De la couleur de la châtaigne.
château m. Demeure fortifiée. Grande maison. — *d'eau*, réservoir.
châtelain m. Possesseur d'un château.
chat-huant m. Espèce de chouette.
châtier vt. Punir. Rendre pur, correct : — *son langage*.
châtiment m. Punition, peine sévère.
chaton m. Petit chat. Monture d'une pierre.
chatouillement m. Sensation d'attouchement.

chatouiller vt. Produire un chatouillement.
chatoyer vi. Briller avec des reflets changeants.
châtrer vt. Rendre inapte à la génération.
chaud, e adj. Qui a ou donne de la chaleur. Vif, animé. Ardent, empressé. m. Chaleur.
chaudière f. Appareil destiné à chauffer de l'eau en vue de répandre de la chaleur.
chaudron m. Récipient cylindrique, à anse.
chaudronnier m. Qui fabrique des objets en tôle ou en cuivre.
chauffage m., **chauffe** f. Action de chauffer.
chauffard m. FAM. Automobiliste imprudent et dangereux.
chauffe-eau m. inv. Appareil de production d'eau chaude.
chauffer vt. Rendre chaud. vi. Devenir chaud.
chauffeur m. Conducteur d'automobile.
chaume m. Paille : *toit de —*.
chaumière f. Maisonnette couverte de chaume.
chaussée f. Partie de la voie publique aménagée pour la circulation.
chausser vt. Mettre des bas, des souliers.
chausse-trape f. Sorte de piège. Ruse.
chaussette f. Bas jusqu'à mi-jambe.
chausson m. Chaussure d'étoffe.
chaussure f. Ce qui se met aux pieds.
chauve adj. Sans cheveux. Dénudé, pelé.
chauve-souris f. Petit mammifère ailé. (pl. *— s-—.)*
chauvin, e adj. Patriote fanatique.
chaux f. Substance blanche utilisée comme enduit.
chavirer vi. Se renverser : *bateau qui —*.
check-up [ʃɛkœp] m. inv. Examen de santé complet.
chef m. Qui dirige, qui commande.

chef-d'œuvre [ʃɛdœvr] m. Œuvre parfaite. (pl. *chefs-d'œuvre*.)
chef-lieu [ʃɛfljø] m. Ville principale d'une circonscription. (pl. *chefs-lieux*.)
chemin m. Voie de communication : — *vicinal.* — *de fer*, voie ferrée, train.
cheminée f. Conduit de fumée. Foyer.
cheminer vi. Marcher.
chemise f. Vêtement de dessous. Enveloppe.
chemisier m. Corsage de femme.
chenal m. Passage resserré où on peut naviguer.
chenapan m. Vaurien.
chêne m. Arbre à bois très dur.
chenet m. Barre supportant le bois du foyer.
chenil [-nil] m. Lieu où l'on loge les chiens.
chenille f. Larve de papillon. Bande articulée, interposée entre les roues et le sol, pour un véhicule tout terrain.
cheptel [ʃɛptɛl] m. Bétail d'une ferme.
chèque m. Bon de paiement sur compte courant.
chéquier m. Carnet de chèques.
cher, ère adj. Très aimé. Coûteux, onéreux.
chercher vt. S'efforcer de trouver.
chercheur m. Qui se consacre à la recherche scientifique.
chère f. Nourriture de qualité.
chérir vt. Aimer tendrement : — *ses enfants.*
cherté f. Coût élevé : *la — de la vie.*
chérubin m. Catégorie d'anges. Enfant charmant.
chétif, ive adj. Faible, maigre : *enfant —.*
cheval m. Animal de monture et de trait.
chevaleresque adj. Noble, généreux : *esprit —.*
chevalerie f. Rang de chevalier.
chevalet m. Support : — *de peintre.*
chevalier m. Noble. Membre d'un ordre honorifique. Oiseau.

chevauchée f. Promenade à cheval.
chevaucher vi. Aller à cheval. vpr. Se superposer.
chevelu, e adj. Garni de cheveux.
chevelure f. Ensemble des cheveux : — *frisée*.
chevet m. Tête du lit. Fond du chœur.
cheveu m. Poil de la tête humaine.
cheville f. Petit clou de bois. Os articulé entre le pied et la jambe.
chèvre f. Mammifère ruminant.
chevreau m. Petit de la chèvre. Sa peau.
chèvrefeuille m. Arbrisseau grimpant.
chevreuil m. Petit mammifère ruminant.
chevron m. Poutre de la pente d'un toit.
chevronné, e adj. Expérimenté.
chevroter vi. Parler d'une voix tremblante.
chevrotine f. Gros plomb de chasse.
chewing-gum [ʃwiŋgɔm] m. Gomme à mâcher.
chez prép. Au logis de, parmi les, du temps de.
chic m. Élégance. adj. Élégant.
chicane f. Querelle de mauvaise foi.
chicaner vi. Faire des chicanes.
chiche adj. Mesquin. *Pois* —, sorte de pois.
chicorée f. Sorte de salade ; sa racine grillée.
chicot m. Bout d'un arbre, d'une dent cassés.
chien, enne n. Un mammifère domestique. m. Pièce d'une arme à feu.
chiendent m. Une graminée.
chiffe f. Homme mou, sans caractère.
chiffon m. Vieux morceau d'étoffe.
chiffonner vt. Froisser. Contrarier.
chiffonnier m. Ramasseur de chiffons. Meuble.
chiffre m. Caractère représentant un nombre.
chignon m. Cheveux noués derrière la tête.
chimère f. Utopie. Illusion.
chimie f. Étude des molécules qui composent la matière.

chimiothérapie f. Traitement des maladies par des substances élaborées par la chimie.
chimiste n. Qui s'occupe de chimie.
chimpanzé m. Grand singe africain.
chiné, e adj. De plusieurs couleurs.
chinois, e adj. et n. De Chine. m. Langue chinoise.
chinoiserie f. Formalité compliquée.
chiper vt. FAM. Dérober.
chips [ʃips] fpl. Rondelles de pommes de terre frites.
chique f. Tabac que l'on mâche.
chiquenaude f. Coup appliqué avec le doigt.
chiquer vt. Mâcher du tabac.
chiromancie [ki-] f. Prédiction d'après les lignes de la main.
chirurgie f. Partie de la médecine qui comporte l'emploi d'instruments : — *dentaire*.
chirurgien m. Qui exerce la chirurgie.
chlore [klɔr] m. Corps simple gazeux verdâtre.
chlorhydrique adj. Un acide du chlore.
chloroforme m. Liquide anesthésique.
chlorophylle [klɔ-] f. Matière verte des feuilles.
choc m. Heurt, collision. Coup soudain.
chocolat m. Pâte solide de cacao et de sucre.
chœur [kœr] m. Personnes qui chantent ensemble. Morceau qu'ils chantent ensemble. Partie de l'église.
choir vi. Tomber.
choisir vt. Prendre de préférence.
choix m. Préférence. Élite. *De* —, excellent.
choléra [kɔ-] m. Maladie intestinale épidémique.
cholestérol [kɔ-] m. Substance grasse venant des aliments qui se dépose dans l'organisme.
chômage m. Situation d'une personne sans emploi.

chômer vi. Ne pas travailler.
chômeur, euse n. Qui a perdu son emploi.
chope f. Grand verre à bière.
choquer vt. Heurter, offenser.
choral, e [kɔ-] adj. Du chœur. m. Chant religieux. f. Groupe de personnes qui chantent ensemble.
chorégraphie [kɔ-] f. Art de la danse.
chorus [kɔrys] m. *Faire —*, approuver bruyamment.
chose f. Objet. Action, événement, fait, idée.
chou m. Plante potagère.
choucroute f. Choux hachés et fermentés.
chouette f. Oiseau rapace nocturne.
chou-fleur m. Une variété de chou. (pl. *choux-fleurs.*)
choyer vt. Entourer de tendresse. (Conj. c. *aboyer.*)
chrétien, enne n. De la religion du Christ.
christ m. Figure de Jésus-Christ sur sa croix.
chrome [krom] m. Corps simple métallique.
chromosome [krɔ-] m. Élément essentiel du noyau cellulaire, porteur des facteurs de l'hérédité.
chronique [krɔ-] adj. Qui se prolonge. f. Histoire au jour le jour. Article d'actualité.
chroniqueur m. Auteur de chroniques.
chronologie [krɔ-] f. Science des dates. Ordre de succession des événements.
chronomètre [krɔ-] m. Montre de précision.
chrysalide [kri-] f. Stade de formation des insectes entre la chenille et le papillon.
chrysanthème [kri-] m. Plante à belles fleurs.
chuchoter vi. Parler bas.
chuinter vi. Prononcer avec un sifflement.
chut ! interj. Silence !
chute f. Action de tomber. Cascade.
ci adv. de lieu. Ici.

cible f. But, objectif sur lequel on tire.
ciboire m. Coupe pour hosties consacrées.
ciboule, ciboulette f. Plantes aromatiques.
cicatrice f. Trace que laisse une plaie.
cicatriser vt. Fermer une plaie, guérir.
cidre m. Boisson de jus de pomme fermenté.
ciel m. Espace où se meuvent les astres (pl. *cieux*). Air, atmosphère (pl. *ciels*).
cierge m. Grande bougie de cire.
cigale f. Insecte des pays méditerranéens.
cigare m. Rouleau de feuilles de tabac.
cigarette f. Tabac roulé dans du papier fin.
cigogne f. Oiseau échassier.
ciguë f. Plante vénéneuse ressemblant au persil.
cil m. Poil des paupières.
ciller vi. Fermer et rouvrir rapidement les paupières.
cimaise f. Moulure sur un mur.
cime f. Sommet : *la — d'une montagne*.
ciment m. Poudre qui, mélangée à l'eau, forme une pâte qui se solidifie au séchage.
cimenter vt. Lier avec du ciment. Affermir.
cimetière m. Lieu pour enterrer les morts.
cinéaste n. Auteur ou réalisateur de films.
cinéma m. Salle de projection de films. Art de composer et de réaliser des films.
cinétique adj. Relatif au mouvement.
cingler vi. Naviguer vers. vt. Fouetter.
cinq adj. et m. inv. Quatre plus un. Cinquième.
cinquante adj. Cinq fois dix.
cinquième adj. ord. De rang numéro cinq. m. 5ᵉ partie.
cintre m. Support pour vêtements. Arcade.
cintrer vt. Courber en cintre.
cirage m. Pâte pour cirer les chaussures.

circoncision f. Ablation du prépuce.
circonférence f. Pourtour d'un cercle.
circonflexe adj. Sorte d'accent (^).
circonlocution f. Périphrase.
circonscription f. Division administrative.
circonscrire vt. Entourer. Limiter.
circonspection f. Retenue, discrétion.
circonstance f. Particularité qui accompagne un fait.
circonvenir vt. Séduire par des artifices.
circonvolution f. Cercle. Repli.
circuit m. Pourtour. Trajet circulaire.
circulaire adj. En forme de cercle. f. Lettre adressée à plusieurs personnes.
circulation f. Mouvement de ce qui circule. Déplacement de véhicules.
circulatoire adj. De la circulation du sang.
circuler vi. Aller et venir. Se propager.
cire f. Substance avec laquelle les abeilles construisent leurs rayons. Encaustique.
cirer vt. Enduire de cire, de cirage.
cirque m. Théâtre circulaire pour spectacles équestres et acrobatiques. Espace circulaire.
cirrus m. Nuage en forme de filaments.
cisailler vt. Couper avec des cisailles.
cisailles fpl. Gros ciseaux pour métaux, arbustes.
ciseau m. Outil tranchant. pl. Instrument à deux branches pour couper : — *à broder.*
ciseler vt. Travailler au ciseau. *(Je cisèle.)*
citadelle f. Forteresse d'une ville.
citadin, e n. Habitant d'une cité, d'une ville.
citation f. Action de citer. Passage cité.
cité f. Ville. Partie centrale d'une ville. Groupe d'immeubles dans une banlieue.
citer vt. Rapporter textuellement. Signaler.

citerne f. Réservoir d'eau, de carburant.
citoyen, enne n. Personne considérée du point de vue de ses devoirs et de ses droits politiques.
citron m. Fruit jaune du citronnier.
citrouille f. Variété de courge à gros fruit.
civet m. Ragoût de lièvre ou de lapin.
civette f. Mammifère d'Afrique. Un parfum.
civière f. Tiges rigides réunies par une toile pour transporter des blessés.
civil, e adj. Relatif au citoyen. Qui n'est pas militaire. Poli, affable.
civilisation f. État de ce qui est civilisé. Ensemble des caractères communs aux sociétés évoluées.
civiliser vt. Rendre sociable. Raffiner.
civilité f. Courtoisie, politesse.
civique adj. Du citoyen : *devoirs —*.
claie f. Treillis d'osier. Clôture à claire-voie.
clair, e adj. Lumineux. Net, distinct. Limpide.
claire-voie (à) loc. adj. Dont les éléments sont espacés, laissant passer la lumière.
clairière f. Espace sans arbres dans un bois.
clair-obscur m. Mélange de clarté et d'ombre.
clairon m. Trompette à son perçant.
claironner vi. Sonner du clairon. vt. Annoncer.
clairsemé, e adj. Épars. Rare : *cheveux —*.
clairvoyant, e adj. Perspicace : *esprit —*.
clameur f. Cri tumultueux : *pousser des —*.
clan m. Tribu. Parti, coterie.
clandestin, e adj. Secret : *trafic —*.
clandestinité f. État de ce qui est clandestin.
clapet m. Soupape à charnière : *— de pompe*.
clapier m. Cabane à lapins domestiques.
clapotis m. Agitation très légère des vagues.
clappement m. Bruit sec avec la langue.
claque f. Coup donné avec le plat de la main.

claquement m. Bruit de ce qui claque.
claquer vi. Produire un bruit sec.
clarifier vt. Rendre clair. Purifier.
clarinette f. Instrument à vent à clefs.
clarté f. Qualité de ce qui est clair.
classe f. Catégorie. Salle d'école. Leçon.
classement m. Action de classer.
classer vt. Ranger par classes, par catégories.
classeur m. Meuble pour classer.
classique adj. Conforme à la tradition. Ancien : *langues —*.
claudication f. Action de boiter.
clause f. Disposition particulière d'un contrat.
claustrophobie f. Angoisse maladive de rester dans un lieu clos.
clavecin m. Instrument à cordes à clavier.
clavicule f. Petit os de l'épaule.
clavier m. Ensemble des touches d'un piano, d'un ordinateur.
clef [kle] ou **clé** f. Outil pour ouvrir et fermer, etc. Ce qui explique. Signe musical. Pierre centrale d'une voûte.
clématite f. Plante grimpante.
clémence f. Vertu qui pousse à pardonner.
clément, e adj. Qui a de la clémence.
clerc [klɛr] m. Employé de notaire, d'avoué.
clergé m. Ensemble des ecclésiastiques.
clérical, e adj. Relatif au clergé.
cliché m. Gravure, image pour la reproduction. FIG. Banalité.
client, e n. Acheteur chez un commerçant. Celui qui consulte un médecin, un avocat, etc.
clientèle f. Ensemble de clients.
cligner vt. et i. Fermer l'œil à demi.
clignotant m. Dispositif à lumière intermittente sur un véhicule.

clignoter vi. S'allumer et s'éteindre alternativement.
climat m. Ensemble des phénomènes météorologiques.
climatique adj. Du climat.
climatisation f. Maintien d'une certaine température.
clin m. — *d'œil*, mouvement des paupières.
clinique f. Hôpital privé.
clinquant m. Faux brillant, éclat trompeur.
clip m. Petit film qui illustre une chanson.
clique f. Musique d'un régiment.
cliquet m. Petit levier d'arrêt.
cliquetis m. Bruit d'objets entrechoqués.
cloaque m. Égout. Lieu infect.
clochard, e n. Personne sans domicile et qui vit de mendicité.
cloche f. Instrument sonore à percussion.
clocher m. Tour d'église.
clocher vi. Présenter un défaut.
clocheton m. Petit clocher.
cloison f. Séparation légère, petite paroi.
cloître m. Galerie de monastère. Couvent.
cloîtrer vt. Enfermer dans un cloître.
clone m. Individu provenant de la reproduction asexuée d'un animal ou d'un végétal unique.
clopin-clopant adv. En marchant avec peine.
cloporte m. Petit animal des lieux humides.
cloque f. Boursouflure de l'épiderme.
clore vt. Fermer. Terminer : — *les débats.*
clos, e adj. Fermé. m. Terrain clos de murs.
clôture f. Enceinte de murailles, de haies.
clou m. Pointe de métal pour fixer ou pour accrocher. Furoncle.
clouer vt. Fixer avec des clous. Immobiliser.

clouter vt. Garnir de clous : *soulier —*.
clown [klun] m. Artiste comique de cirque.
clownerie f. Tour, facétie de clown : *faire des —*.
club [klœb] m. Assemblée politique, sportive, etc.
coaguler vt. Figer un liquide.
coaliser (se) vpr. Se liguer.
coalition f. Ligue, association, alliance.
coassement m. Cri de la grenouille.
cobalt m. Métal blanc, dur et cassant.
cobaye [kɔbaj] m. Petit rongeur, cochon d'Inde.
cobra m. Serpent venimeux.
coca m. Arbrisseau médicinal du Pérou.
cocagne f. *Vie de —*, d'abondance, de plaisirs.
cocaïne f. Drogue des feuilles de coca.
cocarde f. Nœud de rubans. Insigne.
cocasse adj. Plaisant, ridicule.
coccinelle f. Petit insecte, bête à bon Dieu.
coccyx [kɔksis] m. Os du sacrum.
coche f. Entaille pour marquer.
cocher m. Conducteur de voiture. vt. Marquer.
cochère adj. f. *Porte —*, porte permettant le passage des voitures dans la cour d'un immeuble.
cochon m. Porc. Homme sale.
cochonnerie f. Malpropreté : *faire des —*.
cocker [kɔkɛr] m. Chien de chasse à poils longs.
cocktail [kɔktɛl] m. Mélange de boissons alcooliques. Réception en fin de journée.
coco m. Fruit du cocotier. Boisson de réglisse.
cocon m. Enveloppe soyeuse d'un insecte.
cocorico m. Onomatopée du cri du coq.
cocotier m. Genre de palmiers.
cocotte f. Marmite ronde. FAM. Poule.
code m. Recueil de lois, de règlements. Système de signes, de symboles par lequel on transcrit un message.

coder vt. Transcrire par un code en un autre langage.
coefficient m. Nombre qui multiplie.
coercitif, ive adj. Qui contraint.
cœur m. Organe de la circulation du sang. Partie centrale. Couleur du jeu de cartes. Affection. Courage, ardeur.
coexistence f. Existence simultanée.
coffre m. Caisse. — *-fort*, coffre de métal.
cognée f. Hache à long manche.
cogner vt. et i. Frapper. Heurter : — *à une porte*.
cohabiter vi. Habiter ensemble.
cohérent, e adj. Dont les éléments forment un tout qui se tient.
cohésion f. Unité, solidarité.
cohorte f. Troupe.
cohue f. Foule confuse. Bousculade.
coi, coite adj. LITT. Tranquille. *Se tenir* —, se taire.
coiffe f. Coiffure féminine.
coiffer vt. Couvrir la tête. Peigner.
coiffeur m. Qui coiffe. f. Table de toilette.
coiffure f. Chapeau. Manière de se peigner.
coin m. Angle. Endroit retiré. Pièce conique pour serrer.
coincer vt. Serrer avec des coins. vpr. Se bloquer.
coïncider vi. S'ajuster, se superposer.
coing [kwɛ̃] m. Fruit du cognassier.
coke m. Houille distillée.
col m. Partie d'un vêtement qui entoure le cou. Goulot. Passage dans la montagne.
coléoptère m. Insecte à ailes dures.
colère f. Irritation violente.
coléreux, euse adj. Prompt à la colère.
colibacille m. Bactérie qui peut provoquer une maladie, la *colibacillose*.

colibri m. Minuscule oiseau à long bec.
colifichet m. Bagatelle, petit objet de fantaisie.
colimaçon m. *Escalier en —*, en spirale.
colin m. Espèce de poisson de l'océan.
colin-maillard m. Jeu d'enfants.
colique f. Douleur abdominale : *avoir la —*.
colis m. Paquet : *— postal.*
collaborer vi. Travailler avec.
collage m. Action de coller.
collant, e adj. Qui colle : *papier —*. m. Sous-vêtement féminin qui combine le slip et les bas.
collatéral, e n. Parent non direct.
collation f. Léger repas.
colle f. Matière pour coller. FAM. Problème à résoudre.
collecte f. Quête faite au profit d'une œuvre.
collectif, ive adj. Qui concerne un ensemble de personnes ou de choses. Fait ensemble.
collection f. Réunion d'objets : *— de timbres.*
collectivisme m. Système prônant la mise en commun des moyens de production.
collectivité f. Groupe d'individus habitant le même pays ou ayant des intérêts communs.
collège m. Établissement d'enseignement secondaire.
collégien, enne n. Élève d'un collège.
collègue n. Qui remplit la même fonction.
coller vt. Fixer avec de la colle.
collerette f. Petit col.
collet m. Col. Piège de braconnier.
collier m. Parure de cou. Cercle mis au cou.
colline f. Hauteur de forme arrondie.
collision f. Heurt violent entre deux véhicules.
colloque m. Entretien, débat, conférence.
collusion f. Entente secrète.

collyre m. Médicament pour les yeux.
colmater vt. Boucher, fermer (fente, trou).
colombe f. Oiseau voisin du pigeon.
colombier m. Pigeonnier.
colon m. Habitant d'une colonie.
côlon m. Partie du gros intestin.
colonel m. Commandant d'un régiment.
colonial, e adj. Des colonies : *produits* —.
colonie f. Territoire occupé et administré par une nation en pays étranger. Réunion, groupe.
coloniser vt. Établir une colonie.
colonnade f. Rangée de colonnes.
colonne f. Pilier cylindrique.
colorant m. Substance utilisée pour colorer certains aliments.
colorer vt. Donner de la couleur : — *en bleu.*
colorier vt. Appliquer des couleurs sur.
coloris m. Couleur. Teint.
colossal, e adj. Très grand : *monument* —.
colosse m. Homme très fort.
colporter vt. Faire le colporteur. FIG. Répandre.
colporteur m. Marchand ambulant.
coltiner vt. Porter de pesants fardeaux.
colza m. Plante à graine oléagineuse.
coma m. État voisin de la mort.
combat m. Lutte : *un — acharné.*
combattant, e adj. et n. Qui combat.
combattre vt. et i. Soutenir un combat.
combien adv. Quelle quantité ? À quel point ?
combinaison f. Action de combiner.
combiner vt. Coordonner, disposer. Organiser.
comble m. Faîte d'un bâtiment. adj. Très plein.
combler vt. Remplir. Exaucer : — *des vœux.*
combustible adj. et m. Qui brûle : — *liquide.*
combustion f. Action de brûler.

comédie f. Pièce dramatique qui porte à rire. Feinte, simulation.
comestible adj. Qu'on peut manger.
comète f. Astre suivi d'une traînée lumineuse.
comique adj. Qui fait rire. m. Acteur comique.
comité m. Réunion de personnes : — *de lecture.*
commandant m. Qui commande un navire. Officier supérieur au capitaine.
commande f. Demande de marchandises.
commandement m. Action de commander. Ordre.
commander vt. Ordonner. Faire une commande de marchandises.
commandeur m. Grade d'un ordre de chevalerie.
commanditer vt. Fournir des fonds à quelqu'un.
commando m. Petite formation militaire.
comme adv. De même que, autant que.
commémorer vt. Célébrer un souvenir.
commencement m. Première phase, premier stade d'une action.
commencer vt. Faire le début. Entamer.
comment adv. De quelle manière ? Pourquoi ?
commentaire m. Remarque sur un texte.
commenter vt. Faire des commentaires sur.
commérage m. Bavardage indiscret.
commerçant, e adj. et n. Qui fait du commerce.
commerce m. Trafic, négoce.
commercer vi. Faire le commerce. *(Commerça.)*
commercial, e adj. Du commerce : *flotte* —.
commère f. Femme bavarde.
commettre vt. Faire un acte répréhensible.
comminatoire adj. Qui menace : *un geste* —.
commis m. Employé. Vendeur.
commisération f. Compassion : *un air de* —.
commissaire m. Chargé de certaines fonctions.
commissariat m. Bureau du commissaire.

commission f. Message ou objet à transmettre. Groupe de personnes qui étudie une question. Pourcentage laissé à un intermédiaire. pl. Achats quotidiens.
commissionnaire m. Qui sert d'intermédiaire dans une affaire et touche une commission.
commissure f. Point de jonction : — *des lèvres.*
commode adj. D'un usage facile. f. Un meuble.
commodité f. Chose commode.
commotion f. Choc, secousse.
commuer vt. Changer : — *une peine.*
commun, e adj. Qui sert pour plusieurs. Général, ordinaire. Médiocre.
communal, e adj. De la commune : *école —.*
communauté f. État de ce qui est commun. Association, société qui vit en commun.
commune f. Petite division administrative.
communicatif, ive adj. Expansif, familier.
communication f. Action de communiquer. Avis. Conversation téléphonique : — *urgente.*
communier vi. Recevoir la communion.
communion f. Accord : — *d'idées.* Réception de l'eucharistie.
communiquer vt. Transmettre. vi. Être en relation.
communisme m. Doctrine tendant à la collectivisation des biens de production.
communiste n. Partisan du communisme.
commutation f. Changement : — *d'une peine.*
compact, e adj. Dense, serré : *masse —. Disque —,* à lecture laser.
compagne f. Camarade. Épouse.
compagnie f. Société de personnes. Troupe commandée par un capitaine.
compagnon m. Camarade. Époux.

comparaison f. Action de comparer.
comparaître vi. Se présenter devant un juge.
comparer vt. Établir un rapport entre. Mettre en parallèle.
comparse m. Qui joue un rôle secondaire.
compartiment m. Case, division : — *de wagon.*
compas m. Instrument pour tracer des cercles.
compassé, e adj. Raide, guindé.
compassion f. Pitié : *montrer de la* —.
compatible adj. Qui peut s'accorder avec autre chose.
compatir vi. Prendre part à la peine d'autrui.
compatriote adj. et n. Du même pays.
compenser vt. Équilibrer : — *une perte.*
compère m. Complice. — *-loriot*, orgelet.
compétence f. Aptitude à une chose.
compétition f. Épreuve sportive. Concurrence.
compilation f. Œuvre composée d'emprunts.
complainte f. Chanson populaire triste.
complaire vi. Plaire à. vpr. Se plaire à.
complaisance f. Obligeance. Satisfaction de soi-même.
complément m. Ce qui complète.
complet, ète adj. Plein. Entier. m. Vêtement.
compléter vt. Rendre complet. *(Je complète.)*
complexe adj. Formé de divers éléments. m. Sentiment d'infériorité.
complication f. État de ce qui est compliqué.
complice n. Qui participe au délit d'un autre.
complicité f. Participation à un délit.
compliment m. Éloge, félicitation.
compliquer vt. Rendre confus, moins simple.
complot m. Conjuration, conspiration.
comportement m. Manière de se conduire, attitude.

comporter vt. Se composer de. vpr. Se conduire.
composer vt. Former un tout. Arranger, assembler. Écrire de la musique. vi. Transiger.
compositeur, trice n. Qui compose.
composition f. Action de composer. Devoir scolaire. Opération préalable à l'impression d'un texte. Mélange, assemblage.
compote f. Fruits cuits avec du sucre.
compotier m. Plat pour compotes, fruits, etc.
compréhension f. Faculté de comprendre.
comprendre vt. Saisir le sens de. Contenir.
compresse f. Linge pour pansement, etc.
compression f. Action de comprimer.
comprimé m. Pastille pharmaceutique.
comprimer vt. Serrer, presser.
compromettre vt. Exposer, mettre en danger.
compromis m. Transaction : *signer un —*.
comptabilité f. Science des comptes. Service chargé des comptes.
comptable adj. et n. Qui tient les comptes.
comptant adj. En espèces et sur-le-champ.
compte m. Calcul. État de ce qui est dû. Avantage, profit : *trouver son —*.
compter vt. Calculer. Mettre au nombre de. vi. Importer.
compte rendu m. Exposé dans lequel on relate ce qu'on a vu ou entendu. (pl. *— s — s.)*
compteur m. Appareil de mesure enregistreur.
comptoir m. Table de commerçant.
compulser vt. Rechercher, examiner avec soin.
comte, esse n. Titre de noblesse.
comté m. Domaine possédé par un comte.
concasser vt. Broyer en fragments grossiers.
concave adj. Creux : *miroir —*.
concéder vt. Accorder, octroyer.

concentration f. Action de concentrer. *Camp de —*, camp de prisonniers civils.
concentrer vt. Réunir en un même lieu.
concentrique adj. De même centre : *courbes —*.
conception f. Action par laquelle l'enfant est conçu. Action de concevoir.
concert m. Séance musicale.
concerter vt. Organiser d'un commun accord.
concession f. Privilège commercial obtenu. FIG. Abandon de ses droits.
concessionnaire n. Titulaire d'une concession.
concevoir vt. Créer. Inventer, envisager.
concierge n. Gardien d'une maison, portier.
concile m. Réunion d'évêques.
conciliabule m. Conférence secrète.
conciliation f. Action de concilier.
concilier vt. Mettre d'accord. Disposer favorablement.
concis, e adj. Bref, laconique : *rédaction —*.
concision f. Qualité de ce qui est concis, bref.
concitoyen, enne n. Du même pays.
conclave m. Assemblée de cardinaux.
concluant, e adj. Probant, décisif.
conclure vt. Régler, terminer. *(Conclus, conclûmes ; conclue.)*
conclusion f. Action de conclure. Fin.
concombre m. Plante potagère consommée en salade.
concordance f. Accord, conformité.
concordat m. Accord entre le pape et un gouvernement.
concorde f. Bonne entente ; harmonie.
concourir vi. Aider à. Participer à un concours.
concours m. Coopération, aide. Examen à classement. Compétition sportive.

concret, ète adj. Qui a le sens des réalités. Matériel.
concrétion f. Réunion de parties en un corps solide.
concubinage m. Vie en commun hors mariage.
concupiscence f. Attrait pour les plaisirs des sens.
concurrence f. Compétition, rivalité.
concurrent, e n. Qui est en compétition. Rival.
condamnation f. Jugement qui condamne.
condamner vt. Prononcer une condamnation.
condenser vt. Rendre dense. Liquéfier.
condescendance f. Attitude méprisante.
condiment m. Ce qui sert à épicer.
condisciple n. Camarade d'études.
condition f. Rang social. Circonstance. Base d'un accord.
conditionnel m. Un mode du verbe.
condoléances fpl. Témoignage de sympathie dans un deuil.
condor m. Un grand vautour.
conducteur, trice n. Qui conduit.
conduire vt. Guider. Diriger. vpr. Se comporter. *(Conduis ; conduisis, conduit ; conduisant.)*
conduit m. Canal, tuyau.
conduite f. Action de conduire. Manière de se conduire. Tuyau.
cône m. Solide à base circulaire, terminé en pointe.
confection f. Fabrication de vêtements en série.
confectionner vt. Faire, fabriquer.
confédération f. Ligue d'États : — *suisse*.
conférence f. Réunion. Causerie publique.
conférer vt. Donner. Accorder. vi. Discuter.
confesser vt. Avouer : — *ses fautes*.
confession f. Aveu de ses péchés.

confetti m. Rondelle de papier coloré.
confiance f. Sentiment de celui qui se fie à quelqu'un.
confidence f. Secret confié.
confidentiel, elle adj. Secret : *lettre —*.
confier vt. Charger de. Dire en confidence. vpr. Faire des confidences.
configuration f. Forme extérieure.
confiner vi. Toucher aux confins. vt. Reléguer.
confins mpl. Frontières, limites.
confirmation f. Action de confirmer. Sacrement.
confirmer vt. Affermir dans une opinion. Garantir.
confiserie f. Art du confiseur. Sucrerie.
confiseur m. Qui fait et vend des sucreries.
confisquer vt. Déposséder en vertu d'une loi.
confit, e adj. et m. Conservé dans du sucre, de la graisse, etc.
confiture f. Fruits cuits dans du sucre.
conflagration f. Conflit international.
conflit m. Violente opposition. Guerre.
confluent m. Jonction de deux rivières.
confondre vt. Prendre pour un autre. Convaincre de fausseté.
conformation f. Forme : *défaut de —*.
conforme adj. Qui convient, semblable.
conformer vt. Rendre conforme.
conformisme m. Respect absolu des usages.
conformité f. Analogie, ressemblance.
confort m. Ce qui constitue le bien-être matériel.
confortable adj. Qui procure le confort.
confrère m. D'une même profession.
confrérie f. Association : *s'affilier à une —*.
confronter vt. Mettre en présence. Comparer.
confus, e adj. Mêlé, brouillé. Obscur.
confusion f. État de ce qui est confus. Erreur.

congé m. Courtes vacances. Repos : *jour de —*.
congédier vt. Renvoyer : *— un domestique*.
congélateur m. Appareil pour congeler des aliments.
congeler vt. Conserver par le froid : *viande —*.
congénère adj. Qui est de la même espèce.
congénital, e adj. De naissance.
congestion f. Accumulation de sang.
congestionner vt. Produire une congestion.
conglomérer vt. Réunir en une masse.
congratuler vt. Féliciter.
congre m. Poisson de mer.
congrégation f. Association religieuse.
congrès m. Réunion de personnes qui délibèrent.
congru, e adj. *Portion —*, ressources insuffisantes.
conifères mpl. Classe d'arbres (pin, if, etc.).
conique adj. En forme de cône.
conjecture f. Supposition, opinion probable.
conjoint, e n. Époux, épouse.
conjonction f. Mot servant de liaison.
conjonctive f. Muqueuse des paupières et de l'œil.
conjoncture f. Concours de circonstances.
conjugaison f. Manière de conjuguer un verbe.
conjugal, e adj. Relatif au mariage : *vie —*.
conjuguer vt. Énumérer les formes d'un verbe.
conjuration f. Complot.
conjurer vt. Supplier. Détourner.
connaissance f. Fait de connaître. Chose connue. Relation.
connaître vt. Avoir la notion de. Être en relation avec. *(Connais, connus ; connaissant, connu.)*
connexion f. Liaison, enchaînement.
connivence f. Complicité : *être de — avec*.
conquérant, e adj. et n. Qui conquiert.
conquérir vt. Obtenir par la lutte. *(Conquiers.)*

conquête f. Action de conquérir. Chose conquise.
consacrer vt. Dédier à Dieu. Sanctionner : — *un usage*. Employer : — *son temps à*.
consanguin, e adj. Parent du côté paternel.
conscience f. Connaissance. Sentiment du devoir, de la moralité.
consciencieux, euse adj. Qui fait preuve de probité.
conscient, e adj. Qui a conscience de.
conscrit m. Recrue.
consécration f. Action de consacrer.
consécutif, ive adj. Qui se suit.
conseil m. Avis. Conseiller : *ingénieur-* —. Assemblée délibérante.
conseiller vt. Donner un conseil.
conseiller, ère n. Qui conseille.
consentement m. Action de consentir.
consentir vi. Vouloir bien. Approuver.
conséquence f. Suite, effet d'une action.
conséquent, e adj. Qui agit avec logique.
conservateur, trice adj. et m. Qui conserve. Qui est partisan du maintien de l'ordre établi.
conservation f. Action de conserver.
conservatoire m. Établissement d'enseignement artistique.
conserve f. Aliment conservé en boîte ou en bocal.
conserver vt. Garder sans altération.
conserverie f. Fabrique de conserves.
considérable adj. Important : *des dépenses* —.
considération f. Raison, motif. Estime.
considérer vt. Regarder attentivement. Examiner.
consignation f. Dépôt d'argent en garantie.
consigne f. Instruction formelle. Punition de sortie. Dépôt de bagages dans une gare.
consigner vt. Mettre en dépôt. Noter. Défendre de sortir.

consistance f. État solide.
consister vi. Être formé de. Reposer sur.
consistoire m. Assemblée religieuse.
consolation f. Soulagement. Apaisement.
console f. Petite table appuyée à un mur.
consoler vt. Adoucir la douleur, la tristesse.
consolider vt. Rendre plus solide, renforcer.
consommateur, trice n. Qui consomme.
consommation f. Action de consommer.
consommé, e adj. Parfait. m. Bouillon.
consommer vt. Employer. User. Absorber. vi. Prendre une boisson dans un café.
consonance f. Accord de sons.
consonne f. Son, lettre qui n'est pas une voyelle.
consort adj. *Prince —*, mari de la reine.
consortium [-sjɔm] m. Association : *— minier.*
conspiration f. Complot.
conspirer vt. Comploter.
conspuer vt. Manifester publiquement son mépris.
constance f. Fermeté d'âme. Persévérance.
constant, e adj. Qui a de la constance.
constat m. Procès-verbal.
constatation f. Action de constater.
constater vt. Établir la vérité d'un fait. Remarquer.
constellation f. Groupe d'étoiles.
consteller vt. Parsemer.
consternation f. Abattement profond.
consterner vt. Jeter dans la consternation.
constipation f. Difficulté d'aller à la selle.
constiper vt. Causer de la constipation.
constituer vt. Former un tout. Être la base de.
constitution f. Action de constituer. Loi fondamentale d'un État.
constructeur, trice adj. et n. Qui construit.
construction f. Art de bâtir. Édifice.

construire vt. Bâtir. Faire. Assembler.
consul m. Agent chargé de protéger ses compatriotes à l'étranger.
consulat m. Charge du consul. Sa résidence.
consultation f. Action de consulter, d'examiner les malades.
consulter vt. Prendre avis, conseil. Chercher un renseignement : — *un livre*.
consumer vt. Détruire par le feu. vpr. Dépérir.
contact m. État des choses qui se touchent. FIG. Connaissance, relation.
contacter vt. Entrer en relation avec.
contagieux, euse adj. Transmissible par contact.
contagion f. Transmission d'une maladie par contact.
contaminer vt. Infecter, souiller.
conte m. Court récit d'aventures imaginaires.
contemplation f. Action de contempler.
contempler vt. Considérer attentivement.
contemporain, e adj. et n. De la même époque.
contenance f. Capacité, étendue. Attitude.
conteneur m. Caisse pour le transport de marchandises.
contenir vt. Comprendre, renfermer. Retenir.
content, e adj. Satisfait, joyeux.
contentement m. Joie, satisfaction.
contenter vt. Rendre content. Satisfaire.
contentieux, euse adj. Litigieux.
contenu m. Ce qui est à l'intérieur d'un récipient FIG. Substance, sens.
conter vt. Faire le récit de : — *une histoire*.
contestation f. Désaccord. Refus global des structures dans lesquelles on vit.
conteste (sans) loc. adv. De l'avis unanime.
contester vt. et i. Ne pas admettre. Discuter.

conteur, euse adj. et n. Auteur de contes.
contigu, ë adj. Voisin, limitrophe : *jardin —*.
continence f. Chasteté.
continent m. Vaste étendue de terre ferme.
contingent, e adj. Qui peut arriver. m. Ensemble des recrues appelées ensemble.
continu, e adj. Non interrompu.
continuation f. Action de continuer. Suite.
continuel, elle adj. Qui dure sans arrêt.
continuer vt. Poursuivre, prolonger. vi. Persister.
continuité f. Suite non interrompue.
contondant, e adj. Qui meurtrit sans couper.
contorsion f. Torsion du corps, d'un membre.
contour m. Ligne qui marque la limite d'un corps.
contraception f. Méthodes employées pour éviter la fécondation.
contracter vt. Réduire en moindre volume. S'engager : *— un bail.*
contraction f. Resserrement, diminution.
contradiction f. Action de contredire, opposition.
contraindre vt. Forcer, obliger : *— à venir.*
contrainte f. Obligation. Gêne.
contraire adj. Opposé. Nuisible.
contrarier vt. S'opposer. Causer du dépit.
contrariété f. Ennui, dépit, mécontentement.
contraste m. Opposition : *former un —*.
contraster vi. Être en contraste.
contrat m. Convention qui lie plusieurs personnes : *— de mariage*.
contravention f. Infraction. Amende.
contre prép. Marque l'opposition, le contact.
contrebande f. Introduction clandestine de marchandises. Ces marchandises.
contrebandier m. Qui fait de la contrebande.
contrebas (en) loc. adv. À un niveau inférieur.

contrebasse f. Instrument de musique.
contrecarrer vt. S'opposer à : — *un projet*.
contrecœur (à) loc. adv. Avec répugnance.
contrecoup m. Répercussion, suite.
contredire vt. Démentir, réfuter. vpr. Dire le contraire de ce qu'on vient de dire.
contrée f. Vaste étendue de pays.
contrefaçon f. Reproduction frauduleuse.
contrefaire vt. Imiter frauduleusement. Imiter par moquerie. Feindre.
contrefait, e adj. Difforme.
contrefort m. Pilier servant d'appui.
contre-jour m. Éclairage d'un objet du côté opposé à celui par lequel on le regarde.
contremaître, esse n. Qui dirige les ouvriers.
contrepartie f. Ce que l'on donne en échange, pour dédommager.
contre-pied m. Le contraire d'une chose.
contreplaqué m. Bois assemblé par collage en lames minces à fibres opposées.
contrepoids m. Poids qui équilibre une force.
contrepoison m. Remède contre un poison.
contresens m. Erreur sur le sens d'un mot. Ce qui va à l'encontre de la logique.
contresigner vt. Signer avec un autre.
contretemps m. Événement fâcheux, imprévu.
contrevenir vi. Agir contrairement à.
contrevent m. Volet de fenêtre.
contribuable adj. et n. Qui paie les impôts.
contribuer vi. Aider à. Collaborer. Participer.
contribution f. Participation. pl. Impôt.
contrôle m. Vérification. Surveillance.
contrôler vt. Vérifier, examiner : — *une dépense*.
contrôleur, euse n. Qui contrôle.
contrordre m. Révocation d'un ordre.

controuvé, e adj. Inventé de toutes pièces.
controverse f. Débat, contestation.
contumace f. Refus d'un accusé de comparaître.
contusion f. Meurtrissure.
convaincre vt. Persuader.
convalescence f. Retour à la santé.
convalescent, e n. Qui relève de maladie.
convenable adj. Qui convient. Opportun.
convenances fpl. Bons usages. Manière d'agir polie.
convenir vi. Être d'accord. Avouer : — *d'une erreur.* Être à propos.
convention f. Accord, pacte : — *secrète.*
conventionnel m. Membre de la Convention, pendant la Révolution française.
converger vi. Tendre vers le même point.
conversation f. Entretien familier.
converser vi. Bavarder, parler avec.
conversion f. Action de se convertir. Transformation.
converti, e adj. Amené à une autre religion.
convertir vt. Faire changer d'opinion. Changer, transformer. vpr. Changer de religion.
convexe adj. Bombé en dehors : *lentille* —.
conviction f. Croyance ferme.
convier vt. Inviter, engager.
convive n. Invité à un repas.
convocation f. Action de convoquer.
convoi m. Ensemble de camions, de navires. Train de chemin de fer. Cortège funèbre.
convoiter vt. Désirer ardemment.
convoitise f. Désir ardent.
convoler vi. IRON. Se marier.
convoquer vt. Appeler, inviter. Faire venir.
convoyer vt. Escorter pour protéger. *(Je convoie.)*

convulsion f. Contraction musculaire vive.
coopérative f. Société d'achats en commun.
coopérer vi. Participer à une œuvre commune.
coordonnées fpl. Éléments déterminant la position d'un point dans l'espace.
coordonner vt. Disposer dans l'ordre voulu.
copain, copine n. FAM. Camarade, ami.
copeau m. Parcelle de bois rabotée.
copie f. Reproduction, imitation.
copier vt. Reproduire. Imiter.
copieux, euse adj. Abondant : *un repas —*.
copropriétaire n. Qui possède un bien avec d'autres.
coq m. Mâle de la poule.
coque f. Enveloppe extérieure de l'œuf et de certains fruits. Carcasse de bateau, d'automobile.
coquelicot m. Pavot des champs.
coqueluche f. Toux convulsive.
coquet, ette adj. Qui s'efforce de plaire.
coquetier m. Petit godet pour les œufs à la coque.
coquetterie f. Désir de plaire.
coquillage m. Coquille de mollusque.
coquille f. Enveloppe dure des mollusques. Coque des œufs, des noix.
coquin, e adj. Espiègle.
cor m. Instrument à vent, en spirale. Corne de cerf. Durillon au pied.
corail m. Animal des mers chaudes, formant les récifs. (pl. *coraux.*)
corbeau m. Grand oiseau à plumage noir.
corbeille f. Panier d'osier ; son contenu.
corbillard m. Voiture dans laquelle on transporte les morts.
cordage m. Corde de manœuvre d'un bateau.
corde f. Assemblage de fils tordus.

cordeau m. Petite corde pour aligner.
cordelière f. Gros cordon servant de ceinture.
cordial, e adj. Affectueux. m. Tonique.
cordon m. Petite corde. Ruban de décoration.
cordon-bleu m. Cuisinière très habile. (pl. *—s-—s.*)
cordonnerie f. Métier, boutique de cordonnier.
cordonnier m. Qui répare les chaussures.
coreligionnaire n. Qui est de la même religion.
coriace adj. Dur comme le cuir : *viande —.*
cormoran m. Oiseau palmipède marin.
corne f. Excroissance dure à la tête d'un animal. Instrument sonore, trompe.
cornée f. Partie antérieure, transparente, de l'œil.
corneille f. Oiseau voisin des corbeaux.
cornemuse f. Instrument de musique à vent.
corner vi. Sonner de la corne.
cornet m. Instrument de musique. Papier roulé en cône : *— de dragées.*
corniche f. Moulure. Route en surplomb.
cornichon m. Petit concombre au vinaigre.
cornu, e adj. À cornes. f. Vase à col pour distiller.
corolle f. Ensemble des pétales d'une fleur.
coronaire adj. Qui porte le sang au cœur.
corporation f. Association professionnelle.
corporel, elle adj. Relatif au corps.
corps m. Substance : *— simple.* Partie physique d'un être animé. Partie principale. Partie d'armée.
corpulent, e adj. Grand et gros : *un homme —.*
corpuscule m. Très petit élément de matière.
correct, e adj. Conforme aux règles. Convenable.
correcteur, trice adj. et n. Qui corrige.
correction f. Action de corriger. Châtiment.
correctionnel, elle adj. Relatif aux délits.

corrélatif, ive adj. Qui est en relation avec une autre chose.
correspondance f. Conformité. Échange de lettres.
correspondre vi. Être en conformité, symétrie. Écrire.
corrida f. Combat entre un homme et un taureau.
corridor m. Passage, couloir.
corriger vt. Ôter les fautes. Punir.
corroborer vt. Confirmer, vérifier.
corroder vt. Ronger : *la rouille — le fer.*
corrompre vt. Gâter. Altérer. Soudoyer.
corrosif, ive adj. Qui ronge : *liquide —.*
corroyer vt. Apprêter le cuir. *(Je corroie.)*
corrupteur, trice adj. Qui corrompt.
corruption f. Action de corrompre : *— morale.*
corsage m. Vêtement féminin couvrant le buste.
corsaire m. Navire armé en guerre. Pirate.
corsé, e adj. Qui a un goût relevé.
corset m. Sous-vêtement féminin.
cortège m. Suite, accompagnement de personnes, de véhicules.
corvée f. Travail fastidieux.
corvette f. Navire chasseur de sous-marins.
coryza m. Rhume de cerveau.
cosaque m. Cavalier des steppes russes.
cosmétique m. Produit de beauté.
cosmographie f. Science de l'univers.
cosmonaute m. Pilote ou passager d'un engin spatial.
cosmopolite adj. Où se trouvent des personnes de divers pays.
cosmos m. Univers.
cosse f. Enveloppe de certains légumes.
cossu, e adj. Riche : *paysan —.*
costume m. Vêtement : *— militaire.*

costumer vt. Vêtir d'un déguisement.
cote f. Cours des valeurs négociées. Altitude notée sur une carte.
côte f. Os de la poitrine. Nervure. Montée. Rivage. Saillie : *velours à —*.
côté m. Partie latérale. Face, aspect.
coteau m. Versant d'un plateau.
côtelette f. Côte de mouton, veau, etc.
coter vt. Attribuer une cote, un prix.
coterie f. Cercle, chapelle, clan.
côtier, ère adj. De la côte : *navigation —*.
cotillon m. Jupe.
cotisation f. Part que chacun doit payer.
coton m. Fibre textile produite par un arbuste. Fil ou étoffe faits avec cette matière.
cotonnade f. Étoffe de coton.
cotonneux, euse adj. Couvert de duvet.
côtoyer vt. Aller le long de. *(Je côtoie.)*
cottage m. Petite maison de campagne.
cotte f. Tunique faite de petits anneaux de fer.
cou m. Partie du corps qui réunit la tête aux épaules.
couard, e adj. Lâche, poltron.
couchant m. Ouest.
couche f. Lit. Linge placé entre les jambes d'un nourrisson. fpl. Accouchement.
coucher vt. Mettre au lit. Étendre sur une surface plane, à l'horizontale. vpr. Se mettre au lit.
couchette f. Petit lit : *— de chemin de fer*.
coucou m. Un oiseau. Pendule à sonnerie.
coude m. Pli extérieur du bras. Angle.
coudée f. Ancienne mesure (environ 50 cm).
couder vt. Plier en forme de coude.
coudoyer vt. Fréquenter. *(Je coudoie.)*
coudre vt. Assembler avec du fil et une aiguille. *(Couds ; cousis ; cousant, cousu.)*

couenne [kwan] f. Peau de porc raclée.
couette f. Grand édredon revêtu d'une housse amovible.
coulant, e adj. Qui coule. Aisé, naturel.
coulée f. Jet de matière en fusion.
couler vi. Suivre son cours (rivière). Passer (temps). S'enfoncer dans l'eau. vt. Verser dans un moule.
couleur f. Impression que produit la lumière suivant la nature des corps éclairés. Matière colorante.
couleuvre f. Serpent non venimeux.
coulisse f. Rainure, glissière. Espace derrière la scène d'un théâtre.
coulisser vi. Glisser sur coulisses.
couloir m. Passage, corridor.
coup m. Choc, blessure. Décharge d'une arme. Ce qu'on boit en une fois. Fois, moment.
coupable adj. et n. Qui a commis une faute.
coupage m. Mélange de vin avec de l'eau ou un autre vin.
coupe f. Vase à boire. Compétition sportive.
couper vt. Trancher. Interrompre. Faire un coupage.
couperet m. Couteau large et court.
couperose f. MÉD. Rougeur du visage.
couple m. Deux personnes mariées ou vivant ensemble. Mâle et femelle d'animaux.
couplet m. Strophe d'une chanson.
coupole f. Dôme.
coupon m. Morceau d'une pièce d'étoffe. Titre d'intérêt d'une action ou obligation.
coupure f. Incision. Billet de banque.
cour f. Espace clos de bâtiments. Tribunal. Résidence d'un souverain.

courage m. Fermeté devant le danger.
courageux, euse adj. Qui a du courage.
couramment adv. De façon habituelle.
courant, e adj. Qui coule : *eau —*. Habituel, usuel. m. Cours, marche. *Au —*, qui sait.
courbature f. Douleur due à la fatigue.
courbe adj. En forme d'arc. f. Ligne courbe.
courber vt. Rendre courbe. Plier, fléchir.
courbette f. FIG. Révérence obséquieuse.
courbure f. État d'une chose courbée.
coureur, euse adj. et n. Qui court.
courge f. Plante potagère à gros fruits.
courir vi. Aller avec vitesse. Vagabonder, se débaucher. Circuler. vt. Poursuivre. Fréquenter. *(Cours ; courus ; courrai ; courant.)*
couronne f. Ornement de tête. Monnaie. Souveraineté : *abdiquer la —*.
couronnement m. Action de couronner. Sommet.
couronner vt. Mettre une couronne. Honorer.
courrier m. Correspondance : *faire son —*.
courroie f. Bande de cuir.
courroucer vt. Irriter, mettre en courroux.
courroux m. LITT. Vive colère.
cours m. Mouvement des eaux, des astres. Longueur (fleuve). Suite. Enseignement. Traité : *— de chimie*. Cote : *— de la Bourse*.
coursier m. Qui porte des messages, des paquets.
court, e adj. De peu de longueur. Bref.
courtaud, e adj. Trapu.
court-bouillon m. Bouillon assaisonné pour cuire le poisson ou la viande.
court-circuit m. Mauvais contact électrique.
courtier, ère n. Intermédiaire commercial.
courtisan m. Flatteur.
courtiser vt. Chercher à séduire. Flatter.

courtois, e adj. Civil, affable : *accueil —*.
courtoisie f. Civilité, politesse.
couscous [kuskus] m. Plat à base de semoule.
cousin, e n. Enfant de l'oncle, de la tante. m. Sorte de moustique.
coussin m. Sorte d'oreiller.
coussinet m. Petit coussin.
coût m. Ce que coûte une chose : *un — élevé*.
couteau m. Instrument tranchant pour couper.
coutelas [kutlɑ] m. Grand couteau.
coutelier m. Qui fait, vend des couteaux.
coûter vi. Avoir tel prix. vt. Occasionner.
coûteux, euse adj. Qui coûte cher.
coutume f. Habitude, usage : *— locale*.
coutumier, ère adj. Habituel. Habitué.
couture f. L'action de coudre. Suite de points.
couturier, ère n. Qui confectionne des vêtements.
couvée f. Poussins nés ensemble.
couvent m. Maison de religieux, religieuses.
couver vt. Chauffer les œufs pour les faire éclore. Avoir une maladie à l'état latent.
couvert m. Abri. Cuillère, fourchette et couteau. adj. Muni d'un toit. Excusé, justifié.
couverture f. Pièce de tissu pour couvrir un lit. Toit.
couveuse f. Poule qui couve. Machine à couver. Appareil pour les enfants prématurés.
couvre-chef m. Chapeau, bonnet, etc.
couvre-feu m. Interdiction de sortir de chez soi, à partir d'une certaine heure.
couvre-pied m. Tissu épais recouvrant le lit.
couvreur m. Ouvrier qui couvre les maisons.
couvrir vt. Mettre dessus. Donner à profusion. Vêtir. Défendre, protéger. Dissimuler, excuser. *(Couvre ; couvrais ; couvris ; couvrant, couvert.)*

cow-boy [kobɔj] m. Gardien de bestiaux des ranches américains. (pl. — - — *s.*)
coxalgie f. Arthrite de la hanche.
crabe m. Crustacé marin comestible.
crachat m. Mucosité crachée.
cracher vt. Lancer hors de la bouche. Projeter.
crachoir m. Récipient pour cracher.
craie f. Calcaire blanc, tendre et friable.
craindre vt. Redouter. *(Crains, craint ; craignant.)*
crainte f. Peur : *la — du châtiment.*
craintif, ive adj. Peureux.
cramoisi, e adj. Rouge foncé.
crampe f. Contraction musculaire pénible.
crampon m. Crochet de métal. FAM. Importun.
cran m. Entaille. Degré. Fermeté, audace.
crâne m. Boîte osseuse de la tête. adj. Décidé.
crapaud m. Batracien à forme lourde, trapue.
crapule f. Individu malhonnête.
craqueler vt. Fendiller : *faïence —. (Je craquelle.)*
craquement m. Bruit d'une chose qui craque.
craquer vi. Produire un bruit sec en éclatant, en se déchirant.
crash m. Écrasement au sol d'un avion.
crasse f. Saleté, ordure. Mauvais tour. adj. Grossier : *ignorance —.*
crasseux, euse adj. Couvert de crasse.
cratère m. Ouverture d'un volcan.
cravache f. Badine flexible des cavaliers.
cravate f. Bande d'étoffe nouée autour du cou.
crayeux, euse adj. De craie : *aspect —.*
crayon [krɛjɔ̃] m. Tige de matière colorée pour dessiner : *— de couleur.*
crayonner vt. Dessiner au crayon.
créance f. Droit d'exiger de l'argent.
créancier, ère n. À qui l'on doit de l'argent.

créateur, trice n. et adj. Qui crée : *esprit* —.
création f. Action de créer. Œuvre créée.
créature f. Être créé.
crèche f. Garderie de jeunes enfants.
crédible adj. Que l'on peut croire.
crédit m. Somme dont on dispose. Délai de paiement.
créditer vt. Inscrire au crédit.
crédule adj. Qui croit facilement.
créer vt. Tirer du néant. Engendrer. Fonder.
crémaillère f. Barre de métal crantée.
crématoire adj. Qui sert à incinérer.
crème f. Matière grasse du lait. Plat sucré.
crémerie f. Magasin où l'on vend du lait, du fromage, du beurre.
crémier, ère n. Qui tient une crémerie.
créneau m. Ouverture pratiquée dans un mur.
créole n. Blanc, Blanche nés dans les anciennes colonies européennes.
crêpe f. Fine galette cuite à la poêle.
crêpe m. Étoffe de soie, de laine, ondulée.
crépi m. Couche de mortier non lissé.
crépir vt. Enduire d'un crépi.
crépiter vi. Craquer, pétiller.
crépu, e adj. Court et frisé : *chevelure* —.
crépuscule m. Demi-jour. Déclin.
cresson m. Sorte de salade qui pousse dans l'eau.
crête f. Excroissance de la tête du coq.
crétin, e n. FAM. Idiot, imbécile.
cretonne f. Toile de coton très forte.
creuser vt. Rendre creux. Approfondir.
creuset m. Récipient pour faire fondre.
creux, euse adj. Qui a une cavité intérieure. Vain, chimérique. m. Cavité.
crevaison f. Éclatement d'un pneu.

crevasse f. Fente, déchirure. Gerçure.
crever vt. Faire éclater. Percer. vi. Éclater.
crevette f. Petit crustacé marin.
cri m. Éclat de voix. Voix d'un animal.
criailler vi. Crier beaucoup.
criard, e adj. Qui crie souvent, beaucoup.
crible m. Instrument percé de trous pour trier.
cribler vt. Passer au crible.
cric [krik] m. Petit vérin.
cricket [-kɛt] m. Jeu de balle anglais.
criée f. Vente aux enchères : *acheter à la —*.
crier vi. Pousser des cris. Gronder.
crieur, euse adj. et n. Qui crie, qui annonce.
crime m. Grave infraction à la loi.
criminel, elle adj. et n. Coupable d'un crime.
crin m. Poil long et rude : *— de cheval*.
crinière f. Crins du cheval, du lion.
crinoline f. Vaste jupon gonflant.
crique f. Petite baie naturelle du littoral.
criquet m. Sorte de sauterelle.
crise f. Changement subit. Moment périlleux ou décisif. Pénurie. Accès, attaque.
crisper vt. Causer des contractions.
crisser vi. Produire un bruit strident.
cristal m. Substance minérale de forme régulière : *— de roche.* Verre très limpide.
cristallin, e adj. Clair, limpide : *eau —*. m. Lentille de l'œil.
cristalliser vi. Former des cristaux.
critère m. Ce qui permet d'analyser, de juger, d'apprécier.
critique adj. Dangereux. n. Qui examine. f. Blâme. Art de juger une œuvre.
critiquer vt. Juger. Blâmer.
croasser vi. Crier comme le corbeau.

croc [kro] m. Crochet. Dent pointue. — *-en-jambe*, action de faire tomber en accrochant la jambe.
croche f. Note de musique.
crochet m. Tige à pointe courbe.
crocheter vt. Ouvrir une serrure avec un crochet.
crochu, e adj. Courbé en crochet.
crocodile m. Reptile saurien de grande taille.
croire vt. Tenir pour vrai. *(Crois, croyons ; crus ; croyant, cru.)*
croisade f. Expédition en Terre sainte.
croisé, e adj. En croix. Qui se croise. m. Engagé dans une croisade. f. Fenêtre. Croisement.
croisement m. Action de croiser. Endroit où se rencontrent deux voies. Reproduction de deux êtres de races différentes.
croiser vt. Placer en croix. Couper. Mêler.
croiseur m. Navire de guerre rapide.
croisière f. Voyage de tourisme en mer.
croissance f. Développement progressif.
croissant m. Forme échancrée de la lune. Petit pain en forme de croissant.
croître vi. Devenir plus grand. *(Crois, croissons ; crûs ; croîtrai ; croissant, crû.)*
croix f. Instrument de supplice formé de deux pièces de bois croisées. Représentation de la croix de Jésus-Christ. Décoration.
croque-mitaine m. Épouvantail.
croque-mort m. Employé des pompes funèbres.
croquer vi. Faire du bruit sous la dent. vt. Manger. Dessiner rapidement : — *un portrait.*
croquet m. Sorte de jeu de boules.
croquette f. Boulette de hachis, de pâte, panée et frite.
croquis m. Esquisse, dessin rapide.
crosse f. Bâton recourbé. Bas du fusil.

crotte f. Fiente d'animal. Bonbon au chocolat.
crotter vt. Salir de boue.
crottin m. Excrément du cheval.
crouler vi. Tomber, s'effondrer.
croup [krup] m. Laryngite diphtérique.
croupe f. Partie postérieure de certains animaux, des reins à la queue.
croupier m. Celui qui ramasse l'argent et paie, au jeu.
croupion m. Partie postérieure du corps d'un oiseau.
croupir vi. Se corrompre par stagnation (eau).
croustade f. Sorte de pâté chaud.
croustiller vi. Croquer sous la dent.
croûte f. Partie extérieure du pain. Plaque de sang séché sur la peau. Mauvais tableau.
croûton m. Morceau de croûte de pain.
croyance f. Opinion, doctrine : — *religieuse*.
croyant, e adj. Qui a la foi.
cru, e adj. Pas cuit. m. Terroir vinicole.
cruauté f. Inclination à être cruel.
cruche f. Pot à anses. Personne stupide.
cruchon m. Petite cruche.
crucial, e adj. En forme de croix. Décisif.
crucifier vt. Clouer en croix.
crucifix [-fi] m. Représentation de Jésus en croix.
cruciverbiste n. Amateur de mots croisés.
crudité f. État de ce qui est cru. pl. Légumes crus.
crue f. Gonflement d'un cours d'eau.
cruel, elle adj. Inhumain, impitoyable.
crustacés mpl. Animaux aquatiques à carapace.
crypte f. Chapelle souterraine.
cryptogame m. Plante sans fleurs visibles.
cube m. Solide à six faces carrées. Produit de trois nombres égaux : *27 est le — de 3.*

cubique adj. En forme de cube.
cubisme m. École artistique.
cubitus [-ys] m. Gros os de l'avant-bras.
cueillette f. Récolte : — *des olives.*
cueillir vt. Détacher des plantes de leur tige. *(Cueille ; -ais ; -is ; -erai.)*
cuillère ou **cuiller** [kɥijɛr] f. Ustensile pour puiser un liquide.
cuillerée f. Contenu d'une cuillère.
cuir m. Peau épaisse d'un animal.
cuirasse f. Armure de poitrine.
cuirassé, e adj. Armé d'une cuirasse. m. Navire de guerre blindé.
cuirasser vt. Revêtir d'une cuirasse. FIG. Endurcir.
cuire vt. Préparer les aliments au feu. vi. Devenir cuit. Avoir chaud.
cuisine f. Lieu où l'on apprête les mets. Art d'apprêter les mets : — *provençale.*
cuisiner vi. Faire la cuisine. FAM. Interroger.
cuisinier, ère n. Qui fait la cuisine. f. Fourneau de cuisine.
cuisse f. Partie supérieure de la jambe.
cuisson f. Action de faire cuire.
cuissot m. Cuisse de gros gibier.
cuistre m. Pédant ridicule.
cuivre m. Métal de couleur rouge.
cuivré, e adj. Couleur de cuivre : *un teint* —.
cul [ky] m. Derrière, fond de certaines choses.
culasse f. Fond du canon d'une arme.
culbute f. Saut jambes par-dessus tête.
culbuter vt. Renverser. vi. Faire la culbute.
cul-de-jatte m. Qui n'a pas de jambes. (pl. *culs-.*)
cul-de-sac m. Rue sans issue. (pl. *culs-.*)
culée f. Maçonnerie des arches d'un pont.
culinaire adj. De la cuisine : *recette* —.

culminant, e adj. *Point* —, le plus élevé.
culot m. Fond : — *de cartouche*. Hardiesse excessive.
culotte f. Vêtement d'homme qui va de la ceinture aux genoux. Sous-vêtement de femme.
culpabilité f. État d'une personne coupable.
culte m. Hommage rendu à Dieu. Vénération.
cultivateur m. Qui cultive la terre.
cultiver vt. Travailler la terre. Former, développer : — *son esprit*.
culture f. Action de cultiver. Terre cultivée. Savoir.
cumul m. Action de cumuler : — *d'emplois*.
cumuler vt. Exercer plusieurs emplois en même temps.
cumulus [-lys] m. Nuage blanc de beau temps.
cupidité f. Convoitise, avarice.
curable adj. Qui peut se guérir : *affection* —.
cure f. Traitement. Paroisse. Résidence du curé.
curé m. Prêtre pourvu d'une cure.
cure-dent m. Instrument pour se curer les dents. (pl. — - —*s*.)
curée f. Partie de la bête donnée aux chiens.
curer vt. Nettoyer : — *un puits*.
curette f. Grattoir de chirurgien pour nettoyer.
curieux, euse adj. Avide de savoir. Indiscret.
curiosité f. Désir de savoir. Chose rare.
curriculum vitae [kyrikylɔmvite] m. Document indiquant l'identité, les diplômes d'une personne.
curry. V. CARI.
cutané, e adj. De la peau : *maladie* —.
cuti-réaction f. Test pour déceler la tuberculose.
cuve f. Réservoir pour la fermentation du raisin.
cuvée f. Le contenu d'une cuve.
cuvette f. Récipient peu profond pour divers usages.

cycle m. Série. Vélo.
cyclique adj. Qui revient à intervalles réguliers.
cycliste adj. et n. Qui fait du vélo.
cyclone m. Tempête des régions tropicales.
cygne m. Oiseau palmipède à long cou.
cylindre m. Corps rond, long et droit.
cylindrée f. Capacité des cylindres d'un moteur.
cylindrique adj. En cylindre : *tuyau* —.
cymbale f. MUS. Instrument à percussion.
cynique adj. et n. Qui brave les principes moraux.
cynisme m. Attitude du cynique.
cyprès m. Arbre conifère.
cystite f. Inflammation de la vessie.

D

dactylo n. Qui sait dactylographier.
dactylographier vt. Écrire à la machine.
dada m. Cheval (mot enfantin). Idée fixe.
dadais m. Jeune homme niais.
dague f. Sorte de poignard.
dahlia m. Une plante d'ornement.
daigner vi. Vouloir bien, condescendre.
daim [dɛ̃] m. Mammifère voisin du cerf.
dais m. Sorte de baldaquin.
dalaï-lama m. Chef du bouddhisme tibétain. (pl. — - — *s.*)
dallage m. Revêtement de dalles.
dalle f. Pierre plate pour paver.
daller vt. Paver de dalles : *cour* —.
daltonisme m. Mauvaise vision des couleurs.
dame f. Femme mariée. Femme en général. Figure du jeu de cartes. Pièce de certains jeux sur échiquier.
damier m. Échiquier.
damner [dane] vt. Condamner aux peines éternelles.
dandiner (se) vpr. Se balancer gauchement.
danger m. Péril : — *de mort.* Risque, écueil.
dangereux, euse adj. Qui offre du danger.
danois, e adj. et n. Du Danemark. m. Sorte de chien.
dans prép. Indique le lieu, le temps, l'état.
danse f. Mouvement cadencé en musique.
danser vi. Se mouvoir en cadence au son de la musique. vt. Exécuter une danse.
danseur, euse n. Qui danse.
dard [dar] m. Organe piqueur de certains insectes.

dartre f. Maladie de la peau.
date f. Indication du jour et de l'année d'un événement.
dater vt. Mettre la date. vi. Remonter à.
datte f. Fruit à noyau, à pulpe sucrée.
daube f. Viande cuite à l'étouffée.
dauphin m. Genre de cétacés. Fils aîné du roi.
davantage adv. Plus. Plus longtemps.
de prép. Marque le point de départ, l'origine, la matière, la qualité.
dé m. Étui pour protéger le doigt. Petit cube à faces marquées, pour jouer.
déambuler vi. Se promener.
débâcle f. Rupture des glaces. Déroute.
déballer vt. Vider une caisse.
débandade f. Déroute.
débarbouiller vt. Laver le visage.
débarcadère m. Jetée de débarquement, quai.
débardeur m. Docker. Tricot sans manches.
débarquement m. Action de débarquer.
débarquer vt. Enlever d'un bateau. vi. Arriver.
débarras m. Petite pièce de rangement.
débarrasser vt. Enlever ce qui embarrasse.
débat m. Échange d'idées. Discussion.
débattre vt. Discuter. vpr. Lutter pour s'échapper.
débauche f. Inconduite.
débaucher vt. Détourner du travail, du devoir. Congédier des ouvriers. Pervertir.
débile adj. Faible. Arriéré mental.
débilité f. Déficience physique ou psychique.
débit m. Action de débiter. Somme due. Vente au détail. Quantité d'eau écoulée par une rivière pendant un certain temps.
débitant, e n. Qui vend au détail : — *de tabac*.

débiter vt. Porter au débit d'un compte. Vendre au détail. Couper. Raconter.
débiteur, trice n. Qui doit, qui a une dette.
déblai m. Enlèvement de terres pour niveler.
déblayer vt. Débarrasser, aplanir. *(Je déblaie.)*
déboire m. Déception.
déboiser vt. Couper les bois.
débonnaire adj. Bon jusqu'à la faiblesse.
débordement m. Excès, débauche.
déborder vi. Dépasser les bords.
débouché m. Issue, sortie. Carrière ouverte à quelqu'un.
déboucher vt. Ôter ce qui bouche. vi. Se jeter dans (rivière).
débouler vi. Rouler de haut en bas.
déboulonner vt. Démonter. Démolir.
débours m. Argent avancé (surtout au pl.).
débourser vt. Dépenser, payer.
debout adv. Sur pied. Levé.
débouter vt. Rejeter une demande en justice.
déboutonner vt. Sortir les boutons de leurs boutonnières : *— un vêtement.*
débraillé m. Mise négligée.
débrancher vt. ÉLECTR. Interrompre un circuit.
débrayer vt. Supprimer la liaison mécanique.
débrider vt. Ôter la bride. Ouvrir (plaie).
débris m. Reste, fragment d'une chose brisée.
débrouillard, e adj. Qui se débrouille.
débrouiller vt. Démêler. Éclaircir. vpr. FAM. Se tirer d'affaire par ingéniosité.
débusquer vt. Faire sortir de son refuge.
début m. Commencement.
débuter vi. Commencer.
déca préf. qui indique la multiplication par dix : *décamètre, décalitre.*

deçà adv. De ce côté-ci : *demeurer en —*.
décacheter vt. Ouvrir ce qui est cacheté.
décade f. Période de dix jours.
décadence f. Déclin. Affaiblissement.
décaféiné m. Café dont on a ôté le principe actif, ou *caféine*.
décalcomanie f. Transport d'une image d'un papier sur un autre support.
décaler vt. Déplacer dans l'espace ou dans le temps.
décalquer vt. Reporter un calque.
décamper vi. FAM. S'enfuir.
décanter vt. Débarrasser un liquide de ses impuretés.
décaper vt. Nettoyer une surface.
décapiter vt. Trancher la tête.
décapotable adj. Dont la capote peut être repliée : *voiture —*.
décéder vi. Mourir.
déceler vt. Découvrir. Distinguer. *(Je décèle.)*
décembre m. Douzième mois de l'année.
décence f. Honnêteté, bienséance. Réserve.
décennal, e adj. Qui a lieu tous les dix ans.
décent, e adj. Conforme à la décence.
décentraliser vt. Donner une certaine autonomie.
déception f. Action de décevoir. Désillusion.
décerner vt. Attribuer : *— une récompense*.
décès m. Mort d'une personne : *un — suspect*.
décevoir vt. Ne pas répondre à l'espoir, à l'attente de.
déchaîner vt. Donner libre cours à, déclencher.
déchanter vi. Rabattre de ses prétentions.
décharge f. Action de décharger. Quittance.
décharger vt. Ôter la charge. Soulager. Faire partir (arme). Justifier. *(Déchargea.)*

décharné, e adj. Très maigre : *visage* —.
déchausser vt. Ôter la chaussure de.
déchéance f. Action de déchoir. Dégradation.
déchet m. Résidu : — *de laine*.
déchiffrer vt. Lire un texte illisible.
déchiqueter vt. Déchirer ; mettre en lambeaux.
déchirant, e adj. Qui déchire le cœur.
déchirement m. Action de déchirer.
déchirer vt. Mettre en pièces. Tourmenter.
déchirure f. Rupture faite en déchirant.
déchoir vi. Passer à une situation inférieure. *(Déchois, -oyons ; déchus ; déchu.)*
déci préf. indiquant la division par dix : *décigramme, décimètre*.
décibel m. Unité servant à évaluer l'intensité des sons.
décidé, e adj. Fixé. Résolu, ferme.
décider vt. Fixer. Inciter. Déterminer.
décimal, e adj. Qui procède par dix.
décimer vt. Faire périr en grand nombre.
décisif, ive adj. Qui décide : *bataille* —.
décision f. Action de décider. Résolution.
déclamation f. Discours pompeux.
déclamer vt. Réciter avec emphase.
déclaration f. Action de déclarer.
déclarer vt. Faire connaître ; annoncer.
déclasser vt. Déranger des objets classés. Faire passer dans une catégorie inférieure.
déclencher vt. Mettre en mouvement.
déclic m. Ressort qui déclenche un mécanisme.
déclin m. Action de décliner : — *du jour*.
déclinaison f. Changement dans la désinence d'un mot.
décliner vi. S'affaiblir. vt. Écarter, refuser : — *une invitation*. Dire : — *son nom*.

déclivité f. Pente.
décocher vt. Lancer : — *une flèche*.
décoction f. Liquide dans lequel on a fait bouillir des plantes.
décoder vt. Rétablir en langage clair un texte écrit en code.
décoiffer vt. Défaire la coiffure.
décoller vt. Détacher ce qui est collé. vi. Quitter le sol en parlant d'un avion.
décolleter vt. Découvrir le cou.
décolorer vt. Effacer, altérer la couleur.
décombres mpl. Débris d'un édifice démoli.
décommander vt. Annuler une commande.
décomposer vt. Séparer en ses composants.
décomposition f. Action de décomposer. Altération, putréfaction : *cadavre en* —.
décompte m. Décomposition d'une somme à payer.
déconcerter vt. Jeter dans l'incertitude.
déconfiture f. Déroute. Ruine, faillite.
décongeler vt. Réchauffer un produit congelé.
déconseiller vt. Conseiller de ne pas faire.
déconsidérer vt. Faire perdre l'estime.
décontenancer vt. Jeter dans l'embarras ; troubler.
déconvenue f. Déception.
décor m. Ce qui décore. Décoration de théâtre.
décorateur m. Qui s'occupe de décoration.
décoratif, ive adj. Propre à la décoration.
décoration f. Embellissement, ornement. Signe distinctif d'un ordre honorifique.
décorer vt. Orner, parer. Conférer un titre.
décortiquer vt. Enlever l'écorce.
décorum [-rɔm] m. Cérémonial.
découcher vi. Coucher hors de chez soi.
découdre vt. Défaire ce qui était cousu.

découler vi. Dériver, résulter de.
découper vt. Couper, tailler : *— un gigot.*
découpure f. Objet découpé. Entaille.
découragement m. Perte de courage.
décourager vt. Ôter le courage, l'envie de.
décousu, e adj. Sans cohérence : *discours —.*
découvert, e adj. Non couvert. f. Action de découvrir ce qui était inconnu ; son résultat.
découvrir vt. Ôter ce qui couvrait. Trouver, inventer. vpr. Ôter son chapeau.
décrasser vt. Ôter la crasse.
décrépit, e adj. Affaibli par l'âge.
décrépitude f. Affaiblissement dû à la vieillesse.
décret m. Décision d'une autorité.
décréter vt. Ordonner par décret.
décrier vt. Déprécier. Calomnier.
décrire vt. Dépeindre, représenter.
décrisper vt. Atténuer le caractère tendu d'une situation quelconque.
décrocher vt. Détacher un objet. FIG. Obtenir.
décroître vi. Diminuer. *(Décru.)*
décrotter vt. Ôter la boue de, nettoyer.
décrue f. Baisse de niveau des eaux.
décrypter vt. Déchiffrer un texte écrit en caractères secrets.
déculotter vt. Ôter la culotte, le pantalon.
déculpabiliser vt. Supprimer tout sentiment de culpabilité.
décupler vt. Multiplier par dix.
dédaigner vt. Traiter avec dédain, négliger.
dédaigneux, euse adj. Qui marque du dédain.
dédain m. Mépris : *un air de —.*
dédale m. Labyrinthe. Chose compliquée.
dedans adv. Dans l'intérieur. m. Intérieur.
dédicace f. Formule d'hommage.

dédier vt. Consacrer. Faire hommage de.
dédire (se) vpr. Se rétracter. *(Dédisez.)*
dédit m. Refus d'exécuter un contrat.
dédommager vt. Compenser un dommage. *(-gea.)*
dédoubler vt. Partager en deux.
déduction f. Action de retrancher. Conclusion tirée d'un raisonnement.
déduire vt. Retrancher. Conclure, inférer.
déesse f. Divinité féminine.
défaillance f. Manque, défaut. Évanouissement.
défaillir vi. S'évanouir. Faiblir.
défaire vt. Remettre dans l'état primitif. Vaincre. vpr. Se débarrasser.
défaite f. Perte d'une bataille. Échec.
défaitiste n. Qui ne croit pas à la victoire.
défalquer vt. Déduire : *— d'une somme.*
défaut m. Manque. Imperfection. Point faible.
défaveur f. Perte de la faveur : *tomber en —.*
défavorable adj. Non favorable : *avis —.*
défection f. Abandon d'un poste, d'un allié.
défectueux, euse adj. Imparfait : *un travail —.*
défendre vt. Protéger. Interdire.
défense f. Protection. Interdiction. Dent saillante de l'éléphant, du sanglier.
défenseur m., **défensif, ive** adj. Qui défend.
déféquer vi. Expulser les matières fécales.
déférent, e adj. Respectueux : *un ton —.*
déférer vt. Faire comparaître. vi. Céder.
déferler vi. Se briser avec bruit (vagues).
défi m. Provocation : *mettre au —.*
défiance f. Méfiance : *montrer de la —.*
déficience f. Insuffisance organique ou mentale.
déficit [-sit] m. Ce qui manque aux recettes pour équilibrer les dépenses.
déficitaire adj. En déficit.

défier vt. Provoquer. Braver. vpr. Se méfier.
défigurer vt. Enlaidir le visage. Altérer.
défilé m. Passage étroit. Marche d'une troupe en files.
défiler vi. Aller en file. vpr. FAM. S'esquiver.
défini, e adj. Déterminé.
définir vt. Fixer, préciser. Donner la définition de.
définitif, ive adj. Sur quoi on ne peut revenir.
définition f. Énonciation des qualités d'une chose : *— d'un mot.*
déflagration f. Explosion violente.
déflation f. Réduction du volume de la monnaie circulant dans un pays.
déflorer vt. Enlever l'originalité de.
défoliant m. Produit chimique provoquant la chute des feuilles des plantes.
défoncer vt. Faire céder sous une poussée.
déformation f. Altération de la forme.
déformer vt. Altérer la forme de.
défraîchir vt. Enlever la fraîcheur.
défrayer vt. Payer la dépense de. *(Je défraie.)*
défricher vt. Rendre propre à la culture.
défroque f. Vêtement usagé.
défunt, e adj. et n. Qui est mort, décédé.
dégagement m. Action de dégager. Sortie.
dégager vt. Libérer. Débarrasser. Exhaler. *(-geons.)*
dégaine f. FAM. Allure. Manière de marcher.
dégarnir vt. Ôter ce qui garnit. vpr. Se vider.
dégât m. Destruction, dommage, ravage.
dégel m. Fonte naturelle des glaces, des neiges.
dégénérer vi. Perdre sa valeur, ses qualités.
dégingandé, e adj. Disloqué dans sa démarche.
dégivrer vt. Débarrasser du givre.
déglutir vt. Avaler : *— avec difficulté.*

dégommer vt. FAM. Licencier.
dégonfler vt. Évacuer le gaz d'un objet gonflé.
dégorger vt. Déboucher. vi. Déborder.
dégourdir vt. Faire cesser l'engourdissement.
dégoût m. Répugnance, aversion.
dégoûter vt. Ôter l'appétit. Répugner.
dégoutter vi. Tomber goutte à goutte.
dégradation f. Action de dégrader.
dégrader vt. Dépouiller de son grade. Avilir. Affaiblir graduellement : — *une couleur.*
dégrafer vt. Détacher ce qui est agrafé.
dégraisser vt. Ôter la graisse. Nettoyer.
degré m. Marche d'escalier. Division : — *du thermomètre*. Échelon : — *de la hiérarchie*. Chacune des 360 parties de la circonférence.
dégressif, ive adj. Qui va en diminuant.
dégrever vt. Décharger d'un impôt.
dégringoler vt. FAM. Tomber de haut en bas.
dégriser vt. Faire passer l'ivresse.
dégrossir vt. Rendre moins grossier. Ébaucher.
déguenillé, e adj. Vêtu de haillons.
déguerpir vi. Se retirer, fuir.
déguisement m. Action de déguiser. Ce qui sert à déguiser.
déguiser vt. Rendre méconnaissable en changeant le costume. Dénaturer.
déguster vt. Goûter, savourer.
déhancher (se) vpr. Se dandiner.
dehors adv. Hors de. m. L'extérieur.
déifier vt. Considérer comme un dieu.
déisme m. Croyance en Dieu sans révélation.
déjà adv. Auparavant : *il est — venu.*
déjection f. Évacuation des excréments.
déjeuner m. Repas du matin ou de midi. vi. Prendre le repas du matin ou de midi.

déjouer vt. Faire échouer : *— un complot.*
delà prép. De l'autre côté. *Au-* —, plus loin.
délabrement m. Ruine. Dégradation.
délai m. Temps accordé en plus.
délaisser vt. Abandonner : *— ses études.*
délassement m. Action de se délasser.
délasser vt. Reposer. vpr. Se détendre.
délation f. Dénonciation intéressée et méprisable.
délaver vt. Décolorer par l'action de l'eau.
délayer vt. Mélanger dans un liquide.
délecter (se) vpr. Prendre plaisir à.
délégation f. Transmission d'un pouvoir à un tiers. Groupe des délégués.
délégué, e n. Personne mandatée par d'autres.
déléguer vt. Envoyer quelqu'un avec pouvoir d'agir. Transmettre : *— ses droits.*
délester vt. Ôter le lest.
délétère adj. Nocif : *émanations* —.
délibérant, e adj. Qui délibère : *assemblée* —.
délibération f. Action de délibérer. Examen.
délibéré, e adj. Résolu. *De propos* —, exprès.
délibérer vi. Examiner, peser. Discuter.
délicat, e adj. Savoureux, exquis. Fin, délié. Embarrassant : *un cas* —. Très sensible.
délicatesse f. Tact dans les relations.
délice m. Enchantement. fpl. Grand plaisir.
délicieux, euse adj. Savoureux. Charmant.
délié, e adj. Mince, menu.
délier vt. Détacher. Libérer.
délimiter vt. Fixer les limites de.
délinquant, e n. Qui a commis un délit.
délire m. Égarement d'esprit. Enthousiasme.
délirer vi. Avoir le délire.
délit m. Violation de la loi.
délivrance f. Action de délivrer. Dernier stade de l'accouchement.

délivrer vt. Mettre en liberté.
déloger vt. Chasser, expulser.
déloyal, e adj. Non loyal : *concurrence —*.
déloyauté f. Manque de loyauté.
delta m. Ramification d'un fleuve à son embouchure.
déluge m. Inondation universelle (avec maj.). Grande pluie.
déluré, e adj. Vif, dégourdi : *un gamin —*.
démagogie f. Politique qui flatte les masses.
demain adv. Le jour immédiatement prochain.
démancher vt. Ôter le manche de.
demande f. Action de demander : *— en mariage*.
demander vt. Solliciter : *— un service*. S'enquérir de : *— sa route*.
demandeur, euse n. Personne qui demande.
démangeaison f. Picotement à la peau.
démanger vt. Causer une démangeaison. (Conj. comme *manger*.)
démanteler vt. Démolir. Fig. Désorganiser.
démantibuler vt. Fam. Démonter, disloquer.
démaquiller vt. Enlever le maquillage.
démarcation f. Limite, séparation.
démarchage m. Recherche à domicile de clients éventuels.
démarche f. Marche, allure. Tentative.
démarcheur, euse n. Qui fait du démarchage.
démarquer vt. Ôter la marque. Contrefaire.
démarrer vi. Commencer à fonctionner.
démasquer vt. Ôter le masque. Dévoiler.
démêlé m. Débat, querelle : *avoir des —*.
démêler vt. Séparer ce qui est mêlé. Discerner.
démembrer vt. Diviser, morceler.
déménager vt. Transporter les meubles dans un autre logement. vi. Changer de logement.

déménageur m. Qui aide à déménager.
démence f. Aliénation d'esprit.
démener (se) vpr. S'agiter violemment.
dément, e adj. et n. Fou, aliéné.
démentir vt. Contredire. Nier.
démériter vi. Perdre l'affection, l'estime.
démesure f. Outrance.
démesuré, e adj. Excessif : *orgueil —*.
démettre vt. Ôter de sa place. vpr. Renoncer à une fonction.
demeure f. Habitation. *Mettre en — de*, obliger à.
demeurer vi. Rester. Habiter.
demi, e adj. Qui est la moitié du tout. m. Moitié d'unité. *À —*, à moitié.
démilitariser vt. Ôter le caractère militaire.
démission f. Acte par lequel on se démet.
démissionner vi. Renoncer volontairement à une fonction, un emploi.
démobiliser vt. Renvoyer des troupes.
démocrate adj. et n. Attaché à la démocratie.
démocratie f. Forme de gouvernement dans laquelle l'autorité émane du peuple.
démodé, e adj. Qui n'est plus à la mode.
démographie f. Étude statistique des populations humaines.
demoiselle f. Fille non mariée. Libellule.
démolir vt. Abattre, détruire.
démolisseur m. Celui qui démolit.
démolition f. Action de démolir.
démon m. Ange déchu, diable.
démonétiser vt. Ôter à une monnaie sa valeur légale.
démoniaque adj. Du démon. Possédé du démon.
démonstratif, ive adj. Qui démontre. Qui sert à désigner.

démonstration f. Raisonnement qui prouve. Marque : — *d'amitié*.
démonter vt. Défaire pièce à pièce : — *une pendule*. Déconcerter.
démontrer vt. Prouver : — *son innocence*.
démoraliser vt. Décourager.
démordre vi. *Ne pas — de*, ne pas renoncer à.
démunir vt. Priver de, dégarnir. Dépouiller.
démystifier vt. Détromper. Faire perdre son mystère.
dénatalité f. Baisse du nombre des naissances.
dénaturer vt. Changer la nature de.
dénégation f. Action de dénier.
déni m. Refus d'une chose due : — *de justice*.
dénicher vt. Ôter du nid. Découvrir.
dénier vt. Refuser de reconnaître ou d'accorder.
dénigrer vt. Discréditer, décrier, critiquer.
dénivellation f. Différence de niveau.
dénombrer vt. Compter, recenser.
dénominateur m. Second terme d'une fraction.
dénomination f. Désignation par un nom.
dénommer vt. Nommer. Qualifier.
dénoncer vt. Désigner comme coupable.
dénonciation f. Action de dénoncer.
dénouement m. Manière dont une histoire se termine.
dénouer vt. Défaire un nœud. Résoudre.
denrée f. Marchandise pour la consommation.
dense adj. Compact, lourd.
densité f. Qualité de ce qui est dense. Poids de l'unité de volume d'un corps.
dent f. Organe dur implanté dans la mâchoire. Découpure saillante : — *d'un peigne*.
dentaire adj. Relatif aux dents.
dentelle f. Tissu léger à jours et orné.

dentelure f. Découpure en forme de dents.
dentier m. Série de dents artificielles.
dentifrice m. Produit pour nettoyer les dents.
dentiste n. Chirurgien qui soigne les dents.
dentition f. Formation des dents.
denture f. Ensemble des dents.
dénuder vt. Mettre à nu : — *une branche*.
dénué, e adj. Dépourvu : *livre — d'intérêt*.
dénuement m. Manque du nécessaire. Misère.
déodorant m. Qui enlève les odeurs corporelles.
déontologie f. Ensemble des règles et des devoirs d'une profession.
dépanner vt. Remettre en état de marche.
dépareiller vt. Rendre incomplète une série.
déparer vt. Nuire à la qualité esthétique de.
départ m. Action, moment de partir.
départager vt. Faire cesser l'égalité des voix dans un vote. Arbitrer un différend.
département m. Circonscription administrative.
dépasser vt. Aller au-delà. Passer devant.
dépayser vt. Faire changer de cadre, de milieu. Dérouter.
dépecer vt. Mettre en pièces. *(Dépeçons.)*
dépêche f. Lettre, avis, communication.
dépêcher (se) vpr. Se hâter.
dépeindre vt. Décrire, représenter.
dépenaillé, e adj. Déguenillé : *enfant* —.
dépendance f. Sujétion, subordination.
dépendre vt. Décrocher. vi. Être sous l'autorité de : — *d'un patron*.
dépens mpl. Frais de justice.
dépense f. Action de dépenser. Montant de la somme à payer. Consommation : — *d'électricité*.
dépenser vt. Employer de l'argent à. Consommer.
dépensier, ère adj. Qui dépense sans compter.

déperdition f. Perte, diminution.
dépérir vi. S'affaiblir.
dépêtrer (se) vpr. Se débarrasser de.
dépeupler vt. Dégarnir d'habitants.
dépilatoire m. Qui fait tomber les poils.
dépister vt. Découvrir la trace de.
dépit m. Chagrin irrité. *En — de*, malgré.
déplacé, e adj. Pas à sa place. Inconvenant.
déplacement m. Action de déplacer.
déplacer vt. Changer de place. Muter.
déplaire vi. Ne pas plaire. Fâcher.
déplaisir m. Mécontentement.
déplier vt. Étendre ce qui est plié.
déplorable adj. Affligeant, navrant.
déplorer vt. Trouver mauvais.
déployer vt. Déplier, étendre.
dépopulation f. Dépeuplement d'un pays.
déportation f. Exil. Internement dans un camp de concentration.
déporter vt. Exiler. vpr. Glisser de côté.
déposer vt. Poser. Mettre en dépôt, en garantie. Destituer. vi. Faire une déposition.
dépositaire n. À qui l'on confie quelque chose en dépôt.
déposition f. Déclaration d'un témoin en justice.
déposséder vt. Ôter la possession.
dépôt m. Action de déposer. Chose déposée. Lie.
dépotoir m. Endroit où l'on jette les objets de rebut.
dépouille f. Peau laissée à la mue. Butin.
dépouiller vt. Enlever la peau d'un animal. Dénuder. Voler. Compter les votes d'un scrutin.
dépourvu, e adj. Privé. *Au —*, à l'improviste.
dépravation f. Avilissement. Corruption.
déprécier vt. Diminuer, rabaisser.

déprédation f. Pillage. Malversation.
dépression f. Enfoncement. Trouble mental.
déprimer vt. Démoraliser.
depuis prép. À partir de.
dépuratif m. Qui rend plus pur le sang, l'organisme.
députation f. Envoi de députés. Ces députés.
député m. Membre d'une assemblée élue.
déraciner vt. Arracher avec ses racines.
dérailler vi. Sortir des rails. Déraisonner.
déraison f. Manque de raison, de logique.
déraisonner vi. Divaguer.
dérangement m. Action de se déplacer. Mauvais fonctionnement.
déranger vt. Déplacer. Dérégler.
déraper vi. Glisser, patiner.
dératé, e n. *Courir comme un —*, très vite.
dérégler vt. Déranger, détraquer.
dérider vt. Égayer, réjouir.
dérision f. Mépris ironique : *tourner en —*.
dérisoire adj. Insignifiant.
dérive f. Déviation. *À la —*, à vau-l'eau.
dériver vt. Détourner. vi. S'écarter de sa route. Provenir : *langue qui — d'une autre*.
derme m. Couche profonde de la peau.
dernier, ère adj. Qui vient après tous les autres.
dérobade f. Action de se dérober.
dérober vt. Voler. Cacher. vpr. S'esquiver.
déroger vi. S'écarter de ce qui est fixé par une loi.
dérouiller vt. Ôter la rouille. Dégourdir.
dérouler vt. Étendre ce qui est roulé. Étaler.
déroute f. Fuite en désordre.
dérouter vt. Faire changer de route. Déconcerter.
derrière prép. En arrière. Après. m. Partie d'un être vivant comprenant les fesses.

dès prép. Depuis. — *lors*, en conséquence.
désabusé, e adj. Qui a perdu ses illusions.
désaccord m. Différend. Dissension.
désaffecter vt. Donner une autre utilisation à un local.
désagréable adj. Qui déplaît : *souvenir* —.
désagréger vt. Séparer les parties de. *(-gea.)*
désagrément m. Déplaisir. Contrariété.
désaltérer vt. Calmer la soif.
désappointement m. Déception.
désappointer vt. Décevoir.
désapprouver vt. Ne pas approuver ; critiquer.
désarçonner vt. Faire tomber de cheval. FIG. Décontenancer, déconcerter.
désarmer vt. Ôter les armes. Apaiser. vi. Réduire les forces militaires.
désarroi m. Trouble profond.
désarticuler vt. Faire sortir de l'articulation.
désastre m. Calamité, malheur.
désastreux, euse adj. Funeste, regrettable.
désavantage m. Préjudice.
désavantager vt. Léser, frustrer.
désaveu m. Rétractation. Dénégation.
désavouer vt. Désapprouver. Renier.
désaxé, e adj. et n. Un peu fou.
descendance f. Ensemble des descendants.
descendant, e n. Personne qui descend d'une autre.
descendre vi. Aller de haut en bas. Baisser. S'abaisser à. Être issu, né de. vt. Mettre plus bas.
descente f. Action de descendre. Pente.
descriptif, ive adj. Qui décrit.
description f. Discours par lequel on décrit.
désemparer vi. *Sans* —, sans interruption.

désemplir vt. *Ne pas —*, ne pas cesser d'être plein.
désenchanter vt. Faire perdre l'enthousiasme.
déséquilibre m. Absence d'équilibre.
déséquilibrer vt. Faire perdre l'équilibre.
désert, e adj. Inhabité. m. Lieu aride et désert.
déserter vt. Abandonner un lieu. vi. Abandonner l'armée sans autorisation.
déserteur m. Soldat qui déserte.
désertion f. Action de déserter.
désertique adj. Du désert : *régions —*.
désescalade f. MIL. Processus inverse de l'escalade.
désespéré, e adj. Plongé dans le désespoir. Qui ne laisse plus d'espoir : *situation —*.
désespérer vt. Mettre au désespoir. vi. Cesser d'espérer : *— de réussir.*
désespoir m. Perte d'espoir. Affliction.
déshabillé m. Tenue légère d'intérieur.
déshabiller vt. Ôter à quelqu'un ses habits.
déshérité, e n. Dépourvu d'avantages naturels, misérable.
déshériter vt. Priver d'un héritage.
déshonneur m. Perte de l'honneur.
déshonorer vt. Faire perdre son honneur.
déshydrater vt. Diminuer la teneur en eau ; dessécher.
desiderata mpl. Revendications.
désignation f. Action de désigner.
désigner vt. Indiquer, montrer. Choisir.
désillusion f. Perte d'illusion : *subir une —*.
désinence f. Terminaison des mots.
désinfecter vt. Détruire les germes microbiens.
désintégrer vt. Détruire la cohésion.
désintéressé, e adj. Qui n'agit pas par égoïsme.
désintéresser vt. Dédommager. vpr. Ne plus prendre d'intérêt à.

désintoxiquer vt. Délivrer d'une intoxication.
désinvolte adj. Dégagé, leste : *un air —*.
désinvolture f. Allure, manières libres.
désir m. Action de désirer. Chose désirée.
désirer vt. Souhaiter, convoiter.
désireux, euse adj. Qui désire.
désister (se) vpr. Renoncer.
désobéir vi Ne pas obéir.
désobéissance f. Action de désobéir.
désobliger vt. Contrarier, vexer.
désodorisant m. Produit qui dissipe les odeurs.
désœuvré, e adj. Qui n'a rien à faire.
désœuvrement m. État d'une personne désœuvrée.
désolation f. Grande affliction.
désoler vt. Affliger, peiner vivement.
désopilant, e adj. Qui fait beaucoup rire.
désordonné, e adj. Qui manque d'ordre. Sans règle.
désordre m. Manque d'ordre. Confusion. Trouble, émeute.
désorganiser vt. Mettre la confusion dans.
désorienter vt. Déconcerter.
désormais adv. À partir du moment actuel.
despote m. Souverain absolu : *gouverner en —*.
despotisme m. Pouvoir absolu, arbitraire.
dessaisir vt. Déposséder d'un droit, d'une charge.
dessaler vt. Ôter le sel.
dessécher vt. Rendre sec. Déshydrater.
dessein m. Projet, résolution. Intention.
desserrer vt. Relâcher ce qui est serré.
dessert m. Mets sucré servi à la fin du repas.
desserte f. Petite table. Service de transport.
desservir vt. Assurer un service de transport. Enlever les plats de la table. Nuire.

dessiller vt. — *les yeux de*, détromper.
dessin m. Représentation de la forme des objets par des moyens graphiques. Art de dessiner.
dessinateur, trice n. Qui fait du dessin.
dessiner vt. Reproduire la forme d'un objet.
dessous adv. Sous. m. Partie inférieure. pl. Lingerie de femme.
dessus adv. Sur. m. Partie supérieure.
destin m. Destinée. Issue, résultat.
destinataire n. À qui l'on adresse un envoi.
destination f. Lieu vers lequel on va. Emploi prévu d'une chose.
destinée f. Avenir qui nous est réservé.
destiner vt. Fixer l'emploi de.
destituer vt. Révoquer : — *un fonctionnaire*.
destructeur, trice adj. et n. Qui détruit.
destruction f. Action de détruire.
désuétude f. *Tomber en* —, cesser d'être en usage.
désunion f. Action de désunir. Désaccord.
désunir vt. Disjoindre. Provoquer une dissension.
détachement m. Attitude indifférente. Élément avancé d'une troupe.
détacher vt. Détacher le lien qui attachait. Éloigner, écarter. Faire ressortir. Enlever les taches.
détail m. Petit élément d'un ensemble. Énumération : — *d'une facture*. Vente des marchandises par petites quantités.
détaillant, e n. Qui vend au détail.
détailler vt. Vendre au détail. Raconter avec des détails : — *un récit*.
détaler vi. FAM. Décamper, fuir.
détartrer vt. Enlever le tartre de.
détecter vt. Déceler ce qui est caché.
détective m. Personne chargée d'enquêtes policières privées.

déteindre vi. Perdre sa couleur.
dételer vt. Détacher des animaux attelés.
détendre vt. Faire cesser la tension. vpr. Se reposer.
détenir vt. Avoir en sa possession. Garder en prison.
détente f. Pièce qui fait partir un fusil. FIG. Distraction, repos.
détention f. Action de détenir. Réclusion.
détenu, e n. et adj. Prisonnier : — *politique*.
détériorer vt. Dégrader, abîmer.
détergent, e adj. et m. Qui sert à nettoyer.
détermination f. Caractère résolu. Action de déterminer.
déterminer vt. Établir avec précision. Provoquer.
déterrer vt. Tirer de terre.
détestable adj. Très mauvais : *caractère* —.
détester vt. Avoir en horreur, exécrer.
détonant, e adj. Qui détone : *mélange* —.
détonation f. Bruit d'explosion.
détoner vi. Faire explosion.
détonner vi. Chanter faux. Contraster, choquer.
détour m. Sinuosité, circuit. Circonlocution.
détourné, e adj. Qui n'est pas direct. Qui biaise.
détourner vt. Tourner d'un autre côté. Soustraire : — *des fonds*. Écarter : — *du devoir*.
détracteur, trice adj. Qui rabaisse le mérite de.
détraquer vt. Mettre hors d'usage (un mécanisme).
détremper vt. Imbiber.
détresse f. Infortune. Désespoir : *cri de* —.
détriment m. *Au — de*, en faisant tort à.
détritus [-tys] m. Résidu, débris.
détroit m. Bras de mer entre deux terres.
détromper vt. Tirer de l'erreur.

détrôner vt. Chasser du trône. Faire perdre sa supériorité.
détrousser vt. Dévaliser : *— des voyageurs.*
détruire vt. Mettre à bas, démolir.
dette f. Ce qu'on doit : *payer ses —.*
deuil m. Profonde douleur causée par la mort de quelqu'un. Signes extérieurs de deuil.
deux adj. et m. Un et un. Deuxième.
deuxième adj. num. Qui est au second rang.
dévaler vi. Rouler de haut en bas.
dévaliser vt. Voler, détrousser.
dévaloriser vt. Baisser la valeur de.
dévaluation f. Baisse du taux de change d'une monnaie.
devancer vt. Précéder. *(Devança.)*
devancier, ère n. Prédécesseur.
devant prép. En face de. En présence de. adv. En avant. m. Partie antérieure.
devanture f. Étalage, vitrine.
dévaster vt. Rendre désert, ravager.
déveine f. Manque de chance : *avoir de la —.*
développement m. Action de développer.
développer vt. Déployer. Exposer. Assurer la croissance de. Faire apparaître l'image en photographie.
devenir vi. Passer d'un état à un autre.
dévergondage m. Conduite relâchée.
devers (par-) loc. prép. En présence de. En la possession de : *garder par- — soi.*
déverser vt. Faire couler. Répandre.
dévêtir vt. Déshabiller.
déviation f. Changement dans la direction.
dévider vt. Mettre en pelote.
dévier vi. Se détourner. vt. Écarter.
devin, eresse n. Qui devine, prédit l'avenir.

deviner vt. Prédire le futur. Débrouiller.
devinette f. Ce qu'on donne à deviner.
devis m. Prix estimatif.
dévisager vt. Regarder avec trop de curiosité.
devise f. Emblème. Monnaie étrangère.
dévisser vt. Ôter les vis.
dévitaliser vt. Enlever le tissu vital : — *une dent.*
dévoiler vt. Découvrir. Révéler.
devoir vt. Avoir à payer. Être tenu à. *(Dois ; dus ; devrai ; doive ; devant, dû.)* m. Ce que l'on doit faire. Nécessité. pl. Hommages.
dévolu m. *Jeter son — sur,* fixer son choix sur.
dévorer vt. Manger goulûment.
dévotion f. Zèle pour la religion.
dévouement m. Sacrifice de soi.
dévouer (se) vpr. Se consacrer à ; faire abnégation de soi-même.
dévoyé, e adj. Sorti du droit chemin. Perverti.
dextérité f. Adresse, habileté : *montrer de la —.*
di préf. indiquant la duplication.
dia préf. signifiant *à travers.*
diabète m. Maladie marquée souvent par la présence de sucre dans l'urine.
diable m. Démon, esprit malin. Petit chariot de transport.
diablement adv. FAM. Excessivement : — *lourd.*
diabolique adj. Qui vient du diable.
diacre m. Qui a reçu l'ordre immédiatement inférieur à la prêtrise.
diadème m. Bijou féminin qui enserre le haut du front.
diagnostic m. Détermination d'une maladie.
diagonal, e adj. et f. GÉOM. Qui va d'un sommet à l'autre d'une figure.
diagramme m. Courbe représentant les variations d'un phénomène.

dialecte m. Variété régionale d'une langue.
dialectique f. Art de raisonner.
dialogue m. Conversation, entretien.
diamant m. Pierre précieuse très dure.
diamètre m. Droite passant par le centre d'un cercle, d'une sphère.
diapason m. Instrument qui donne le ton.
diaphane adj. Translucide.
diaphragme m. Muscle mince séparant la poitrine et l'abdomen. Dispositif qui permet de régler l'admission de lumière dans un instrument d'optique.
diapositive f. Image transparente montée sur un support, pour la projection.
diaprer vt. Parer de couleurs diverses.
diarrhée f. Selles liquides et fréquentes.
diaspora f. Dispersion d'un peuple, d'une communauté.
diatribe f. Critique amère et violente.
dictateur m. Despote, tyran.
dictature f. Pouvoir absolu.
dictée f. Action de dicter. Ce qu'on dicte.
dicter vt. Prononcer des mots qu'un autre écrit au fur et à mesure.
diction f. Manière de dire, élocution.
dictionnaire m. Recueil de mots rangés par ordre alphabétique et suivis de leur définition.
dicton m. Sentence, proverbe.
didactique adj. Qui a pour objet d'instruire.
dièdre m. Angle formé par deux plans.
dièse m. MUS. Signe qui hausse le ton.
diesel [djezɛl] m. Type de moteur.
diète f. Abstinence, jeûne. Assemblée politique.
Dieu m. Être suprême, créateur de l'univers.
diffamation f. Action de diffamer.

diffamer vt. Médire, calomnier.
différence f. Dissemblance, particularité. Excès d'une grandeur sur une autre : — *d'altitude*.
différend m. Débat, contestation.
différent, e adj. Qui diffère. Non semblable.
différer vt. Retarder. vi. Être différent.
difficile adj. Pas facile. Pénible : *débuts* —.
difficulté f. Chose difficile. Obstacle.
difforme adj. Laid, contrefait.
difformité f. Défaut de conformation.
diffraction f. Déviation d'un rayon lumineux.
diffus, e adj. Répandu en diverses directions.
diffuser vt. Répandre. Émettre.
diffusion f. Action par laquelle un fluide se répand. Propagation : — *d'une doctrine*.
digérer vt. Assimiler par la digestion.
digestif, ive adj. De la digestion : *appareil* —.
digestion f. Transformation des aliments dans l'estomac.
digitale f. Une plante médicinale.
digne adj. Qui mérite : — *d'éloge*. Qui n'a pas démérité. Grave : *un maintien* —.
dignitaire m. Qui exerce une haute fonction.
dignité f. Respect de soi-même. Noblesse, gravité : *maintien plein de* —. Haute fonction.
digression f. Ce qui sort du sujet.
digue f. Chaussée, mur pour contenir les eaux.
dilapider vt. Dépenser follement : — *son bien*.
dilatation f. Action de dilater, d'élargir.
dilater vt. Augmenter le volume de.
dilatoire adj. Qui retarde, qui diffère.
dilemme m. Obligation de choisir entre deux solutions présentant des inconvénients.
diligence f. Soin, zèle. Ancienne voiture publique.
diligent, e adj. Prompt, zélé.

diluer vt. Délayer, étendre : — *une couleur*.
dimanche m. Dernier jour de la semaine.
dimension f. Étendue mesurable en tous sens (longueur, largeur, etc.).
diminuer vt. Réduire. vi. Devenir moindre.
diminutif m. Mot dérivé d'un autre, qui donne une nuance de petitesse, d'atténuation, d'affection.
diminution f. Amoindrissement. Rabais.
dinde f. Femelle du dindon.
dindon m. Genre de gallinacés.
dîner m. Repas du soir. vi. Prendre le dîner.
dînette f. Petit repas d'enfants : *faire la* —.
dinosaure m. Énorme animal préhistorique.
diocèse m. Juridiction d'un évêque.
dioptrie f. Unité de puissance optique.
diphtérie f. Maladie contagieuse de la gorge.
diphtongue f. Voyelle qui semble comporter deux sons.
diplomate n. Qui exerce la diplomatie.
diplomatie f. Science des rapports internationaux. Habileté, tact.
diplôme m. Acte attestant les capacités d'une personne.
diptère adj. et m. À deux ailes : *insecte* —.
diptyque m. Tableau formé de deux parties en bois.
dire vt. Exprimer par la parole. Ordonner. *(Il dit, dites ; disant.)*
direct, e adj. Droit, sans détour. Immédiat.
directeur, trice adj. et n. Qui dirige.
direction f. Action de diriger. Fonction de directeur. Orientation.
directive f. Instructions, ordre.
directoire m. Conseil chargé d'une direction.
dirigeable m. Aérostat que l'on peut diriger.

dirigeant, e adj. et n. Qui dirige.
diriger vt. Conduire, commander. Tourner vers. *(-geons.)*
discerner vt. Distinguer : *— le bien du mal.*
disciple n. Adepte, partisan.
discipline f. Loi, règlement. Soumission, obéissance.
discipliner vt. Former à la discipline.
discobole m. Athlète lanceur de disque.
discontinu, e adj. Qui présente des interruptions.
discontinuité f. Absence de continuité.
disconvenir vi. *Ne pas —*, ne pas contester, ne pas nier.
discordant, e adj. Qui manque d'harmonie.
discorde f. Dissension, division : *semer la —.*
discothèque f. Collection de disques. Club où l'on danse.
discourir vi. Parler sur un sujet.
discours m. Action de discourir. Conversation.
discourtois, e adj. Non courtois : *paroles —.*
discrédit m. Perte du crédit, de l'estime.
discréditer vt. Jeter dans le discrédit.
discret, e adj. Retenu, réservé : *se montrer —.*
discrétion f. Retenue. *À —*, à volonté.
discrimination f. Ségrégation.
disculper vt. Innocenter.
discussion f. Examen, débat. Contestation.
discuter vt. Examiner. Débattre, traiter.
disette f. Manque, privation. Famine.
disgrâce f. Perte de l'estime de ses supérieurs.
disgracier vt. Priver de son estime.
disjoindre vt. Séparer ce qui était joint.
disjoncteur m. ÉLECTR. Interrupteur automatique de courant.
dislocation f. Action de disloquer. Dispersion.

disloquer vt. Déplacer, déboîter. Déranger.
disparaître vi. Cesser d'être visible. Mourir.
disparate adj. Qui manque d'harmonie.
disparité f. Disproportion, différence.
disparition f. Action de disparaître.
dispendieux, euse adj. Très coûteux.
dispensaire m. Établissement de soins médicaux ou de petite chirurgie.
dispense f. Exemption de la règle.
dispenser vt. Distribuer. Répartir. Exempter.
disperser vt. Répandre. Dissiper, faire fuir.
dispersion f. Action de disperser.
disponible adj. Que l'on peut utiliser. Qui a du temps libre.
dispos, e adj. En bonne santé.
disposer vt. Arranger, préparer. vi. Utiliser.
dispositif m. Ensemble de pièces constituant un appareil ; cet appareil.
disposition f. Arrangement. Inclination.
disproportion f. Manque de proportion.
dispute f. Querelle. Discussion.
disputer vt. Contester, lutter pour une chose. vpr. Se quereller.
disqualifier vt. Exclure d'un concours.
disque m. Objet plat et rond. Plaque circulaire pour l'enregistrement de sons. Palet.
disquette f. INFORM. Petit disque contenant des informations que l'on insère dans un ordinateur.
dissection f. Action de disséquer.
dissemblable adj. Non semblable.
disséminer vt. Éparpiller, répandre.
dissension f. Opposition, discorde.
dissentiment m. Différence d'opinions.
disséquer vt. Ouvrir un corps organisé pour en étudier l'anatomie.

dissertation f. Essai, étude. Composition.
dissident, e adj. et n. Qui s'insurge contre une doctrine faisant autorité.
dissimulation f. Action de dissimuler.
dissimuler vt. Cacher, tenir secret : — *une faute.*
dissipation f. Absence de discipline, turbulence.
dissipé, e adj. Agité, inattentif.
dissiper vt. Faire disparaître. Gaspiller. vpr. Disparaître. Être agité, turbulent.
dissocier vt. Séparer : — *un composé.*
dissolu, e adj. Déréglé : *une vie* —.
dissolution f. Action de dissoudre, de désagréger.
dissolvant, e adj et m. Qui a la propriété de dissoudre.
dissonance f. MUS. Accord défectueux.
dissoudre vt. Décomposer. Faire disparaître. *(Dissous ; dissolvant, dissous, -oute.)*
dissuader vt. Détourner, amener à renoncer.
dissuasion f. Action de dissuader.
dissymétrie f. Manque de symétrie.
distance f. Intervalle. Différence.
distancer vt. Devancer. Surpasser. *(Distança.)*
distant, e adj. Éloigné. Froid, réservé.
distendre vt. Étirer beaucoup.
distiller [-tile] vt. Extraire un principe volatil : — *du vin.* Verser goutte à goutte.
distinct [-tɛ̃], **e** [-ɛ̃kt] adj. Qui ne se confond pas avec un autre, différent. Clair, net.
distinction f. Action de distinguer. Marque d'honneur. Bon ton, élégance : *parler avec* —.
distingué, e adj. Éminent. Élégant.
distinguer vt. Discerner. Percevoir la différence. Honorer.
distorsion f. Torsion. Déformation.
distraction f. Manque d'application. Amusement.

distraire vt. Rendre inattentif. Divertir.
distrait, e adj. et n. Peu attentif. Étourdi.
distribuer vt. Répartir, partager.
distribution f. Action de distribuer.
district m. Étendue de juridiction.
diurétique adj. et m. Qui fait uriner.
diurne adj. Qui se fait le jour.
divagation f. Action de divaguer.
divaguer vi. Parler avec incohérence. Délirer.
divan m. Sorte de canapé.
divergent, e adj. Qui diverge : *directions —*.
diverger vi. S'écarter : *opinions qui —*.
divers, e adj. Changeant. pl. Différents.
diversion f. Action qui détourne l'attention.
diversité f. Différence, variété.
divertir vt. Amuser, récréer, égayer.
divertissement m. Amusement, distraction.
dividende m. Nombre à diviser. Part de gain.
divin, e adj. Propre à Dieu. Sublime, parfait.
divination f. Art de deviner.
diviniser vt. Reconnaître comme divin.
divinité f. Nature divine. Dieu.
diviser vt. Séparer. Partager. Désunir.
diviseur m. Nombre qui en divise un autre.
divisible adj. Qui peut être divisé.
division f. Action de diviser. Opération arithmétique. Grande unité militaire. Désunion, discorde.
divorce m. Rupture de mariage. Opposition.
divorcer vi. Se séparer par le divorce. *(Divorça.)*
divulguer vt. Rendre public : *— un secret*.
dix [dis *ou* diz *ou* di] adj. num. Neuf et un.
dixième adj. et n. Qui suit le neuvième.
dizaine f. Dix unités. Environ dix.
do m. Note de musique.

docile adj. Obéissant.
docilité f. Soumission, obéissance.
dock m. Magasin d'entrepôt. Bassin de déchargement.
docker [-kɛr] m. Ouvrier qui charge ou décharge les bateaux.
docteur m. Médecin. Haut grade universitaire.
doctoral, e adj. Pédant : *ton* —.
doctorat m. Grade de docteur : — *ès sciences.*
doctrine f. Dogme, système, théorie.
document m. Écrit, etc., servant de preuve.
documentaire adj. Qui a le caractère d'un document.
documentation f. Ensemble de documents.
documenter vt. Fournir des documents.
dodeliner vt. — *de la tête*, la balancer doucement.
dodo m. Sommeil, lit (langage enfantin).
dodu, e adj. Gras et potelé.
doge m. Chef de l'ancienne république de Venise.
dogmatique adj. Du dogme. Tranchant, net.
dogme m. Point fondamental d'une doctrine. Opinion certaine.
dogue m. Chien de garde à museau aplati.
doigt [dwa] m. Extrémité de la main, du pied.
doigté m. Tact, prudence : *manquer de* —.
doigtier m. Fourreau pour protéger un doigt.
doléances fpl. Plaintes, réclamations.
dolent, e adj. Triste, plaintif : *voix* —.
dollar m. Unité monétaire des États-Unis.
dolmen [-mɛn] m. Monument druidique.
domaine m. Propriété rurale. Secteur couvert part un art, une science.
dôme m. Voûte demi-sphérique.
domesticité f. Ensemble des domestiques d'une maison.

domestique adj. Qui a été apprivoisé. n. Employé de maison.
domestiquer vt. Apprivoiser un animal sauvage.
domicile m. Maison, demeure.
domicilier vt. *Être — à*, y avoir son habitation.
dominant, e adj. Qui domine. Caractéristique.
dominateur, trice adj. Qui aime dominer.
domination f. Empire, autorité. Influence.
dominer vt. Être maître de. L'emporter sur.
dominical, e adj. Du dimanche : *repos* —.
domino m. Costume masqué. pl. Un jeu.
dommage m. Préjudice. Malheur.
dompter [dɔ̃te] vt. Dresser un animal sauvage. Maîtriser.
dompteur m. Qui dompte : *un — de fauves*.
don m. Présent. Talent, qualité naturelle.
donateur, trice n. Qui fait un don.
donation f. Don à titre gratuit.
donc conj. Marque la conclusion, la conséquence.
donjon m. Grosse tour d'un château fort.
donne f. Distribution des cartes au jeu.
donner vt. Faire don. Remettre. Montrer : *— signe de vie*. Appliquer : *— une gifle*. Procurer : *— du travail*.
dont pron. rel. De qui, duquel, de quoi, etc.
dopage m. Emploi de produits excitants par un concurrent d'une épreuve sportive.
doper vt. Administrer un produit excitant.
dorade f. Poisson estimé.
doré, e adj. Jaune, de couleur d'or. m. Dorure.
dorénavant adv. Désormais.
dorer vt. Couvrir d'or, de couleur dorée.
dorique adj. Un ordre d'architecture grec.
dorloter vt. Choyer.
dormeur, euse n. Qui dort beaucoup.

dormir vi. Reposer dans le sommeil. *(Je dors ; dormant, dormi.)*
dorsal, e adj. Du dos : *épine —.*
dortoir m. Salle commune pour dormir.
dorure f. Art de dorer. Revêtement doré.
dos m. Partie postérieure du buste. Verso.
dose f. Quantité déterminée.
doser vt. Mesurer, peser : *— des médicaments.*
dossier m. Appui du dos, dans un siège. Recueil de documents sur un sujet.
dot [dɔt] f. Bien apporté en mariage par une femme.
dotation f. Revenu assigné.
doter vt. Donner une dot. Équiper, pourvoir.
douane f. Administration qui perçoit les droits sur l'entrée ou la sortie des marchandises d'un pays.
douanier m. Fonctionnaire de la douane.
double adj. Deux fois plus. Composé de deux choses identiques. m. Reproduction, copie.
doubler vt. Porter au double. Mettre en double. Garnir intérieurement un vêtement, etc.
doublure f. Ce qui double : *la — d'un veston.*
doucereux, euse adj. D'une douceur fade.
douceur f. Qualité de ce qui est doux. Modération, indulgence. pl. Friandises.
douche f. Jet d'eau dirigé sur le corps. Appareil pour se doucher.
doucher vt. Donner une douche.
douer vt. Pourvoir, doter.
douille f. Cylindre enveloppant la cartouche.
douillet, ette adj. Moelleux. Sensible à la moindre douleur.
douleur f. Souffrance physique ou morale.
douloureux, euse adj. Qui cause de la douleur.

doute m. Incertitude, soupçon. Scepticisme.
douter vi. Être dans l'incertitude de.
douteux, euse adj. Équivoque, suspect.
douve f. Large fossé rempli d'eau. Planche de tonneau.
doux, douce adj. De saveur agréable. Qui n'est pas rugueux. Léger, modéré. Bon, indulgent.
douzaine f. Douze objets de même nature.
douze adj. num. inv. Dix et deux.
doyen, enne n. Le plus ancien par l'âge.
draconien, enne adj. Très sévère : *législation* —.
dragée f. Amande enrobée de sucre.
dragon m. Monstre fabuleux. Fig. Gardien farouche.
dragonne f. Courroie d'épée, de sabre.
drague f. Machine pour curer les fonds fluviaux, etc.
draguer vt. Curer avec la drague : — *un port*.
drain m. Conduit pour assécher.
drainer vt. Dessécher avec des drains. Fig. Attirer.
dramatique adj. Relatif au drame. Émouvant.
dramatiser vt. Exagérer la gravité de.
dramaturge m. Auteur de drames.
drame m. Pièce de théâtre tragique. Événement terrible. Catastrophe.
drap [dra] m. Étoffe de laine. Pièce de tissu faisant partie de la literie.
drapeau m. Étoffe aux couleurs d'une nation.
draper vt. Couvrir d'une draperie.
draperie f. Manufacture de drap. Étoffe disposée à grands plis.
dresser vt. Lever. Construire. Agencer. Établir : — *un acte*.
drogue f. Substance qui modifie l'état de conscience.

droguer vt. Donner une drogue, beaucoup de médicaments. vpr. User de stupéfiants.
droguerie f. Commerce du droguiste.
droguiste n. Marchand de produits d'entretien, d'hygiène, de couleurs.
droit m. Ensemble des lois. Pouvoir légal d'agir ou d'exiger. Impôt, taxe : — *d'entrée*.
droit, e adj. Qui n'est pas courbe. Vertical. Qui est placé du côté opposé à celui du cœur. Juste, sincère. *Angle* —, de 90°. f. Côté droit, main droite. Ligne droite.
droiture f. Rectitude, loyauté.
drôle adj. Plaisant, gai. Amusant.
drôlerie f. Qualité de ce qui est drôle.
dromadaire m. Espèce de chameau à une bosse.
dru, e adj. Vigoureux. Serré : *pluie* —.
druide, esse n. Prêtre, prêtresse des Gaulois.
drupe f. Fruit charnu à noyau.
du article contracté. De le.
dû m. Ce que l'on doit à quelqu'un.
dualisme m. Système qui admet deux principes.
dualité f. Caractère de ce qui est double.
dubitatif, ive adj. Qui exprime le doute.
duc m. Titre de noblesse. Oiseau nocturne.
duché m. Domaine soumis à un duc.
duchesse f. Femme d'un duc.
ductile adj. Qui peut être étiré : *métal* —.
duel m. Combat entre deux adversaires armés.
dune f. Monticule sablonneux sur les littoraux et dans les déserts.
dunette f. Partie élevée à l'arrière d'un bateau.
duo m. Morceau de musique à deux voix, etc.
dupe f. Personne trompée.
duper vt. Tromper : — *un adversaire*.
duperie f. Tromperie.

duplex m. Appartement sur deux étages.
duplicata m. Double d'un document.
duplicité f. Mauvaise foi, hypocrisie.
dur, e adj. Ferme, solide. Pénible. Intransigeant.
durable adj. Qui dure longtemps.
durant prép. Pendant : *— son séjour.*
durcir vt. Rendre dur. vi. Devenir dur.
durée f. Action de durer. Espace de temps.
durer vi. Continuer d'être. Se conserver. Se prolonger. Paraître long : *le temps lui —.*
dureté f. Qualité de ce qui est dur. FIG. Défaut de sensibilité.
durillon m. Point du pied ou de la main où l'épiderme a durci.
duvet m. Plume légère. Poil léger.
dynamique adj. Relatif à la force. Énergique.
dynamite f. Un explosif puissant.
dynamiter vt. Faire sauter à la dynamite.
dynamo f. Machine électrique transformant de l'énergie mécanique en électricité.
dynamomètre m. Instrument pour mesurer l'intensité des forces.
dynastie f. Suite de souverains d'une famille.
dysenterie f. Diarrhée infectieuse.

E

eau f. Liquide transparent, inodore, sans saveur à l'état naturel. Masse d'eau, lac, rivière, etc.
eau-de-vie f. Liqueur alcoolique.
eau-forte f. Estampe obtenue au moyen d'une plaque gravée à l'acide.
ébahi, e adj. Surpris, stupéfait.
ébahissement m. Surprise, étonnement.
ébats mpl. Mouvements folâtres.
ébattre (s') vpr. Se livrer à des ébats.
ébaubi, e adj. Éberlué, stupéfait, sidéré.
ébauche f. Premier jet, esquisse.
ébaucher vt. Tracer l'ébauche de. Commencer.
ébène f. Bois noir, dur et pesant.
ébéniste m. Qui fait des meubles de style.
ébénisterie f. Art de l'ébéniste.
éberlué, e adj. Stupéfait, étonné.
éblouir vt. Troubler la vue par la lumière.
éblouissement m. Trouble causé à la vision par une lumière trop vive. Vertige, malaise.
éborgner vt. Rendre borgne.
ébouillanter vt. Mouiller d'eau bouillante.
éboulement m. Chute de ce qui s'éboule.
ébouler (s') vpr. S'écrouler, s'affaisser.
éboulis m. Matières éboulées.
ébouriffer vt. Mettre les cheveux en désordre.
ébrancher vt. Dépouiller de ses branches.
ébranlement m. Secousse violente.
ébranler vt. Faire trembler. Rendre moins solide : *— la santé.*
ébrécher vt. Endommager le bord de.
ébriété f. Ivresse.
ébrouer (s') vpr. S'agiter, se secouer.

ébruiter vt. Divulguer, répandre.
ébullition f. État d'un liquide qui bout.
écaille f. Chacune des lames recouvrant le corps des poissons, etc. Carapace de tortue.
écailleux, euse adj. Qui a des écailles.
écale f. Enveloppe coriace de la noix, etc.
écarlate adj. D'une couleur rouge vif.
écarquiller vt. — *les yeux*, les ouvrir tout grands.
écart m. Action de s'écarter. Mouvement brusque de côté. Variation.
écarteler vt. Arracher les quatre membres d'un condamné. FIG. Tirailler.
écarter vt. Éloigner, séparer. vpr. S'éloigner.
ecchymose [ɛkimoz] f. Trace bleuâtre laissée sous la peau par un coup.
ecclésiastique adj. Relatif à l'Église, au clergé. m. Membre du clergé.
écervelé, e adj. Sans jugement ; étourdi.
échafaud m. Plate-forme pour exécuter les condamnés à mort. Guillotine.
échafaudage m. Assemblage provisoire de charpentes pour bâtir, peindre, etc. Amas d'objets.
échafauder vt. Dresser. Élaborer.
échalas m. Pieu pour soutenir la vigne.
échalote f. Plante voisine de l'oignon.
échancrer vt. Creuser, tailler en dedans.
échange m. Troc d'une chose pour une autre.
échanger vt. Faire un échange. (*-geons.*)
échantillon m. Petite quantité d'un produit qui permet d'en apprécier la qualité.
échantillonner vt. Préparer des échantillons.
échappatoire f. Subterfuge, ruse.
échappée f. Action de distancer.
échappement m. Sortie des gaz d'un moteur.
échapper vi. S'évader, fuir. N'être pas vu. Être oublié. Être dit par mégarde. vpr. S'enfuir.

écharde f. Fragment de bois, d'os, etc., qui entre dans les chairs.
écharpe f. Foulard long. Bande d'étoffe portée obliquement. Bandage : *bras en —*.
écharper vt. Blesser, mutiler. Tailler en pièces.
échasse f. Long bâton à étrier, pour marcher.
échassiers mpl. Oiseaux à longues pattes.
échauder vt. Plonger dans l'eau chaude.
échauffement m. Action d'échauffer.
échauffer vt. Causer un excès de chaleur. Irriter. vpr. S'entraîner à un effort physique.
échauffourée f. Bagarre confuse et rapide.
échéance f. Terme d'un paiement : *à longue —*.
échéant, e adj. *Le cas —*, si le cas se présente.
échec m. Insuccès. pl. Jeu qui se joue sur une plaque de 64 cases avec 32 pièces.
échelle f. Appareil formé de deux montants reliés par des barreaux. Ligne divisée. Série, suite. Hiérarchie.
échelon m. Bâton d'échelle. Degré de hiérarchie.
échelonner vt. Répartir dans le temps ou dans l'espace.
écheveau m. Faisceau de fils. Ce qui est embrouillé.
écheveler vt. Ébouriffer.
échevin m. Adjoint du bourgmestre, en Belgique.
échine f. Colonne vertébrale, dos de l'homme.
échiner (s') vpr. S'évertuer.
échinodermes [-ki-] mpl. Embranchement des oursins, étoiles de mer, etc.
échiquier m. Surface carrée sur laquelle on joue aux échecs.
écho [eko] m. Répercussion d'un son. FIG. Petite nouvelle.
échographie f. MÉD. Méthode d'exploration qui utilise la réflexion des ultrasons par les organes.

échoir vi. Arriver. *(Échoit ; échut ; écherra ; échéant ; échu.)*
échoppe f. Petite boutique : *— de cordonnier.*
échouer vi. Toucher un bas-fond. Rater.
éclabousser vt. Faire rejaillir un liquide sur.
éclaboussure f. Boue, liquide, qui a rejailli.
éclair m. Lumière subite causée par la foudre. Gâteau allongé fourré à la crème.
éclairage m. Action, moyen, manière d'éclairer.
éclaircie f. Espace clair dans un ciel gris.
éclaircir vt. Rendre clair : *— les idées.*
éclaircissement m. Explication.
éclairé, e adj. Instruit, expérimenté.
éclairer vt. Répandre de la clarté. Guider.
éclaireur, euse n. Membre d'une association de scoutisme.
éclat m. Fragment détaché d'un corps dur. Grand bruit soudain. Vive lumière.
éclatant, e adj. Qui a de l'éclat. Magnifique.
éclatement m. Action d'éclater.
éclater vi. Se rompre brusquement, exploser. Produire un bruit subit : *— de rire.*
éclectique adj. Formé d'éléments disparates.
éclipse f. Disparition totale ou partielle d'un astre derrière un autre.
éclipser vt. Cacher momentanément. Surpasser.
éclopé, e adj. Boiteux, estropié.
éclore vi. Sortir de l'œuf. S'ouvrir.
éclosion f. Action d'éclore.
écluse f. Ouvrage destiné à retenir ou à lâcher les eaux d'un canal.
écœurer vt. Soulever le cœur. Dégoûter.
école f. Établissement d'enseignement.
écolier, ère n. Qui va à l'école.
écologie f. Étude des relations entre les êtres vivants et le milieu naturel où ils vivent.

éconduire vt. Ne pas accepter de recevoir, repousser.
économat m. Charge d'économe.
économe adj. Qui économise. n. Qui a soin de la dépense d'une maison, d'une collectivité.
économie f. Action de réduire les dépenses. Épargne. Production et consommation des richesses.
économique adj. Relatif à l'économie. Avantageux.
économiser vt. Réduire les dépenses.
écoper vt. Vider l'eau qui est au fond d'un bateau.
écorce f. Partie extérieure d'un végétal.
écorcher vt. Dépouiller un animal. Érafler.
écossais, e adj. et n. D'Écosse. m. Tissu à carreaux de diverses couleurs.
écosser vt. Tirer de la cosse : *— des pois.*
écosystème m. Ensemble des êtres vivants et des éléments non vivants d'un milieu : *un lac est un —.*
écot m. Quote-part : *payer son —.*
écoulement m. Mouvement d'un liquide qui s'écoule. Débouché, vente de marchandises.
écouler vt. Vendre facilement. vpr. Couler hors de. Passer : *temps qui s'—.*
écourter vt. Diminuer, rendre court.
écoute f. Fait d'écouter.
écouter vt. Prêter l'oreille à. Tenir compte de.
écouteur m. Récepteur du son qui s'applique à l'oreille.
écoutille f. Trappe dans le pont d'un bateau.
écran m. Petit paravent. Panneau. Tableau de projection : *— de cinéma.*
écraser vt. Aplatir et briser en pressant.
écrémer vt. Séparer la crème du lait.
écrevisse f. Crustacé d'eau douce.

écrier (s') vpr. Dire en criant.
écrin m. Coffret pour bijoux.
écrire vt. Figurer sa pensée par des signes graphiques. Rédiger : *— une lettre. (Écris ; écrivis ; écrivant ; écrit.)*
écrit m. Chose écrite. Ouvrage, livre.
écriteau m. Inscription sur une planchette, un carton : *accrocher un —*.
écriture f. Art, manière d'écrire. pl. Comptes : *tenir les —. — saintes*, la Bible.
écrivain m. Qui fait profession d'écrire.
écrou m. Pièce filetée qui reçoit un boulon. Inscription d'un détenu dans une prison.
écrouer vt. Emprisonner.
écrouler (s') vpr. Tomber avec fracas.
écru, e adj. Non préparé, non blanchi : *fil —*.
écu m. Ancien bouclier. Ancienne monnaie.
écueil [ekœj] m. Rocher à fleur d'eau. Danger.
écuelle f. Assiette creuse sans rebord.
éculé, e adj. Se dit d'une chaussure usée.
écume f. Mousse sur un liquide. Bave.
écumer vt. Enlever l'écume de. vi. Se couvrir d'écume. Être en colère : *— de rage*.
écumoire f. Cuillère perforée servant à écumer.
écureuil m. Petit rongeur à queue touffue.
écurie f. Bâtiment pour loger les chevaux.
écusson m. Petit emblème distinctif.
écuyer [ekɥije] m. Servant d'un chevalier. Professeur d'équitation. Cavalier habile.
eczéma m. Maladie de la peau.
éden [edɛn] m. Paradis terrestre.
édenté, e adj. Sans dents.
édicter vt. Publier (loi, peine, etc.).
édicule m. Petit édifice sur la voie publique.
édification f. Action d'édifier.

édifice m. Grand bâtiment.
édifier vt. Bâtir. Construire. Instruire. Donner le bon exemple : — *par sa conduite*.
édit m. Ordonnance, loi : *l'— de Nantes*.
éditer vt. Publier et mettre en vente l'œuvre d'un écrivain.
éditeur, trice, n. Qui édite : — *de journaux*.
édition f. Publication, tirage.
éditorial m. Article reflétant la tendance d'un journal.
édredon m. Couvre-pied rempli de duvet.
éducation f. Action d'éduquer.
édulcorer vt. Sucrer. Adoucir, atténuer.
éduquer vt. Élever, instruire.
effacer vt. Enlever en frottant, grattant. Faire oublier. *(Effaçons.)*
effarer vt. Troubler fortement ; affoler.
effaroucher vt. Effrayer, faire fuir.
effectif, ive adj. Réel. m. Nombre de personnes constituant un groupe.
effectuer vt. Mettre à exécution.
efféminé, e adj. Qui tient de la femme.
effervescence f. État d'un liquide qui bouillonne. Agitation.
effet m. Résultat d'une cause. Impression. Papier de commerce. pl. Meubles, vêtements.
effeuiller vt. Ôter les feuilles, les pétales de.
efficace adj. Qui produit de l'effet : *remède* —.
effigie f. Représentation, image.
effiler vt. Défaire fil à fil : — *un tissu*.
effilocher vt. Déchirer un tissu.
efflanqué, e adj. Très maigre.
effleurer vt. Toucher légèrement : — *la peau*.
effluve m. Émanation.
effondrer (s') vpr. S'affaisser, s'écrouler.

efforcer (s') vpr. Faire tous ses efforts.
effort m. Action énergique pour atteindre un objectif.
effraction f. Bris de clôture, de serrure.
effrayer vt. Causer de la frayeur. *(-aie, -aye.)*
effréné, e adj. Sans retenue, immodéré.
effriter (s') vpr. Se désagréger en menus morceaux.
effroi m. Grande frayeur.
effronté, e adj. Hardi, impudent : *mine* —.
effroyable adj. Qui cause de l'effroi.
effusion f. Manifestation de tendresse, d'affection.
égal, e adj. Le même en quantité, en valeur. Qui ne varie pas.
égaler vt. Atteindre la même valeur. Être égal à.
égaliser vt. Rendre égal. Niveler.
égalité f. État de ce qui est égal.
égard m. Marque de considération.
égarer vt. Mettre hors du bon chemin. Perdre.
égayer vt. Rendre gai, réjouir. *(J'égaie, -aye.)*
égide f. *Sous l'— de*, sous la protection de.
églantier m. Rosier sauvage.
églantine f. Fleur de l'églantier.
église f. Société religieuse chrétienne (avec maj.). Bâtiment qui réunit les fidèles pour le culte.
égoïsme m. Défaut de l'égoïste.
égoïste adj. et n. Qui rapporte tout à soi-même.
égorger vt. Couper la gorge. Tuer. *(-gea.)*
égout m. Conduit pour écouler les eaux sales.
égoutier m. Nettoyeur des égouts.
égoutter vt. Laisser une chose perdre son liquide.
égratigner vt. Déchirer la peau légèrement.
égratignure f. Blessure superficielle.
égrener vt. Détacher les grains de.
égrillard, e adj. Libre, gaillard.
égyptien, enne adj. et n. D'Égypte.

éhonté, e adj. Sans honte : *conduite —*.
éjaculer vi. Émettre le sperme.
éjecter vt. Rejeter au-dehors. Projeter.
élaborer vt. Préparer par un long travail.
élaguer vt. Dépouiller de branches inutiles.
élan m. Action de s'élancer. Sorte de cerf.
élancé, e adj. Mince, svelte : *une taille —*.
élancer vi. Donner des élancements. vpr. Se ruer : *s' — à la rencontre de quelqu'un*.
élargir vt. Rendre plus large. Libérer.
élasticité f. Propriété de reprendre sa forme : *l'— du caoutchouc*. Souplesse.
élastique adj. et m. Qui a de l'élasticité.
électeur, trice n. Qui a le droit d'élire.
élection f. Choix fait par suffrage.
électorat m. Ensemble des électeurs.
électricien m. Qui s'occupe d'électricité.
électricité f. Une des formes de l'énergie, utilisée à des fins mécaniques, calorifiques, chimiques, etc.
électrifier vt. Faire fonctionner à l'électricité.
électrique adj. Relatif à l'électricité.
électriser vt. Charger d'électricité.
électroaimant m. Barreau de fer qui se transforme en aimant grâce au courant électrique.
électrocardiogramme m. Diagramme des mouvements du cœur.
électrochoc m. Traitement par l'électricité de certaines affections mentales.
électrocuter vt. Tuer par l'électricité.
électrode f. Pôle d'un dispositif électrique.
électrolyse f. Décomposition chimique par l'électricité.
électromagnétisme m. Relation entre l'électricité et le magnétisme.

électroménager m. Ensemble des appareils électriques à usage ménager.
électron m. Élément qui constitue l'atome.
électronique f. Technique utilisant les variations de grandeurs électriques.
électrophone m. Appareil reproduisant les sons enregistrés sur un disque.
élégance f. Caractère élégant.
élégant, e adj. Qui se distingue par la grâce, la parure, etc. Choisi, gracieux.
élégie f. Poème sur un sujet tendre, triste.
élément m. Corps simple. Principe constitutif. Partie d'un tout. Milieu dans lequel un être vit.
élémentaire adj. Simple : *traité — de chimie*.
éléphant m. Grand mammifère à trompe.
élevage m. Action d'élever des animaux.
élévateur m. Appareil pour élever des charges.
élève n. Qui fréquente un établissement d'enseignement.
élever vt. Porter à un niveau supérieur. Rendre plus haut. Construire. Éduquer. Nourrir.
éleveur m. Qui élève des animaux.
éligible adj. Qui peut être élu.
élimer vt. User : *étoffe —*.
éliminer vt. Faire sortir, écarter.
élire vt. Choisir. Nommer par suffrage.
élision f. Suppression d'une lettre finale.
élite f. Ce qu'il y a de meilleur.
élixir m. Médicament liquide. Philtre.
elle pron. pers. de la 3e pers. du fém. sing.
ellipse f. Courbe dont chaque point est tel que la somme de ses distances à deux foyers est invariable. GRAMM. Suppression de mots.
elliptique adj. En forme d'ellipse. Qui renferme une ellipse : *tournure —*.

élocution f. Manière de s'exprimer.
éloge m. Paroles ou écrit qui vantent les mérites de.
éloigné, e adj. Qui est loin.
éloigner vt. Envoyer loin de. Détourner.
éloquence f. Art de bien parler.
éloquent, e adj. Qui a de l'éloquence. Significatif.
élu, e adj. et n. Choisi par élection.
élucider vt. Rendre clair : — *une question*.
élucubration f. Divagation.
éluder vt. Éviter avec adresse. Se soustraire à.
élytre m. Aile coriace de certains insectes.
émacié, e adj. Très maigre.
émail [emaj] m. Enduit vitrifiable de la faïence.
émailler vt. Appliquer de l'émail : *pot* —.
émanation f. Dégagement : — *de gaz*.
émanciper vt. Affranchir d'une tutelle. Libérer.
émaner vi. Se dégager. Découler de.
émarger vt. Signer en marge.
emballage m. Action d'emballer.
emballement m. Action de s'emballer.
emballer vt. Mettre en caisse. Enthousiasmer. vpr. S'emporter (cheval). S'enthousiasmer.
embarcadère m. Quai, jetée d'embarquement.
embarcation f. Petit bateau non ponté.
embardée f. Écart brusque que fait un véhicule.
embargo m. Interdiction de circuler.
embarquer vt. Mettre dans un bateau. FIG. Engager dans une affaire.
embarras m. Ce qui embarrasse. Confusion. Gêne, souci. État d'une personne perplexe.
embarrasser vt. Encombrer. Gêner. Déconcerter, mettre dans l'incertitude.
embaucher vt. Engager des salariés.
embaumer vt. Parfumer. Conserver un cadavre.

embellir vt. Rendre beau. Orner.
embellissement m. Ce qui embellit.
emberlificoter vt. Fam. Leurrer.
embêter vt. Fam. Ennuyer.
emblée (d') loc. adv. Du premier coup.
emblème m. Figure symbolique. Attribut.
emboîter vt. Mettre une chose dans une autre. — *le pas*, suivre quelqu'un, l'imiter.
embolie f. Obstruction d'un vaisseau par un caillot.
embonpoint m. État d'une personne grasse.
emboucher vt. Mettre à sa bouche.
embouchure f. Bouche d'un fleuve. Pièce d'un instrument de musique où l'on souffle.
embourber vt. Engager dans un bourbier.
embourgeoiser (s') vpr. Prendre des habitudes bourgeoises.
embout m. Garniture, bout : — *de parapluie*.
embouteiller vt. Mettre en bouteille. Obstruer un passage, la circulation.
emboutir vt. Heurter violemment.
embranchement m. Ramification. Division.
embraser vt. Mettre en feu.
embrassade f. Action d'embrasser.
embrasser vt. Donner des baisers.
embrasure f. Ouverture de porte, fenêtre.
embrayer vt. Relier deux organes de moteur.
embrocher vt. Percer avec une broche, etc.
embrouiller vt. Emmêler. Enchevêtrer.
embroussaillé, e adj. Rempli de broussailles.
embrumer vt. Envelopper de brume.
embrun m. Pluie fine formée par le vent sur la mer.
embryon m. Germe d'un être organisé.
embûche f. Piège : *dresser des* —.
embuer vt. Couvrir d'une buée : *vitre* —.

embuscade f. Guet-apens, piège.
embusquer vt. Mettre en embuscade.
éméché, e adj. FAM. Un peu ivre.
émeraude f. Pierre fine de couleur verte.
émerger vi. Sortir, se montrer. *(-gea, -geons.)*
émeri m. Produit abrasif.
émérite adj. Éminent, expérimenté, distingué.
émerveiller vt. Causer de l'admiration.
émetteur m. Poste d'émission radiophonique.
émettre vt. Produire : — *un son*. Mettre en circulation. Exprimer : — *une opinion*.
émeute f. Insurrection : *fomenter une* —.
émigrant, e n. Qui émigre.
émigration f. Action d'émigrer.
émigrer vi. Aller s'établir dans un autre pays que le sien.
émincer vt. Couper en tranches minces.
éminence f. Élévation. Saillie. Supériorité.
éminemment adv. Au plus haut point.
éminent, e adj. Élevé. Supérieur.
émir m. Prince musulman.
émissaire m. Agent chargé d'une mission.
émission f. Action d'émettre. Diffusion par radio ou télévision.
emmagasiner vt. Mettre en magasin. Accumuler.
emmailloter vt. Envelopper dans des langes.
emmancher vt. Mettre un manche. vpr. FAM. Commencer.
emmanchure f. Ouverture d'un vêtement où passe le bras.
emmêler vt. Brouiller, enchevêtrer.
emménager vi. S'installer dans un logement.
emmener vt. Mener dans un autre lieu.
emmitoufler vt. Envelopper de vêtements chauds.
emmurer vt. Enfermer entre des murs.

émoi m. Trouble, émotion.
émollient, e adj. Qui amollit : *cataplasme* —.
émoluments mpl. Traitement, rétribution.
émonder vt. Couper les branches inutiles.
émotif, ive adj. Prompt à s'émouvoir.
émotion f. Agitation, trouble.
émoulu, e adj. *Frais* —, récemment sorti.
émousser vt. Rendre moins tranchant.
émoustiller vt. Exciter à la gaieté.
émouvoir vt. Troubler. Exciter. vpr. Se troubler, s'inquiéter. (Conj. comme *mouvoir*.)
empailler vt. Remplir de paille la peau d'un animal mort.
empaler vt. Enfoncer un pieu dans le corps.
empaqueter vt. Mettre en paquet.
emparer (s') vpr. Se saisir de.
empâter (s') vpr. Devenir gras.
empêchement m. Ce qui empêche de faire une action.
empêcher vt. Apporter de l'opposition. Gêner.
empennage m. Plans de stabilisation (avion).
empereur m. Chef d'un empire : *l'— Napoléon*.
empeser vt. Apprêter avec de l'empois.
empester vt. et i. Sentir mauvais.
empêtrer vt. Entraver. Embarrasser. vpr. S'embrouiller.
emphase f. Manière pompeuse de s'exprimer.
emphatique adj. Qui a de l'emphase : *ton* —.
empiècement m. Pièce rapportée dans le haut d'un vêtement.
empierrer vt. Couvrir de pierres : *chemin* —.
empiéter vi. Usurper, dépasser. *(Empiète.)*
empiffrer (s') vpr. Se bourrer de nourriture.
empiler vt. Mettre en pile : — *des écus*.
empire m. Autorité. Pays gouverné par un empereur. Autrefois, ensemble de colonies.

empirer vt. Rendre pire. vi. Devenir pire.
empirique adj. Appuyé sur l'expérience seule.
empirisme m. Usage exclusif de l'expérience.
emplacement m. Lieu, place.
emplette f. Achat : *faire ses —*.
emplir vt. Rendre plein. Combler : *— d'aise*.
emploi m. Usage d'une chose. Charge, fonction.
employé, e adj. et n. Qui remplit un emploi.
employer vt. Faire usage. Faire travailler. *(-oie.)*
employeur, euse n. Patron, patronne.
empocher vt. Mettre en poche : *— une somme*.
empoigner vt. Saisir fortement. Arrêter.
empois m. Colle d'amidon.
empoisonnement m. Action d'empoisonner.
empoisonner vt. Faire mourir par le poison. FAM. Ennuyer fortement.
emporté, e adj. Violent : *caractère —*.
emportement m. Mouvement de colère.
emporte-pièce m. inv. Outil pour découper.
emporter vt. Porter ailleurs avec soi. vpr. Se laisser aller à la colère.
empoté, e adj. FAM. Maladroit, gauche.
empourprer vt. Colorer de pourpre.
empreinte f. Marque, trace en creux ou en relief.
empressé, e adj. Qui se hâte. Très attentif.
empressement m. Ardeur : *— au travail*.
empresser (s') vpr. Agir avec zèle. Se hâter.
emprise f. Ascendant, influence.
emprisonner vt. Mettre en prison.
emprunt m. Action d'emprunter.
emprunté, e adj. Embarrassé, gauche.
emprunter vt. Se faire prêter.
ému, e adj. En proie à l'émotion.
émulation f. Sentiment qui pousse à surpasser.
émule n. Qui cherche à égaler, à surpasser.

émulsion f. Mélange d'eau et d'une matière grasse ou résineuse.
en prép. Dans. pron. pers. De cette chose.
énamourer (s') [sena-] ou **s'enamourer** [sãna-] vpr. Devenir amoureux.
encablure f. Unité de mesure de distance, en mer.
encadrement m. Ce qui entoure. Cadre.
encadrer vt. Mettre dans un cadre. Entourer.
encaissé, e adj. Qui a des versants escarpés.
encaisser vt. Mettre en caisse, toucher : — *une grosse somme*.
encan m. *À l'*—, aux enchères.
encarter vt. Insérer une feuille mobile dans une revue.
en-cas m. Repas léger.
encastrer vt. Emboîter, enchâsser, enclaver.
encaustique f. Cire délayée dans de l'essence.
enceinte f. Espace clos. Rempart. Ensemble de haut-parleurs. adj. f. Qui porte un enfant dans son sein.
encens [ãsã] m. Résine aromatique.
encenser vt. Agiter l'encensoir. FIG. Flatter.
encensoir m. Petit récipient pour brûler l'encens.
encéphale m. Ensemble des organes de la boîte crânienne.
encercler vt. Entourer : — *une armée*.
enchaînement m. Liaison : *l'— des faits*.
enchaîner vt. Lier de chaînes. Coordonner.
enchantement m. Charme, ravissement.
enchanter vt. Charmer : — *les regards*.
enchanteur, eresse adj. et n. Qui enchante.
enchâsser vt. Fixer, insérer : — *un diamant*.
enchère f. Offre d'un prix supérieur.
enchérir vi. Mettre une enchère. Dépasser, aller plus loin.

enchevêtrer vt. Embarrasser, embrouiller.
enclave f. Territoire enfermé dans un autre.
enclencher vt. Rendre solidaires diverses pièces mécaniques.
enclin, e adj. Porté à : — *au vol.*
enclos m. Terrain fermé par une clôture.
enclume f. Bloc de métal pour forger.
encoche f. Entaille.
encoignure [ɑ̃kɔɲyr] f. Angle, coin.
encoller vt. Appliquer un apprêt de colle.
encolure f. Cou du cheval. Col d'un vêtement.
encombrant, e adj. Embarrassant, gênant.
encombre (sans) loc. adv. Sans incident.
encombrement m. Affluence de personnes, de véhicules.
encombrer vt. Obstruer, embarrasser.
encontre de (à l') loc. prép. En opposition avec.
encorbellement m. Construction en saillie.
encore adv. Jusqu'à présent. De nouveau. De plus. Exclam. d'étonnement.
encouragement m. Ce qui encourage.
encourager vt. Donner du courage. Favoriser.
encourir vt. Mériter : — *une punition.*
encrasser vt. Rendre crasseux : — *une machine.*
encre f. Liquide coloré qui sert pour écrire.
encrer vt. Enduire d'encre.
encrier m. Récipient pour contenir de l'encre.
encroûter (s') vpr. Se laisser envahir par la routine.
encyclique f. Lettre solennelle du pape.
encyclopédie f. Ouvrage qui traite de toutes les sciences et de tous les arts.
endémique adj. Se dit d'une maladie qui règne habituellement dans un pays.
endetter (s') vpr. Se charger de dettes.
endeuiller vt. Mettre en deuil.

endiablé, e adj. Ardent, impétueux. Très vif.
endiguer vt. Contenir par des digues.
endimancher vt. Revêtir d'habits de fête.
endive f. Espèce de chicorée blanchie.
endocarde m. Membrane qui tapisse intérieurement le cœur.
endocrine adj. Se dit d'une glande à sécrétion interne.
endoctriner vt. Gagner à ses idées.
endolorir vt. Rendre douloureux.
endommager vt. Causer du dommage, abîmer.
endormir vt. Faire dormir. Ennuyer. Calmer.
endoscope m. Appareil optique que l'on introduit dans une cavité du corps pour l'examiner.
endosser vt. Mettre sur son dos. Signer au dos. Assumer : *— la responsabilité de.*
endroit m. Lieu, place. Partie déterminée. Bon côté d'une étoffe, etc.
enduire vt. Mettre un enduit. (Conj. c. *conduire*.)
enduit m. Substance liquide étendue sur.
endurance f. Résistance : *— à la fatigue.*
endurci, e adj. Invétéré : *buveur —*. Insensible.
endurcir vt. Rendre dur : *— le cœur.*
endurer vt. Supporter : *— des critiques.*
énergie f. Puissance, force. Intensité.
énergique adj. Qui a de l'énergie : *caractère —*.
énergumène m. Homme exalté, violent.
énervement m. État de celui qui est énervé.
énerver vt. Agacer. Surexciter.
enfance f. Première période de la vie.
enfant n. Garçon, fille dans l'enfance.
enfanter vt. Donner le jour. Créer.
enfantillage m. Paroles, actions puériles.
enfantin, e adj. Qui a le caractère de l'enfance. Simple, peu compliqué : *idée —*.

enfer m. Lieu destiné au supplice des damnés. Tourment. pl. MYTH. Séjour des morts.
enfermer vt. Mettre en un lieu fermé.
enferrer (s') vpr. Se prendre à ses propres mensonges.
enfiévrer vt. Donner la fièvre. *(Enfièvre.)*
enfilade f. Série de choses en file.
enfiler vt. Traverser par un fil : — *des perles*. S'engager dans : — *un chemin*.
enfin adv. À la fin, en un mot. Finalement.
enflammer vt. Mettre en feu. Animer.
enfler vt. Gonfler. Exagérer : — *un récit*.
enflure f. Gonflement. Orgueil, emphase.
enfoncement m. Partie en retrait.
enfoncer vt. Pousser au fond. Briser en poussant : — *une porte*. vi. et vpr. Aller vers le fond.
enfouir vt. Enfoncer en terre, enterrer.
enfourcher vt. Monter à califourchon.
enfourner vt. Mettre dans le four.
enfreindre vt. Transgresser. (Conj. comme *craindre*.)
enfuir (s') vpr. Fuir.
enfumer vt. Emplir, noircir de fumée.
engagement m. Promesse : *tenir un* —. Combat de courte durée.
engager vt. Mettre en gage. Lier par une promesse. Enrôler. Inviter. Entamer. vpr. Promettre. *(-gea.)*
engeance f. Catégorie de personnes jugées méprisables.
engelure f. Brûlure, plaie causée par le froid.
engendrer vt. Donner la vie. Créer, produire.
engin m. Instrument, machine.
englober vt. Réunir en un tout.
engloutir vt. Avaler. Faire disparaître.

engluer vt. Enduire de glu. Prendre à la glu.
engoncer vt. Enfoncer le cou dans les épaules.
engorger vt. Obstruer : *tuyau —. (-gea.)*
engouement m. Passion excessive pour.
engouffrer vt. Absorber rapidement. vpr. Entrer impétueusement.
engourdir vt. Rendre gourd, sans vivacité.
engourdissement m. Torpeur.
engrais m. Ce qui fertilise les terres.
engraisser vt. Rendre gras. vi. Grossir.
engrenage m. MÉC. Disposition de roues dentées qui se commandent les unes les autres. FIG. Concours de circonstances se compliquant mutuellement.
enhardir [ɑ̃ardir] vt. Rendre hardi.
énième adj. Indique un rang indéterminé mais très élevé dans une série : *pour la — fois.*
énigmatique adj. Mystérieux : *sourire —.*
énigme f. Devinette. Mystère
enivrer [ɑ̃ni-] vt. Rendre ivre. Exalter.
enjambée f. Espace qu'on enjambe.
enjamber vt. Franchir d'un grand pas.
enjeu m. Argent misé dans une partie de jeu.
enjoindre vt. Commander : *— de sortir.*
enjôler vt. Séduire, cajoler.
enjoliver vt. Rendre joli. Orner.
enjoué, e adj. Gai, gracieux : *caractère —.*
enjouement m. Gaieté douce ; bonne humeur.
enlacer vt. Étreindre, serrer dans ses bras.
enlaidir vt. Rendre laid. vi. Devenir laid.
enlever vt. Retirer, ôter. Faire disparaître. Soustraire par rapt.
enliser (s') vpr. S'enfoncer dans le sable, la boue.
enluminer vt. Orner d'enluminures. Colorer.
enluminure f. Illustration en couleurs d'un manuscrit.

enneigé, e [ɑ̃-] adj. Couvert de neige.
ennemi, e adj. et n. Qui hait. Adversaire.
ennoblir [ɑ̃nɔ-] vt. Donner de la noblesse.
ennui m. Lassitude morale. pl. Chagrins.
ennuyer vt. Importuner, contrarier. vpr. Éprouver de l'ennui. *(J'ennuie.)*
ennuyeux, euse adj. Qui ennuie : *lecture* —.
énoncé m. Chose énoncée. Sujet d'un problème.
énoncer vt. Exprimer, formuler. *(Énonça.)*
enorgueillir (s') [sɑ̃nɔr-] vpr. Être fier de.
énorme adj. Démesuré, excessif.
énormité f. Parole ou action extravagante.
enquérir (s') vpr. S'informer. (Conj. c. *acquérir.*)
enquête f. Recherche pour découvrir quelque chose.
enquêter vi. Faire une enquête.
enraciner vt. Faire prendre racine. Établir.
enragé, e adj. Qui a la rage : *chien* —. Furieux.
enrager vi. Être furieux.
enrayer [ɑ̃rɛje] vt. Entraver un fonctionnement.
enregistrement m. Action d'enregistrer. Disque ou bande magnétique obtenus.
enregistrer vt. Transcrire sur les registres publics. Transcrire et fixer des sons, des images sur un support sensible.
enrhumer (s') vpr. Contracter un rhume.
enrichir vt. Rendre riche. Augmenter. Orner.
enrober vt. Envelopper : — *un médicament.*
enrôler vt. Inscrire. Engager.
enrouer vt. Rendre la voix rauque.
enrouler vt. Rouler sur, autour : — *un fil.*
ensanglanter vt. Souiller de sang.
enseignant, e adj. et n. Qui enseigne.
enseigne f. Emblème qui signale une boutique. Drapeau. m. Officier de marine.

enseignement m. Art d'enseigner. Instruction.
enseigner vt. Instruire : — *un enfant.* Faire apprendre.
ensemble adv. En même temps. m. Réunion d'éléments formant un tout.
ensemencer vt. Semer : — *un champ. (-ença.)*
enserrer vt. Faire le tour en serrant.
ensevelir vt. Enterrer. Engloutir : — *dans l'oubli.*
ensoleillé, e adj. Exposé au soleil.
ensorceler vt. Jeter un sort sur. Séduire.
ensuite adv. Après : *venir —.*
ensuivre (s') vpr. Être la conséquence de.
entacher vt. Souiller, vicier : — *l'honneur.*
entaille f. Large coupure.
entamer vt. Couper le premier morceau de. Commencer.
entasser vt. Mettre en tas, amonceler.
entendement m. Intelligence. Bon sens.
entendre vt. Percevoir par l'ouïe. Écouter. Exaucer. Comprendre. vpr. Être, se mettre d'accord.
entendu, e adj. Convenu, décidé.
entente f. Harmonie, union, accord.
enter vt. Greffer. Assembler.
entériner vt. Ratifier par un jugement.
entérite f. Inflammation des intestins.
enterrement m. Action d'enterrer. Inhumation.
enterrer vt. Enfouir. Inhumer. Oublier.
en-tête m. Texte imprimé en tête d'une lettre.
entêté, e adj. Opiniâtre : *un enfant —.*
entêtement m. Opiniâtreté : *montrer de l'—.*
entêter vt. Monter à la tête. vpr. S'obstiner.
enthousiasme m. Ardeur, exaltation.
enthousiasmer vt. Causer de l'enthousiasme.
enthousiaste adj. Qui a de l'enthousiasme.
enticher (s') vpr. Se prendre de passion pour.

entier, ère adj. Complet. Absolu : *un esprit —.*
entité f. Essence d'un être.
entoiler vt. Fixer sur une toile : *— une carte.*
entomologie f. Étude des insectes.
entonner vt. Commencer à chanter : *— un hymne.*
entonnoir m. Ustensile pour transvaser des liquides.
entorse f. Lésion d'une articulation.
entortiller vt. Envelopper en tortillant.
entourage m. Ce qui entoure. Milieu.
entourer vt. Disposer autour. Apporter de l'amitié, du réconfort.
entournure f. Emmanchure.
entracte m. Intervalle entre deux parties d'un spectacle.
entraide f. Aide mutuelle.
entraider (s') vpr. S'aider mutuellement.
entrailles fpl. Intestins.
entrain m. Vivacité, animation.
entraînant, e adj. Qui entraîne : *musique —.*
entraînement m. Action d'entraîner.
entraîner vt. Traîner avec soi. Pousser. Préparer à un sport, une course, etc. vpr. Se préparer, s'exercer.
entraîneur m. Qui entraîne (sports).
entrave f. Lien aux jambes. Ce qui gêne.
entraver vt. Mettre des entraves à.
entre prép. Marque une place intermédiaire.
entrebâiller vt. Entrouvrir légèrement.
entrecôte f. Viande placée entre les côtes.
entrecroiser vt. Croiser en divers sens.
entrée f. Action d'entrer. Endroit par où l'on entre. Vestibule. Début.
entrefaites (sur ces) loc. adv. À ce moment.
entrefilet m. Petit article de journal.

entregent m. Habileté, adresse : *avoir de l'—*.
entrelacer vt. Lacer, enlacer l'un dans l'autre.
entrelacs [-la] m. Ornements enlacés.
entrelarder vt. Piquer de lard. Parsemer.
entremêler vt. Mêler plusieurs choses.
entremets m. Dessert sucré.
entremetteur, euse n. Qui s'entremet dans une affaire galante.
entremettre (s') vpr. Intervenir pour quelqu'un.
entremise f. Intervention, médiation.
entrepont m. MAR. Espace entre deux ponts.
entreposer vt. Déposer en entrepôt : *— du blé*.
entrepôt m. Bâtiment où on garde des marchandises.
entreprenant, e adj. Hardi : *caractère —*.
entreprendre vt. Commencer : *— des travaux*.
entrepreneur, euse n. Qui entreprend. Chef d'une entreprise.
entreprise f. Action d'entreprendre. Établissement industriel ou commercial.
entrer vi. Passer à l'intérieur. S'engager.
entresol m. Étage entre le rez-de-chaussée et le premier.
entre-temps adv. Dans cet intervalle de temps.
entretenir vt. Tenir en bon état. Pourvoir. vpr. Converser.
entretien m. Action d'entretenir. Conversation.
entrevoir vt. Voir confusément. Deviner.
entrevue f. Rencontre concertée : *— agitée*.
entrouvrir vt. Ouvrir un peu : *— les yeux*.
énumérer vt. Énoncer successivement.
envahir vt. Pénétrer par la force dans. Se répandre dans ou sur : *l'herbe — le jardin*.
envahisseur m. Qui envahit.
envaser vt. Remplir de vase : *un port —*.

enveloppe f. Ce qui recouvre. Papier qui enveloppe une lettre : *cacheter une —*.
envelopper vt. Recouvrir, entourer, cerner.
envenimer vt. Infecter. FIG. Aggraver.
envergure f. Largeur des ailes. Ampleur.
envers prép. À l'égard de. m. L'opposé de l'endroit : *l'— d'une étoffe*. Le contraire.
envi (à l') loc. adv. À qui mieux mieux.
envie f. Convoitise du bonheur d'autrui. Désir soudain, besoin, souhait. Tache sur la peau.
envier vt. Éprouver de l'envie, convoiter.
envieux, euse adj. Qui envie : *enfant —*.
environ adv. À peu près : *— deux heures*. mpl. Lieux avoisinants.
environnement m. Ce qui entoure.
envisager vt. Projeter. Examiner.
envoi m. Action d'envoyer. Chose envoyée.
envol m. Action de s'envoler. Élan.
envoler (s') vpr. Prendre son vol. Décoller.
envoûter vt. Ensorceler. Fasciner.
envoyé, e n. Personne envoyée. Messager.
envoyer vt. Faire partir vers une destination. Faire parvenir à. *(Envoie ; enverrai.)*
envoyeur, euse n. Qui envoie : *retour à l'—*.
enzyme f. Substance organique soluble provoquant une réaction.
éolien, enne adj. Qui fonctionne avec le vent.
épagneul m. Chien de chasse à longs poils.
épais, aisse adj. Gros. Dense, serré. Grossier.
épaisseur f. Grosseur : *l'— d'une muraille.*
épaissir vt. Rendre épais. vi. Devenir épais.
épancher (s') vpr. Laisser déborder ses sentiments.
épanouir (s') vpr. S'ouvrir (fleur). Se développer.
épargne f. Économie dans la dépense : *caisse d'—*.

épargner vt. Économiser. Éviter : — *sa peine*.
éparpiller vt. Disperser çà et là : — *des papiers*.
épars, e adj. Répandu, en désordre.
épater vt. FAM. Étonner, stupéfier.
épaule f. Partie supérieure du bras.
épaulement m. Mur de soutènement.
épauler vt. Appuyer sur l'épaule. Soutenir.
épaulette f. MIL. Ornement d'épaule.
épave f. Débris rejeté par la mer.
épée f. Arme blanche que l'on porte au côté.
épeler vt. Lire en décomposant. *(Épelle.)*
éperdu, e adj. Égaré par l'émotion : *voix* —.
éperlan m. Petit poisson de mer.
éperon m. Pointe fixée au talon du cavalier. Partie saillante : — *rocheux*.
éperonner vt. Piquer de l'éperon.
épervier m. Oiseau de proie. Filet de pêche.
éphèbe m. Jeune homme, adolescent.
éphémère adj. De courte durée. m. Un insecte.
éphéméride f. Calendrier dont on retire chaque jour une feuille.
épi m. Tête de la tige du blé, etc.
épice f. Substance comestible pour assaisonner.
épicéa m. Arbre analogue au sapin.
épicentre m. Point de la surface du globe à partir duquel se propage un tremblement de terre.
épicer vt. Assaisonner avec des épices.
épicerie f. Commerce d'alimentation générale.
épicier, ère n. Qui tient une épicerie.
épicurien, enne n. Bon vivant.
épidémie f. Maladie frappant une population.
épiderme m. Couche superficielle de la peau.
épier vt. Guetter, observer : — *l'ennemi*.
épieu m. Gros bâton ferré servant à la chasse.
épigastre m. Partie supérieure de l'abdomen.

épigramme f. Trait satirique, mordant.
épilepsie f. Maladie caractérisée par des convulsions.
épileptique adj. et n. Sujet à l'épilepsie.
épiler vt. Arracher ou faire tomber les poils.
épilogue m. Conclusion : — *d'un récit.*
épiloguer vi. Commenter, discourir sur.
épinard m. Plante potagère : *purée d'*—.
épine f. Pointe sur la tige d'une plante. — *dorsale*, la colonne vertébrale.
épingle f. Pointe de métal pour attacher.
épingler vt. Fixer avec des épingles.
épinière adj. f. *Moelle* —, centre nerveux situé dans la colonne vertébrale.
épiphénomène m. Phénomène qui vient s'ajouter à un autre.
épique adj. Digne de l'épopée : *entreprise* —.
épiscopal, e adj. De l'évêque : *dignité* —.
épiscopat m. Dignité d'évêque. Ensemble des évêques.
épisode m. Division d'un récit. Incident.
épisodique adj. Accessoire. Intermittent.
épissure f. Entrelacement de deux bouts de cordages.
épistolaire adj. De la correspondance.
épitaphe f. Inscription sur un tombeau.
épithélium m. MÉD. Tissu cellulaire recouvrant les surfaces extérieures et intérieures du corps.
épithète f. Mot employé pour qualifier.
épître f. Lettre. Lettre écrite par un apôtre.
épizootie [-zɔɔti *ou* -si] f. Épidémie du bétail.
éploré, e adj. Désolé, en pleurs : *visage* —.
éplucher vt. Décortiquer, peler. FIG. Examiner.
épluchure f. Ce qu'on ôte en épluchant.
éponge f. Substance poreuse élastique servant à différents usages domestiques.

éponger vt. Étancher un liquide avec une éponge. *(Épongea.)*
épopée f. Poème sur un sujet héroïque.
époque f. Moment déterminé de l'histoire. Date.
épouiller vt. Débarrasser de ses poux.
époumoner (s') vpr. Se fatiguer à force de crier.
épouser vt. Prendre en mariage. S'attacher à.
épousseter vt. Ôter la poussière. *(Époussette.)*
épouvantable adj. Qui épouvante : *vacarme —*.
épouvantail m. Mannequin mis dans les champs pour faire peur aux oiseaux.
épouvante f. Grande terreur : *semer l'—*.
épouvanter vt. Effrayer.
époux, épouse n. Mari, femme. pl. Mari et femme.
éprendre (s') vpr. Être pris de passion pour.
épreuve f. Expérience, essai. Malheur. *À l'— de*, qui peut résister à.
épris, e adj. Pris de passion pour.
éprouver vt. Essayer. Ressentir : *— du désir*.
éprouvette f. Tube de verre pour expériences.
épuisement m. Action d'épuiser. Grande fatigue.
épuiser vt. Utiliser en totalité. Affaiblir : *— ses forces*. Lasser : *— la patience*.
épuisette f. Petit filet de pêche.
épure f. Dessin : *— d'une machine*.
épurer vt. Rendre plus pur.
équarrir vt. Rendre carré. Dépecer (animal).
équateur [ekwa-] m. Grand cercle de la sphère terrestre, perpendiculaire à la ligne des pôles.
équation [ekwa-] f. ALG. Formule d'égalité.
équerre f. Instrument destiné à tracer ou vérifier des angles droits.
équestre [ekɛstr] adj. Relatif à l'équitation.
équi préf. exprimant l'égalité.
équidistant, e [ekɥi-] adj. À une égale distance.

équilibre m. Égalité de deux ou plusieurs forces opposées. Position stable. Harmonie.
équilibrer vt. Mettre en équilibre.
équilibriste n. Acrobate.
équinoxe m. Moment de l'année où le jour égale la nuit.
équipage m. Ensemble des marins d'un navire, du personnel d'un avion, etc.
équipe f. Personnes réunies par une même occupation ou un but commun.
équipée f. Folle entreprise.
équipement m. Action d'équiper. Ce qui équipe.
équiper vt. Pourvoir du nécessaire. Armer un navire.
équitable adj. Juste : *sentence —*.
équitation f. Art de monter à cheval.
équité f. Esprit de justice : *juger avec —*.
équivalent, e adj. Qui équivaut : *travail —*.
équivaloir vi. Avoir même valeur.
équivoque adj. À double sens. Suspect. f. Incertitude. Mot, phrase à double sens.
érable m. Un arbre à bois léger et solide.
érafler vt. Écorcher légèrement.
éraflure f. Écorchure légère.
éraillé, e adj. Rauque (voix).
ère f. Point de départ d'une chronologie. Époque où commence un certain ordre de choses.
érection f. Action d'ériger.
éreinter vt. Fatiguer beaucoup. Critiquer.
ergot m. Ongle pointu au bas de la patte du coq. Maladie du seigle.
ergoter vt. Chicaner, discuter.
ériger vt. Élever : *— un monument. (Érigea.)*
ermitage m. Habitation de l'ermite.
ermite m. Celui qui vit seul, loin du monde.

érosion f. Destruction du relief terrestre par le vent, les eaux, etc.
érotique adj. Relatif à l'amour charnel.
errant, e adj. Qui erre, nomade : *tribus* —.
errata mpl. Liste de fautes. (sing. *erratum*.)
errements mpl. Manière d'agir blâmable.
errer vi. Aller à l'aventure. Se tromper.
erreur f. Action de se tromper. Faute.
erroné, e adj. Qui contient des erreurs.
ersatz [ɛrzats] m. Produit de remplacement.
éructer vi. Rejeter avec bruit par la bouche les gaz de l'estomac.
érudit, e adj. Très savant : *historien* —.
éruption f. Apparition de boutons sur la peau. — *volcanique*, émission de matières par un volcan.
ès prép. En matière de : *docteur — sciences*.
escabeau m. Siège de bois sans dossier.
escadre f. Fraction d'une flotte militaire.
escadrille f. Petite escadre. Groupe d'avions.
escadron m. Partie de régiment de cavalerie.
escalade f. Action de grimper. Augmentation progressive des moyens militaires.
escalader vt. Franchir par escalade.
Escalator m. (nom déposé). Escalier mécanique.
escale f. Lieu de relâche pour les bateaux.
escalier m. Suite de degrés pour monter.
escalope f. Tranche de viande ou de poisson.
escamoter vt. Faire disparaître habilement.
escapade f. Action de s'échapper.
escarbille f. Fragment de bois en combustion.
escarcelle f. Grande bourse de ceinture.
escargot m. Mollusque comestible à coquille.
escarmouche f. Accrochage entre ennemis.
escarpé, e adj. À pic ; d'accès difficile.
escarpin m. Soulier découvert, à semelle mince.

escarpolette f. Balançoire.
escarre f. Croûte qui se forme sur la peau ou sur les plaies.
escient (à bon) loc. adv. À propos, au bon moment.
esclaffer (s') vpr. Éclater de rire.
esclandre m. Scandale : *provoquer un —*.
esclavage m. Condition d'esclave. Sujétion.
esclave n. Qui n'est pas libre. Qui subit la domination de : *— de ses passions*.
escogriffe m. FAM. Homme grand et mal fait.
escompte m. Prime, remise.
escompter vt. Payer avant l'échéance. Compter sur : *— un succès*.
escorte f. Accompagnement : *voyager sous —*.
escorter vt. Accompagner : *— un convoi*.
escouade f. MIL. Fraction de compagnie.
escrime f. Art de combattre à l'épée, au sabre.
escrimer (s') vpr. S'évertuer.
escroc m. Qui escroque.
escroquer vt. Soutirer de l'argent par ruse.
escroquerie f. Action d'escroquer.
ésotérique adj. Réservé à ceux qui sont initiés.
espace m. Étendue indéfinie qui entoure tous les objets. Étendue en surface, superficie. Intervalle.
espacer vt. Séparer par un espace.
espadrille f. Chaussure à semelle de corde.
espagnol, e adj. et n. D'Espagne.
espagnolette f. Tige métallique verticale fermant une fenêtre.
espalier m. Arbres appuyés à un mur, à un treillage.
espèce f. Ensemble d'êtres à caractères communs : *— végétale*. Sorte. pl. Pièces, billets formant la monnaie.
espérance f. Espoir. Ce qu'on espère.

espéranto m. Une langue internationale.
espérer vt. Attendre. Souhaiter. vi. Mettre sa confiance en : *— en Dieu. (Espère.)*
espiègle adj. Malicieux, éveillé : *des enfants —.*
espièglerie f. Petite malice.
espion, onne n. Personne qui essaie de voler les secrets d'un État.
espionner vt. Surveiller comme espion.
esplanade f. Terrain plat, uni et découvert.
espoir m. État d'attente confiante : *perdre tout —.*
esprit m. Principe de la pensée. Âme. Revenant, génie, etc. Humour. Intelligence.
esquif m. Canot léger : *un frêle —.*
esquille f. Fragment d'os.
esquisse f. Ébauche : *— au crayon.*
esquisser vt. Faire une esquisse. Commencer.
esquiver vt. Éviter adroitement.
essai m. Épreuve. Tentative.
essaim m. Groupe d'abeilles. Multitude.
essayage m. Action d'essayer : *— d'une robe.*
essayer vt. Faire l'essai. S'efforcer de. *(Essaye, -aie.)*
essence f. Nature d'une chose. Liquide volatil employé comme carburant. Liquide obtenu par distillation : *— de roses.* Espèce (arbres).
essentiel, elle adj. Indispensable, très important.
essieu m. Tige qui réunit les roues d'un véhicule.
essor m. Commencement du vol. Élan.
essorer vt. Extraire l'eau dont est imprégnée une matière.
essouffler vt. Mettre hors d'haleine.
essuyer vt. Nettoyer en frottant. Subir. *(Essuie.)*
est [ɛst] m. Côté de l'horizon où le soleil se lève, orient.
estafette f. Militaire qui porte les messages.

estafilade f. Grande coupure.
estampe f. Image gravée : *collectionneur d'—*.
estampille f. Empreinte, cachet de garantie.
esthétique adj. Relatif à la beauté.
estimation f. Action d'estimer.
estime f. Appréciation favorable.
estimer vt. Évaluer, apprécier. Juger : *— utile*.
estival, e adj. Relatif à l'été : *station —*.
estivant, e n. Personne qui passe les vacances d'été à la mer, à la montagne, etc.
estocade f. Coup d'épée.
estomac m. Poche du tube digestif qui reçoit les aliments.
estomaquer vt. FAM. Surprendre.
estomper vt. Atténuer, adoucir les traits, les contours d'un dessin.
estrade f. Plancher surélevé, tribune.
estragon m. Plante qui sert à assaisonner.
estropier vt. Priver de l'usage d'un membre.
estuaire m. Embouchure d'un fleuve.
esturgeon m. Grand poisson de rivière.
étable f. Lieu pour loger le bétail.
établi m. Table de travail de divers artisans.
établir vt. Fixer, installer. Démontrer.
établissement m. Action d'établir. Entreprise, institution.
étage m. Ensemble de pièces de plain-pied. Chacune des parties superposées d'un ensemble.
étager vt. Disposer sur plusieurs niveaux. *(Étagea.)*
étagère f. Meuble à tablettes étagées.
étai m. Pièce de bois pour soutenir.
étain m. Métal blanc très malléable.
étal m. Table où le boucher découpe.
étalage m. Exposition de marchandises.

étale adj. *Mer —*, qui ne monte ni ne baisse.
étaler vt. Exposer. Étendre. Déployer. vpr. S'étendre. FAM. Tomber.
étalon m. Modèle, type. Cheval reproducteur.
étamer vt. Appliquer une couche d'étain.
étamine f. Étoffe mince. Organe de la fleur.
étanche adj. Qui ne laisse pas passer l'eau.
étancher vt. Arrêter un écoulement.
étang m. Étendue d'eau sans écoulement.
étape f. Distance parcourue d'un lieu à un autre. Endroit où l'on s'arrête pour se reposer.
état m. Manière d'être, situation. Condition, métier : *avocat de son —*. Liste. Nation (avec maj.). Classe de citoyens, condition sociale.
étatisme m. Intervention excessive de l'État.
état-major m. Officiers qui dirigent une armée.
étau m. Instrument pour saisir, pour serrer.
étayer vt. Soutenir avec des étais. Aider. *(Étaie.)*
et cætera [ɛtsetera] loc. adv. Et le reste, et ainsi de suite. (Abrév. *etc.*)
été m. Saison qui suit le printemps.
éteignoir m. Instrument pour éteindre.
éteindre vt. Faire cesser une combustion, un fonctionnement.
étendard m. Enseigne, drapeau : *— de cavalerie*.
étendre vt. Donner plus de surface. Déployer. Développer : *— ses affaires*. Allonger d'eau. vpr. Se coucher, s'allonger.
étendue f. Surface. Durée. Extension.
éternel, elle adj. Sans fin. m. Dieu (avec maj.).
éterniser vt. Faire durer trop longtemps.
éternité f. Durée sans fin. Temps qui paraît très long.
éternuement m. Expulsion violente d'air par le nez.
éternuer vi. Faire un éternuement.

étêter vt. Ôter la tête : — *un arbre*.
éther [etɛr] m. Liquide très volatil.
éthéré, e adj. De l'éther. Fluide, aérien.
éthique adj. Relatif à la morale. f. Morale.
ethnographie f. Étude scientifique des peuples.
éthologie f. Science qui étudie le comportement des animaux dans leur milieu naturel.
éthylisme m. Alcoolisme.
étiage [etjaʒ] m. Plus bas niveau d'un fleuve.
étinceler vi. Briller, scintiller. *(Étincelle.)*
étincelle f. Parcelle incandescente qui se détache d'un corps enflammé.
étioler [etjɔle] vt. Faire dépérir les plantes.
étique adj. Maigre, décharné : *animal* —.
étiqueter vt. Mettre une étiquette. *(Étiquette.)*
étiquette f. Fiche indicatrice. Cérémonial.
étirer vt. Étendre, allonger par traction.
étoffe f. Tissu.
étoffer vt. Augmenter. Donner de l'ampleur, de la consistance.
étoile f. Astre fixe. Objet en forme d'étoile. Artiste célèbre.
étoilé, e adj. Parsemé d'étoiles.
étole f. Ornement sacerdotal formé d'une bande d'étoffe.
étonner vt. Surprendre, stupéfier.
étouffée f. Cuisson en vase bien clos.
étouffement m. Difficulté pour respirer.
étouffer vt. Ôter la respiration. Asphyxier. Éteindre. Amortir : — *un bruit*.
étoupe f. Rebut de la filasse.
étourderie f. Caractère, action d'étourdi.
étourdi, e adj. et n. Qui agit sans réfléchir.
étourdir vt. Faire perdre connaissance. Griser. vpr. S'efforcer d'oublier.

étourdissement m. Trouble, vertige.
étourneau m. Un passereau. Jeune étourdi.
étrange adj. Extraordinaire, bizarre.
étranger, ère adj. et n. D'un autre pays. Qui est en dehors : *détail — au sujet*. Qui n'est pas connu.
étranglement m. Action d'étrangler. Resserrement.
étrangler vt. Serrer le cou au point d'asphyxier.
étrave f. MAR. Partie de la quille à l'avant.
être vi. Exister. Appartenir à. Se trouver. *(Suis, es, est, sommes, êtes, sont ; fus ; serai ; sois, soyons, soyez ; sois, soit, soyons.)*
être m. Ce qui possède une existence. Individu, personne.
étreindre vt. Serrer fortement. (Conj. c. *craindre*).
étreinte f. Action d'étreindre.
étrenne f. Cadeau de jour de l'an.
étrenner vt. Employer pour la première fois.
étrier m. Anneau sur lequel le cavalier appuie le pied. *Vider les —*, tomber de cheval.
étrille f. Grattoir pour panser le cheval.
étriper vt. Retirer les tripes de.
étriqué, e adj. Sans ampleur : *costume —*.
étroit, e adj. Peu large. Borné : *esprit —*.
étroitesse f. Défaut de ce qui est étroit.
étude f. Application pour apprendre. Examen. Bureau : *— de notaire*. Ouvrage spécial. pl. Ensemble des cours d'enseignement.
étudiant, e n. Qui suit les cours d'une université.
étudier vt. Apprendre. Examiner.
étui m. Boîte, enveloppe protectrice : *— à lunettes*.
étuve f. Chambre chaude, four pour sécher.
étuver vt. Sécher, chauffer dans une étuve.
étymologie f. Origine d'un mot.
eucalyptus m. Arbre originaire d'Australie.
eucharistie f. Un des sacrements catholiques.

eunuque m. Homme castré.
euphémisme m. Expression adoucie.
euphorie f. Sensation de bien-être qui porte à l'optimisme.
européen, enne adj. De l'Europe : *conflit* —.
euthanasie f. Mort provoquée pour abréger une fin pénible.
évacuer vt. Faire sortir : — *une population*.
évader (s') vpr. S'échapper : — *de prison*.
évaluer vt. Fixer la valeur de : — *une propriété*.
évanescent, e adj. Qui disparaît, fugitif.
évangélique adj. Conforme à l'Évangile.
évangéliser vt. Prêcher l'Évangile.
évangéliste m. Chacun des quatre auteurs d'Évangiles (Matthieu, Marc, Luc, Jean).
évangile m. Doctrine de Jésus (avec maj.). Livre qui contient sa vie et son enseignement.
évanouir (s') vpr. Perdre connaissance. Se dissiper.
évanouissement m. Perte de connaissance.
évaporation f. Action de s'évaporer.
évaporer vt. Réduire en vapeur. vpr. Se transformer en vapeur.
évaser vt. Élargir une ouverture.
évasif, ive adj. Qui élude : *réponse* —.
évasion f. Action de s'évader. Fuite.
évêché m. Ville où siège l'évêque. Sa résidence.
éveil m. Action d'éveiller. Alarme : *donner l'*—.
éveiller vt. Tirer du sommeil. Stimuler.
événement m. Fait remarquable : — *inattendu*.
éventail m. Accessoire dépliant pour s'éventer.
éventaire m. Étalage portatif de marchand.
éventé, e adj. Altéré par l'air.
éventer (s') vpr. Se rafraîchir en agitant l'air.
éventrer vt. Ouvrir le ventre. Défoncer.

éventualité f. Fait éventuel : *— fâcheuse.*
éventuel, elle adj. Qui dépend des circonstances.
évêque m. Dignitaire ecclésiastique.
évertuer (s') vpr. Faire des efforts pour.
évidement m. Action d'évider. Creux.
évidemment [-damɑ̃] adv. De façon évidente.
évidence f. Caractère évident : *se rendre à l'—.*
évident, e adj. Clair, manifeste : *erreur —.*
évider vt. Creuser intérieurement.
évier m. Petit bassin pour laver la vaisselle.
évincer vt. Déposséder. Écarter, éliminer.
éviter vt. Échapper à. S'abstenir de.
évocation f. Action d'évoquer : *— d'un fait.*
évoluer vi. Se mouvoir. Passer par des phases successives : *tumeur qui —.*
évolution f. Mouvement. Transformation.
évoquer vt. Citer, mentionner. Avoir quelque ressemblance avec.
ex préf. marquant la cessation : *ex-président.*
exacerber vt. Rendre plus intense, plus fort.
exact, e adj. Vrai, certain. Régulier, ponctuel.
exaction f. Malhonnêteté de celui qui exige plus qu'il ne lui est dû.
exactitude f. Qualité de ce qui est exact, d'une personne ponctuelle.
ex aequo [ɛgzeko] adv. et n. inv. À égalité, au même rang.
exagération f. Action d'exagérer.
exagérer vt. Déformer en amplifiant. *(-gère.)*
exaltation f. État exalté.
exalter vt. Célébrer, glorifier. Surexciter.
examen [-mɛ̃] m. Investigation. Épreuve subie par un candidat : *échouer à un —.*
examinateur, trice n. Qui examine.
examiner vt. Faire un examen. Interroger.

exaspérer vt. Irriter à l'extrême. *(Exaspère.)*
exaucer vt. Satisfaire une prière. *(Exauça.)*
excavation f. Trou creusé dans la terre.
excédent m. Ce qui excède : *— de bagages.*
excéder vt. Outrepasser. Importuner.
excellence f. Haute qualité. Titre honorifique.
excellent, e adj. Très bon : *— professeur.*
exceller vi. Être excellent, très habile.
excentricité f. Originalité, bizarrerie.
excentrique adj. Situé loin du centre. Extravagant.
excepté prép. et adj. À l'exception de, en dehors de.
exception f. Ce qui est exclu : *faire une —.*
exceptionnel, elle adj. Extraordinaire ; rare.
excès m. Différence en plus. Abus.
excessif, ive adj. Qui excède la mesure.
exciser vt. Enlever avec un instrument tranchant.
exciter vt. Provoquer. Stimuler. Inciter.
exclamation f. Cri de surprise.
exclamer (s') vpr. S'écrier.
exclure vt. Écarter, rejeter. (Conj. c. *conclure.*)
exclusion f. Action d'exclure.
exclusivité f. Possession sans partage, monopole.
excommunier vt. Rejeter hors de l'Église.
excrément m. Matière fécale, urine.
excrétion f. Produit sécrété par une glande.
excroissance f. Tumeur externe.
excursion f. Petit voyage : *faire une —.*
excuse f. Raison pour disculper.
excuser vt. Disculper. Pardonner.
exécrable adj. Détestable. Très mauvais.
exécrer vt. Détester : *— l'hypocrisie.*
exécutant m. Musicien qui exécute.
exécuter vt. Effectuer. Faire. Mus. Jouer. Mettre à mort.

exécuteur, trice n. Qui exécute.
exécutif m. Pouvoir qui applique les lois.
exécution f. Action d'exécuter. Mise à mort.
exemplaire adj. Modèle : *conduite —*. m. Objet formé sur un type commun : *— d'un livre*.
exemple m. Personne qui peut servir de modèle. Phrase ou mot qui sert à expliquer une définition, une règle.
exempter vt. Ne pas assujettir à, dispenser de.
exemption f. Action d'exempter.
exercer vt. Pratiquer : *— un métier*. Développer par la pratique : *— sa mémoire*. vpr. S'entraîner à.
exercice m. Action d'exercer. Travail scolaire.
exhaler vt. Répandre : *— une odeur*. Exprimer.
exhausser vt. Relever : *— une maison*.
exhiber vt. Montrer, présenter.
exhibition f. Exposition.
exhorter vt. Exciter, encourager.
exhumer vt. Déterrer. Tirer de l'oubli.
exigeant, e adj. Qui exige beaucoup : *enfant —*.
exigence f. Obligation, nécessité.
exiger vt. Demander. Ordonner. Nécessiter.
exigu, ë adj. Trop petit, trop étroit : *logis —*.
exil m. Obligation de vivre hors de son pays. Lieu où on est exilé.
exiler vt. Proscrire, envoyer en exil.
existence f. État de ce qui existe. Vie.
exister vi. Être, vivre, durer.
exode m. Départ en grand nombre.
exonérer vt. Dispenser d'une charge. *(Exonère.)*
exorbitant, e adj. Excessif : *payer un prix —*.
exorciser vt. Faire cesser une possession démoniaque.
exotique adj. D'un autre pays : *plante —*.

expansif, ive adj. Qui aime s'épancher.
expansion f. Développement. Essor.
expatrier vt. Chasser de sa patrie. vpr. Quitter sa patrie, émigrer.
expectorer vt. Cracher.
expédient m. Moyen d'arriver à ses fins.
expédier vt. Envoyer. Congédier.
expéditeur, trice adj. et n. Qui expédie.
expéditif, ive adj. Qui agit vite.
expédition f. Envoi. Entreprise armée hors du pays. Voyage scientifique ou touristique.
expérience f. Épreuve visant à étudier un phénomène. Connaissance acquise par la pratique.
expérimenter vt. Soumettre à des expériences.
expert, e adj. Habile. m. Spécialiste, juge.
expertise f. Constatation, estimation par un spécialiste.
expiation f. Action d'expier. Châtiment.
expier vt. Subir la punition d'une faute.
expiration f. Action d'expirer.
expirer vt. Rejeter l'air des poumons. vi. Mourir. Cesser, prendre fin : *délai qui — en mai.*
explication f. Action d'expliquer. Ce qui explique.
explicite adj. Clair, sans équivoque.
expliquer vt. Faire comprendre, faire connaître.
exploit m. Action d'éclat, de bravoure.
exploitation f. Mise en valeur. Utilisation. Abus.
exploiter vt. Faire valoir. Profiter de.
exploration f. Action d'explorer.
explorer vt. Aller à la découverte. Étudier.
exploser vi. Faire explosion. Éclater.
explosif, ive adj. et m. Qui peut exploser.
explosion f. Action d'éclater violemment.
exportation f. Action d'exporter. Marchandises exportées.

exporter vt. Vendre à l'étranger.
exposant, e n. Qui expose.
exposé m. Développement explicatif.
exposer vt. Mettre en vue. Présenter.
exposition f. Action d'exposer. Produits exposés. Orientation. Récit : *— d'un fait.*
exprès, esse adj. Formel. m. Messager : *envoi par* —. adv. À dessein : *agir* —.
express adj. À grande vitesse. m. Train qui ne s'arrête qu'aux gares importantes.
expressif, ive adj. Qui a de l'expression.
expression f. Phrase, locution. Manifestation d'un sentiment : *— de douleur.*
exprimer vt. Extraire le suc. Manifester.
exproprier vt. Déposséder.
expulser vt. Chasser d'un lieu. Rejeter.
expurger vt. Retrancher d'un écrit ce qui est contraire à la morale.
exquis, e adj. Délicat, délicieux : *goût* —.
exsangue [-zɑ̃g] adj. Qui a perdu son sang.
extase f. Vive admiration : *tomber en* —.
extasier (s') vpr. Manifester son admiration.
extatique adj. Causé par l'extase.
extenseur adj. m. Qui sert à étendre : *muscle* —.
extensible adj. Qui peut s'étendre.
extension f. Action d'étendre. Développement.
exténuer vt. Affaiblir à l'extrême.
extérieur, e adj. Qui est au-dehors. Relatif à l'étranger : *commerce* —. m. Dehors.
extérioriser vt. Exprimer, manifester.
exterminer vt. Anéantir : *— l'ennemi.*
externat m. Régime des externes.
externe adj. Du dehors. m. Élève d'un collège qui n'y couche pas et n'y mange pas.
extincteur m. Qui sert à éteindre un incendie.

extinction f. Action d'éteindre : — *des feux.*
extirper vt. Déraciner. Anéantir.
extorquer vt. Obtenir par la force.
extorsion f. Action d'extorquer.
extra préf. marquant l'extériorité, une grande qualité.
extraction f. Action d'extraire. Origine.
extrader vt. Livrer un criminel étranger au gouvernement de son pays.
extraire vt. Tirer de. Faire sortir.
extrait m. Substance extraite. Passage tiré d'un livre.
extraordinaire adj. Singulier. Imprévu. Qui dépasse le niveau ordinaire.
extraterrestre adj. et n. Qui vient d'une autre planète que la Terre.
extravagance f. Caractère, acte extravagant.
extravagant, e adj. Bizarre, singulier.
extrême adj. Dernier. Excessif. m. Ce qui est au bout : *pousser à l'—*. Contraire.
extrême-onction f. Nom autrefois donné au sacrement des malades en danger de mort.
extrémiste adj. Partisan des idées extrêmes.
extrémité f. Bout, fin. pl. Actes de violence.
exubérant, e adj. Très expansif.
exulter vi. Déborder de joie.
exutoire m. Dérivatif.

F

fa m. Quatrième note de la gamme musicale.
fable f. Petit récit moral. Sujet de risée.
fabricant m. Qui fabrique : — *de machines.*
fabrication f. Action de fabriquer : — *soignée.*
fabrique f. Établissement industriel où l'on fabrique, usine.
fabriquer vt. Faire un objet : — *un meuble.*
fabulation f. Substitution à la réalité d'une aventure imaginaire.
fabuleux, euse adj. Imaginaire. Extraordinaire.
fabuliste m. Auteur de fables.
façade f. Devant d'une maison. Apparence.
face f. Visage. Aspect. Surface plane d'un solide : — *latérale.*
facétie [-sesi] f. Bouffonnerie.
facette f. Petite face plane : — *d'un diamant.*
fâcher vt. Chagriner, irriter.
fâcheux, euse adj. et n. Qui fâche. Importun.
facial, e adj. De la face : *névralgie* —.
faciès [-sjɛs] m. Aspect du visage, physionomie.
facile adj. Aisé : *travail* —. Accommodant.
facilité f. Qualité de ce qui est facile. Aptitude.
faciliter vt. Rendre facile : — *les opérations.*
façon f. Manière de faire. Main-d'œuvre.
façonner vt. Travailler, former.
fac-similé m. Reproduction, copie. (pl. — - —*s.*)
facteur m. Préposé à la distribution du courrier. Ce qui agit. Nombre formant un produit.
factice adj. Artificiel : *fleur* —.
factieux, euse adj. et n. Séditieux. Insurgé.
faction f. Service de surveillance dont est chargé un militaire. Groupe séditieux.

factionnaire m. Sentinelle.
factotum [-tɔm] m. Homme à tout faire.
facture f. Note de vente. Qualité d'exécution.
facultatif, ive adj. Non obligatoire.
faculté f. Possibilité physique ou morale. Vertu, propriété. Établissement d'enseignement supérieur.
fadaise f. Niaiserie : *débiter des —*.
fade adj. Insipide : *un potage —*.
fadeur f. Caractère de ce qui est fade.
fagot m. Faisceau de petites branches.
fagoter vt. FAM. Habiller mal.
faible adj. Sans forces. Médiocre. m. Penchant.
faiblesse f. Manque de forces physiques ou morales.
faiblir vi. Perdre de sa force : *le vent —*.
faïence f. Poterie vernissée.
faille [faj] f. Cassure des couches géologiques. Point faible, défaut.
failli, e [faji] adj. et n. Qui a fait faillite.
faillir vi. Être sur le point de : *il a — tomber*.
faillite f. COMM. Cessation de paiements.
faim f. Besoin de manger. Famine. Désir.
fainéant, e adj. et n. Paresseux.
faire vt. Former, créer. Fabriquer. Opérer. *(Faites ; fis ; ferais ; fasse ; faisant.)*
faire-part m. inv. Lettre annonçant une naissance, un mariage, etc.
faisan m. Gallinacé comestible apprécié.
faisceau m. Groupe de choses liées, réunies.
fait m. Action. Événement. *Tout à —*, entièrement.
fait-divers m. Accident, petit scandale sans importance, relaté par les journaux. (pl. *—s - —*.)
faîte m. Comble. Sommet, cime. Maximum.
fakir m. Ascète de l'Inde.

falaise f. Côte escarpée : *les — normandes.*
fallacieux, euse adj. Trompeur ; *prétexte —.*
falloir vi. Être nécessaire. *S'en —*, manquer. *(Faut ; fallait ; fallut ; faudra ; faille ; fallu.)*
falot, e adj. Terne, effacé. m. Lanterne.
falsifier vt. Altérer pour tromper.
famélique adj. Affamé, maigre.
fameux, euse adj. Renommé, extraordinaire.
familiariser vt. Rendre familier, habituer.
familiarité f. Grande intimité. pl. Manières trop libres.
familier, ère adj. Intime. Habituel.
famille f. Parents vivant ensemble. Enfants. Espèce. Groupe d'êtres analogues : *— de mots.*
famine f. Disette. Faim : *crier —.*
fanal m. Grosse lanterne.
fanatique adj. et n. D'un zèle outré.
faner vt. Sécher l'herbe fauchée. vpr. Perdre son éclat.
fanfare f. Sonnerie de trompettes, etc.
fanfaron, onne adj. et n. Vantard : *faire le —.*
fanfreluche f. Ornement de la toilette féminine.
fange f. Boue. FIG. Vie de débauche.
fanion m. Petit drapeau.
fanon m. Lame de la mâchoire de la baleine.
fantaisie f. Imagination. Caprice. Goût.
fantasque adj. Capricieux.
fantassin m. Soldat d'infanterie.
fantastique adj. Imaginaire. Incroyable.
fantoche m. Marionnette. Homme peu sérieux.
fantôme m. Spectre, apparition.
faon [fɑ̃] m. Petit du cerf.
farandole f. Sorte de danse en file.
farce f. Hachis de viande, de légumes. Pièce de théâtre bouffonne. Grosse plaisanterie.

farceur, euse adj. et n. Qui dit, fait des farces.
farcir vt. Remplir, bourrer : — *une dinde*.
fard [far] m. Produit pour embellir le visage.
fardeau m. Charge pesante. Ce qui pèse.
farder vt. Mettre du fard. Déguiser, cacher.
farine f. Poudre extraite des grains de céréales.
farineux, euse adj. De la nature de la farine. m. Végétal alimentaire pouvant fournir de la farine.
farniente m. Oisiveté.
farouche adj. Sauvage. Peu sociable.
fascicule m. Ensemble de feuilles ; cahier.
fasciner vt. Maîtriser par le regard. Captiver.
fascisme m. Régime autoritaire établi en Italie de 1922 à 1945.
faste adj. *Jour* —, favorisé par la chance. m. Étalage de luxe.
fastidieux, euse adj. Ennuyeux : *lecture* —.
fastueux, euse adj. Qui étale du luxe : *vie* —.
fatal, e adj. Inévitable. Funeste. Mortel.
fataliste adj. et n. Qui s'abandonne aux événements.
fatalité f. Destinée inévitable.
fatidique adj. Inéluctable.
fatigue f. Diminution des forces après l'effort.
fatiguer vt. Causer de la fatigue. Ennuyer.
fatras m. Amas confus : *un — de paperasses*.
faubourg m. Quartier extérieur d'une ville.
faucher vt. Couper avec la faux : — *le blé*.
faucille f. Instrument pour faucher.
faucon m. Oiseau rapace pour la chasse.
faufiler (se) vpr. Se glisser.
faune f. Ensemble des animaux d'une région.
faussaire m. Qui commet, fabrique un faux.
fausser vt. Dénaturer : — *la vérité*. Déformer.
fausset m. Voix très aiguë.

fausseté f. Caractère faux. Hypocrisie.
faute f. Manquement à la règle, erreur. Responsabilité.
fauteuil m. Grande chaise à dossier.
fauteur m. Qui suscite : — *de désordre*.
fauve adj. Couleur rousse. m. Bête féroce.
faux, fausse adj. Contraire à la vérité. Sans rectitude : *esprit* —. Inexact. Imité.
faux f. Instrument pour faucher.
faux-fuyant m. Moyen détourné pour se tirer d'embarras. (pl. — - —*s*.)
faux-semblant m. Prétexte mensonger. (pl. — - —*s*.)
faveur f. Bienveillance, protection. Ruban.
favorable adj. Propice, indulgent.
favori, ite adj. Préféré : *auteur* —.
favoriser vt. Accorder la préférence. Aider.
fax m. Dispositif utilisant le téléphone pour transmettre à distance des documents, des graphiques.
fébrile adj. Qui a la fièvre. Excité.
fécal, e adj. Relatif aux excréments : *matière* —.
fécond, e adj. Fertile, productif : *terre* —.
fécondation f. Action de rendre fécond. Union de deux cellules sexuelles, mâle et femelle.
fécondité f. Aptitude à la reproduction.
fécule f. Partie farineuse des graines, etc.
fédération f. Association d'États, d'organisations.
fée f. Être féminin doué d'un pouvoir surnaturel.
féerie f. Spectacle d'une merveilleuse beauté.
feindre vt. Imiter pour tromper : — *l'indignation*.
feinte f. Artifice ; ruse : *parler sans* —.
fêler vt. Fendre légèrement.
félicitation f. Compliment : *recevoir des* —.
félicité f. Bonheur suprême.

féliciter vt. Adresser des félicitations.
félin, e adj. Qui tient du chat. Souple.
félon, onne adj. Traître, déloyal.
félonie f. Trahison.
fêlure f. Fente légère.
femelle adj. et f. Animal du sexe féminin.
féminin, e adj. Propre aux femmes.
féminisme m. Extension des droits des femmes.
femme f. Personne du sexe féminin. Épouse.
fémur m. Os de la cuisse.
fenaison f. Récolte des foins.
fendiller vt. Produire de petites fentes.
fendre f. Couper dans le sens de la longueur.
fenêtre f. Ouverture dans un mur pour donner de l'air, de la lumière. Châssis de fenêtre.
fenouil [fənuj] m. Ombellifère aromatique.
fente f. Petite ouverture en long, fissure.
féodal, e adj. Relatif à la féodalité.
féodalité f. Régime social du Moyen Âge, fondé sur le fief et les liens avec un seigneur.
fer m. Métal gris bleuâtre. Épée. Outil en fer. Garniture de fer au pied du cheval.
fer-blanc m. Tôle mince étamée.
férié, e adj. *Jour* —, où l'on ne travaille pas.
férir vt. *Sans coup* —, sans combattre.
ferme adj. Solide, stable. Assuré. f. Location d'une propriété rurale. Domaine affermé.
ferment m. Agent de fermentation.
fermentation f. Transformation organique.
fermenter vi. Être en fermentation.
fermer vt. Boucher une ouverture. Clore.
fermeté f. Solidité. Constance, courage.
fermeture f. Action de fermer. Ce qui ferme.
fermier, ère n. Qui loue une exploitation agricole.
féroce adj. Sanguinaire : *le tigre est* —. Cruel.

férocité f. Naturel féroce.
ferraille f. Débris de fer, de métaux divers.
ferrer vt. Garnir de fer. Mettre des fers.
ferronnerie f. Ouvrage de fer : — *artistique.*
ferroviaire adj. Du chemin de fer : *nœud* —.
ferrugineux, euse adj. Qui contient du fer.
ferrure f. Garniture de fer.
ferry m. Navire aménagé pour le transport des trains ou des voitures. (pl. *ferrys* ou *ferries.*)
fertile adj. Fécond, qui produit beaucoup.
fertilité f. Fécondité : *la — d'un terrain.*
féru, e adj. Passionné de quelque chose.
fervent, e adj. Plein de ferveur. Ardent.
ferveur f. Zèle ardent : *prier avec* —.
fesse f. Partie charnue postérieure du corps.
festin m. Repas somptueux.
festival m. Série de manifestations artistiques.
feston m. Ornement en forme de dents arrondies.
fête f. Solennité religieuse ou civile. Divertissement collectif.
fêter vt. Célébrer par une fête : — *un succès.*
fétiche m. Objet de superstition. Amulette.
fétide adj. D'odeur répugnante : *marais* —.
feu m. Chaleur, lumière d'une combustion. Ardeur. Phare. Fanal. Décharge d'arme à poudre. adj. Défunt.
feuillage m. Feuilles d'un arbre.
feuille f. Partie terminale, verte et plate d'un végétal. Chose plate et mince : — *de papier.*
feuillet m. Page d'un livre, d'un cahier.
feuilleter vt. Tourner les pages. *(Feuillette.)*
feuilleton m. Œuvre romanesque diffusée ou publiée par épisodes.
feutre m. Étoffe de poils agglutinés.
fève f. Légumineuse à graine comestible.

février m. Deuxième mois de l'année.
fi! interj. Marque le dégoût, le mépris.
fiabilité f. Probabilité de fonctionnement sans défaillance d'un dispositif.
fiacre m. Voiture de louage à chevaux.
fiançailles fpl. Promesse de mariage.
fiancé, e adj. et n. Qui a promis le mariage.
fiasco m. Échec complet.
fibre f. Filament : *une — textile*.
ficeler vt. Attacher avec une ficelle. *(-elle.)*
ficelle f. Petite corde. FAM. Ruse.
fiche f. Pointe de bois, de fer. Petit morceau de carton pour écrire des notes à classer.
ficher vt. Clouer. Mettre sur fiche. FAM. Jeter. vpr. FAM. Se moquer.
fichier m. Meuble, boîte à fiches.
fichu m. Carré d'étoffe jeté sur les épaules.
fichu, e adj. FAM. Perdu. Mauvais : *un — temps*.
fiction f. Création de l'imagination.
fidèle adj. Qui remplit ses engagements. Exact : *mémoire —*. Attaché : *ami —*.
fidélité f. Qualité de ce qui est fidèle.
fief m. Domaine d'un vassal.
fieffé, e adj. Au plus haut degré : *un — menteur*.
fiente f. Excrément d'animal.
fier (se) vpr. Mettre sa confiance en.
fier, ère [fjɛr] adj. Orgueilleux. Altier.
fierté f. Caractère fier : *grande — d'âme*.
fièvre f. Forte température du corps.
fifre m. Flûte à son aigu.
figer vt. Congeler, solidifier. Immobiliser.
figue f. Fruit du figuier.
figurant, e n. Acteur qui joue un rôle secondaire.
figure f. Forme visible. Visage. Air. Dessin géométrique. Mouvement de danse.

figurer vt. Représenter. vpr. S'imaginer.
figurine f. Statuette.
fil m. Brin long et mince de matière textile. Partie tranchante d'une lame.
filament m. Petit fil : *lampe à — métallique*.
filandreux, euse adj. Se dit d'une viande pleine de fibres dures.
filasse f. Filaments de chanvre, de lin.
filature f. Établissement où l'on file le textile. Action de suivre quelqu'un pour le surveiller.
file f. Rangée : *— de voitures* ; *aller en —*.
filer vt. Former un fil. Suivre en épiant. vi. FAM. S'en aller.
filet m. Objet fait de mailles entrecroisées, qui sert à divers usages : *— de pêche*. Écoulement fin et continu.
filial, e adj. Du fils : *amour —*. f. Succursale.
filière f. Outil pour étirer. FIG. Voie habituelle.
filigrane m. Orfèvrerie à jour. Dessin visible par transparence dans le papier.
filin m. Cordage de marine.
fille f. Enfant du sexe féminin.
filleul, e n. Enfant dont on est parrain, marraine.
film m. Bande de matière souple pour le cinéma, la photo.
filmer vt. Enregistrer sur un film.
filon m. Couche souterraine d'un minerai.
fils [fis] m. Enfant mâle. Descendant.
filtre m. Corps poreux à travers lequel on filtre.
filtrer vt. Débarrasser un liquide de ses impuretés.
fin f. Extrémité. Terme. But. *À la —*, enfin.
fin, e adj. Délié, menu. Élancé. Précieux.
final, e adj. Qui finit. f. La fin d'une série.
finale m. MUS. Morceau final.
finance f. Profession qui s'occupe d'argent.

financer vt. Fournir de l'argent. *(-ça.)*
financier, ère adj. Des finances. m. Qui s'occupe d'opérations financières.
finasserie f. Subterfuge : *user de* —.
finaud, e adj. et n. Rusé, retors.
finesse f. Qualité de ce qui est fin. Ruse.
finir vt. Mettre fin à. Achever. vi. Mourir.
finlandais, e adj. et n. De Finlande.
fiole f. Petit flacon de verre.
fioriture f. Ornement : *faire des* —.
firmament m. Voûte du ciel : *les astres du* —.
firme f. Entreprise industrielle ou commerciale.
fisc m. Perception de l'impôt.
fiscal, e adj. Du fisc : *timbre* —.
fission f. Action de fendre. Éclatement d'un noyau d'atome.
fissure f. Petite crevasse.
fistule f. Orifice accidentel dans l'organisme.
fixation f. Action de fixer. Attache.
fixe adj. Immobile. Invariable : *salaire* —.
fixer vt. Rendre fixe, stable. Regarder fixement.
fixité f. Qualité de ce qui est fixe.
fjord [fjɔrd] m. Golfe étroit et allongé (Norvège).
flacon m. Petite bouteille.
flageller vt. LITT. Fouetter.
flageoler vi. Avoir les jambes tremblantes.
flageolet m. Sorte de flûte. Espèce de haricot.
flagrant, e adj. Manifeste, évident : — *délit.*
flair m. Odorat. Perspicacité.
flairer vt. Sentir. FIG. Deviner : — *une ruse.*
flamand, e adj. et n. De la Flandre.
flamant m. Oiseau échassier à plumage rose.
flambeau m. Torche. Chandelier.
flambée f. Feu clair : *allumer une* —.
flamber vt. Passer à la flamme. vi. Brûler.

flamboyer vi. Jeter de grands éclats lumineux.
flamme f. Phénomène lumineux d'une combustion. Fanion. Ardeur. Amour : *déclarer sa —*.
flammèche f. Parcelle enflammée.
flan m. Sorte de tarte.
flanc m. Côté du buste. Côté.
flancher vi. FAM. Céder, faiblir.
flanelle f. Étoffe de laine fine : *gilet de —*.
flâner vi. Se promener sans but.
flanquer vt. Bâtir des ouvrages latéraux. Accompagner. FAM. appliquer rudement.
flaque f. Petite mare.
flash m. PHOT. Dispositif produisant un éclair bref et intense. À la radio, brève information. (pl. *flashs* ou *flashes*.)
flasque adj. Mou, sans forces.
flatter vt. Chercher à plaire par des éloges.
flatterie f. Action de flatter. Parole flatteuse.
flatteur, euse adj. et n. Qui flatte.
fléau [fleo] m. Outil pour battre le blé. Tige d'une balance qui soutient les plateaux. Catastrophe.
flèche f. Tige de bois lancée avec l'arc. Pointe de clocher. Signe figurant une flèche, pour indiquer une direction.
fléchir vt. Ployer. Attendrir. vi. Plier.
fléchissement m. Action de fléchir.
flegme m. Tempérament calme. Impassibilité.
flétrir vt. Faner. Altérer. Déshonorer.
fleur f. Partie de la plante qui contient les organes reproducteurs, pouvant avoir des couleurs vives. Plante à fleurs.
fleuret m. Épée sans tranchant ni pointe.
fleurir vi. Être en fleur. vt. Orner de fleurs. *(Fleurissais ; fleurissant.)*
fleuriste n. Qui cultive ou qui vend des fleurs.

fleuve m. Cours d'eau débouchant dans la mer.
flexible adj. Souple : *ligament —*.
flexion f. Fléchissement : *la — du coude*.
flibustier m. Pirate d'autrefois.
flic m. FAM. Policier.
flirter [flœrte] vi. Courtiser une femme.
flocon m. Petite masse très légère : *— de neige*.
floraison f. Épanouissement de la fleur.
flore f. Ensemble des plantes d'un pays.
floréal m. Mois du calendrier républicain.
florin m. Unité monétaire néerlandaise.
florissant, e adj. Prospère.
flot m. Masse d'eau agitée, vague. Grande quantité ; foule, masse. *Être à —*, flotter.
flottant, e adj. Qui flotte. Irrésolu.
flotte f. Ensemble de navires. Marine.
flottement m. État de ce qui flotte.
flotter vi. Surnager : *— sur l'eau*. Ondoyer.
flotteur m. Corps flottant.
flou, e adj. et m. Léger, vaporeux. Imprécis.
fluctuation f. Variation, changement.
fluet, ette adj. Mince, délicat.
fluide adj. Coulant : *corps —*. m. Nom donné aux liquides et aux gaz.
fluorescence f. Propriété d'émettre de la lumière.
flûte f. Instrument de musique à vent.
flûtiste n. Joueur de flûte.
fluvial, e adj. Des cours d'eau.
flux [fly] m. Écoulement. Marée montante.
fluxion f. Gonflement douloureux.
foc m. MAR. Voile triangulaire à l'avant.
fœtus [fetys] m. Produit de la conception. Embryon.
foi f. Confiance : *avoir — en*. Religion.
foie m. Viscère qui produit la bile.

foin m. Herbe fauchée et séchée.
foire f. Grand marché public.
fois f. Marque la quantité, la répétition : *trois* —.
foison f. Grande quantité. *À* —, beaucoup.
foisonner vi. Abonder.
fol, folle adj. Fou.
folie f. Démence. Extravagance. Excès.
folio m. Feuillet d'un livre.
folklore m. Ensemble des traditions populaires.
fomenter vt. Susciter.
foncé, e adj. Sombre (couleur) : *étoffe vert* —.
foncer vt. Rendre plus foncé. vi. Se précipiter sur.
foncier, ère adj. Relatif au fonds de terre. Principal ; inné, naturel : *qualité* —.
fonction f. Exercice d'un emploi. Rôle.
fonctionnaire n. Agent d'une administration.
fonctionnement m. Manière de fonctionner.
fonctionner vi. Marcher (machine).
fond m. Partie la plus basse, la plus profonde. Essentiel : *le — du problème*.
fondant, e adj. Qui fond. m. Sorte de bonbon.
fondation f. Action de fonder. pl. Ensemble des parties inférieures d'une construction.
fondé, e adj. Établi, motivé. Autorisé.
fondement m. Base d'un édifice. Cause, motif.
fonder vt. Créer, établir : *— une école*.
fonderie f. Usine où l'on fond les métaux.
fondre vt. Rendre liquide. Dissoudre. vi Devenir liquide.
fondrière f. Crevasse, sol marécageux.
fonds m. Terre. Somme d'argent, capital. Établissement de commerce : *— de librairie*.
fontaine f. Eau qui sort du sol. Appareil pour distribuer l'eau : *— publique*.
fonte f. Action de fondre. Alliage de fer et de carbone.

fonts mpl. — *baptismaux*, bassin pour baptiser.
football [futbol] m. Jeu de ballon au pied.
forain, e adj. Relatif aux foires. *Marchand* — ou *forain*, marchand ambulant.
forçat m. Autref., condamné aux galères.
force f. Vigueur. Puissance naturelle : — *hydraulique*. Violence. Solidité. Habileté. Autorité.
forcé, e adj. Inévitable, obligatoire : *repos* —.
forcené, e adj. et n. Hors de soi, furieux.
forceps m. Instrument pour les accouchements difficiles.
forcer vt. Contraindre. Fausser : — *une serrure*. Exagérer : — *le ton*.
forer vt. Percer : — *un trou*.
forestier, ère adj. Des forêts : *garde-* —.
foret m. Instrument pour percer.
forêt f. Grande étendue couverte d'arbres.
forfait m. Grand crime. Marché à prix fixé.
forfaiture f. Crime d'un fonctionnaire. Trahison.
forfanterie f. Vantardise.
forge f. Établissement où l'on traite le fer.
forger vt. Marteler un métal à chaud.
formaliser (se) vpr. S'offenser.
formalisme m. Attachement aux formalités.
formalité f. Condition nécessaire. Règle.
format m. Dimension.
formation f. Action de former. Éducation.
forme f. Configuration. Apparence. Façon de s'exprimer. Formalité. Tournure.
formel, elle adj. Exprès. Précis. Apparent.
former vt. Donner une forme. Organiser. Instruire.
formidable adj. Redoutable. Excessif.
formulaire m. Questionnaire.
formule f. Façon de s'exprimer conforme à l'usage. Constitution d'un corps chimique.

formuler vt. Rédiger. Énoncer, émettre.
fort, e adj. Robuste, vigoureux. Corpulent. Énergique. Rude, pénible. Savant.
forteresse f. Lieu fortifié.
fortification f. Ouvrage de défense militaire.
fortifier vt. Garnir de fortifications. Affermir.
fortin m. Petit fort.
fortuit, e adj. Qui arrive par hasard.
fortune f. Chance, hasard. Richesse. Sort.
fortuné, e adj. Heureux. Riche.
forum [-ɔm] m. Place publique à Rome.
fosse f. Trou, creux profond. Cavité.
fossé m. Fosse creusée en long.
fossette f. Petit creux naturel sur le visage.
fossile m. Empreinte d'un être ayant vécu avant l'époque actuelle.
fou, folle adj. et n. Qui déraisonne. Excessif. m. Pièce des échecs. Un palmipède.
foudre f. Décharge électrique aérienne. *Coup de —*, amour subit. m. Grand tonneau.
foudroyer vt. Frapper de la foudre. Atterrer.
fouet m. Corde, lanière attachée à un manche, pour frapper.
fouetter vt. Donner des coups de fouet. Battre.
fougère f. Une plante sans fleurs.
fougue f. Mouvement impétueux. Ardeur.
fougueux, euse adj. Impétueux : *caractère —*.
fouille f. Action de fouiller. Excavation.
fouiller vt. Creuser pour chercher. Explorer.
fouillis m. Désordre, confusion.
fouine f. Petit carnassier. Curieux et rusé.
fouisseur, euse adj. Qui creuse : *animal —*.
foulard m. Carré de tissu léger porté autour du cou.
foule f. Multitude de personnes.

foulée f. Enjambée.
fouler vt. Marcher sur.
foulure f. Entorse légère.
four m. Construction pour cuire le pain, la chaux, etc. *Petit* —, pâtisserie. FAM. Échec.
fourbe adj. et n. Qui trompe avec perfidie.
fourberie f. Ruse, tromperie.
fourbir vt. Nettoyer, polir : — *une arme*.
fourbu, e adj. Harassé.
fourche f. Instrument à dents. Ramification.
fourcher vi. Se séparer en plusieurs directions.
fourchette f. Instrument de table terminé par des dents.
fourchu, e adj. Divisé, fendu : *pied* —.
fourgon m. Véhicule long, couvert.
fourmi f. Insecte hyménoptère vivant sous terre en société.
fourmilière f. Nid de fourmis. Lieu surpeuplé.
fourmillement m. Picotement. Action de fourmiller.
fourmiller vi. Abonder. Pulluler.
fournaise f. Grand four. Feu très ardent.
fourneau m. Appareil pour faire le feu.
fournée f. Ce qu'on fait cuire en même temps. Ensemble de choses faites en même temps.
fourni, e adj. Touffu : *bois* —. Approvisionné.
fournil [furni] m. Four de boulanger.
fournir vt. Pourvoir. Procurer. Approvisionner.
fournisseur m. Qui fournit.
fourniture f. Ce qui est fourni.
fourrage m. Nourriture pour les bestiaux.
fourrager vt. et i. Fouiller, mettre en désordre.
fourragère adj. Qui sert de fourrage : *espèce* —. f. Ornement militaire.
fourré, e adj. Garni intérieurement : *manteau* —, *bonbon* —. m. Bois touffu.

fourreau m. Gaine, étui. Robe de forme étroite.
fourrer vt. Introduire. Garnir de fourrure.
fourreur m. Qui travaille en pelleterie.
fourrière f. Dépôt d'animaux, d'objets saisis.
fourrure f. Peau d'animal préparée. Vêtement fait avec cette peau.
fourvoyer vt. Égarer. Tromper.
foyer m. Lieu où l'on fait le feu. Centre lumineux. Maison, famille. Centre actif.
fracas m. Bruit violent. Tumulte.
fracasser vt. Briser avec bruit.
fraction f. Portion, partie.
fractionner vt. Diviser.
fracture f. Rupture d'un os. Cassure terrestre.
fracturer vt. Briser, forcer : — *un meuble.*
fragile adj. Qui se brise facilement. Faible.
fragilité f. Caractère fragile.
fragment m. Morceau.
frai m. Ponte des poissons.
fraîcheur f. Qualité de ce qui est frais.
fraîchir vi. Devenir frais : *le vent* —.
frais, fraîche adj. Un peu froid. Reposé. Qui n'est pas terni, altéré. m. Froid agréable. mpl. Débours, dépenses.
fraise f. Fruit rouge, charnu et sucré. Outil conique pour fraiser. Collet plissé (XVIe s.).
fraiser vt. Évaser l'orifice d'un trou.
framboise f. Fruit rouge.
franc m. Unité monétaire française, belge, suisse.
franc, franche adj. Loyal. Net, clair. Pur.
franc, franque adj. et n. Des Francs.
français, e adj. et n. De France. m. Langue française.
franchir vt. Traverser, parcourir.
franchise f. Exemption. Sincérité.

franc-maçonnerie f. Une société secrète.
franco adv. Sans frais. Préf. signifiant *français*.
francophone adj. et n. Qui parle le français.
franc-tireur m. Qui combat sans appartenir à une armée régulière.
frange f. Tissu d'ornement à filets pendants. Cheveux retombant sur le front.
franquette (à la bonne) loc. adv. Sans façon.
frappe f. Action de frapper la monnaie.
frapper vt. Donner des coups. Impressionner. Donner une empreinte : — *la monnaie.* Atteindre : — *d'un impôt.* Rafraîchir.
frasque f. Fredaine, incartade.
fraternel, elle adj. De frère : *amitié* —.
fraterniser vi. Faire acte de fraternité.
fraternité f. Lien fraternel, social.
fratricide n. et adj. Meurtrier de son frère.
fraude f. Tromperie : — *électorale.*
frauder vt. et i. Tromper : — *le fisc.*
fraudeur, euse adj. et n. Qui fraude.
frauduleux, euse adj. Entaché de fraude.
frayer vt. Tracer : — *un chemin.*
frayeur f. Grande peur.
fredaine f. Folie de jeunesse.
fredonner vt. Chanter à mi-voix : — *un air.*
frégate f. Ancien navire à voiles. Oiseau.
frein m. Mors. Ce qui retient. Appareil qui sert à arrêter : — *de voiture.*
freiner vt. et i. Serrer le frein. Ralentir.
frelater vt. Falsifier : *un vin* —.
frêle adj. Fragile, faible, mince.
frelon m. Grosse guêpe.
frémir vi. Trembler : — *de colère.*
frémissement m. Tremblement. Agitation.
frêne m. Arbre à bois dur et blanc.

frénésie f. Exaltation violente.
frénétique adj. Exalté, emporté.
fréquence f. Caractère de ce qui est fréquent.
fréquent, e adj. Qui arrive souvent.
fréquenter vt. Visiter, voir souvent.
frère m. Garçon né des mêmes parents qu'un autre enfant.
fresque f. Peinture murale.
fret [frɛ] m. Prix du transport de marchandises par air, terre ou mer. Cargaison.
fréter vt. Louer un navire, un avion. *(Frète).*
frétiller vi. S'agiter par mouvements vifs et courts.
fretin m. Menu poisson. Personne sans valeur.
friable adj. Qu'on peut réduire en poudre.
friand, e adj. Gourmand, délicat.
friandise f. Gourmandise. Sucrerie.
friche f. Terrain non cultivé : *laisser en —.*
friction f. Frottement. Fig. Désaccord.
frictionner vt. Faire des frictions à.
frigide adj. Se dit d'une femme incapable de plaisir sexuel.
frigorifier vt. Conserver au froid.
frileux, euse adj. Sensible au froid.
frimaire m. Mois du calendrier républicain.
frimas m. Litt. Brouillard froid et épais.
frimousse f. Fam. Minois.
fringale f. Fam. Faim subite.
fringant, e adj. Vif, alerte, sémillant.
fringues fpl. Fam. Habits.
friper vt. Chiffonner : *— ses vêtements.*
fripier, ère n. Marchand de vieux habits.
fripon, onne adj. Espiègle.
fripouille f. Fam. Canaille, voyou.
frire vt. et i. Cuire dans la friture. *(Fris ; frirai ; frit.)*
frise f. Ornement de corniche.

friser vt. Mettre en boucles. FIG. Raser, effleurer. vi. Se mettre en boucles.
frisson m. Tremblement de froid, de peur.
frissonner vi. Avoir des frissons : — *de peur.*
frite f. Bâtonnet de pomme de terre frit.
friture f. Action de frire. Corps gras où l'on frit. Poisson frit. Parasites dans une radio.
frivole adj. Vain, léger : *lecture* —.
frivolité f. Qualité de ce qui est frivole.
froid, e adj. Sans chaleur. Sérieux, réservé. Indifférent. m. Absence de chaleur. Gêne.
froideur f. Absence de sensibilité.
froisser vt. Chiffonner. Meurtrir. Choquer.
frôler vt. Toucher légèrement.
fromage m. Lait caillé fermenté.
froment m. Blé tendre.
fronce f. Pli : *faire des — à une robe.*
froncer vt. Rider. Plisser. *(Fronça.)*
frondaison f. Feuillage : *une — épaisse.*
fronde f. Instrument pour lancer des pierres.
front m. Partie supérieure du visage. Devant.
frontalier, ère adj. Situé, habitant près d'une frontière.
frontière f. Limite entre deux États.
frontispice m. Façade. Titre orné d'un livre.
fronton m. Ornement au-dessus d'une porte.
frottement m. Action de frotter. Contact.
frotter vt. Passer en appuyant. Frictionner.
frousse f. FAM. Grande peur.
fructidor m. Mois du calendrier républicain.
fructifier vi. Produire des fruits.
fructueux, euse adj. Profitable : *travail* —.
frugal, e adj. Simple et peu abondant.
fruit m. Production végétale qui suit la fleur. Résultat, produit.

fruitier, ère adj. Qui porte des fruits : *les arbres —*. n. Qui vend des fruits.
frusques fpl. POP. Vieux habits.
fruste adj. Rustre, grossier.
frustrer vt. Priver de.
fuchsia [fyksja *ou* fyʃja] m. Plante à fleurs rouges.
fuel [fjul] m. Combustible liquide.
fugace, fugitif, ive adj. Qui fuit, passe, éphémère.
fugue f. Escapade. Composition musicale.
fuir vi. S'éloigner rapidement. vt. Éviter.
fuite f. Action de fuir. Échappement (gaz, etc.).
fulgurant, e adj. Foudroyant. Intense (douleur).
fulminant, e adj. Détonant : *poudre —*.
fulminer vi. Éclater en menaces. vt. Lancer.
fumée f. Vapeur d'une combustion.
fumer vi. Jeter de la fumée. Aspirer la fumée du tabac. vt. Exposer à la fumée.
fumet m. Odeur des viandes cuites.
fumeur, euse adj. et n. Qui fume.
fumeux, euse adj. Peu clair. Confus.
fumier m. Engrais. Litière des bestiaux.
fumigation f. MÉD. Inhalation d'une vapeur désinfectante.
fumiste m. Qui entretient les cheminées. n. FAM. Personne peu sérieuse.
funambule n. Acrobate, équilibriste.
funèbre adj. Des funérailles. Triste, lugubre.
funérailles fpl. Cérémonie d'un enterrement.
funéraire adj. Des funérailles.
funeste adj. Malheureux, sinistre. Fatal.
funiculaire m. Chemin de fer à traction par câble ou à crémaillère.
fur m. *Au — et à mesure*, successivement.
furet m. Petit mammifère carnivore.
fureter vi. Fouiller.

fureur f. Colère extrême. Violence.
furieux, euse adj. Emporté par la fureur.
furoncle m. Petite inflammation cutanée.
furtif, ive adj. Fait en se cachant : *regard* —.
fusain m. Arbuste. Charbon fin pour dessiner.
fuseau m. Outil pour filer la laine.
fusée f. Pièce d'artifice. Ensemble formé par un moteur et un engin spatial. Bout de l'essieu.
fuselage m. Charpente d'avion.
fuser vi. Brûler sans détoner. Jaillir.
fusil [fyzi] m. Arme à feu. Outil pour aiguiser.
fusilier m. Soldat armé d'un fusil : — *marin.*
fusillade f. Décharge de fusils : — *nourrie.*
fusiller vt. Tuer à coups de fusil.
fusion f. Passage de l'état solide à l'état liquide. Réunion.
fustiger vt. Critiquer vivement.
fût m. Tonneau : *un — de vin*. Tige de colonne.
futaie f. Forêt à arbres très élevés.
futé, e adj. Rusé, fin.
futile adj. Sans valeur. Frivole : *discours* —.
futilité f. Frivolité.
futur, e adj. Dans un temps à venir : *vie* —. n. Celui, celle qu'on va épouser. m. Avenir.
fuyard, e adj. et n. Personne qui s'enfuit.

G

gabardine f. Tissu de laine. Manteau imperméable.
gabarit m. Dimensions imposées d'un objet.
gabegie [gabʒi] f. Désordre, gaspillage, fraude.
gâche f. Pièce de la serrure.
gâcher vt. Délayer (plâtre). Gaspiller.
gâchette f. Mécanisme de détente d'une arme à feu.
gâchis m. Mortier. Situation embrouillée.
gadoue f. FAM. Boue.
gaffe f. Perche munie d'un croc. FAM. Maladresse.
gage m. Garantie. Témoignage. pl. Salaire.
gager vt. Garantir. Parier.
gageure [gaʒyr] f. Action impossible à réaliser.
gagne-pain m. inv. Métier, emploi : *perdre son —.*
gagner vt. Faire un gain. Remporter la victoire. Mériter. Atteindre, attraper. vi. S'améliorer. S'étendre.
gai, e adj. Qui a de la gaieté, qui l'inspire.
gaieté f. Joie, belle humeur.
gaillard, e adj. Vif, dispos. Un peu libre. n. Personne vigoureuse, hardie, gaie. m. MAR. Extrémité du pont supérieur : *— d'avant.*
gain m. Avantage, succès. Profit.
gaine f. Étui. Enveloppe qui protège.
gala m. Grande fête. Fête officielle.
galant, e adj. Empressé auprès des dames.
galanterie f. Caractère galant.
galantine f. Viande hachée et en gelée.
galaxie f. Gigantesque système d'étoiles.
galbe m. Contour, profil : *— d'une colonne.*
gale f. Maladie de peau due à un parasite.

galère f. Ancien navire à rames.
galerie f. Pièce longue couverte. Corridor. Passage souterrain. Musée : *— de tableaux.*
galet m. Gros caillou poli. MÉC. Petite roue.
galette f. Gâteau plat. Biscuit.
galeux, euse adj. Qui a la gale.
galimatias [-tja] m. Discours embrouillé.
galle f. Excroissance végétale : *noix de —.*
gallicisme m. Tournure propre au français.
gallinacés mpl. Coqs, poules, perdrix, etc.
gallois, e adj. et n. Du pays de Galles.
galoche f. Chaussure à grosse semelle.
galon m. Ruban épais. MIL. Insigne de grade.
galop m. Allure rapide du cheval.
galopade f. Course au galop.
galoper vi. Aller au galop, très vite.
galopin m. FAM. Polisson. Garnement.
galvaniser vt. Recouvrir de zinc pour protéger.
galvanoplastie f. Dépôt de métal obtenu électriquement sur un objet.
galvauder vt. Gâter, gâcher. Avilir.
gambader vi. Faire des bonds.
gamelle f. Écuelle métallique : *— de soldat.*
gamète m. Cellule reproductrice mâle ou femelle.
gamin m. Enfant.
gaminerie f. Action, parole propre à un gamin.
gamme f. Série graduée de notes de musique.
gammée adj. *Croix —*, à branches coudées.
gang m. Bande de malfaiteurs.
ganglion m. Renflement sur le trajet d'un nerf, d'un vaisseau.
gangrène f. Grave infection locale des tissus.
gant m. Vêtement qui couvre la main.
ganter vt. Mettre des gants.
garage m. Local pour garer ou réparer les voitures.

garagiste m. Qui tient un garage.
garant, e adj. Qui répond de. m. Garantie.
garantie f. Engagement de garantir. Gage.
garantir vt. Se porter garant de. Affirmer, certifier : — *un fait.* Protéger : — *du froid.*
garçon m. Enfant mâle. Serveur : — *de café.*
garçonnière f. Petit logement de célibataire.
garde f. Surveillance. *Prendre* —, faire attention. Troupe qui garde. Infirmière. m. Surveillant. Soldat qui fait partie d'une garde : — *républicain.*
garde-boue m. inv. Bande au-dessus des roues pour protéger de la boue.
garde-chasse m. Garde d'une chasse. (pl. —*s*- —.)
garde-côte m. inv. Bateau chargé de la surveillance des côtes.
garde-fou m. Balustrade, parapet. (pl. — - —*s.*)
garde-manger m. inv. Petite armoire pour conserver les aliments.
garde-meuble m. Lieu pour garder des meubles. (pl. — - —*s.*)
gardénia m. Plante à belles fleurs.
garder vt. Conserver. Surveiller. vpr. Se préserver. Éviter de : — *de parler.*
garde-robe f. Armoire pour les vêtements. (pl. — - —*s.*)
gardien, enne n. Qui garde.
gardon m. Petit poisson de rivière.
gare f. Lieu de départ ou d'arrêt des trains. Interj. Sert à avertir.
garenne f. Lieu où vit le lapin sauvage.
garer vt. Mettre dans un garage. Abriter. vpr. Ranger sa voiture.
gargariser (se) vpr. Se rincer la gorge.
gargote f. Mauvais restaurant à bas prix.

gargouille f. Extrémité d'une gouttière.
gargouillement m. Bruit de liquide dans une canalisation, un tuyau, l'estomac.
garnement m. Vaurien : *un vilain* —.
garnir vt. Munir de. Orner de. Remplir.
garnison f. Troupes établies dans une ville.
garniture f. Ce qui garnit. Aliments qui accompagnent un mets.
garrot m. Partie supérieure du cou d'un animal. Bâtonnet pour serrer une corde.
garrotter vt. Serrer fortement.
gars m. FAM. Garçon, jeune homme.
gascon, onne adj. et n. De Gascogne.
gaspiller vt. Dépenser follement. Mal employer.
gastrique adj. De l'estomac.
gastronomie f. Amour de la bonne chère.
gâteau m. Pâtisserie. Galette, entremets.
gâter vt. Détériorer. Putréfier. Vicier. FAM. Traiter avec trop d'indulgence : — *un enfant.*
gâterie f. Action de gâter. Friandise.
gâteux, euse adj. À l'intelligence affaiblie.
gâtisme m. Affaiblissement mental.
gauche adj. Qui correspond au côté du cœur : *bras* —. Embarrassé : *un air* —. f. Main, côté gauche.
gaucher, ère adj. Qui se sert de la main gauche.
gaucherie f. Maladresse.
gauchir vi. Perdre sa forme.
gauchisme m. Opposition d'extrême gauche préconisant des actions radicales.
gaudriole f. Propos gai, libre, grivois.
gaufre f. Sorte de pâtisserie quadrillée.
gaule f. Longue perche. Canne à pêche.
gauler vt. Faire tomber à la gaule : — *des noix.*
gaullisme m. Doctrine se réclamant du général de Gaulle.

gaulois, e adj. et n. De la Gaule.
gauloiserie f. Plaisanterie un peu libre.
gausser (se) vpr. Se moquer.
gaver vt. Bourrer de nourriture.
gaz m. Fluide constituant un des trois états de la matière : *l'hydrogène est un —.*
gaze f. Étoffe transparente.
gazéifier vt. Réduire à l'état gazeux.
gazelle f. Sorte d'antilope.
gazer vt. Soumettre à l'action de gaz toxiques.
gazeux, euse adj. De la nature du gaz.
gazomètre m. Réservoir à gaz.
gazon m. Herbe courte et menue, pelouse.
gazouiller vi. Produire un chant doux (oiseaux).
geai [ʒɛ] m. Oiseau à plumage bigarré.
géant, e n. et adj. Plus grand que la taille ordinaire.
geindre [ʒɛ̃dr] vi. Gémir. Se plaindre.
geisha [geʃa] f. Au Japon, chanteuse et danseuse professionnelle.
gel m. Gelée.
gélatine f. Gelée tirée des tissus animaux.
gelée f. Abaissement de la température au-dessous de zéro. Suc solidifié (viande, fruits).
geler vt. Changer en glace. vi Avoir froid.
gélule f. Capsule de gélatine renfermant un médicament.
gémir vi Se plaindre.
gémissement m. Lamentation.
gemme f. Pierre précieuse. adj. *Sel —,* sel que l'on extrait des mines.
gencive f. Muqueuse entourant les dents.
gendarme m. Militaire de la gendarmerie.
gendarmer (se) vpr. S'emporter contre.
gendarmerie f. Force qui maintient l'ordre.

gendre m. Époux de la fille.
gène m. Élément du chromosome dont dépend la transmission d'un caractère héréditaire.
gêne f. État pénible. Manque d'argent. *Sans* —, qui ne pense pas à autrui.
généalogie f. Suite d'ancêtres.
gêner vt. Contraindre. Entraver : — *le trafic.*
général, e adj. Universel. Vague. Supérieur. m. Officier supérieur. Supérieur d'un ordre.
généraliser vt. Rendre général.
généralité f. Qualité de ce qui est général. Le plus grand nombre : *la — des hommes.*
générateur m. Appareil produisant de l'électricité.
génération f. Reproduction des êtres organisés. Ensemble d'individus du même âge.
généreux, euse adj. Qui donne sans compter, désintéressé.
générique m. Partie d'un film où sont indiqués les noms du réalisateur, des acteurs, etc.
générosité f. Qualité d'une personne généreuse.
genèse f. Création du monde. Origine.
genêt m. Arbuste à fleurs.
génétique f. Science de l'hérédité.
gêneur, euse adj. et n. Importun, fâcheux.
genévrier m. Arbuste à baies.
génial, e adj. De génie : *poète —.*
génie m. Puissance créatrice. Talent : *le — des affaires.* Subdivision de l'armée chargée des fortifications, des ponts, etc.
genièvre m. Genévrier. Liqueur de genièvre.
génisse f. Jeune vache.
génital, e adj. Qui concerne la reproduction sexuée.
génocide m. Massacre d'un groupe humain, national ou religieux.

genou m. Union de la jambe et de la cuisse.
genouillère f. Ce qui protège le genou.
genre m. Série d'êtres analogues. Sorte, manière. Classe grammaticale : masculin ou féminin.
gens mpl. Personnes. Catégorie de personnes.
gentil, ille [ʒɑ̃ti, -tij] adj. Aimable. Joli.
gentilhomme [-tijɔm] m. Homme noble.
gentillesse f. Caractère gentil. Grâce.
gentleman [dʒɛntləman] m. Homme de bonne compagnie. (pl. *gentlemen* [-mɛn].)
génuflexion f. Action de fléchir le genou.
géographie f. Description de la Terre et des groupes humains.
geôle [ʒol] f. LITT. Prison.
geôlier [ʒolje] m. LITT. Gardien de prison.
géologie f. Étude des éléments constituant la Terre.
géométrie f. Étude mathématique des lignes, des surfaces et des volumes.
gérance f. Fonction de gérant.
géranium m. Une plante d'ornement.
gérant m. Celui qui gère : — *d'une entreprise.*
gerbe f. Botte de céréales coupées.
gercer vt. Faire de petites crevasses. *(Gerça, -çons.)*
gerçure f. Petite fente : — *aux lèvres.*
gérer vt. Administrer pour autrui. *(Gère.)*
germain, e adj. Issu de frères : *cousin* —.
germe m. Principe de l'être organisé. Origine.
germer vi. Commencer à pousser. Apparaître.
germinal m. Mois du calendrier républicain.
germination f. Action de germer.
gésier m. Troisième estomac de l'oiseau.
gésir vi. Être couché. *(Gît, gisant.)*
gestation f. Grossesse. FIG. Élaboration intellectuelle.

geste m. Mouvement. f. *Chanson de —*, poème épique médiéval.
gesticuler vi. Faire des gestes.
gestion f. Administration à la place d'autrui.
geyser [ʒezɛr] m. Source d'eau chaude jaillissante.
ghetto m. Quartier autrefois assigné aux juifs. FIG. Milieu refermé sur lui-même.
gibecière f. Sac de peau.
gibet m. Dispositif qui servait à la pendaison.
gibier m. Animaux que l'on chasse.
giboulée f. Pluie soudaine et de courte durée.
giboyeux, euse adj. Abondant en gibier.
gicler vi. Jaillir en éclaboussant.
gifle f. Coup du plat de la main sur la joue.
gifler vt. Donner une gifle : *— un enfant.*
gigantesque adj. De géant ; extrêmement grand.
gigogne adj. *Meubles —*, s'emboîtant les uns dans les autres.
gigot m. Cuisse de mouton, d'agneau.
gilet m. Vêtement court, sans manches.
gingembre m. Plante aromatique.
girafe f. Ruminant à cou très long.
giratoire adj. Se dit d'un mouvement circulaire.
girofle m. *Clou de —*, une épice.
giroflée f. Plante ornementale.
giron m. *Rentrer dans le —*, réintégrer un parti, un groupe.
girouette f. Dispositif indiquant la direction du vent. FIG. Personne changeante.
gisant m. Statue funéraire couchée.
gisement m. Couche minérale dans la terre.
gitan, gitane n. Bohémien, bohémienne.
gîte m. Lieu où l'on loge. f. MAR. Inclinaison d'un navire.
givre m. Couche de glace sur les arbres, etc.

glabre adj. Sans poils, sans barbe, etc.
glace f. Eau congelée. Froideur. Crème glacée. Lame de verre épaisse. Miroir.
glacer vt. Solidifier par le froid. Refroidir. Intimider.
glacial, e adj. Très froid : *accueil* —.
glacier m. Amas de glace dans les montagnes. Marchand de glaces.
glacière f. Garde-manger refroidi par de la glace.
glacis m. Talus à faible pente.
glaçon m. Morceau de glace.
gladiateur m. Combattant du cirque romain.
glaïeul m. Plante à fleurs ornementales.
glaire f. Sécrétion muqueuse gluante.
glaise f. Terre argileuse.
gland m. Fruit du chêne. Ornement.
glande f. Organe produisant une sécrétion.
glaner vt. Ramasser les épis oubliés.
glapir vi. Crier (petits animaux).
glas m. Tintement de cloche annonçant une mort.
glauque adj. Vert bleuâtre.
glissade f., **-ssement** m. Action de glisser.
glisser vi. Se déplacer sur une surface lisse. Déraper. vt. Introduire.
glissière f. Rainure guidant une pièce mobile.
global, e adj. En bloc : *revenu — d'une terre*.
globe m. Corps sphérique. — *terrestre*, la Terre.
globule m. Petit corps sphérique. Nom donné aux cellules du sang et de la lymphe.
gloire f. Renommée éclatante. Éclat.
glorieux, euse adj. Qui a de la gloire.
glorifier vt. Couvrir de gloire. Honorer.
gloriole f. Vanité.
glossaire m. Dictionnaire spécial. Lexique.
glotte f. Orifice du larynx.

gloussement m. Bruit de la poule qui glousse.
glousser vi. Crier en appelant (poule).
glouton, onne adj. Qui mange avec avidité.
glu f. Colle végétale.
gluant, e adj. Qui colle. Visqueux.
glucide m. Substance organique appelée aussi *sucre*.
glucose m. Sucre contenu dans certains fruits.
gluten [-tɛn] m. Matière extraite des céréales.
glycérine f. Produit sirupeux extrait des corps gras.
glycine f. Plante grimpante ornementale.
gnocchi [ɲɔki] mpl. Quenelle gratinée.
gnome [gnom] m. Petit homme difforme.
go (tout de) loc. adv. Immédiatement.
goal [gol] m. Gardien de but au football.
gobelet m. Récipient à boire sans pied.
gober vt. Avaler. FAM. Croire.
goberger (se) vpr. Faire bombance. *(-gea.)*
godet m. Petit verre.
godiche adj. FAM. Benêt, maladroit.
godille f. Aviron à l'arrière d'un canot.
godillot m. FAM. Chaussure militaire.
goéland m. Grosse mouette.
goélette f. Petit navire à deux mâts.
goémon m. Varech.
gogo m. Crédule. *À —*, autant qu'on veut.
goguenard, e adj. Moqueur : *ton —*.
goguette (en) loc. adv. FAM. Gai pour avoir bu.
goinfre adj. et n. Glouton.
goitre m. Augmentation de volume de la glande thyroïde.
golf m. Un jeu de balle qu'on pousse avec une crosse.
golfe m. Partie de mer entrant dans la côte.

gomme f. Bloc de caoutchouc servant à effacer.
gommer vt. Effacer.
gond m. Ferrure sur laquelle tourne la porte.
gondole f. Bateau vénitien à rame.
gondoler vi. Se déformer. vpr. Pop. Rire beaucoup.
gondolier m. Rameur d'une gondole.
gonflage, gonflement m. Action de gonfler.
gonfler vt. Faire enfler : — *un ballon.* Grossir, remplir : — *d'orgueil.* vi. Enfler.
gong m. Disque de métal qu'on frappe pour appeler.
goret m. Jeune cochon.
gorge f. Partie antérieure du cou. Gosier. Haut de la poitrine. Cannelure de poulie.
gorgée f. Ce qu'on boit d'un seul coup.
gorger vt. Gaver. Combler. *(Gorgea, gorgeons).*
gorille [-rij] m. Grand singe d'Afrique.
gosier m. La partie interne du cou. Gorge.
gosse n. Fam. Enfant.
gothique adj. Qui utilise l'ogive en architecture. m. Architecture gothique.
gouache f. Peinture à l'eau.
goudron m. Résidu de distillation du bois, de la houille.
gouffre m. Abîme, trou profond.
goujat m. Homme grossier, mal élevé.
goujon m. Petit poisson. Cheville de fer.
goulet m. Entrée d'un port, d'une rade.
goulot m. Col étroit d'une bouteille.
goulu, e adj. Glouton, goinfre.
goupille f. Cheville de métal.
goupillon m. Aspersoir pour eau bénite.
gourd, e adj. Engourdi par le froid.
gourde f. Récipient servant à transporter la boisson. adj. Fam. Maladroit, stupide.

gourdin m. Gros bâton court.
gourmand, e adj. Qui aime les bons mets.
gourmandise f. Défaut du gourmand. Friandise.
gourmé, e adj. Guindé : *air* —.
gourmet m. Connaisseur en bonne chère.
gourmette f. Bracelet à mailles aplaties.
gourou m. Maître spirituel.
gousse f. Enveloppe des grains de certains légumes. Partie d'une tête d'ail.
gousset m. Petite poche du gilet.
goût m. Sens qui distingue les saveurs. Saveur. Sentiment du beau. Prédilection. Grâce, élégance.
goûter vt. Apprécier par le goût. Aimer. m. Collation.
goutte f. Particule sphérique d'un liquide. Troubles articulaires.
gouttière f. Petit canal qui reçoit l'eau d'un toit.
gouvernail m. Appareil qui gouverne un bateau, un avion, etc.
gouvernante f. Femme qui élève un enfant, qui a soin du ménage. mpl. Ceux qui gouvernent.
gouverne f. Règle de conduite.
gouvernement m. Action de gouverner. Constitution politique. Ceux qui gouvernent.
gouverner vt. Diriger avec un gouvernail. Administrer un État.
gouverneur m. Qui gouverne un territoire.
grabat m. Mauvais lit.
grabuge m. FAM. Bruit, querelle.
grâce f. Faveur. Remise de peine. Aide divine. Beauté, élégance.
gracier vt. Faire grâce, pardonner.
gracieux, euse adj. Qui a de la grâce. Aimable. Gratuit : *remettre à titre* —.

gradation f. Progression par degrés successifs.
grade m. Degré d'une hiérarchie.
gradin m. Marche d'amphithéâtre.
graduation f. Division établie en graduant.
graduel, elle adj. Qui va par degrés.
graduer vt. Diviser, augmenter par degrés.
graffiti m. Inscription, dessin sur un mur.
graillon m. Odeur, goût de graisse brûlée.
grain m. Petite semence. Parcelle. Mar. Averse.
graine f. Semence.
grainetier m. Qui vend des graines.
graissage m. Action de graisser : *huile de* —.
graisse f. Substance grasse.
graisser vt. Enduire, salir de graisse.
graisseux, euse adj. Gras. Taché de graisse.
graminées fpl. Blé, orge, avoine, etc.
grammaire f. Science des règles du langage.
grammatical, e adj. Relatif à la grammaire.
gramme m. Unité de poids.
grand, e adj. Très étendu. De grande taille. Important, illustre.
grand-duc m. Titre de noblesse.
grand-duché m. Pays gouverné par un grand-duc.
grandeur f. Qualité de ce qui est grand. Importance, puissance.
grandiloquent, e adj. Emphatique : *ton* —.
grandiose adj. De grandeur imposante.
grandir vi. Devenir grand. vt. Rendre grand.
grand-mère f. Mère du père ou de la mère.
grand-père m. Père du père ou de la mère.
grands-parents mpl. Grand-père, grand-mère.
grange f. Bâtiment pour abriter la moisson.
granite ou **granit** m. Une roche très dure.
granulé m. Petit grain.
graphie f. Manière dont un mot est écrit.

graphique adj. Du dessin. m. Courbe de variations.
graphite m. Carbone cristallisé.
graphologie f. Étude du caractère par l'écriture.
grappe f. Assemblage de fleurs ou de fruits sur un axe commun.
grappiller vt. Cueillir de petites quantités.
grappin m. Petite ancre à plusieurs branches.
gras, grasse adj. De la nature de la graisse. Qui a beaucoup de graisse. Taché de graisse.
gras-double m. Membrane comestible de l'estomac du bœuf.
grasseyer vi. Prononcer les *r* de la gorge.
grassouillet, ette adj. Potelé : *des mains* —.
gratifier vt. Accorder une faveur, un cadeau.
gratin m. Chapelure grillée sur un mets.
gratiner vi. Accommoder au gratin.
gratis [-tis] adv. Sans payer : *voyager* —.
gratitude f. Sentiment que l'on éprouve pour celui qui vous a accordé un bienfait.
gratte-ciel m. inv. Immeuble très élevé.
gratter vt. Racler. Frotter avec l'ongle.
grattoir m. Outil pour gratter.
gratuit, [-tųi] **e** adj. Fait, donné gratis.
gravats mpl. Matériaux de démolition.
grave adj. Sérieux. Important. Bas (son).
graver vt. Tracer en creux.
graveur m. Qui grave : — *de médailles*.
gravier m. Petits cailloux dont on recouvre les chaussées.
gravillon m. Gravier fin servant au revêtement des routes.
gravir vt. Monter avec effort : — *une pente*.
gravitation f. Force d'attraction mutuelle des corps matériels.

gravité f. Pesanteur. Qualité de ce qui est grave.
graviter vi. Décrire une trajectoire autour d'un point central. FIG. Évoluer autour.
gravure f. Art de graver. Image, estampe.
gré m. Volonté, caprice.
grec, ecque adj. et n. De Grèce.
gredin, e n. Personne vile, criminelle.
gréer vt. Garnir de mâts, voiles, etc.
greffe f. Action de greffer. Organe greffé. m. Dépôt des minutes des jugements, etc.
greffer vt. Transférer un élément d'un organisme vivant sur un autre.
greffier m. Secrétaire du greffe.
greffon m. Élément végétal ou animal destiné à être greffé sur un sujet.
grégaire adj. Qui vit en groupe.
grège adj. Se dit de la soie non traitée.
grégorien, enne adj. Qui a le pape saint Grégoire à son origine.
grêle adj. Mince, menu. f. Pluie congelée.
grêler vimpers. Tomber (grêle).
grêlon m. Grain de grêle.
grelot m. Boule métallique creuse qui contient un morceau de métal qui la fait résonner.
grelotter vi. Trembler de froid.
grenade f. Fruit du grenadier. Projectile explosif qu'on lance à la main.
grenadier m. Lanceur de grenades. Un arbre.
grenadine f. Sirop de couleur rouge.
grenaille f. Métal en grains : — *de plomb*.
grenat m. Pierre fine rouge. adj. Rouge sombre.
grenier m. Étage d'une maison sous le toit.
grenouille f. Petit batracien.
grenu, e adj. Qui présente des grains.
grès m. Quartz aggloméré.

grésil [-zil] m. Menue grêle.
grésiller vi. Produire de petits crépitements.
grève f. Plage de sable. Cessation de travail.
grever vt. Charger : — *d'impôts.* (*Je grève.*)
gréviste n. Ouvrier en grève.
gribouiller vt. Griffonner.
grief m. Motif de plainte. Reproche.
griffe f. Ongle crochu de certains animaux. Signature.
griffer vt. Égratigner.
griffon m. Animal fabuleux. Espèce de chien.
griffonner vt. Écrire vite et illisiblement.
grignoter vt. Manger par petites quantités. FIG. Détruire lentement.
gri-gri m. Amulette. (pl. *—s- —s.*)
gril [gril] m. Ustensile pour griller.
grillade f. Mets grillé.
grillage m. Treillis de fil de fer.
grille f. Assemblage de barreaux formant clôture.
griller vt. Cuire sur le gril. vi. Être exposé à une forte chaleur.
grillon m. Petit insecte.
grimace f. Contorsion du visage.
grimacer vi. Faire des grimaces.
grimer vt. Maquiller : — *un acteur.*
grimoire m. Livre magique. Écrit obscur.
grimper vi. Gravir en s'agrippant.
grimpeur, euse adj. Qui grimpe : *oiseau —.*
grincer vi. Produire un bruit strident. *(-ça.)*
grincheux, euse adj. Maussade, revêche.
grippe f. Maladie contagieuse accompagnée de rhume.
gripper vi. Se coincer.
gris, e adj. Noir mêlé de blanc.
grisaille f. Peinture en tons gris. FIG. Monotonie.

grisâtre adj. Tirant sur le gris : *ciel —*.
griser vt. Enivrer : *— par le succès.*
grisonner vi. Devenir gris.
grisou m. Gaz inflammable des mines.
grive f. Oiseau au plumage brun.
grivèlerie f. Délit qui consiste à consommer dans un restaurant sans avoir de quoi payer.
grivois, e adj. Libre et trivial : *chanson —*.
grog m. Eau chaude avec rhum et sucre.
grognard m. Vieux soldat de l'Empire.
grognement m. Action de grogner.
grogner vi. Crier (cochon). Exprimer son mécontentement.
grognon, onne adj. et n. Qui grogne.
groin m. Museau du porc, du sanglier.
grommeler vi. Se plaindre en murmurant.
gronder vi. Faire un bruit sourd : *l'orage —*. vt. Réprimander : *— un enfant.*
gronderie f. Réprimande.
grondeur, euse adj. Qui gronde : *voix —*.
groom [grum] m. Employé d'hôtel en livrée.
gros, grosse adj. Volumineux. Épais, grossier. Important. Violent. m. Le principal de. Vente ou achat en grande quantité.
groseille f. Petit fruit rouge qui pousse en grappes.
grosse f. 12 douzaines. Expédition d'un jugement.
grossesse f. État de la femme enceinte.
grosseur f. Volume. Tumeur.
grossier, ère adj. Épais. Commun. Impoli.
grossièreté f. Parole ou action grossière.
grossir vt. Rendre gros. Exagérer. Faire paraître gros : *la loupe — les objets.* vi. Devenir gros.
grotesque adj. Ridicule, extravagant.
grotte f. Caverne.
grouiller vi. S'agiter en grand nombre : *— de vers.*

groupe m. Ensemble de personnes, de choses.
grouper vt. Mettre en groupe.
groupuscule m. PÉJOR. Petit groupe.
gruau m. Farine extraite de l'enveloppe des grains de céréales.
grue f. Grand échassier. Machine pour lever.
grume f. Tronc d'arbre coupé avec son écorce.
grumeau m. Petite portion de matière coagulée.
gruyère m. Une sorte de fromage cuit.
guano [gwano] m. Excréments d'oiseaux de mer.
gué m. Endroit d'une rivière où l'on peut passer sans perdre pied.
guenille f. Vêtement déchiré, haillon.
guenon f. Femelle du singe.
guépard m. Mammifère carnassier.
guêpe f. Insecte hyménoptère à aiguillon.
guêpier m. Nid de guêpes.
guère adv. *Ne* ... —, peu.
guéridon m. Petite table ronde à pied unique.
guérilla f. Guerre de partisans.
guérir vt. Rendre la santé. vi. Recouvrer la santé.
guérison f. Action de guérir.
guérite f. Loge d'une sentinelle.
guerre f. Lutte organisée et sanglante entre États.
guerrier, ère adj. De la guerre. m. Soldat.
guerroyer vi. Faire la guerre.
guet m. Action de guetter.
guet-apens [gɛtapɑ̃] m. Embûche. (pl. —*s* - —.)
guêtre f. Pièce de cuir ou de toile qui couvre le mollet et le dessus de la chaussure.
guetter vt. Épier : — *un adversaire.*
gueule f. Bouche des animaux.
gueuler vt. POP. Crier.
gui m. Plante parasite de certains arbres.
guichet m. Ouverture dans un mur, une cloison, pour communiquer.

guide m. Qui guide. Livre qui sert de guide. fpl. Courroies pour guider le cheval attelé.
guider vt. Montrer le chemin. Diriger.
guidon m. Barre de direction d'une bicyclette.
guigne f. Sorte de cerise. FAM. Malchance.
guigner vi. Regarder du coin de l'œil.
guignol m. Sorte de marionnette.
guillemet m. Crochet double (« »).
guilleret, ette adj. Vif, gai. Libre, leste.
guillotine f. Machine pour décapiter.
guillotiner vt. Décapiter avec la guillotine.
guimauve f. Plante à racine émolliente.
guimbarde f. Mauvaise voiture.
guindé, e adj. Qui manque de naturel.
guingois (de) loc. adv. De travers.
guinguette f. Cabaret de banlieue.
guirlande f. Chaîne de verdure, de fleurs.
guise f. *À ma* —, comme je veux.
guitare f. Instrument de musique à cordes.
gutta-percha [-ka] f. Substance élastique molle.
guttural, e adj. D'une sonorité rauque.
gymnase m. Lieu pour exercices athlétiques.
gymnastique f. Exercices physiques pour fortifier le corps.
gynécologie f. Spécialité médicale consacrée à l'appareil génital de la femme.
gypse m. Pierre à plâtre.

H

L'astérisque (*) indique l' **h** aspiré.

habile adj. Qui a de l'aptitude, de l'adresse.
habileté f. Aptitude pour. Adresse.
habiliter vt. Rendre apte à accomplir un acte juridique.
habillage m. Action d'habiller.
habillement m. Action d'habiller. Costume.
habiller vt. Mettre un vêtement à.
habit m. Costume, vêtement : — *religieux*.
habitacle m. Partie de l'avion réservée à l'équipage.
habitant, e n. Qui habite.
habitat m. Lieu où habite un animal, une plante à l'état sauvage. Ensemble des conditions de logement.
habitation f. Lieu où l'on habite. Maison.
habiter vt. et i. Avoir son domicile à.
habitude f. Manière permanente d'être, d'agir, coutume.
habituel, elle adj. Devenu une habitude.
habituer vt. Donner l'habitude de : — *au froid*.
***hâbleur, euse** adj. et n. Vantard.
***hache** f. Outil pour fendre le bois, etc.
***hacher** vt. Couper, déchiqueter.
***hachisch** ou ***haschisch** m. Stupéfiant.
***hachis** m. Mets de viande hachée.
***hachoir** m. Planche, couperet pour hacher.
***hachure** f. Trait serré pour ombrer un dessin.
***hagard, e** adj. Bouleversé, effaré : *visage* —.
***haie** f. Clôture de buissons, etc. Rangée.
***haillon** m. Lambeau d'étoffe. Guenille.
***haine** f. Vive inimitié : *prendre en* —.

***haineux, euse** adj. Inspiré par la haine.
***haïr** vt. Détester. *(Je hais, il hait.)*
***halage** m. Action de haler : *chemin de —.*
***hâle** m. Couleur brune de la peau donnée par le soleil ou l'air.
haleine f. Air expiré. Respiration : *perdre —.*
***haler** vt. Tirer, remorquer.
***hâler** vt. Brunir le teint.
***haleter** vi. Respirer avec peine. *(Halète.)*
***hall** [ol] m. Grande salle : *— de gare.*
***halle** f. Marché public : *la — au blé.*
***hallebarde** f. Pique à fer pointu et tranchant.
hallucination f. Sensation imaginaire.
hallucinogène m. Substance qui crée des hallucinations.
***halo** m. Auréole, cercle lumineux.
***halte** f. Moment d'arrêt. Pause, repos.
haltère m. Instrument de gymnastique.
***hamac** m. Filet suspendu servant de lit.
***hameau** m. Petit groupe de maisons rurales.
hameçon m. Petit crochet pour la pêche.
***hampe** f. Long manche d'un drapeau.
***hamster** [amstɛr] m. Petit rongeur que l'on peut apprivoiser.
***hanche** f. Haut de la cuisse.
***handball** [ɑ̃dbal] m. Sport qui se joue avec un ballon rond.
***handicaper** vt. Désavantager : *— un coureur.*
***hangar** m. Construction ouverte sur les côtés.
***hanneton** m. Un insecte coléoptère.
***hanter** vt. Fréquenter. Obséder.
***hantise** f. Obsession : *la — d'un souvenir.*
***happer** vt. Saisir brusquement.
***hara-kiri** m. Forme de suicide japonais qui consiste à s'ouvrir le ventre. (pl. *— - —s.*)

***harangue** f. Discours : *une — ennuyeuse.*
***haras** [arα] m. Élevage d'étalons et de juments.
***harasser** vt. Fatiguer à l'excès, accabler.
***harceler** vt. Attaquer sans cesse. Importuner.
***harde** f. Troupe d'animaux sauvages.
***hardi, e** adj. Audacieux. Effronté : *gamin —.*
***hardiesse** f. Audace, intrépidité.
***harem** m. Appartement des femmes en Orient.
***hareng** m. Poisson des mers tempérées.
***hargne** f. Mauvaise humeur, irritation.
***hargneux, euse** adj. D'humeur difficile.
***haricot** m. Plante cultivée pour ses gousses vertes ou ses graines.
harmonica m. Instrument de musique à anches, que l'on fait vibrer en soufflant.
harmonie f. Science des accords. Accord. Entente.
harmonieux, euse adj. Plein d'harmonie.
harmoniser vt. Mettre en harmonie.
harmonium m. Instrument à vent, à clavier et à anches.
***harnachement** m. Harnais. Accoutrement.
***harnacher** vt. Mettre le harnais. Accoutrer.
***harnais** m. Équipement de cheval. Sangles.
***haro** m. *Crier — sur*, soulever la colère de tous contre.
***harpe** f. Instrument de musique à cordes.
***harpie** f. Monstre fabuleux. Femme méchante.
***harpon** m. Tige munie d'un crochet pour la pêche.
***harponner** vt. Pêcher avec le harpon.
***hasard** m. Événement imprévu. Chance, sort.
***hasarder** vt. Aventurer, risquer.
***hasardeux, euse** adj. Risqué : *entreprise —.*
***haschisch** m. V. HACHISCH.
***hâte** f. Empressement, rapidité.

•hâter vt. Presser, accélérer : *— le pas.*
•hâtif, ive adj. Précoce : *fruits —.*
•hauban m. Corde qui étaie un mât, etc.
•hausse f. Augmentation de quantité, de prix.
•haussement m. Action de hausser : *— d'épaules.*
•hausser vt. Rendre plus haut. Lever : *— les épaules.* Augmenter : *— les prix.*
•haut, e adj. Élevé. Relevé. Fort, éclatant. m. Sommet, faîte. Hauteur : *20 m de —.* adv. En un lieu élevé.
•hautain, e adj. Fier, arrogant : *regard —.*
•hautbois m. Instrument de musique à vent et à anches doubles.
•haute-fidélité f. Reproduction du son de grande qualité. (pl. *—s - —s.*)
•hauteur f. Élévation. Colline, montagne. Fierté, arrogance : *parler avec —.*
•haut-le-cœur m. inv. Nausée, dégoût.
•haut-le-corps m. inv. Mouvement brusque du buste.
•haut-parleur m. Appareil électrique qui diffuse et amplifie le son.
•havane m. Cigare de La Havane. adj. inv. Couleur marron clair : *toile —.*
•hâve adj. Pâle, maigre : *visage —.*
•havre m. Port. Refuge.
hebdomadaire adj. De chaque semaine : *revue —.*
héberger vt. Loger : *— un hôte. (Hébergea.)*
hébété, e adj. Stupide : *un regard —.*
hébraïque adj. Relatif aux Hébreux.
hébreu adj. m. Relatif aux Hébreux. m. Langue des Hébreux. Fig. Chose inintelligible.
hécatombe f. Massacre.
hect, hecto préf. signifiant *cent.*
hectare m. Surface de 100 ares (10 000 m²).

hégémonie f. Suprématie : — *politique*.
hégire f. Ère du monde islamique (depuis 622).
***hélas !** Exprime une plainte, un regret.
***héler** vt. Appeler de loin : — *un passant*.
hélice f. Dispositif de propulsion de bateau, d'avion.
hélicoptère m. Aéronef à hélices horizontales capable de s'élever verticalement.
hélio préf. qui signifie *soleil*.
hélium m. Gaz très léger (densité : 0,13).
hellène adj. et n. Grec.
helléniste n. Spécialiste de langue et littérature grecques.
helvétique adj. De la Suisse : *Constitution* —.
hématologie f. Étude scientifique du sang.
hémi préf. signifiant *demi*.
hémicycle m. Demi-cercle. Amphithéâtre en forme de demi-cercle.
hémiplégie f. Paralysie d'une moitié du corps.
hémiptères mpl. Insectes à élytres courts.
hémisphère m. Moitié du globe terrestre.
hémistiche m. Moitié du vers coupé par la césure.
hémoglobine f. Pigment des globules rouges du sang.
hémophilie f. Maladie caractérisée par le retard dans la coagulation du sang.
hémorragie f. Perte de sang : — *nasale*.
hémorroïde f. Varice à l'anus.
***henné** m. Teinture rouge pour les cheveux.
***hennir** [enir] vi. Crier (se dit du cheval).
hépatique adj. Du foie : *coliques* —.
hépatite f. Inflammation du foie.
héraldique adj. et f. Du blason, des armoiries.
herbacé, e adj. Qui a l'aspect de l'herbe.
herbage m. Pâturage.

herbe f. Plante à tige verte et molle.
herbeux, euse adj. Couvert d'herbe : *plaine* —.
herbier m. Collection de plantes séchées.
herbivore adj. et m. Qui se nourrit d'herbe.
herboriser vi. Recueillir des plantes.
herboriste n. Marchand d'herbes médicinales.
herboristerie f. Commerce d'herboriste.
hercule m. Homme très robuste.
herculéen, enne adj. Digne d'un hercule.
***hère** m. *Pauvre* —, homme misérable.
héréditaire adj. Transmis par hérédité.
hérédité f. Transmission par succession. Transmission des caractères d'une génération à l'autre.
hérésie f. Doctrine condamnée par l'Église.
hérétique adj. et n. Qui tient de l'hérésie.
***hérisser** vt. Dresser les cheveux. Remplir : — *d'obstacles*. vpr. S'indigner.
héritage m. Biens transmis par une personne décédée.
hériter vt. et i. Recevoir par héritage.
héritier, ère n. Qui hérite : — *présomptif*.
hermaphrodite adj. À deux sexes : *plante* —.
hermétique adj. Parfaitement fermé. Secret.
hermine f. Mammifère à fourrure blanche.
***hernie** f. Sortie d'un organe ou d'une partie d'organe hors de sa cavité naturelle.
héroïne f. Femme très courageuse, qui joue un rôle important : — *d'un drame*. Stupéfiant dérivé de la morphine.
héroïque adj. De héros : *conduite* —.
héroïsme m. Action, caractère de héros.
***héron** m. Oiseau échassier à long bec.
***héros** m. Homme très courageux. Qui joue un rôle important : *le* — *d'une aventure*.

•herse f. Instrument agricole à dents.
hertzien, enne adj. Des ondes radioélectriques.
hésitation f. Action d'hésiter.
hésiter vi. Être indécis : — *avant d'accepter*.
hétéroclite adj. Composé d'éléments disparates.
hétérodoxe adj. Contraire à la doctrine admise.
hétérogène adj. De nature différente.
hétérosexuel, elle adj. et n. Qui éprouve une attirance sexuelle pour le sexe opposé.
•hêtre m. Grand arbre à bois blanc.
heure f. La 24e partie du jour. Moment. *De bonne* —, tôt. *Sur l'* —, à l'instant.
heureux, euse adj. Qui a du bonheur. Chanceux.
•heurt [œr] m. Choc, cahot : *éviter les* —.
•heurter vt. Choquer. Contrarier.
•heurtoir m. Marteau de porte. Butoir.
hévéa m. Arbre à caoutchouc.
hexa préf. qui signifie *six*.
hexagone m. MATH. Polygone à six côtés.
hiatus m. Rencontre de voyelles sans élision.
hibernation f. Fait d'hiberner.
hiberner vi. Passer l'hiver dans un état d'engourdissement.
•hibou m. Oiseau de proie nocturne.
•hic m. Difficulté : *voilà le* —.
•hideux, euse adj. Horrible à voir. Ignoble.
hier adv. Le jour qui précède celui où l'on est.
•hiérarchie f. Classement à l'intérieur d'un groupe.
•hiérarchique adj. Conforme à la hiérarchie.
hiératique adj. D'une raideur solennelle.
hiéroglyphe m. Signe de l'écriture des anciens Égyptiens.
•hi-fi f. inv. Abrév. de *haute-fidélité*.
hilare adj. Qui rit.
hilarité f. Explosion de rire.

hindou, e adj. et n. Relatif à une religion de l'Inde.
hippique adj. Relatif aux chevaux : *concours —*.
hippocampe m. Poisson marin dont la tête rappelle celle d'un cheval.
hippodrome m. Champ de courses.
hippophagique adj. *Boucherie —*, celle qui vend de la viande de cheval.
hippopotame m. Pachyderme des fleuves d'Afrique. FAM. Personne énorme.
hirondelle f. Oiseau à dos noir et ventre blanc.
hirsute adj. En désordre : *chevelure —*.
hispanique adj. De l'Espagne.
***hisser** vt. Hausser, élever.
histoire f. Récit d'événements passés. Conte.
historien, enne n. Spécialiste des études sur l'histoire.
historiette f. Anecdote, petit récit.
historique adj. Relatif à l'histoire.
***hit-parade** m. Classement de popularité obtenu par une chanson. (pl. *— - —s.*)
hiver m. La plus froide des quatre saisons.
hivernal, e adj. De l'hiver : *le froid —*.
hiverner vi. Passer l'hiver à l'abri.
H.L.M. m. ou f. Logement destiné aux familles à faibles revenus.
***hobereau** m. Gentilhomme campagnard.
***hochement** m. Action de hocher : *— de tête*.
***hocher** vt. Secouer. Remuer : *— la tête*.
***hochet** m. Jouet de petit enfant. Bagatelle.
***hockey** m. Jeu de balle pratiqué avec une crosse.
***holà** m. inv. *Mettre le —*, rétablir l'ordre, faire cesser.
***holding** [ɔldiŋ] m. ou f. Société qui contrôle un groupe d'entreprises de même nature.
***hold-up** [ɔldœp] m. Attaque à main armée.

***hollandais, e** adj. et n. De la Hollande.
holocauste m. Massacre. Génocide.
***homard** m. Crustacé très apprécié.
homélie f. Prédication. Discours moralisateur.
homéopathie f. Traitement des maladies par des doses très faibles de substances qui les déterminent.
homérique adj. Énorme, bruyant : *rire* —.
homicide adj. Qui tue un être humain. m. Action de tuer.
hommage m. Acte de respect.
homme m. Être humain de sexe masculin. Adulte. Être humain en général. Individu.
homogène adj. Formé d'éléments de même sorte.
homographe m. Mot qui a la même orthographe qu'un autre, mais un sens différent.
homologue adj. Qui correspond, équivalent.
homologuer vt. Ratifier : — *un acte*.
homonyme m. Mot qui a la même prononciation qu'un autre, mais une orthographe différente. n. Personne qui a le même nom qu'une autre.
homosexuel, elle adj. et n. Qui éprouve une affinité sexuelle pour les personnes de son sexe.
***hongre** adj. Châtré (cheval).
***hongrois, e** adj. et n. De la Hongrie.
honnête adj. Conforme à la probité, à l'honneur. Vertueux. Convenable : *rémunération* —.
honnêteté f. Qualité d'une personne honnête.
honneur m. Dignité. Fierté. Respect.
honorable adj. Qui fait honneur.
honoraire adj. Qui a le titre sans exercer la fonction. mpl. Rétribution.
honorer vt. Rendre honneur. Faire honneur à.
honorifique adj. Qui procure des honneurs.
***honte** f. Déshonneur. Humiliation.

***honteux, euse** adj. Qui a honte. Qui cause de la honte : *action* —.
hôpital m. Établissement pour soigner les malades.
***hoquet** m. Contraction brusque du diaphragme.
horaire adj. Par heure. m. Tableau des heures de trains, de travail, etc.
***horde** f. Troupe. Bande.
horizon m. Ligne où le ciel et la terre semblent s'unir. Perspective : — *politique*.
horizontal, e adj. et f. Parallèle à l'horizon.
horloge f. Machine qui marque les heures.
horloger m. Qui fait ou vend des horloges.
horlogerie f. Art, magasin de l'horloger.
***hormis** prép. À l'exception de : *tout*, — *cela*.
hormone f. Sécrétion de glandes endocrines.
horoscope m. Prédictions d'après la position des astres.
horreur f. Effroi. Répulsion.
horrible adj. Qui fait horreur. Très mauvais.
horrifier vt. Frapper d'horreur.
horripiler vt. Agacer.
***hors** prép. À l'extérieur. Sauf, excepté.
***hors-d'œuvre** m. inv. Mets servi au début du repas.
***hors-la-loi** m. inv. Individu qui vit en marge de la société.
***hors-texte** m. inv. Illustration intercalée dans un livre.
hortensia m. Plante d'ornement.
horticulture f. Art de cultiver les jardins.
hospice m. Maison d'assistance pour les infirmes, les vieillards, etc.
hospitalier, ère adj. Des hôpitaux. Qui exerce l'hospitalité, accueillant : *famille* —.

hospitaliser vt. Admettre dans un hôpital.
hospitalité f. Accueil. Abri, asile : *offrir l'—*.
hostie f. Pain sans levain consacré à la messe.
hostile adj. Ennemi, opposé : *— au progrès*.
hostilité f. Attitude hostile. pl. Actes de guerre.
hôte, esse n. Qui donne ou reçoit l'hospitalité.
hôtel m. Maison meublée pour recevoir les voyageurs. *— de ville*, mairie.
hôtelier, ère n. Qui tient un hôtel.
hôtellerie f. Hôtel pour voyageurs.
***hotte** f. Panier d'osier porté sur le dos. Partie évasée terminant le bas d'une cheminée.
***houblon** m. Une plante grimpante donnant son arôme à la bière.
***houe** f. Sorte de pioche à large fer.
***houille** f. Charbon de terre. *— blanche*, énergie obtenue par les chutes d'eau.
***houillère** f. Mine de houille.
***houle** f. Ondulation de la mer.
***houlette** f. Bâton des bergers.
***houleux, euse** adj. Agité par la houle.
***houppe** f. Touffe de poils, plumes, etc.
***houppelande** f. Manteau ancien très ample.
***hourra** m. Acclamation.
***houspiller** vt. Malmener.
***housse** f. Enveloppe d'étoffe : *— de fauteuil*.
***houx** m. Arbuste à feuilles épineuses.
***hublot** m. Fenêtre ronde d'un navire.
***huche** f. Coffre à pain.
***hue !** interj. Cri pour faire avancer les chevaux.
***huée** f. Cri de blâme, de moquerie.
***huer** vt. Accueillir par des huées : *— un acteur*.
huile f. Nom de divers liquides gras.
huiler vt. Frotter, imprégner d'huile.
huileux, euse adj. De la nature de l'huile.

huilier m. Flacon pour présenter l'huile à table.
***huis** m. *À — clos*, hors la présence du public.
huissier m. Qui est chargé d'introduire les visiteurs, etc. Officier ministériel qui signifie les actes de justice.
***huit** adj. et m. inv. Sept plus un.
***huitaine** f. Nombre de huit ou environ.
***huitième** adj. ord. Placé après le septième.
huître f. Mollusque comestible.
humain, e adj. De l'homme : *corps* —. Secourable, charitable. mpl. Les hommes.
humaniste n. Versé dans les lettres et les arts de l'Antiquité. Qui place la personne humaine audessus de tout.
humanitaire adj. Qui intéresse l'humanité. m. et adj. Qui vise au bien de l'humanité.
humanité f. Genre humain. Bienveillance.
humble adj. Qui a de l'humilité. Modeste.
humecter vt. Rendre humide.
***humer** vt. Sentir en aspirant : — *l'air.*
humérus [-ys] m. Os qui va de l'épaule au coude.
humeur f. Disposition d'esprit. Caractère.
humide adj. Chargé de liquide, de vapeur.
humidité f. État de ce qui est humide.
humiliation f. Action d'humilier. Affront.
humilier vt. Abaisser. Offenser.
humilité f. Absence totale d'orgueil. Modestie.
humoristique adj. Qui tient de l'humour.
humour m. Raillerie sous un air sérieux.
humus [ymys] m. Terre végétale.
***huppe** f. Touffe de plumes.
***huppé, e** adj. De haut rang, riche.
***hure** f. Tête de sanglier, de brochet, etc.
***hurlement** m. Cri aigu et prolongé.
***hurler** vi. Faire entendre des hurlements.

hurluberlu m. Étourdi, écervelé.
***hussard** m. Soldat de cavalerie légère.
***hutte** f. Petite cabane de branchages.
hybride adj. Issu de deux espèces différentes.
hydr, hydro préf. qui signifie *eau*.
hydrate m. Combinaison d'eau avec un corps.
hydrater vt. Introduire de l'eau dans un tissu organique.
hydraulique adj. Qui fonctionne avec l'eau : *roue* —.
hydravion m. Avion qui amerrit.
hydre f. Monstre fabuleux.
hydrique adj. Relatif à l'eau.
hydrocarbure m. Hydrogène carboné.
hydrocéphalie f. Augmentation maladive du volume du crâne.
hydroélectricité f. Électricité obtenue par les chutes d'eau.
hydrogène m. Gaz, un composant de l'eau.
hydrographie f. Étude des eaux d'une région.
hydromel m. Boisson d'eau et de miel.
hydrophile adj. Qui absorbe l'eau : *coton* —.
hydrothérapie f. MÉD. Traitement par l'eau.
hyène f. Mammifère carnassier d'Afrique.
hygiène f. Mesures pour conserver la santé.
hygrométrie f. Mesure de l'humidité de l'air.
hymen [imɛn] ou **hyménée** m. POÉT. Mariage.
hyménoptères mpl. Insectes à ailes membraneuses (abeilles, guêpes, fourmis, etc.).
hymne m. Chant à la gloire d'un héros. — *national*, chant de chaque nation.
hyper préf. marquant l'excès.
hyperbole f. Exagération d'une expression. Une courbe mathématique.
hypertension f. Tension artérielle excessive.

hypertrophie f. Développement anormal.
hypnose f. Sommeil artificiel.
hypnotiser vt. Provoquer l'hypnose.
hypnotisme m. Techniques de l'hypnose.
hypo préf. indiquant l'infériorité.
hypocrisie f. Duplicité, fausseté, fourberie.
hypocrite adj. et n. Qui montre de l'hypocrisie.
hypodermique adj. Sous-cutané : *injection* —.
hypoténuse f. Côté d'un triangle rectangle opposé à l'angle droit.
hypothèque f. Mise en gage d'un immeuble.
hypothèse f. Supposition.
hypothétique adj. Douteux, incertain.
hystérie f. Maladie nerveuse. Excitation.
hystérique adj. et n. Qui est atteint d'hystérie.

I

ibérique adj. De l'Espagne et du Portugal.
ibis [ibis] m. Un oiseau échassier.
iceberg [ajsbɛrg] m. Masse de glace flottante.
ici adv. En ce lieu. En ce moment.
icône f. Image religieuse, dans l'Église orientale.
iconoclaste n. Sans respect pour les traditions.
iconographie f. Étude des représentations artistiques. Illustrations relatives à un sujet.
ictère m. Jaunisse.
idéal, e adj. Imaginaire. Parfait : *beauté —*. m. Type de perfection conçu par l'esprit.
idéaliser vt. Attribuer une perfection imaginaire à.
idéalisme m. Recherche de l'idéal.
idéaliste adj. et n. Qui poursuit un idéal.
idée f. Représentation mentale : *l'— du beau*. Manière de voir. Intention. Imagination.
idem [idɛm] adv. De même. (Abrév. *id.*)
identifier vt. Établir l'identité de.
identique adj. Totalement semblable.
identité f. Caractère identique : *l'— de deux phénomènes*. Signalement exact d'une personne.
idéologie f. Ensemble des idées, croyances propres à un groupe social, à une époque.
ides fpl. Chez les Romains, 15ᵉ jour de mars, mai, juillet, octobre ; 13ᵉ des autres mois.
idiome m. Langue propre à une nation.
idiot, e adj. et n. Stupide. Inepte.
idiotie f. Absence d'intelligence. Acte idiot.
idiotisme m. Tournure propre à une langue.
idolâtrer vt. Aimer avec passion.
idolâtrie f. Adoration. Amour passionné.
idole f. Figure représentant une divinité. Personne à qui l'on voue un culte.

idylle f. Poème pastoral. Amour tendre, naïf.
if m. Conifère toujours vert.
igloo [iglu] m. Habitation faite de blocs de neige.
ignare adj. Très ignorant.
ignifuger vt. Rendre ininflammable. *(-gea).*
ignoble adj. Vil, infâme : *conduite —.*
ignominie f. Infamie, déshonneur extrême.
ignorance f. Manque de savoir, d'instruction.
ignorant, e adj. Inculte. Incompétent.
ignorer vt. Ne pas connaître. Ne pas savoir.
iguane [igwan] m. Grand reptile saurien.
il pron. pers. de la 3e pers. du masc. sing.
île f. Terre entourée d'eau.
iliaque adj. Des flancs : *les os —.*
illégal, e adj. Contraire à la loi.
illégitime adj. Non légitime.
illettré, e adj. et n. Qui ne sait ni lire ni écrire.
illicite adj. Interdit par la loi.
illico adv. FAM. Aussitôt : *partir —.*
illimité, e adj. Sans limites.
illisible adj. Non lisible : *écriture —.*
illogique adj. Contraire à la logique.
illumination f. Lumières décoratives. FIG. Inspiration.
illuminer vt. Éclairer d'une vive lumière.
illusion f. Erreur des sens. Pensée chimérique.
illusionner vt. Tromper par une illusion.
illusionniste m. Prestidigitateur.
illusoire adj. Trompeur.
illustration f. Image dans un livre, un journal.
illustre adj. Éclatant, célèbre : *écrivain —.*
illustrer vt. Rendre illustre. Orner de gravures. Éclaircir un texte : *— de citations.*
îlot m. Petite île. Petit pâté de maisons.
ilote m. Esclave à Sparte. Misérable, ignorant.

image f. Représentation artistique : *l'— d'un saint.* Idée : *se faire une fausse — de.* Symbole. Métaphore.
imagerie f. Ensemble d'images de même inspiration.
imaginaire adj. Fictif, non réel : *monde —.*
imagination f. Faculté d'imaginer. Chose imaginée. Opinion sans fondement.
imaginer vt. Se représenter dans l'esprit. Inventer.
imam m. Chef religieux musulman.
imbécile adj. et n. Faible d'esprit. Sot, stupide.
imbécillité f. Faiblesse d'esprit. Sottise.
imberbe adj. Sans barbe.
imbiber vt. Mouiller, tremper : *— d'eau.*
imbriquer (s') vpr. Être lié, mêlé d'une manière étroite.
imbroglio [ɛ̃brɔglijo] ou [ɛ̃brɔljo] m. Situation confuse.
imbu, e adj. *— de soi-même,* vaniteux.
imitation f. Action d'imiter. Chose imitée.
imiter vt. Faire ce que fait un autre. Prendre pour modèle. Contrefaire : *— une signature.*
immaculé, e adj. Sans tache. Sans souillure.
immanente adj. *Justice —,* justice qui résulte du cours naturel des choses.
immanquable [ɛ̃-] adj. Qui ne peut manquer.
immatériel, elle adj. Sans consistance matérielle.
immatriculer vt. Inscrire sur un registre avec un numéro d'ordre.
immédiat, e adj. Qui précède ou suit sans intermédiaire. Instantané.
immémorial, e adj. Très ancien : *temps —.*
immense adj. Sans mesure, sans bornes.
immensité f. Caractère immense.
immerger vt. Plonger dans un liquide. *(Immergea).*

immersion f. Action d'immerger.
immeuble m. Bâtiment à plusieurs étages. Dr. Bien qui ne peut être déplacé (terrain, maison).
immigrer vi. Venir se fixer dans un pays.
imminent, e adj. Qui menace. Très prochain.
immiscer (s') vpr. Intervenir. Se mêler de. *(-ça.)*
immobile adj. Sans mouvement : *rester* —.
immobilier, ère adj. Relatif aux immeubles. m. Commerce et location d'immeubles.
immobiliser vt. Rendre immobile.
immobilité f. Absence de mouvement.
immodéré, e adj. Excessif : *appétit* —.
immodeste adj. Qui manque de modestie.
immoler vt. Offrir en sacrifice. Tuer.
immonde adj. Sale, impur. Dégoûtant.
immondices fpl. Ordures, saletés.
immoral, e adj. Contraire à la morale.
immortalité f. Qualité d'immortel. Gloire.
immortel, elle adj. Qui ne meurt pas. De longue durée. m. Académicien. f. Une fleur.
immuable adj. Qui ne change pas.
immuniser vt. Protéger contre une maladie.
immunité f. Capacité de résistance à une infection. Privilège.
impact m. Choc, collision : *point d'*—. Fig. Influence, résultat : *un — publicitaire*.
impair, e adj. Non divisible par deux.
impalpable adj. Si fin qu'on ne le sent pas au toucher.
imparfait, e adj. Qui n'est pas parfait. m. Temps passé du verbe. (*Je lisais*, etc.)
impartial, e adj. Non partial, équitable.
impartialité f. Caractère impartial.
impartir vt. Accorder : — *un délai*.
impasse f. Rue sans issue. Situation sans issue.

impassible adj. Calme, imperturbable.
impatience f. Manque de patience.
impatient, e adj. Sans patience : *caractère* —.
impatienter vt. Faire perdre patience.
impavide adj. Inébranlable, sans peur.
impayable adj. FAM. Drôle, cocasse.
impayé, e adj. Non payé : *traite* —.
impeccable adj. Sans défaut. Très propre.
impénétrable adj. Qu'on ne peut pénétrer.
impénitent, e adj. Qui persiste dans une habitude : *buveur* —.
impératif, ive adj. Qui commande : *ton* —. m. Mode et temps du verbe.
impératrice f. Souveraine d'un empire.
imperceptible adj. Qu'on ne peut percevoir.
imperfection f. Défaut, faute.
impérial, e adj. De l'Empire : *couronne* —.
impérialisme m. Visées de domination d'un État.
impérieux, euse adj. Qui commande. Pressant.
impérissable adj. Qui ne peut périr : *gloire* —.
impéritie [ɛperisi] f. Incapacité.
imperméable adj. et m. Que l'eau ne traverse pas.
impersonnel, elle adj. Sans personnalité. Se dit du verbe qui n'a que la 3e pers. du sing.
impertinence f. Action, parole insolente.
impertinent, e adj. Insolent : *réponse* —.
imperturbable adj. Qu'on ne peut troubler.
impétrant m. Qui obtient un titre, un diplôme.
impétueux, euse adj. Violent et rapide : *vent* —.
impétuosité f. Caractère impétueux. Fougue.
impie adj. Sans religion. Irréligieux.
impiété f. Caractère, action, discours impie.
impitoyable adj. Sans pitié : *un châtiment* —.
implacable adj. Inapaisable : *haine* —.
implant m. Pastille chargée de médicament, que

l'on introduit sous la peau, où elle se résorbe lentement.
implanter vt. Introduire. Insérer.
implicite adj. Tacite.
impliquer vt. Engager. Avoir pour conséquence.
implorer vt. Supplier : — *un pardon*.
impoli, e adj. Sans politesse : *réponse* —.
impolitesse f. Action, parole impolie.
impondérable m. Circonstance imprévisible.
impopulaire adj. Non populaire : *loi* —.
importance f. Caractère de ce qui est considérable. Autorité. Influence.
important, e adj. Qui importe. m. L'essentiel.
importer vt. Introduire de l'étranger. vi. Être d'importance. Présenter de l'intérêt. vimpers. Il convient.
importun, e adj. et n. Fâcheux, hors de propos.
importuner vt. Fatiguer, incommoder.
imposant, e adj. Considérable, important.
imposer vt. Frapper d'un impôt. vi. *En* —, inspirer le respect.
imposition f. Action d'imposer. Impôt.
impossibilité f. Situation, chose impossible.
impossible adj. Non possible. Insupportable.
imposteur m. Qui se fait passer pour ce qu'il n'est pas.
imposture f. Tromperie d'un imposteur.
impôt m. Contribution exigée pour le fonctionnement de l'État.
impotent, e adj. Privé de l'usage d'un membre.
impraticable adj. Irréalisable. Difficile à suivre : *un chemin* —.
imprécation f. Malédiction.
imprécis, e adj. Sans précision : *termes* —.
imprécision f. Manque de précision.

imprégner vt. Faire pénétrer une substance dans un corps. Fig. Inculquer, marquer.
imprésario m. Qui s'occupe des intérêts d'une vedette.
impression f. Action d'imprimer. Effet. Sensation.
impressionnable adj. Facile à impressionner.
impressionner vt. Émouvoir, toucher.
impressionnisme m. École de peinture.
imprévisible adj. Qu'on ne peut prévoir.
imprévoyant, e adj. Sans prévoyance.
imprévu, e adj. et n. Non prévu. Inattendu.
imprimé m. Livre, écrit imprimé.
imprimer vt. Marquer : — *ses pas*. Reproduire un texte, une gravure sur le papier : — *un livre*.
imprimerie f. Art d'imprimer. Établissement où l'on imprime.
imprimeur m. Celui qui imprime.
improbable adj. Non probable : *un événement* —.
improductif, ive adj. Qui ne produit rien.
impromptu adv. et adj. À l'improviste.
impropre adj. Qui ne convient pas : *un mot* —.
improvisation f. Ce qu'on improvise.
improviser vt. et i. Faire sans préparation.
improviste (à l') loc. adv. De façon inattendue.
imprudence f. Action imprudente.
imprudent, e adj. Non prudent : *enfant* —.
impudence f. Insolence : *répondre avec* —.
impudeur f. Manque de pudeur.
impudique adj. Qui blesse la pudeur.
impuissance f. Manque de forces, de moyens.
impuissant, e adj. Qui manque de pouvoir.
impulsif, ive adj. Irréfléchi : *un acte* —.
impulsion f. Penchant qui pousse à agir.
impunité f. Absence de punition.
impur, e adj. Pas pur : *métal* —. Impudique.

impureté f. État de ce qui est impur, souillure.
imputer vt. Attribuer : *— une faute à quelqu'un.*
imputrescible adj. Qui ne peut se putréfier.
inabordable adj. Inaccessible. Trop cher.
inacceptable adj. Non acceptable : *offre —.*
inaccessible adj. D'accès impossible : *cime —.*
inaccoutumé, e adj. Non habituel.
inachevé, e adj. Non achevé : *livre —.*
inactif, ive adj. Sans activité. Inefficace.
inaction f. Absence d'activité, de travail.
inadapté, e adj. et n. Qui n'est pas adapté.
inadmissible adj. Qu'on ne peut admettre.
inaliénable adj. Qu'on ne peut vendre.
inaltérable adj. Qu'on ne peut altérer, abîmer.
inamovible adj. Qui ne peut être destitué.
inanimé, e adj. Sans vie : *un corps —.*
inanité f. Caractère de ce qui est inutile, vain.
inanition f. Privation de nourriture : *mort d'—.*
inappréciable adj. Qu'on ne saurait trop estimer : *qualité —.*
inapte adj. Sans aptitude : *— aux affaires.*
inarticulé, e adj. Non articulé : *des cris —.*
inattaquable adj. Non attaquable : *raison —.*
inattendu, e adj. Qui surprend : *visite —.*
inattentif, ive adj. Distrait. Étourdi.
inattention f. Manque d'attention.
inaudible adj. Que l'on ne peut pas entendre.
inauguration f. Cérémonie solennelle d'ouverture.
inaugurer vt. Procéder à l'inauguration de.
incalculable adj. Qu'on ne peut calculer.
incandescent, e adj. Rendu lumineux par la chaleur.
incantation f. Chant, formule magiques.
incapable adj. Non capable : *— de travailler.*
incapacité f. Manque de capacité.

incarcérer vt. Mettre en prison.
incarnat, e adj. et m. D'une couleur rouge.
incarnation f. Action de s'incarner.
incarner vt. Donner une forme matérielle à. vpr. Se matérialiser.
incartade f. Folie, extravagance : *— de jeunesse*.
incassable adj. Non cassable : *poupée —*.
incendiaire adj. et n. Qui incendie.
incendie m. Grand feu qui se propage.
incendier vt. Brûler, consumer par le feu.
incertain, e adj. Douteux : *succès —*. Irrésolu.
incertitude f. Manque de certitude.
incessamment adv. Très prochainement.
incessant, e adj. Qui ne cesse point : *bruit —*.
inceste m. Rapport sexuel entre proches parents.
inchangé, e adj. Qui n'a pas subi de changement.
incidence f. Répercussion, effet.
incident, e adj. Accessoire. m. Anicroche.
incinérer vt. Réduire en cendres : *— un mort*.
incisif, ive adj. Mordant : *ton —*. f. Dent de devant.
incision f. Coupure, entaille.
inciter vt. Pousser à : *— au meurtre*.
inclinaison f. Pente : *— d'un mur*.
inclination f. Penchant : *avoir de l'— pour*.
incliner vt. et i. Pencher. Avoir un penchant pour. vpr. Se pencher.
inclure vt. Insérer : *— dans un paquet*.
incoercible adj. Qu'on ne peut retenir.
incognito [ɛ̃kɔɲito] adv. Sans être connu : *voyager —*.
incohérence f. Manque de liaison.
incolore adj. Sans couleur : *style —*.
incomber vi. Revenir à : *ce travail m'—*.
incombustible adj. Qu'on ne peut brûler.
incommensurable adj. Immense : *espace —*.

incommode adj. Non pratique. Non confortable.
incommoder vt. Gêner : *être — par un bruit.*
incomparable adj. Qui ne peut être comparé à rien : *un éclat —.*
incompatibilité f. Impossibilité de s'accorder.
incompatible adj. Qui n'est pas compatible.
incompétent, e adj. Qui n'a pas les qualités voulues.
incomplet, ète adj. Non complet : *ouvrage —.*
incompréhensible adj. Qu'on ne peut comprendre.
incompris, e adj. Non compris. Non apprécié.
inconcevable adj. Qu'on ne peut concevoir.
inconditionnel, elle adj. et n. Qui obéit sans discussion.
inconduite f. Mauvaise conduite.
incongru, e adj. Inconvenant : *plaisanterie —.*
inconnu, e adj. Non connu. n. Personne non connue. m. Ce qu'on ignore.
inconscience f. Perte de conscience. Absence de réflexion.
inconscient, e adj. Non conscient : *acte —.*
inconséquent, e adj. Non logique, sans cohérence.
inconsidéré, e adj. Irréfléchi : *réponse —.*
inconsistant, e adj. Sans consistance.
inconsolable adj. Qu'on ne peut consoler.
inconstant, e adj. Changeant, variable.
incontinence f. Manque de retenue.
inconvenant, e adj. Qui blesse la convenance.
inconvénient m. Désavantage. Défaut.
incorporation f. Arrivée des recrues dans leur unité militaire.
incorporer vt. Faire entrer dans un tout.
incorrect, e adj. Qui n'est pas correct : *mot —.*
incorrection f. Acte malséant.
incorrigible adj. Qu'on ne peut corriger.

incorruptible adj. Qu'on ne peut corrompre.
incrédule adj. Sceptique. Non croyant.
incriminer vt. Accuser. Mettre en cause.
incroyable adj. Extraordinaire : *événement —*.
incruster vt. Enchâsser dans une matière différente : *— du métal dans du bois*.
incubation f. Action de couver.
inculpation f. Action d'inculper.
inculper vt. Accuser d'un crime, d'un délit.
inculquer vt. Enseigner, apprendre.
inculte adj. Non cultivé. Sans culture intellectuelle.
incunable m. Ouvrage imprimé antérieur à 1500.
incurable adj. Qu'on ne peut guérir.
incurie f. Grande négligence : *— administrative*.
incursion f. Invasion en pays ennemi.
incurver vt. Courber : *— une branche*.
indécent, e adj. Contraire à la décence.
indéchiffrable adj. Qu'on ne peut déchiffrer.
indécis, e adj. Irrésolu. Incertain. Douteux.
indéfectible adj. Qui ne peut cesser d'être.
indéfini, e adj. Qu'on ne peut délimiter, définir.
indélébile adj. Qu'on ne peut effacer.
indélicat, e adj. Malhonnête : *caissier —*.
indélicatesse f. Acte indélicat.
indemne adj. Qui n'a subi aucune blessure.
indemniser vt. Dédommager : *— d'une perte*.
indemnité f. Compensation. Émoluments.
indéniable adj. Qu'on ne peut dénier.
indépendance f. État, caractère indépendant.
indépendant, e adj. Qui ne dépend de personne. Ennemi de la contrainte : *caractère —*.
indescriptible adj. Qui ne peut être décrit.
indésirable adj. Qu'on n'accepte pas près de soi.
indestructible adj. Qui ne peut être détruit.
index m. Un doigt de la main. Table alphabétique qui renvoie aux pages d'un livre.

indicateur, trice adj. Qui indique. m. Guide.
indicatif, ive adj. Qui indique. m. Mode verbal. Musique qui introduit une émission régulière.
indication f. Renseignement : *fausse —*.
indice m. Signe qui indique : *— de faiblesse*.
indicible adj. Inexprimable : *joie —*.
indien, enne adj. et n. De l'Inde, des Indes. Des indigènes d'Amérique.
indifférence f. Détachement, manque d'intérêt.
indifférent, e adj. Qui ne provoque aucun intérêt particulier.
indigence f. Grande pauvreté.
indigène adj. et n. Qui est originaire du pays.
indigent, e adj. et n. Très pauvre.
indigeste adj. Difficile à digérer.
indigestion f. Mauvaise digestion. FIG. Satiété.
indignation f. Sentiment de colère, révolte.
indigne adj. Qui n'est pas digne. Révoltant.
indigner vt. Exciter l'indignation.
indignité f. Caractère, action indignes.
indigo m. Colorant bleu d'origine végétale.
indiquer vt. Montrer, désigner : *— un chemin*.
indirect, e adj. Non direct : *critique —*.
indiscret, ète adj. Sans retenue : *enfant —*.
indiscrétion f. Manque de discrétion.
indiscutable adj. Qu'on ne peut contester.
indispensable adj. Très nécessaire : *outil —*.
indisposer vt. Rendre malade. Froisser, vexer.
indisposition f. Malaise léger.
indissociable adj. Qui ne peut être séparé en plusieurs éléments.
indissoluble adj. Indéfectible, indestructible.
indistinct, e adj. Peu distinct : *bruit —*.
individu m. Être considéré isolément. FAM. Homme méprisable : *un triste —*.

individualisme m. Tendance à affirmer son individualité.
individualité f. Caractère individuel, original.
individuel, elle adj. De l'individu. Pour une seule personne. Fait par une seule personne.
indivis, e adj. Possédé par plusieurs.
indocile adj. Non docile : *caractère* —.
indolence f. Nonchalance, indifférence.
indolent, e adj. Nonchalant, apathique.
indolore adj. Qui ne cause aucune douleur.
indomptable adj. Qu'on ne peut maîtriser.
indu, e adj. *Heure* —, qui ne convient pas.
indubitable adj. Hors de doute, certain.
induction f. Raisonnement qui va du particulier au général. Courant électrique produit sous l'influence d'un autre : *une bobine d'*—.
induire vt. Établir par voie de conséquence. — *en erreur*, amener à se tromper.
indulgence f. Facilité à pardonner. Pardon.
indulgent, e adj. Porté à l'indulgence.
induration f. MÉD. Durcissement.
industrie f. Transformation des matières premières en produits utiles.
industriel, elle adj. Relatif à l'industrie. m. Qui se livre à l'industrie.
industrieux, euse adj. Adroit, habile.
inébranlable adj. Très ferme : *une foi* —.
inédit, e adj. et n. Non publié : *ouvrage* —.
ineffable adj. Indicible : *une splendeur* —.
inefficace adj. Sans effet : *remède* —.
inégal, e adj. Non égal. Raboteux : *terrain* —. Non régulier, changeant : *caractère* —.
inéluctable adj. Inévitable : *malheur* —.
inénarrable adj. D'un comique extraordinaire.
inepte adj. Sot, absurde : *plaisanterie* —.

ineptie [inɛpsi] f. Parole, action inepte.
inépuisable adj. Qu'on ne peut épuiser : *fonds* —.
inerte adj. Sans mouvement : *corps* —.
inertie f. État de ce qui est inerte.
inespéré, e adj. Qu'on n'espérait plus.
inévitable adj. Qu'on ne peut éviter : *accident* —.
inexact, e adj. Erroné, faux.
inexistant, e adj. Qui n'existe pas. Sans valeur.
inexorable adj. Inflexible : *juge* —.
inexpérimenté, e adj. Sans expérience.
inexprimable adj. Qu'on ne peut exprimer.
inexpugnable [-pyɲabl] adj. Qu'on ne peut prendre par la force : *forteresse* —.
in extenso [-tɛ̃so] loc. adv. En entier : *copie* —.
inextinguible adj. Qu'on ne peut calmer, arrêter.
in extremis [-mis] loc. adv. Au dernier moment.
inextricable adj. Impossible à démêler.
infaillible adj. Qui ne peut se tromper : *juge* —. Assuré, certain.
infâme adj. Avilissant, honteux. FIG. Sale.
infamie f. Action vile. Grand déshonneur.
infant, e n. Titre des enfants puînés des rois d'Espagne, de Portugal.
infanterie f. Troupes combattant à pied.
infanticide m. Meurtre d'un enfant nouveau-né.
infantile adj. De l'enfance : *maladie* —.
infarctus m. Oblitération d'un vaisseau sanguin.
infatigable adj. Que rien ne fatigue.
infatué, e adj. Satisfait de soi.
infect, e adj. Puant. Répugnant. Très mauvais.
infecter vt. Contaminer : — *une plaie*. Empester.
infection f. Action d'infecter. Contagion.
inféoder (s') vpr. Se donner à. S'affilier.
inférer vi. Conclure, déduire.
inférieur, e adj. et n. Placé au-dessous. D'une valeur moindre.

infériorité f. Désavantage dans le rang, la valeur.
infernal, e adj. De l'enfer.
infester vt. Envahir. Abonder dans un lieu.
infidèle adj. Déloyal. n. Qui n'a pas la foi.
infidélité f. Manque de fidélité.
infiltrer (s') vpr. Pénétrer, se glisser.
infime adj. Très petit.
infini, e adj. Sans fin, sans limites.
infinitésimal, e adj. Très petit : *quantité* —.
infinitif m. Un mode du verbe.
infirme adj. et n. Atteint d'une infirmité.
infirmer vt. Déclarer nul. Démentir.
infirmerie f. Lieu où l'on soigne les malades.
infirmier, ère n. Qui soigne les malades.
infirmité f. Maladie habituelle. Privation de l'usage d'un membre.
inflammable adj. Qui s'enflamme facilement.
inflammation f. Combustion. Enflure, rougeur due à une infection.
inflation f. Hausse générale des prix.
infléchir vt. Modifier l'orientation de.
inflexible adj. Qu'on ne peut fléchir : *esprit* —.
inflexion f. Action de plier. Changement de ton.
infliger vt. Imposer (peine, privation, etc.).
influence f. Action d'une chose sur une autre.
influent, e adj. Qui a de l'influence.
influer vi. Exercer une action.
information f. Renseignement. pl. Nouvelles à la radio, à la télévision.
informatique f. Technique du traitement automatique de l'information.
informatiser vt. Pourvoir de moyens informatiques.
informe adj. Sans forme nette : *une masse* —.
informer vt. Avertir, renseigner.

infortune f. Revers. Malchance.
infortuné, e adj. et n. Malheureux.
infraction f. Violation d'une loi, d'un ordre.
infrarouge adj. Se dit des radiations obscures utilisées pour le chauffage, la photo, etc.
infructueux, euse adj. Qui ne donne aucun résultat.
infuse adj. f. Innée : *science —*.
infuser vi. Macérer dans l'eau chaude.
infusion f. Action d'infuser. Boisson infusée.
ingambe adj. Alerte, dispos.
ingénier (s') vpr. S'efforcer de.
ingénieur m. Qui dirige des recherches ou des travaux techniques.
ingénieux, euse adj. Plein d'invention, habile.
ingénu, e adj. et n. Simple, naïf.
ingérer vt. Absorber par la bouche. vpr. Se mêler d'une chose sans en avoir le droit.
ingestion f. Action d'ingérer : *— d'aliments.*
ingrat, e adj. et n. Désagréable. Pas reconnaissant.
ingratitude f. Manque de reconnaissance.
ingrédient m. Ce qui entre dans un mélange.
ingurgiter vt. Avaler : *— un remède.*
inhabité, e adj. Qui n'est pas habité : *île —.*
inhalation f. Absorption par les voies respiratoires d'un gaz, d'une vapeur.
inhérent, e adj. Lié : *défaut — à une chose.*
inhumain, e adj. Barbare, cruel.
inhumer vt. Enterrer.
inimitié f. Hostilité : *montrer de l'-.*
ininflammable adj. Qui ne peut s'enflammer.
inintelligent, e adj. Sans intelligence.
inintelligible adj. Non intelligible : *texte —.*
inique adj. D'une injustice grave.
iniquité f. Injustice.
initial, e adj. Du commencement. f. Première lettre d'un mot.

initiation f. Action de donner la connaissance d'une science, d'une religion.
initiative f. Action de celui qui propose le premier quelque chose.
initier vt. Apprendre, enseigner.
injecter vt. Introduire un liquide par pression.
injection f. Action d'injecter.
injonction f. Ordre formel.
injure f. Offense, insulte.
injurier vt. Offenser par des injures.
injurieux, euse adj. Outrageant, offensant.
injuste adj. Contraire à la justice : *loi* —.
injustice f. Manque de justice : *réparer une* —.
inlassable adj. Infatigable : *patience* —.
inné, e adj. Apporté en naissant : *vertus* —.
innocence f. Caractère innocent.
innocent, e adj. et n. Non coupable. Naïf.
innocenter vt. Déclarer innocent.
innocuité f. Qualité de ce qui n'est pas nuisible.
innombrable adj. Très nombreux.
innommable adj. Qui soulève l'indignation.
innovation f. Nouveauté, changement.
inobservation f. Non observation, violation.
inoccupé, e adj. Non occupé : *logement* —.
inoculer vt. Introduire dans l'organisme.
inodore adj. Sans odeur : *une fleur* —.
inoffensif, ive adj. Non nuisible : *animal* —.
inondation f. Débordement d'un cours d'eau.
inonder vt. Couvrir d'eau. FIG. Envahir.
inopérant, e adj. Sans effet : *médicament* —.
inopiné, e adj. Imprévu : *retour* —.
inopportun, e adj. Non opportun : *avis* —.
inoxydable adj. Qui résiste à l'oxydation.
inqualifiable adj. Innommable.
inquiet, ète adj. Agité par l'inquiétude.

inquiéter vt. Rendre inquiet. Troubler. *(-ète.)*
inquiétude f. Trouble, appréhension, crainte.
Inquisition f. Ancien tribunal religieux.
insaisissable adj. Qu'on ne peut arrêter.
insalubre adj. Non salubre : *climat* —.
insanité f. Ineptie, sottise : *dire des* —.
insatiable adj. Qui ne peut se rassasier.
inscription f. Action d'inscrire. Nom, formule, etc., gravés sur un monument, etc.
inscrire vt. Écrire sur une liste, un registre, etc.
insecte m. Animal articulé à six pattes.
insecticide adj. et m. Qui tue les insectes.
insensé, e adj. Qui a perdu la raison.
insensibiliser vt. Rendre insensible.
insensible adj. Qui ne sent pas. Très léger.
inséparable adj. Qui ne se sépare pas.
insérer vt. Introduire : — *un avis. (J'insère.)*
insertion f. Ce qui est inséré. Attache.
insidieux, euse adj. Qui cache un piège.
insigne adj. Remarquable. m. Marque, badge.
insignifiant, e adj. Sans importance : *parole* —.
insinuation f. Action d'insinuer.
insinuer vt. Laisser entendre. vpr. S'introduire.
insipide adj. Sans saveur : *mets* —. Fade.
insister vi. Appuyer : — *sur un point.*
insolation f. Coup de soleil.
insolence f. Manque de respect. Effronterie.
insolent, e adj. Qui montre de l'insolence.
insolite adj. Contraire à l'usage, à l'habitude.
insolvable adj. Qui ne peut payer : *débiteur* —.
insomnie f. Manque de sommeil.
insondable adj. Impossible à comprendre.
insonoriser vt. Protéger des bruits extérieurs.
insouciant, e, -cieux, euse adj. Sans souci.
inspecter vt. Examiner, contrôler : — *des troupes.*

inspecteur, trice n. Chargé d'inspecter.
inspection f. Action d'inspecter.
inspiration f. Aspiration d'air. Enthousiasme créateur : *— poétique.*
inspirer vt. Aspirer. Faire naître une idée.
instable adj. Qui n'est pas stable.
installation f. Action de mettre en place un appareil. Ensemble des appareils.
installer vt. Placer, établir. vpr. S'établir.
instance f. Action de demander en insistant.
instant, e adj. Qui insiste. m. Moment.
instantané, e adj. Qui se fait en un instant.
instar de (à l') loc. prép. À la manière de.
instaurer vt. Établir, fonder : *— une mode.*
instigation f. Action d'inciter.
instiller vt. Verser goutte à goutte.
instinct [ɛ̃stɛ̃] m. Impulsion naturelle.
instinctif, ive adj. Né de l'instinct.
instituer vt. Établir, fonder.
institut m. Société savante ou littéraire.
instituteur, trice n. Maître, maîtresse d'école.
institution f. Fondation. Maison d'éducation.
instructif, ive adj. Qui instruit.
instruction f. Action d'instruire. Enseignement. Savoir, pl. Ordres, indications.
instruire vt. Enseigner. Informer.
instrument m. Outil, machine. FIG. Ce qui permet d'atteindre un résultat.
instrumentiste n. Musicien qui joue d'un instrument.
insu de (à l') loc. prép. Sans qu'on le sache.
insubordination f. Refus d'obéir.
insuccès m. Échec.
insuffisant, e adj. Qui ne suffit pas.
insuffler vt. Introduire en soufflant : *— un gaz.*

insulaire n. Habitant d'une île.
insuline f. Hormone sécrétée par le pancréas.
insulte f. Outrage.
insulter vt. Offenser, outrager.
insupportable adj. Intolérable. Turbulent.
insurger (s') vpr. Se soulever contre.
insurrection f. Soulèvement violent, révolte.
intact, e adj. Qui n'a pas été touché.
intangible adj. Inviolable.
intarissable adj. Qui ne peut être tari. Qui ne s'arrête pas de parler.
intégral, e adj. Entier, complet.
intègre adj. D'une probité absolue : *juge —*.
intégrer vt. Faire entrer dans un groupe.
intellectuel, elle adj. De l'intelligence : *travail —*. n. Qui s'occupe de choses de l'esprit.
intelligence f. Faculté de comprendre.
intelligent, e adj. Pourvu d'intelligence.
intelligible adj. Qui peut être compris.
intempérie f. Mauvais temps.
intempestif, ive adj. Inopportun : *acte —*.
intendance f. Fonction d'intendant. Administration qui pourvoit aux besoins de l'armée.
intendant, e n. Chargé de l'intendance.
intense adj. Très vif : *froid —*.
intensité f. Haut degré d'énergie, de force, d'activité. Quantité d'électricité débitée par seconde.
intenter vt. Entreprendre : *— un procès*.
intention f. Dessein : *— de nuire*.
inter préf. qui signifie *entre*.
interaction f. Influence réciproque.
intercaler vt. Ajouter au milieu : *— un mot*.
intercéder vi. Intervenir en faveur de.
intercepter vt. Arrêter au passage.
intercession f. Action d'intercéder.

interdiction f. Défense : — *de fumer, de sortir.*
interdire vt. Défendre. (Conj. comme *dire*, mais au prés. ind. et à l'impér. : *interdisez.*)
interdit, e adj. Troublé. Sous le coup d'une interdiction.
intéressant, e adj. Qui offre de l'intérêt.
intéresser vt. Exciter l'intérêt. Avoir de l'importance pour.
intérêt m. Curiosité, attention. Originalité, importance. Avantage. Bénéfice.
interférence f. Rencontre entre deux phénomènes.
intérieur, e adj. Qui est au-dedans. m. Le dedans. Domicile.
intérim m. Remplacement provisoire.
interjection f. Exclamation.
interligne m. Espace entre deux lignes.
interlocuteur, trice n. Qui parle avec.
interloquer vt. Décontenancer : *rester* —.
intermède m. Temps intermédiaire.
intermédiaire adj. Qui est entre. m. Entremise. Personne, chose interposée : *servir d'—.*
interminable adj. Qui ne finit pas.
intermittent, e adj. Qui se fait par intervalles.
internat m. Situation d'interne. École d'internes.
international, e adj. Qui a lieu entre nations.
interne adj. Situé au-dedans. n. Élève nourri et logé dans un établissement.
interner vt. Enfermer : — *un aliéné.*
interpeller vt. Héler.
interposer vt. Placer entre.
interprète n. Traducteur oral. Porte-parole. Exécutant d'une œuvre artistique.
interpréter vt. Expliquer. Exécuter.
interrogation f. Question, demande.
interrogatoire m. Questions qu'on adresse à un accusé.

interroger vt. Questionner. *(Interrogea, -geons.)*
interrompre vt. Rompre la continuité.
interruption f. Action d'interrompre.
intersection f. Croisement de lignes, de plans.
interstice m. Intervalle, fente.
intervalle m. Distance entre deux points. Espace entre deux périodes.
intervenir vi. Prendre part à une action. Avoir lieu : *un jugement est —.*
intervention f. Action d'intervenir.
intervertir vt. Modifier, renverser l'ordre de.
interview [-vju] f. Entretien avec une personne pour l'interroger sur ses actes, ses idées, etc.
intestat adj. Qui n'a pas fait de testament.
intestin, e adj. Intérieur. m. Viscère allant de l'estomac à l'anus.
intime adj. Qui existe au fond de l'âme. Qui se passe entre amis.
intimer vt. Signifier avec autorité.
intimider vt. Inspirer de la crainte.
intimité f. Qualité de ce qui est intime.
intituler vt. Donner un titre.
intolérable adj. Qu'on ne peut supporter.
intolérance f. Attitude agressive à l'égard de ceux dont on ne partage pas l'opinion.
intonation f. Ton de la voix : *une — affectueuse.*
intoxiquer vt. Empoisonner.
intra préf. lat. signifiant *à l'intérieur de..*
intraitable adj. Qui n'accepte aucun compromis.
intransigeant, e adj. Qui ne transige pas.
intransitif, ive adj. Se dit des verbes qui n'ont pas de complément d'objet.
intrépide adj. Hardi, qui ne craint pas le péril.
intrépidité f. Caractère intrépide.
intrigant, e adj. et n. Qui aime l'intrigue.

intrigue f. Machination secrète ou déloyale.
intriguer vi. Faire des intrigues. vt. Exciter la curiosité de.
intrinsèque adj. Inhérent. Essentiel.
introduction f. Action d'introduire. Texte préliminaire.
introduire vt. Faire entrer. Faire adopter.
introniser vt. Installer sur le trône. Établir.
intrus, e adj. et n. Qui s'introduit sans droit.
intuition f. Connaissance immédiate, sans intervention du raisonnement. Pressentiment.
inusité, e adj. Non usité : *locution* —.
inutile adj. Non utile. Vain : *efforts* —.
inutilisé, e adj. Qu'on n'utilise pas.
inutilité f. Manque d'utilité.
invalide adj. et n. Non valide, infirme.
invalider vt. Déclarer non valable.
invariable adj. Qui ne change pas : *mot* —.
invasion f. Action d'envahir. Irruption.
invective f. Parole violente, injurieuse.
inventaire m. Liste. Évaluation de biens, de meubles, de marchandises en magasin, etc.
inventer vt. Imaginer, découvrir.
inventeur, trice adj. et n. Qui invente.
invention f. Aptitude à inventer. Chose inventée.
inventorier vt. Faire l'inventaire de.
inverse adj. Qui va en sens opposé.
inverser vt. Renverser : — *un courant.*
inversion f. Construction indirecte (phrase).
investigation f. Recherche.
investir vt. Environner une place de troupes. Engager des fonds dans une affaire.
invétéré, e adj. Enraciné en soi. Qui persiste dans une habitude.
invincible adj. Qu'on ne peut vaincre : *armée* —.

inviolable adj. Qu'on ne peut enfreindre.
invisible adj. Non visible : *rayons —*.
invitation f. Action d'inviter : *— à dîner*.
invite f. Appel indirect, adroit.
inviter vt. Convier, prier : *— à dîner*.
in vitro [in-] loc. adj. Qui se fait hors de l'organisme : *fécondation —*.
in vivo [in-] loc. adj. Qui se fait dans l'organisme.
invocation f. Action d'invoquer.
involontaire adj. Non volontaire.
invoquer vt. Implorer l'aide, le secours de.
invraisemblable adj. Non vraisemblable.
iode m. Corps simple très utilisé en médecine.
ion m. Atome ou groupe d'atomes portant une charge électrique.
iris [iris] m. Membrane colorée de l'œil. Plante ornementale.
iriser vt. Donner les couleurs du spectre.
irlandais, e adj. et n. De l'Irlande.
ironie f. Raillerie. Dérision.
ironique adj. Qui tient de l'ironie.
irradier vi. Rayonner. vt. Exposer à certaines radiations.
irréalisable adj. Non réalisable.
irréductible adj. Qui ne peut être réduit. Inflexible.
irréel, elle adj. Non réel : *apparition —*.
irréfléchi, e adj. Non réfléchi : *action —*.
irrégularité f. Manque de régularité.
irrégulier, ère adj. Non régulier : *un verbe —*.
irréligieux, euse adj. Contraire à la religion.
irréparable adj. Qu'on ne peut réparer.
irréprochable adj. Sans reproche.
irrésistible adj. À quoi l'on ne peut résister.
irrésolu, e adj. Qui n'arrive pas à prendre une décision.

irresponsable adj. Qui n'est pas responsable.
irrévérence f. Manque de respect.
irrévocable adj. Qu'on ne peut révoquer.
irrigation f. Action d'irriguer : *un canal d'* —.
irriguer vt. Arroser (terres, organes).
irritable adj. Coléreux.
irritation f. État d'une personne en colère. Inflammation d'un organe.
irriter vt. Mettre en colère. Causer une inflammation.
irruption f. Entrée soudaine : *faire* —.
islam m. Religion musulmane.
islandais, e adj. et n. D'Islande.
isocèle adj. À deux côtés égaux : *triangle* —.
isolant, e adj. et m. Qui isole.
isolateur m. Support en matière isolante.
isolement m. État d'une personne, d'une chose isolée. Solitude : *un pénible* —.
isoler vt. Séparer, mettre à l'écart. Protéger contre la chaleur, le froid, le bruit.
israélien, enne adj. et n. De l'État d'Israël.
israélite adj. et n. De religion juive.
issu, e adj. Sorti, né de. f. Lieu par où l'on sort. Résultat.
isthme [ism] m. Langue de terre entre deux mers.
italien, enne adj. et n. D'Italie.
italique f. Caractère d'imprimerie penché.
itinéraire m. Route à suivre : *établir un* —.
itinérant, e adj. Qui se déplace pour exercer une fonction.
I.V.G. f. Interruption volontaire de grossesse.
ivoire m. Substance des défenses de l'éléphant.
ivre adj. Qui a trop bu. Troublé par une passion.
ivresse f. État d'une personne ivre.
ivrogne adj. et n. Qui s'enivre souvent.

J

jabot m. Renflement de l'œsophage des oiseaux.
jachère f. Terre labourée laissée au repos.
jacinthe f. Plante ornementale à bulbe.
jacquet m. Un jeu de société.
jade m. Pierre fine de couleur verdâtre.
jadis [-dis] adv. Autrefois.
jaguar m. Panthère de l'Amérique du Sud.
jaillir vi. Sortir impétueusement.
jais m. Minerai d'un noir luisant.
jalon m. Bâton pour repérer un alignement.
jalonner vt. Planter des jalons.
jalouser vt. Être jaloux de : — *ses amis*.
jalousie f. Envie. Amour possessif. Persienne à lames mobiles.
jaloux, ouse adj. Envieux. Possessif.
jamais adv. En aucun temps. *À* —, toujours.
jambage m. Montant : — *de porte*. Trait d'écriture vertical.
jambe f. Partie du corps entre le genou et le pied. Membre inférieur en entier.
jambon m. Cuisse de porc salée ou fumée.
jambonneau m. Partie inférieure du jambon.
jante f. Extérieur d'une roue de véhicule.
janvier m. Premier mois de l'année.
japonais, e adj. et n. Du Japon.
japper vi. Aboyer (se dit des petits chiens).
jaquette f. Veste d'homme ou de femme.
jardin m. Terrain où l'on cultive des fleurs, des légumes, des arbres fruitiers.
jardinage m. Art de cultiver les jardins.
jardiner vi. Faire du jardinage.
jardinier, ère n. Qui cultive les jardins. f. Bac pour cultiver des fleurs, des plantes vertes.

jargon m. Charabia. Langage particulier à un milieu.
jarre f. Grand vase de grès.
jarret m. Partie de la jambe derrière le genou. Pli de la jambe des animaux.
jarretelle, jarretière f. Bracelet élastique pour maintenir le bas, la chaussette.
jars [ʒar] m. Mâle de l'oie.
jaser vi. Bavarder. Critiquer, médire.
jasmin m. Plante à fleurs blanches très odorantes.
jasper vt. Bigarrer de diverses couleurs.
jatte f. Large écuelle.
jauge f. Baguette pour mesurer des volumes. Capacité d'un bateau.
jauger vt. Mesurer une capacité.
jaunâtre adj. Tirant sur le jaune.
jaune adj. Couleur du citron, de l'or, etc.
jaunir vt. Teindre en jaune. vi. Devenir jaune.
jaunisse f. Maladie du foie qui fait jaunir la peau.
Javel (eau de) f. Liquide à base de chlore.
javelot m. Lance d'athlétisme.
jazz [dʒaz] m. Musique d'origine afro-américaine, caractérisée par son rythme.
jean [dʒin] ou **jeans** [dʒins] m. Tissu de coton. Pantalon fait dans ce tissu.
jérémiade f. Plainte importune.
jersey m. Tissu à mailles.
jésuite m. Membre de la Compagnie de Jésus.
jésus m. Image du Christ enfant. Gros saucisson.
jet m. Action de jeter. Mouvement d'un fluide qui s'échappe soudain.
jetée f. Digue qui protège un port.
jeter vt. Lancer. Proférer : — *un cri*. Pousser avec violence, renverser : — *à terre*.
jeton m. Disque ou plaquette pour marquer, jouer, etc.

jeu m. Divertissement, récréation. Ce qui sert à jouer : *— de cartes.* Divertissement où on risque de l'argent. Manière de jouer d'un instrument.
jeudi m. Quatrième jour de la semaine.
jeun (à) [aʒœ̃] loc. adv. Sans avoir mangé.
jeune adj. Peu avancé en âge.
jeûne [ʒøn] m. Abstinence d'aliments.
jeûner vi. Observer le jeûne.
jeunesse f. Âge entre l'enfance et l'âge viril. Premier temps des choses.
joaillerie f. Art du joaillier. Joyaux.
joaillier, ère n. Qui fait, vend des joyaux.
jockey m. Qui monte les chevaux de course.
jogging m. Course à pied. Vêtement de sport.
joie f. Vif sentiment de satisfaction, de plaisir.
joindre vt. Unir, attacher. Contacter. Ajouter.
joint, e adj. Réuni, lié. m. Point d'union.
jointure f. Articulation : *les — des doigts.*
joli, e adj. Agréable à voir. Avantageux.
joliment adv. Agréablement : *— dit.* Beaucoup.
jonc [ʒɔ̃] m. Plante aquatique. Canne de jonc.
joncher vt. Couvrir le sol : *— de fleurs.*
jonchets mpl. Bâtonnets d'ivoire, de bois, d'os, etc., pour jouer.
jonction f. Réunion : *la — de deux voies.*
jongler vi. Faire des tours d'adresse.
jonglerie f. Tour d'adresse. Tromperie.
jongleur, euse n. Personne qui jongle.
jonque f. Bateau d'Extrême-Orient.
jonquille f. Plante du genre narcisse.
joue f. Partie latérale du visage.
jouer vi. Se divertir. Tirer des sons d'un instrument de musique. Fonctionner. Ne plus joindre exactement. vt. Mettre comme enjeu. Hasarder : *— sa vie.* Représenter : *— un rôle.* Tromper : *— quelqu'un.* vpr. Ne pas faire cas de.

jouet m. Ce qui sert à jouer.
joueur, euse adj. et n. Qui joue.
joufflu, e adj. À grosses joues : *bébé* —.
joug [ʒu] m. Pièce de bois pour atteler les bœufs. Contrainte : *le — du travail.*
jouir vi. Tirer plaisir de. Disposer de.
jouissance f. Plaisir. Libre disposition de.
jouisseur, euse n. Qui ne cherche qu'à jouir.
joujou m. Petit jouet d'enfant. (pl. *joujoux.*)
jour m. Lumière du Soleil. Temps pendant lequel brille le Soleil. Durée de la rotation de la Terre. Espace de 24 heures. Époque.
journal m. Publication périodique qui donne des nouvelles. Livre de commerce tenu au jour le jour.
journalier, ère adj. De chaque jour : *salaire* —. m. Ouvrier qui travaille à la journée.
journaliste n. Qui écrit dans les journaux.
journée f. Temps écoulé du lever au coucher du Soleil. Travail fait en un jour. Jour.
joute f. Lutte, combat courtois. FIG. Rivalité.
jouvenceau, celle n. LITT. Adolescent.
jovial, e adj. Gai, enjoué. *(jovials* ou *joviaux.)*
jovialité f. Humeur joviale : *parler avec* —.
joyau [ʒwajo] m. Objet de parure précieux.
joyeux, euse adj. Qui a de la joie.
jubilé m. Cinquantième anniversaire qui est célébré par une fête.
jubiler vi. Éprouver une joie vive.
jucher vi. Percher. vt. Placer en haut.
judaïsme m. Religion des juifs.
judas m. Traître. Petite ouverture dans une porte.
judiciaire adj. Relatif à la justice.
judicieux, euse adj. Qui montre du jugement.
judo m. Sport de combat japonais.

juge m. Magistrat. Arbitre.
jugement m. Faculté de raisonner. Opinion. Faculté de bien juger. Sentence.
jugeote f. FAM. Jugement. Bon sens.
juger vt. Apprécier. Décider comme juge. Être d'avis. Énoncer une opinion sur.
jugulaire f. Veine du cou. Courroie qui maintient un casque.
juguler vt. Arrêter dans son développement.
juif, ive adj. et n. Qui appartient au peuple d'Israël. Israélite.
juillet m. Septième mois de l'année.
juin m. Sixième mois de l'année.
jumeau, elle adj. Se dit des enfants nés ensemble, de deux objets semblables. fpl. Lorgnette double pour le théâtre, etc.
jumeler vt. Accoupler, joindre. *(Je jumelle.)*
jument f. Femelle du cheval.
jungle f. Végétation épaisse de l'Asie.
junior adj. et m. Cadet. SPORTS. Concurrent jeune.
junte [ʒœ̃t] f. Gouvernement installé par une insurrection.
jupe f. Vêtement féminin.
jupon m. Jupe de dessous.
juré, e adj. Qui a prêté serment. m. Membre d'un jury.
jurer vt. Prendre Dieu à témoin. Promettre par serment. vi. Blasphémer.
juridiction f. Pouvoir de juger. Territoire d'un tribunal.
juridique adj. Relatif au droit, à la justice.
jurisprudence f. Ensemble des décisions des tribunaux.
juriste n. Qui connaît, pratique le droit.
juron m. Exclamation grossière.

jury m. Ensemble de citoyens réunis par un tribunal pour juger un criminel. Commission d'examen.
jus m. Liquide tiré d'une chose : — *de citron, de viande*.
jusque adv. Marque la limite dans le temps ou dans l'espace.
juste adj. Qui juge selon l'équité. Fondé, légitime. Exact. Équitable.
justesse f. Qualité de ce qui est juste.
justice f. Caractère de ce qui est juste. Bon droit. Ensemble des magistrats.
justiciable adj. et n. Qui relève des tribunaux.
justicier m. Qui fait régner la justice.
justification f. Action de justifier. Preuve.
justifier vt. Innocenter. Légitimer.
jute m. Toile grossière.
juteux, euse adj. Qui a beaucoup de jus.
juvénile adj. Propre à la jeunesse : *ardeur* —.
juxtaposer vt. Poser à côté d'une autre chose.

K

kaki adj. inv. Couleur brun-jaune. m. Fruit.
kaléidoscope m. Tube garni de petits miroirs produisant d'infinies combinaisons d'images.
kangourou m. Mammifère sauteur australien.
kaolin m. Argile blanche à porcelaine.
karaté m. Méthode de combat d'origine japonaise.
kayak m. Embarcation légère manœuvrée à la pagaie.
képi m. Une coiffure militaire rigide.
kermesse f. Fête de charité en plein air.
kibboutz m. Ferme collective en Israël.
kilo préf. signifiant *mille*. m. Abrév. de kilogramme.
kilogramme m. Poids de mille grammes.
kilomètre m. Mesure de mille mètres.
kilt m. Jupe des Écossais.
kimono m. Tunique japonaise à manches.
kinésithérapie f. Traitement de maladies articulatoires par des mouvements, des massages.
kiosque m. Petit pavillon : *— à journaux.*
kirsch m. Eau-de-vie de cerises.
kleptomanie f. Manie du vol.
knock-out m. inv. Mise hors combat, en boxe. adj. inv. Assommé d'un coup de poing.
kolkhoze m. Coopérative agricole, en U.R.S.S.
krach [krak] m. Débâcle financière.
kyrielle f. Longue suite : *— d'injures.*
kyste m. MÉD. Tumeur de consistance liquide.

L

là adv. Dans cet endroit. En cette situation.
label m. Marque garantissant un produit.
labeur m. Travail pénible et long : — *acharné.*
laboratoire m. Local pour expériences.
laborieux, euse adj. Travailleur. Pénible.
labour m. Labourage. pl. Terres labourées.
labourage m. Action de labourer.
labourer vt. Retourner la terre à la charrue.
labyrinthe m. Dédale, lacis de ruelles. Chemin compliqué.
lac m. Étendue d'eau douce.
laçage m. Action de lacer.
lacer vt. Serrer avec un lacet. *(Laça, laçons.)*
lacérer vt. Déchirer. *(Je lacère.)*
lacet m. Cordon pour serrer. Tournant d'une route.
lâchage m. Action de lâcher.
lâche adj. Pas tendu. Sans vigueur. Poltron.
lâcher vt. Détendre, desserrer. Cesser de tenir.
lâcheté f. Manque de courage.
lacis m. Réseau de fils, de routes, etc., entrelacés.
laconique adj. Concis, bref : *style* —.
lacrymal, e adj. Des larmes : *glande* —.
lacrymogène adj. Qui fait pleurer : *gaz* —.
lacs [lɑ] m. Nœud coulant pour chasser.
lacté, e adj. À base de lait : *farine* —.
lacune f. Espace vide. Interruption. Manque.
lacustre adj. Qui est au bord des lacs : *cité* —.
ladre adj. Avare.
ladrerie f. Maladie du porc. Avarice sordide.
lagune f. Étang au bord de la mer.
laïc adj. et m., **laïque** adj. et n. Ni ecclésiastique ni religieux.

laïciser vt. Donner un caractère laïque.
laid, e adj. Déplaisant à voir.
laideron m. Fille ou femme laide.
laideur f. État de ce qui est laid : — *repoussante.*
lainage m. Étoffe de laine.
laine f. Poils de la toison du mouton, etc.
laineux, euse adj. Qui ressemble à la laine.
lainier, ère adj. De la laine : *industrie* —.
laïque adj. et n. V. LAÏC.
laisse f. Lanière servant à mener un chien.
laisser vt. Ne pas emmener ou emporter. Oublier. Confier. Léguer. Perdre. Céder.
laissez-passer m. inv. Permission écrite pour passer.
lait m. Liquide blanc produit par les femelles des mammifères. Ce qui ressemble au lait.
laitage m. Aliment fait avec du lait.
laitance f. Sperme de poisson.
laiterie f. Lieu où l'on fait le beurre, le fromage, etc.
laiteux, euse adj. Qui ressemble au lait.
laitier, ère adj. et n. Qui fournit du lait.
laiton m. Alliage de cuivre et de zinc.
laitue f. Une variété de salade.
lama m. Ruminant du Pérou. Prêtre du Tibet.
lambeau m. Morceau arraché : — *de vêtement.*
lambin, e adj. FAM. Qui agit avec lenteur.
lambris m. Revêtement mural en bois.
lame f. Morceau de métal plat et mince. Fer d'un couteau. Épée. Vague de la mer.
lamelle f. Petite lame : — *de verre.*
lamentable adj. Qui provoque la pitié. Triste.
lamentation f. Plainte, gémissement.
lamenter (se) vpr. Se plaindre, se désoler.
laminer vt. Réduire en lames (métaux).

laminoir m. Machine à laminer.
lampadaire m. Support pour lampes.
lampe f. Appareil producteur de lumière.
lampée f. Grande gorgée de liquide
lampion m. Lanterne en papier translucide.
lampiste m. Employé subalterne.
lance f. Arme blanche à long manche. Tube métallique d'un tuyau d'arrosage.
lancement m. Action de lancer : — *d'un bateau.*
lancer vt. Jeter. Émettre, publier. Mettre en train, en action. Mettre à la mode : — *un artiste*.
lancette f. Instrument de chirurgie.
lanceur, euse n. Qui lance.
lancier m. Cavalier armé d'une lance.
lancinant, e adj. Qui lancine : *des douleurs —*.
lanciner vi. Produire des élancements. FIG. Obséder, tourmenter.
landau m. Voiture d'enfant à capote.
lande f. Étendue de terres incultes.
langage m. Faculté qu'a l'homme de s'exprimer par la parole ou l'écriture. Manière de parler propre à un groupe.
lange m. Tissu pour envelopper un bébé.
langoureux, euse adj. Qui exprime la langueur.
langouste f. Crustacé marin comestible.
langue f. Organe de la déglutition, de la parole. Idiome, parler.
languette f. Objet en forme de langue.
langueur f. Abattement. Mélancolie. Attendrissement amoureux.
languir vi. Se morfondre. Traîner en longueur.
languissant, e adj. Qui languit.
lanière f. Courroie étroite.
lanterne f. Appareil très simple d'éclairage.
lanterner vi. Flâner. vt. Faire attendre.

lapalissade f. Réflexion d'une évidence niaise.
laper vt. et i. Boire avec la langue.
lapereau m. Jeune lapin.
lapidaire m. Tailleur de pierres fines. adj. Se dit d'un style concis.
lapider vt. Tuer à coups de pierres.
lapin m. Mammifère rongeur du genre lièvre.
laps [laps] m. Espace de temps passé.
lapsus [lapsys] m. Faute qui échappe en parlant ou en écrivant.
laquais m. Valet en livrée.
laque f. Peinture brillante. Produit que l'on vaporise sur les cheveux pour les fixer. Vernis chinois, noir ou rouge. m. Objet laqué.
laquer vt. Couvrir de laque : *meuble —*.
larbin m. FAM. Domestique, valet.
larcin m. Petit vol adroit et sans violence.
lard [lar] m. Gras de certains animaux.
larder vt. Piquer de lardons.
lardon m. Petit morceau de lard.
large adj. Étendu, ample. Étendu dans le sens opposé à la longueur : *fleuve très —*.
largesse f. Libéralité : *payer avec —*.
largeur f. Dimension opposée à la longueur.
larguer vt. MAR. Lâcher : *— une amarre*.
larme f. Liquide sécrété par les yeux. Petite quantité.
larmoyer vi. Pleurer. *(Je larmoie.)*
larron m. LITT. Voleur.
larve f. Forme des insectes et crustacés à leur sortie de l'œuf.
laryngite f. Inflammation du larynx.
larynx m. Partie supérieure de la trachée.
las, lasse adj. Fatigué. Ennuyé.
lascar m. FAM. Individu rusé.

lascif, ive adj. Sensuel. Voluptueux.
laser [lazɛr] m. Source lumineuse produisant des éclairs très intenses.
lasser vt. Rendre las.
lassitude f. Fatigue. Dégoût.
lasso m. Corde à nœud coulant : *prendre au —*.
latent, e adj. Non apparent : *état —*.
latéral, e adj. Situé sur le côté.
latex m. Suc laiteux végétal.
latin, e adj. De l'ancienne Rome. m. Langue latine.
latitude f. Position d'un lieu définie par sa distance de l'équateur. Liberté : *laisser toute —*.
latrines fpl. Cabinets.
latte f. Pièce de bois longue et étroite.
laudatif, ive adj. Qui loue, glorifie.
lauréat, e n. Qui a réussi un examen, obtenu un prix.
laurier m. Un arbre toujours vert.
lavabo m. Cuvette murale pour soins de propreté.
lavage m. Action de laver.
lavande f. Plante aux fleurs odorantes : *eau de —*.
lave f. Matière fondue coulant d'un volcan.
lave-linge m. inv. Machine à laver le linge.
lavement m. Injection d'un liquide dans l'intestin.
laver vt. Nettoyer avec un liquide. Disculper.
lave-vaisselle m. inv. Machine à laver la vaisselle.
lavis m. Coloriage avec une couleur à l'eau.
lavoir m. Lieu public pour laver le linge.
laxatif, ive adj. et m. Purgatif léger.
laxisme m. Indulgence excessive.
layette [lɛjɛt] f. Vêtements d'un nouveau-né.
lé m. Largeur d'une étoffe.
leader [lidœr] m. Chef d'un parti politique.
lécher vt. Passer la langue sur : *— un plat.*
leçon f. Enseignement. Ce qu'on apprend.

lecteur, trice n. Personne qui lit. m. Appareil permettant de reproduire des sons enregistrés.
lecture f. Action de lire. Ce qu'on lit.
légal, e adj. Conforme à la loi : *voie —*.
légaliser vt. Rendre légal.
légalité f. Caractère légal : *la — d'un acte*.
légat m. Ambassadeur du pape.
légataire n. Bénéficiaire d'un legs.
légation f. Mission tenant lieu d'ambassade.
légende f. Récit traditionnel. Explication jointe à un dessin, une carte.
léger, ère adj. Qui pèse peu. Sans force. Frugal. Vif, agile. Peu sérieux.
légèreté f. Qualité de ce qui est léger.
légion f. Corps militaire romain. Appellation de certaines unités militaires. Multitude, foule.
légionnaire m. Soldat, membre d'une légion.
législateur, trice adj. et n. Qui fait les lois.
législatif, ive adj. Qui fait les lois.
législation f. Ensemble des lois : *la — belge*.
législature f. Mandat d'une assemblée législative.
légiste n. Qui étudie les lois.
légitime adj. Juste, conforme à la loi.
légitimer vt. Reconnaître pour légitime.
legs [lɛ *ou* lɛg] m. Don fait par testament.
léguer vt. Laisser par testament.
légume m. Plante qui sert d'aliment.
leitmotiv [lajtmɔtif *ou* lɛtmɔtif] m. Phrase littéraire ou musicale qui revient tout au long d'une œuvre.
lendemain m. Jour suivant : *du jour au —*.
lent, e adj. Qui n'est pas rapide.
lente f. Œuf de pou.
lenteur f. Manque de rapidité, d'activité.
lentille f. Plante dont la graine est consommée

comme légume. Disque de verre taillé pour instruments d'optique.
léopard m. Panthère d'Afrique.
lèpre f. Maladie infectieuse.
lépreux, euse adj. et n. Qui a la lèpre.
lequel, laquelle, lesquels, lesquelles pron. rel. et interr. Qui, que. Quel.
lèse-majesté f. Attentat à la majesté souveraine.
léser vt. Faire tort : — *des intérêts*.
lésion f. Plaie, contusion.
lessive f. Produit détergent. Linge à laver. *Faire la* —, laver le linge.
lessiver vt. Passer à la lessive.
lessiveuse f. Récipient pour faire bouillir la lessive.
lest m. Poids dont on charge un ballon, etc.
leste adj. Léger, agile. Prompt. Grivois, libre.
lester vt. Charger de lest : — *un navire, un ballon.*
léthargie f. Sommeil maladif très profond. FIG. Torpeur, nonchalance.
lettre f. Caractère de l'alphabet. Sens littéral. Écrit adressé par la poste. pl. Ensemble des études littéraires.
lettré, e adj. et n. Cultivé, érudit.
leucémie f. Maladie du sang.
leucocyte m. Globule blanc du sang.
leur adj. et pron. poss. À eux, à elles.
leurre m. Appât. Artifice pour duper.
leurrer vt. Tromper, attirer : *se laisser* —.
levage m. Action de lever.
levain m. Substance qui fait lever la pâte.
levant m. Est, orient.
levée f. Action d'enlever : — *des punitions.*
lever vt. Hausser. Redresser. Ôter : — *les scellés.* Enrôler. Percevoir. vi. Sortir de terre. vpr. Sortir du lit. Apparaître. m. Moment de se lever : — *de soleil.*

levier m. Barre pour soulever.
levraut m. Jeune lièvre.
lèvre f. Partie charnue de la bouche.
levrette f. Femelle du lévrier.
lévrier m. Chien de chasse à longues jambes.
levure f. Champignon qui produit la fermentation.
lexique m. Dictionnaire abrégé : *— grec.*
lézard m. Genre de reptiles sauriens.
lézarde f. Crevasse dans un mur.
liaison f. Action de lier, de joindre. Relation. Union, enchaînement. Attachement.
liane f. Plante grimpante des pays chauds.
liant, e adj. Doux, sociable : *esprit —.*
liasse f. Paquet de papiers, de billets liés.
libation f. *Faire des —,* boire abondamment.
libelle m. Pamphlet, satire.
libeller vt. Rédiger : *— un acte.*
libellule f. Insecte à quatre longues ailes.
libéral, e adj. Généreux. Favorable à la liberté.
libéralité f. Don, générosité : *faire des —.*
libération f. Action de rendre libre.
libérer vt. Décharger d'une obligation. Mettre en liberté : *— un prisonnier. (Je libère.)*
liberté f. Pouvoir d'agir ou de ne pas agir, de choisir ; libre arbitre. Indépendance.
libertin, e adj. et n. Licencieux : *mœurs —.*
libraire n. Qui vend des livres.
librairie f. Commerce, magasin du libraire.
libre adj. Qui peut agir à sa guise.
libre-service m. Magasin où le client se sert lui-même. (pl. *—s - —s.*)
lice f. Champ clos pour un tournoi. Pièce du métier à tisser.
licence f. Liberté. Autorisation. Grade universitaire permettant d'enseigner, etc.

licencié, e adj. Qui a une licence : — *en droit*.
licencier vt. Congédier (un salarié).
licencieux, euse adj. Contraire à la décence.
lichen [likɛn] m. Végétal formé d'une algue et d'un champignon.
licite adj. Permis par la loi.
licorne f. Animal fabuleux à corne unique.
licou, licol m. Lien qu'on met au cou des bêtes.
lie f. Dépôt épais au fond d'un liquide.
liège m. Écorce légère et épaisse de certains arbres.
lien m. Ce qui sert à lier, à attacher.
lier vt. Attacher, joindre. Épaissir : — *une sauce*.
lierre m. Une plante grimpante toujours verte.
liesse f. Joie, réjouissance collective.
lieu m. Endroit. Localité.
lieue f. ANC. Mesure de distance (env. 4 km).
lieutenant m. Officier inférieur au capitaine.
lièvre m. Mammifère rongeur.
ligament m. Attache fibreuse des os, etc.
ligature f. Action de lier. Attache.
ligaturer vt. Attacher, lier, unir.
ligne f. Trait, contour. Rangée. Fil avec hameçon pour la pêche. Service de transport, de communication.
lignée f. Descendance : *illustre* —.
ligneux, euse adj. De la nature du bois.
lignite m. Sorte de charbon.
ligoter vt. Attacher solidement.
ligue f. Union entre États, princes. Association.
liguer vt. Unir en une ligue.
lilas m. Arbre à jolies fleurs en grappes.
limace f. Mollusque sans coquille.
limaçon m. Escargot.
limaille f. Parcelles de métal limé : — *de fer*.

limande f. Genre de poissons plats.
limbe m. Partie élargie de la feuille. Bord d'un astre. pl. THÉOL. Séjour des âmes non baptisées.
lime f. Outil d'acier dont la surface est couverte de stries entrecroisées et qui sert à polir.
limer vt. Travailler à la lime : — *du fer.*
limier m. Chien de chasse. Policier.
limite f. Ligne de séparation. FIG. Terme.
limiter vt. Borner, restreindre : — *ses désirs.*
limitrophe adj. Qui a des limites communes avec.
limon m. Sol léger et fertile.
limonade f. Boisson gazeuse acidulée.
limousine f. Automobile à quatre portes.
limpide adj. Clair, transparent : *une eau* —.
lin m. Plante textile. Sa fibre : *toile de* —.
linceul m. Drap pour ensevelir.
linéaire adj. Qui a l'aspect continu d'une ligne.
linge m. Pièces de tissu à usage ménager ou vestimentaire.
lingère f. Qui s'occupe du linge.
lingerie f. Sous-vêtements.
lingot m. Morceau de métal brut : — *d'or.*
linguistique [-gɥistik] f. Étude des langues.
linoléum [-leɔm] m. Revêtement de sol imperméable.
linotte f. Un oiseau. *Tête de* —, étourdi.
linteau m. Traverse du haut d'une porte.
lion, onne n. Animal carnassier très fort.
lionceau m. Petit lion.
lipide m. Nom générique des corps gras.
lippe f. Lèvre inférieure saillante.
liquéfier vt. Rendre liquide.
liqueur f. Boisson à base d'alcool et de sucre.
liquidation f. Règlement d'une situation commerciale embarrassée. Action de liquider.

liquide adj. Se dit des corps qui coulent. m. Ce qui est à l'état liquide. Boisson.
liquider vt. Régler, fixer. Faire une liquidation commerciale. Vendre à bas prix.
liquoreux, euse adj. Doux et alcoolisé (vin).
lire f. Monnaie italienne.
lire vt. Comprendre l'écriture. Parcourir un écrit. Découvrir, déchiffrer. *(Lis, lus, lisant, lu.)*
lis [lis] m. Plante à fleurs blanches.
liseré ou **liséré** m. Ruban étroit pour border.
liseron m. Une plante grimpante.
lisible adj. Facile à lire : *écriture —.*
lisière f. Bord, limite.
lisse adj. Uni, poli : *surface —.*
liste f. Suite de noms : *— de candidats.*
lit m. Meuble pour se coucher. Fond d'une rivière : *fleuve qui sort de son —.*
litanies fpl. Série de courtes invocations : *— de la Vierge.* f. Répétition ennuyeuse.
literie f. Ce qui compose un lit.
lithographie f. Impression au moyen d'une pierre calcaire : *— en couleurs.*
litière f. Couche de paille des bestiaux.
litige m. Contestation en justice.
litigieux, euse adj. Contestable : *question —.*
litre m. Unité des mesures de capacité.
littéraire adj. Relatif à la littérature.
littéral, e adj. Selon le sens strict des mots.
littérature f. Ensemble des œuvres écrites d'un pays, etc.
littoral m. Bord de la mer : *— rocheux.*
liturgie f. Ordre des cérémonies religieuses.
livide adj. Blafard : *un teint —.*
livraison f. Action de livrer. Chose livrée.
livre m. Feuilles imprimées, réunies en volume.

Division d'un ouvrage. f. Monnaie de divers pays. Poids de 500 grammes.

livrée f. Uniforme de domestique masculin.

livrer vt. Remettre à un acheteur. Engager : — *bataille.* Dénoncer.

livret m. Petit livre, carnet. Paroles d'un opéra.

livreur m. Qui livre des marchandises.

lobe m. Partie arrondie d'un organe.

local, e adj. Propre à un lieu. m. Lieu fermé.

localiser vt. Déterminer la place de.

localité f. Petite ville, village.

locataire n. Qui occupe un logement moyennant un loyer.

locatif, ive adj. De location : *risques* —.

location f. Action de louer. Prix du loyer.

locomoteur, trice adj. Relatif à la locomotion.

locomotion f. Action de se déplacer d'un lieu à un autre.

locomotive f. Machine pour remorquer un train de chemin de fer.

locution f. Façon de parler, expression.

loge f. Logement de portier. Compartiment cloisonné dans un théâtre.

logement m. Lieu où l'on loge.

loger vi. Habiter. vt. Donner le logement.

logeur, euse n. Qui loue des logements.

logiciel m. Ensemble de programmes pour le traitement informatique de l'information.

logique f. Raisonnement juste. adj. Conforme à la logique : *conséquence* —.

logis m. Habitation, logement : — *agréable.*

loi f. Règle établie par l'autorité souveraine. Principe de fonctionnement : *les — de la pesanteur.*

loin adv. À grande distance dans l'espace ou dans le temps.

lointain, e adj. Éloigné. m. Lieu éloigné.
loir m. Petit rongeur qui hiberne.
loisible adj. *Il est — de*, il est permis de.
loisir m. Temps libre : *disposer de peu de —*.
lombaire adj. Des lombes : *région —*.
lombes fpl. Région des reins.
lombric [lɔ̃brik] m. Ver de terre.
long, gue adj. Qui a une certaine dimension d'un bout à l'autre. De dimensions considérables. Qui dure longtemps. m. Longueur.
longe f. Courroie. Moitié d'échine de veau.
longer vi Être situé, marcher le long de.
longeron m. Poutre d'assemblage.
longévité f. Longue vie. Durée de la vie.
longitude f. Distance à l'est ou à l'ouest, qui sépare un point de la Terre d'un méridien d'origine.
longtemps adv. Pendant un temps long.
longueur f. Dimension d'un objet dans sa plus grande valeur. Grande durée.
longue-vue f. Instrument d'optique pour voir de façon nette des objets éloignés. (pl. *—s- —s*.)
lopin m. Parcelle : *un — de terre*.
loquace adj. Qui parle beaucoup.
loque f. Haillon : *tomber en —*.
loquet m. Fermeture simple de porte.
loqueteux, euse adj. Vêtu de loques.
lord [lɔr] m. Titre honorifique anglais.
lorgner vt. Regarder du coin de l'œil.
lorgnette f. Petite longue-vue portative.
lorgnon m. Lunettes sans branches pincées sur le nez.
loriot m. Un passereau de couleur jaune doré.
lors adv. Alors. *— de*, au moment de.
lorsque conj. Quand, au moment où.
losange m. Parallélogramme à 4 côtés égaux.

lot [lo] m. Portion dans un partage. Gain dans une loterie. Une certaine quantité d'objets.
loti, e adj. *Bien, mal* —, favorisé, défavorisé.
lotion f. Liquide parfumé pour les soins de l'épiderme, de la chevelure.
lotir vt. Partager en lots : — *un terrain*.
loto m. Un jeu de hasard.
louage m. Location : *contrat de* —.
louange f. Action de célébrer les mérites de.
louche adj. Qui louche. Suspect. f. Grande cuiller : *une — de potage*.
loucher vi. Avoir les yeux dont les axes ne sont pas parallèles.
louer vt. Décerner des louanges. Donner ou prendre en location : — *une maison*.
loufoque adj. et n. FAM. Un peu fou.
louis m. Ancienne monnaie d'or française.
loup, louve n. Un mammifère carnassier. m. Demi-masque de velours. — *-cervier*, lynx. — *-garou*, être légendaire transformé en loup.
loupe f. Lentille de verre qui grossit les objets. Excroissance de la peau, du bois, etc.
louper vt. FAM. Mal exécuter. Rater, manquer.
lourd, e adj. Qui pèse beaucoup. Pénible.
lourdaud, e n. Personne lente et maladroite.
lourdeur f. Caractère de ce qui est lourd.
loustic m. FAM. Farceur.
loutre f. Mammifère à fourrure appréciée.
louveteau m. Jeune loup. Jeune scout.
louvoyer vi. Naviguer contre le vent.
lover vt. Rouler : — *un cordage*.
loyal, e [lwajal] adj. Franc, sincère : *un ami* —.
loyauté f. Caractère loyal : *agir avec* —.
loyer m. Prix de location d'un logement.
lubie f. FAM. Caprice.

lubricité f. Penchant à la luxure.
lubrifier vt. Huiler, graisser.
lucarne f. Petite fenêtre dans le toit.
lucide adj. Qui voit, comprend clairement.
lucidité f. Qualité de celui qui est lucide.
luciole f. Insecte lumineux.
lucratif, ive adj. Qui procure un gain.
lucre m. Gain, profit : *appât du —*.
luette f. Appendice charnu à l'entrée du gosier.
lueur f. Clarté faible.
lugubre adj. Funèbre. Triste.
lui pron. pers. de la 3e pers. du sing.
luire vi. Briller. (Conj. comme *cuire ;* p.p. *lui.*)
lumbago [lœbago] m. Douleur lombaire.
lumière f. Éclat qui rend visible un corps. Éclairage. Jour, clarté du soleil.
lumignon m. Petite lumière.
luminescence f. Émission de lumière sans chaleur.
lumineux, euse adj. Qui émet de la lumière.
lunaison f. Temps entre deux nouvelles lunes.
lunatique adj. et n. Fantasque : *caractère —*.
lunch [lœʃ *ou* lœnʃ] m. Repas léger.
lundi m. Premier jour de la semaine.
Lune f. Corps céleste tournant autour de la Terre.
luné, e adj. FAM. Disposé : *être mal —*.
lunette f. Instrument d'optique.
lurette f. *Il y a belle —*, il y a longtemps.
luron, onne n. Personne joyeuse, sans souci.
lustre m. Brillant. Appareil d'éclairage suspendu à plusieurs branches. Espace de cinq ans.
lustrine f. Étoffe de coton brillante.
luthérien, enne adj. et n. Qui relève de la doctrine de Luther.
luthier m. Fabricant de violons, etc.
lutin m. Petit démon malicieux.

lutrin m. Pupitre pour porter les livres de chant à l'église.
lutte f. Combat : *une — inégale.*
lutter vi. Combattre. Rivaliser : *— d'ardeur.*
lutteur, euse n. Qui lutte.
luxation f. Déplacement d'un os de son articulation.
luxe m. Faste, richesse. Grand confort.
luxembourgeois, e adj. et n. Du Luxembourg.
luxer vt. Provoquer une luxation.
luxueux, euse adj. Caractérisé par le luxe.
luxure f. Abandon aux plaisirs sexuels.
luxuriance f. Qualité de ce qui est luxuriant.
luxuriant, e adj. Riche, abondant : *végétation —.*
luzerne f. Plante fourragère.
lycée m. Établissement scolaire pour les études du second degré.
lycéen, enne n. Élève d'un lycée.
lymphatique adj. De la lymphe. FIG. Mou.
lymphe f. Liquide organique incolore.
lynchage m. Exécution par la foule.
lyncher vt. Exécuter sans jugement régulier.
lynx m. Un mammifère carnassier.
lyophiliser vt. Déshydrater pour conserver : *café —.*
lyre f. Sorte de petite harpe.
lyrique adj. Qui est plein d'enthousiasme. Qui exprime des sentiments personnels. *Artiste —,* chanteur, chanteuse d'opéra.
lyrisme m. Expression poétique de sentiments personnels.

M

macabre adj. Funèbre, sinistre.
macadam m. Revêtement de chaussée.
macaque m. Singe trapu d'Asie.
macaron m. Gâteau de pâte d'amandes.
macaroni m. Pâte alimentaire en tubes minces.
macédoine f. Mélange de légumes, de fruits.
macérer vi. Tremper dans un liquide.
mâche f. Plante mangée en salade.
mâchefer m. Résidu de la combustion des minéraux.
mâcher vt. Broyer avec les dents.
machiavélique [-kja-] adj. Perfide, sans scrupule.
machin, e n. FAM. Sert à désigner une personne, une chose, qu'on ne peut désigner autrement.
machinal, e adj. Accompli sans l'intervention de la volonté.
machination f. Menées visant à nuire.
machine f. Appareil, mécanisme.
machiner vt. Organiser, combiner.
machinerie f. Ensemble des machines.
machinisme m. Emploi généralisé des machines.
machiniste m. Conducteur d'autobus.
mâchoire f. Pièce osseuse supportant les dents.
mâchonner vt. Triturer avec les dents.
maçon m. Qui construit des maisons, etc.
maçonnerie f. Ouvrage du maçon.
maçonnique adj. De la franc-maçonnerie.
maculer vt. Tacher : — *un papier.*
madame f. Titre donné aux femmes mariées.
madeleine f. Une sorte de pâtisserie légère.
mademoiselle f. Titre des femmes non mariées.
madone f. Image de la Vierge.

madras [-dras] m. Étoffe de soie et de coton.
madré, e adj. Rusé, matois : *paysan* —.
madrépore m. Colonie de polypes.
madrier m. Planche très épaisse.
mafia ou **maffia** f. Association secrète de malfaiteurs.
magasin m. Boutique. Dépôt de marchandises.
magasinier m. Employé chargé du stock des marchandises.
magazine m. Périodique illustré.
mage m. Versé dans les sciences occultes.
maghrébin, e adj. et n. Du Maghreb, de l'Afrique du Nord.
magicien, enne n. Qui pratique la magie.
magie f. Art prétendu de produire des effets surnaturels. Puissance de séduction.
magique adj. Qui tient de la magie.
magistral, e adj. De maître. Décisif.
magistrat m. Officier civil revêtu d'une autorité judiciaire ou administrative.
magistrature f. Charge de magistrat.
magnanime adj. Noble, élevé : *caractère* —.
magnat [maɲa] m. Personnage important de l'industrie, etc.
magnésie f. Oxyde de magnésium.
magnésium m. Métal léger, qui, en brûlant, donne une flamme intense.
magnétique adj. Relatif à l'aimant : *fer* —. Qui attire, qui fascine : *regard* —.
magnétiser vt. Aimanter. Fasciner.
magnétisme m. Propriété des métaux aimantés. Attraction.
magnétophone m. Appareil d'enregistrement et de restitution des sons sur bande.
magnétoscope m. Appareil qui enregistre les

images et le son de la télévision sur bande magnétique et les restitue ensuite sur l'écran.
magnificence f. Qualité de ce qui est magnifique.
magnifique adj. Splendide. Très beau. Admirable.
magnitude f. Éclat d'une étoile.
magnolia m. Arbre à grandes et belles fleurs.
magot m. Singe sans queue. Argent caché.
mai m. Cinquième mois de l'année.
maigre adj. Pas gras. Peu abondant.
maigreur f. État d'un corps maigre.
maigrir vi. Devenir maigre.
mail [maj] m. Promenade publique.
maille f. Chaque boucle d'un tissu tricoté.
maillet m., **mailloche** f. Marteau de bois.
maillon m. Petite maille. Anneau d'une chaîne.
maillot m. Vêtement de tricot. Vêtement de bain.
main f. Extrémité du bras. *— d'œuvre*, travail de l'ouvrier ; ensemble des ouvriers. *— forte*, aide, assistance.
maint, e adj. Un grand nombre de.
maintenant adv. Dans le moment présent.
maintenir vt. Soutenir. Faire subsister.
maintien m. Manière de se tenir. Action de faire durer.
maire m. Qui dirige les affaires de la commune.
mairie f. Maison où sont les bureaux du maire.
mais conj. Marque l'opposition, la transition.
maïs [mais] m. Une céréale à gros grains.
maison f. Édifice, logement. Établissement commercial.
maisonnée f. Personnes vivant sous le même toit.
maître, esse n. Qui commande, qui gouverne. Qui enseigne. Savant, artiste de renom.
maîtrise f. Domination. École d'enfants chanteurs.
maîtriser vt. Dominer. Dompter.

majesté f. Grandeur, dignité, noblesse. Titre des souverains : *Sa Majesté* (abrév. *S.M.*).
majestueux, euse adj. Qui a de la majesté.
majeur, e adj. Plus grand. Très important. Qui a atteint l'âge de la majorité : *fils* —.
major m. Grade le plus élevé des sous-officiers.
majoration f. Augmentation de prix.
majordome m. Chef des domestiques d'une grande maison.
majorer vt. Augmenter un prix.
majorité f. Âge légal à partir duquel on est responsable de ses actes. Le plus grand nombre.
majuscule f. Lettre plus grande que les minuscules et de forme différente.
mal m. Douleur physique. Ce qui est contraire au bien. Dommage. Peine, travail. adj. Mauvais : *bon an, — an.* adv. Pas bien.
malade adj. et n. Dont la santé est altérée.
maladie f. Altération de la santé.
maladif, ive adj. Sujet à la maladie : *enfant* —.
maladresse f. Manque d'adresse. Action maladroite.
maladroit, e adj. Qui manque d'habileté.
malaise m. Trouble physiologique. Embarras.
malaisé, e adj. Difficile, pénible.
malappris, e adj. et n. Grossier, mal élevé.
malaria f. Anc. Nom du *paludisme*.
malaxer vt. Pétrir : — *du beurre*.
malchance f. Mauvaise chance.
malchanceux, euse adj. Qui n'a pas de chance.
maldonne f. Mauvaise distribution des cartes.
mâle adj. Du sexe masculin. Fort, énergique.
malédiction f. Action de maudire. Malheur.
maléfice m. Pratique magique visant à nuire.
maléfique adj. Qui a une influence mauvaise.

malencontreux, euse adj. Fâcheux : *affaire —*.
malentendu m. Méprise : *dissiper un —*.
malfaçon f. Défaut dans un ouvrage.
malfaisant, e adj. Qui cause du mal.
malfaiteur, trice n. Bandit.
malfamé, e adj. De mauvaise réputation.
malformation f. Vice de conformation.
malgré adv. Contre le gré de. En dépit de.
malhabile adj. Qui manque d'adresse.
malheur m. Événement fâcheux. Sort funeste.
malheureux, euse adj. Victime d'un malheur. Pitoyable.
malhonnête adj. Qui n'a ni probité ni honneur.
malhonnêteté f. Caractère, action malhonnête.
malice f. Plaisanterie, moquerie.
malicieux, euse adj. Qui a de la malice.
malignité f. Méchanceté. Caractère nocif.
malin, igne adj. Astucieux. Pernicieux : *tumeur —*.
malingre adj. Chétif, frêle.
malle f. Coffre de voyage.
malléable adj. Facile à façonner. FIG. Souple.
malmener vt. Traiter brutalement.
malotru, e n. Grossier, mal élevé.
malpropre adj. Qui manque de propreté.
malpropreté f. Manque de propreté.
malsain, e adj. Nuisible à la santé physique ou morale.
malséant, e adj. Qui n'est pas bienséant.
malt m. Orge germée.
malthusianisme m. Restriction de natalité.
maltraiter vt. Traiter durement.
malveillant, e adj. Qui veut du mal à.
malversation f. Détournement de fonds par un fonctionnaire.
maman f. Mère (mot enfantin).

mamelle f. Organe de la sécrétion du lait.
mamelon m. Bout du sein. Éminence arrondie.
mammifères mpl. Classe de vertébrés portant des mamelles.
mammouth m. Sorte d'éléphant préhistorique.
manager [-dʒœr *ou* -dʒɛr] m. Qui gère une entreprise, les intérêts d'un sportif.
manche m. Poignée d'un outil. f. Partie du vêtement qui couvre le bras. Partie (jeu).
manchette f. Poignet de chemise. Gros titre.
manchon m. Rouleau de fourrure pour les mains.
manchot m. Privé d'un bras. Oiseau palmipède de l'Antarctique.
mandarin m. ANC. Haut fonctionnaire chinois. Personnage influent.
mandarine f. Sorte de petite orange.
mandat m. Pouvoir, autorisation. Formule de transfert de fonds.
mandataire n. Qui a mandat pour agir.
mandibule f. Mâchoire inférieure.
mandoline f. Instrument de musique à cordes.
mandrin m. Pièce du tour. Outil pour évaser.
manège m. École d'équitation. Jeu pour enfants fait d'un plateau animé d'un mouvement circulaire sur lequel sont fixées des représentations d'animaux, de véhicules. Conduite rusée.
manette f. Levier, clef de manœuvre.
manganèse m. Métal grisâtre.
mangeoire f. Auge où mangent les animaux.
manger vt. Mâcher et avaler. (*-gea, -geons.*)
mangeur, euse n. Qui mange.
maniable adj. Aisé à manœuvrer. Souple.
maniaque adj. et n. Qui a une manie.
manichéisme m. Attitude fondée sur l'opposition sans nuance du bien et du mal.

manie f. Goût, habitude bizarre, ridicule.
manier vt. Tâter, toucher. Utiliser avec adresse.
manière f. Façon d'agir, conduite.
maniéré, e adj. Qui manque de naturel.
manifestant, e n. Qui manifeste.
manifestation f. Action de manifester.
manifeste adj. Évident. m. Déclaration.
manifester vt. Déclarer. vi. Participer à un rassemblement public pour une cause.
manigancer vt. FAM. Tramer secrètement.
manioc m. Plante qui fournit le tapioca.
manipulation f. Action de manipuler.
manipuler vt. Manier, déplacer : — *des colis*.
manitou m. FAM. Personnage puissant.
manivelle f. Levier coudé pour imprimer une rotation.
manne f. Nourriture miraculeuse des Hébreux dans le désert. Aubaine providentielle.
mannequin m. Forme humaine pour peintres, couturières, etc. Personne qui présente les collections des couturiers.
manœuvre f. Manière de faire fonctionner un appareil, un véhicule. Exercice militaire. Intrigue. m. Ouvrier pour gros travaux.
manœuvrer vt. Faire fonctionner. vi. Exécuter une manœuvre. FIG. Intriguer.
manoir m. Petit château.
manomètre m. Appareil pour mesurer la pression d'un fluide.
manque m. Défaut, absence. Ce qui manque.
manquement m. Défaut. Infraction.
manquer vi. Être en moins. Échouer. vt. Ne pas réussir : — *une affaire*.
mansarde f. Chambre aménagée sous un comble.
mansuétude f. Douceur, indulgence.

mante f. Un insecte.
manteau m. Vêtement de dessus ample.
mantille f. Longue écharpe de dentelle.
manucure n. Qui soigne les mains.
manuel, elle adj. Fait à la main. m. Livret.
manufacture f. Vaste établissement industriel.
manuscrit m. Ouvrage écrit à la main. Texte original d'un ouvrage à publier.
manutention f. Manipulation de marchandises.
mappemonde f. Carte du globe divisé en deux hémisphères.
maquereau m. Poisson de mer.
maquette f. Présentation schématique. Modèle réduit.
maquignon m. Marchand de bestiaux.
maquiller vt. Farder. Altérer la vérité.
maquis m. Terrain broussailleux.
maraîcher, ère n. Qui cultive des légumes.
marais m. Terrain aux eaux stagnantes.
marasme m. Arrêt de l'activité dans un domaine.
marathon m. Course à pied sur 42,195 km.
marâtre f. Mère méchante, mauvaise mère.
marauder vi. Chaparder, voler.
marbre m. Calcaire dur, souvent veiné.
marbrer vt. Imiter les veines du marbre.
marbrure f. Imitation des veines du marbre.
marc [mar] m. Résidu : *— de café*. Eau-de-vie.
marcassin m. Jeune sanglier.
marchand, e n. Qui achète et vend. adj. Relatif au commerce : *valeur — ; marine —*.
marchander vt. Débattre le prix de.
marchandise f. Ce qui se vend et s'achète.
marche f. Action de marcher. Allure. Mouvement régulier. Musique de marche. Degré : *monter une —*. Développement.

marché m. Lieu public de vente. Ce qu'on achète. Convention de vente ou d'achat.
marchepied m. Degré pour monter en voiture.
marcher vi. Avancer en déplaçant les pieds. Fonctionner : *montre qui* —. Prospérer.
mardi m. Deuxième jour de la semaine.
mare f. Petite nappe d'eau dormante.
marécage m. Terrain humide couvert de marais.
maréchal m. Grade militaire supérieur.
maréchaussée f. FAM. Gendarmerie.
marée f. Mouvement de la mer. Poissons de mer.
marelle f. Un jeu d'enfants.
mareyeur m. Commerçant en gros des produits de la mer.
margarine f. Corps gras comestible, d'origine végétale.
marge f. Bord, bordure. FIG. Facilité, latitude.
margelle f. Rebord d'un puits.
marginal, e adj. Mis en marge. FIG. Secondaire. adj. et n. Qui vit en marge de la société.
marguerite f. Plante à fleurs blanches et cœur jaune.
mari m. Homme uni à la femme par mariage.
mariage m. Union légale de l'homme à la femme.
marier vt. Unir par le mariage. Réunir.
marin, e adj. De la mer. Qui sert à la navigation. m. Qui travaille au service d'un navire.
marine f. Ensemble des marins et des navires. Tableau à sujet marin.
mariner vt. Tremper dans un liquide aromatique.
marinier m. Marin de rivière.
marionnette f. Poupée articulée.
maritime adj. Au bord de la mer. Fait sur mer.
marivaudage m. Échange de propos galants.
marjolaine f. Plante aromatique.

Mark m. Unité monétaire allemande.
marketing [-ketiŋ] m. Techniques pour la diffusion et la vente des marchandises.
marmaille f. FAM. Troupe de petits enfants.
marmelade f. Sorte de confiture.
marmite f. Récipient pour cuire les aliments.
marmonner vt. Marmotter : — *des injures*.
marmot m. FAM. Petit enfant.
marmotte f. Petit rongeur dormant l'hiver.
marmotter vi. Murmurer entre ses dents.
marocain, e adj. et n. Du Maroc.
maroquin m. Cuir de chèvre tanné : *reliure en —*.
maroquinerie f. Préparation, commerce du cuir.
marotte f. Manie, lubie.
marquant, e adj. Qui laisse un souvenir durable.
marque f. Signe. Trace laissée par quelque chose. Signe distinctif d'une entreprise commerciale.
marquer vt. Mettre une marque. Indiquer.
marqueterie f. Ouvrage d'ébénisterie.
marquis, e n. Titre entre duc et comte. f. Auvent vitré.
marraine f. Femme qui tient un enfant sur les fonts baptismaux ; qui donne son nom à.
marri, e adj. LITT. Fâché, attristé.
marron m. Grosse châtaigne. adj. Qui exerce sans titre : *courtier —*. adj. inv. Brun.
marronnier m. Sorte de châtaignier : — *d'Inde*.
mars m. Troisième mois de l'année.
marsouin m. Genre de cétacés.
marsupiaux mpl. Genre de mammifères à poche ventrale extérieure (kangourou, sarigue).
marteau m. Outil pour frapper, forger. Heurtoir. — *-piqueur*, gros marteau automatique.
marteler vt. Frapper à coups de marteau. *(—èle)*.
martial, e [marsjal] adj. Belliqueux. *Arts martiaux*, sports de combat d'origine japonaise.

martinet m. Sorte de fouet. Sorte d'hirondelle.
martingale f. Demi-ceinture. Système pour gagner aux jeux de hasard.
martiniquais, e adj. et n. De la Martinique.
martin-pêcheur m. Oiseau à belles couleurs. (pl. *—s- —s*.)
martre f. Petit carnassier à belle fourrure.
martyr,e n. Qui meurt pour sa foi.
martyre m. Mort, tourments endurés pour la foi. Grande souffrance.
martyriser vt. Faire souffrir le martyre.
marxisme m. Doctrine de K. Marx.
mas [mas] m. Maison de campagne dans le Midi.
mascarade f. Imposture, supercherie.
mascaret m. Vague à l'embouchure d'un fleuve.
mascotte f. Fétiche.
masculin, e adj. Qui appartient au mâle. m. Le genre masculin des mots.
masque m. Objet dont on se couvre le visage pour le dissimuler ou le protéger. FIG. Apparence trompeuse.
masquer vt. Cacher, dissimuler.
massacre m. Carnage. Tuerie.
massacrer vt. Tuer en masse. Abîmer.
massage m. Action de masser.
masse f. Grande quantité d'une matière informe et compacte. Grand groupe humain. Gros marteau.
masser vt. Pétrir avec la main : *— le corps*.
masseur, euse n. Personne qui masse.
massicot m. Machine à rogner le papier.
massif, ive adj. Épais, pesant. Important m. Ensemble de montagnes. Parterre.
massue f. Bâton à grosse tête noueuse.
mastic m. Pâte pour fixer les vitres, etc.
mastiquer vt. Mâcher. Coller au mastic.

mastodonte m. Grand mammifère fossile.
masturber vt. Procurer avec la main des jouissances sexuelles.
masure f. Demeure misérable, pauvre.
mat, e [mat] adj. Sans éclat : *surface* —. Sans résonance : *bruit* —. Terme du jeu d'échecs.
mât m. Pièce de bois verticale qui porte la voile du navire.
matamore m. Faux brave, fanfaron.
match m. Épreuve sportive entre deux équipes. (pl. *matches* ou *matchs*.)
maté m. Sorte de thé d'Amérique.
matelas m. Grand coussin piqué pour le lit.
matelasser vt. Rembourrer.
matelot m. Marin d'un bateau.
matelote f. Mets de poisson au vin et aux oignons : *— d'anguille*.
mater vt. Dompter, soumettre.
matérialiser vt. Rendre réel, effectif.
matérialisme m. Position philosophique qui considère la matière comme la seule réalité.
matériaux mpl. Ce qui sert à une construction.
matériel, elle adj. De la matière. Tangible. m. Ce qui sert à une exploitation : *— de fabrication*.
maternel, elle adj. De la mère : *amour* —.
maternité f. Qualité de mère. Clinique d'accouchement.
mathématicien m. Adonné aux mathématiques.
mathématique adj. Rigoureux. fpl. Science des grandeurs calculables ou mesurables.
matière f. Substance constituant les corps. Ce dont une chose est faite. Sujet.
matin m. Temps entre minuit et midi, entre le lever du soleil et midi.
matinée f. Matin. Spectacle d'après-midi.

mâtiner vt. Métisser (chiens, etc.).
matois, e adj. Rusé, astucieux.
matou m. FAM. Chat mâle.
matraque f. Arme destinée à assommer.
matrice f. Utérus. Moule en creux ou en relief.
matricule f. Registre. m. Numéro d'inscription.
matrimonial, e adj. Du mariage : *régime* —.
matrone f. PÉJOR. Grosse femme d'âge mûr.
maturation f. Action de mûrir.
mâture f. Les mâts d'un bateau.
maturité f. État de ce qui est mûr.
maudire vt. Appeler le malheur sur. (Conj. c. *dire*, sauf : *maudissons, -sez, -sent, -sais, -sant.*)
maudit, e adj. Frappé de malédiction. Mauvais.
maugréer vi. Grommeler.
mauricien, enne adj. et n. De l'île Maurice.
mausolée m. Monument funéraire.
maussade adj. Chagrin, hargneux : *air* —.
mauvais, e adj. Qui n'est pas bon. Méchant. Médiocre. Dangereux.
mauve f. Plante à fleurs violet clair. m. Couleur violette à reflets blancs. adj. De cette couleur.
mauviette f. FAM. Personne chétive, délicate.
maxillaire adj. et m. Os des mâchoires.
maximal, e adj. Au plus haut degré.
maxime f. Formule énonçant une règle morale.
maximum [-mɔm] m. Plus haut degré. (pl. *maximums* ou *maxima*.)
mayonnaise f. Sauce à l'œuf et à l'huile.
mazout [mazut] m. Combustible liquide provenant du pétrole.
méandre m. Sinuosité d'un fleuve.
méat m. Orifice d'un conduit : — *urinaire*.
mécanicien, enne n. Qui construit, répare ou conduit des machines : — *de locomotive*.

mécanique adj. Relatif au mouvement. Mis en mouvement par une machine. Machinal. f. Étude des machines. Mécanisme.
mécanisme m. Combinaison d'organes d'une machine. Mode de fonctionnement.
mécanographie f. Emploi de machines pour le travail de bureau.
mécène m. Protecteur des arts, des sciences.
méchanceté f. Penchant à faire le mal.
méchant, e adj. Porté au mal. Dangereux.
mèche f. Tresse de coton, fil d'une bougie, d'une lampe. Touffe de cheveux. Extrémité d'une vrille, d'un vilebrequin.
mécompte m. Espérance trompée, déception.
méconnaissable adj. Difficile à reconnaître.
méconnaître vt. Ne pas reconnaître.
mécontent, e adj. Qui n'est pas satisfait.
mécontenter vt. Rendre mécontent.
mécréant, e adj. et n. Qui n'a pas de religion.
médaille f. Pièce de métal frappée en l'honneur de quelqu'un ou de quelque chose.
médaillon m. Bijou de forme circulaire.
médecin m. Qui exerce la médecine.
médecine f. Science qui a pour but de guérir.
média m. Support de diffusion de l'information (radio, presse, etc.).
médian, e adj et f. Placé au milieu.
médiateur m. Qui s'entremet pour régler un différend.
médiation f. Entremise : *agir par la — de.*
médical, e adj. De la médecine : *visite —.*
médicament m. Substance employée pour traiter une maladie.
médicamenteux, euse adj. Qui agit comme remède.

médicinal, e adj. Qui sert de remède : *eau* —.
médiéval, e adj. Du Moyen Âge : *coutumes* —.
médiocre adj. et n. Insuffisant, modeste.
médiocrité f. État de ce qui est médiocre.
médire vi. Dire du mal de. (Conj. comme *dire*, mais : *médisez*.)
médisance f. Action de médire.
méditation f. Action de méditer, réflexion.
méditer vi. Réfléchir. vt. Songer à, examiner.
méditerranéen, enne adj. De la Méditerranée.
médium [-ɔm] m. Qui se prétend en rapport avec les esprits.
médius m. Le doigt du milieu.
médullaire adj. De la moelle.
méduse f. Animal marin à corps gélatineux.
méduser vt. Frapper de stupeur.
meeting [mitiŋ] m. Réunion politique, sportive.
méfait m. Mauvaise action : *commettre des* —.
méfiance f. Manque de confiance.
méfiant, e adj. Qui se méfie : *caractère* —.
méfier (se) vpr. Ne pas se fier.
mégarde (par) adv. Par erreur.
mégère f. Femme méchante, acariâtre.
mégir vt. Tanner (une peau, un cuir).
meilleur, e adj. Qui a plus de bonté, qui vaut mieux. m. Ce qui est préférable.
mélancolie f. Vague tristesse.
mélancolique adj. Qui a de la mélancolie.
mélange m. Action de mêler. Réunion de choses mêlées.
mélanger vt. Faire un mélange.
mélasse f. Résidu de fabrication du sucre.
mêlée f. Combat corps à corps. Conflit.
mêler vt. Mélanger. Embrouiller. Impliquer. vpr. Se joindre à. Participer à.

mélèze m. Un arbre conifère.
méli-mélo m. FAM. Mélange confus.
mélodie f. Suite de sons agréables.
mélodieux, euse adj. Harmonieux.
mélodrame m. Drame de caractère populaire.
mélomane n. Amateur de musique.
melon m. Plante dont le gros fruit est comestible. Chapeau.
mélopée f. Chant monotone.
membrane f. Tissu mince, souple, qui enveloppe ou tapisse les organes.
membre m. Partie du corps qui sert à marcher ou à prendre. Personne qui fait partie d'un groupe. Division d'une phrase, d'une équation.
même adj. Identique, pareil. *De* —, aussi.
mémento [-mɛ̃to] m. Livre aide-mémoire.
mémoire f. Faculté de se rappeler. m. Résumé. Relevé. pl. Souvenirs écrits.
mémorable adj. Digne de mémoire : *action* —.
mémorandum [-rɑ̃dɔm] m. Note diplomatique.
mémorial m. Livre de Mémoires. Monument commémoratif.
menaçant, e adj. Qui menace. Inquiétant.
menace f. Ce qui marque l'intention de nuire.
menacer vt. Faire des menaces. Laisser prévoir.
ménage m. Travaux domestiques. Mari et femme.
ménagement m. Égards, circonspection.
ménager vt. Traiter avec respect. Employer avec économie. Organiser, arranger.
ménager, ère adj. Qui concerne le ménage.
ménagère f. Femme qui a soin du ménage.
ménagerie f. Réunion d'animaux sauvages dans un lieu.
mendiant, e adj. et n. Qui mendie.
mendicité f. Action de mendier.

mendier vt. Demander l'aumône : — *son pain.*
menées fpl. Machination, manœuvres secrètes.
mener vt. Conduire, transporter. Diriger.
menhir m. Monument préhistorique vertical.
méninge f. Une des membranes du cerveau.
méningite f. MÉD. Inflammation des méninges.
ménisque m. Verre concave et convexe. ANAT. Lame de cartilage aux articulations.
ménopause f. Arrêt de la menstruation.
menottes fpl. Liens pour attacher les mains.
mensonge m. Parole contraire à la vérité.
mensonger, ère adj. Faux, trompeur : *parole* —.
menstruation f. Écoulement périodique de sang, chez la femme.
mensualité f. Somme versée chaque mois.
mensuel, elle adj. Fait tous les mois.
mensurations fpl. Ensemble des dimensions du corps humain.
mental, e adj. Fait en esprit : *calcul* —.
mentalité f. État d'esprit. Moralité.
menteur, euse n. et adj. Qui ment : *regard* —.
menthe [mɑ̃t] f. Plante odorante.
menthol [mɛ̃-] m. Alcool tiré de la menthe.
mention f. Citation. Appréciation favorable.
mentionner vt. Citer : — *un fait.*
mentir vi. Dire une chose fausse. (Conj. c. *sortir.*)
menton m. Partie saillante au bas du visage.
menu, e adj. Petit, mince. m. Liste des mets.
menuet m. Danse ancienne.
menuiserie f. Art du menuisier.
menuisier m. Artisan qui fait des meubles.
méprendre (se) vpr. Se tromper.
mépris m. Action de mépriser.
méprise f. Erreur : *commettre une* —.
mépriser vt. Juger indigne d'estime, d'attention.

mer f. Vaste étendue d'eau salée. Vaste superficie.
mercantile adj. Avide de profit.
mercenaire m. et adj. Soldat qui loue ses services.
mercerie f. Commerce, boutique du mercier.
merci f. Pitié, grâce. m. Remerciement.
mercier, ère n. Marchand de fil, aiguilles, etc.
mercredi m. Troisième jour de la semaine.
mercure m. Métal liquide blanc d'argent.
merde f. Pop. Excrément.
mère f. Femme qui a mis au monde un enfant. Femelle qui a des petits.
méridien m. Grand cercle de la sphère terrestre passant par les pôles.
méridional, e adj. et n. Du Midi.
meringue f. Pâtisserie au blanc d'œuf.
mérinos [-nos] m. Sorte de mouton ; sa laine.
mérite m. Ce qui est digne de récompense.
mériter vt. Être digne ou passible de.
méritoire adj. Digne d'estime.
merlan m. Un poisson de mer.
merle m. Oiseau à plumage noir.
merveille f. Chose admirable. Une pâtisserie.
merveilleux, euse adj. Admirable, surprenant.
mésalliance f. Mariage mal assorti sur le plan social.
mésange f. Passereau mangeur d'insectes.
mésaventure f. Aventure fâcheuse.
mesdames, mesdemoiselles fpl. Pl. de *madame, mademoiselle*.
mésentente f. Manque d'entente.
mesquin, e adj. Qui manque de noblesse, de générosité.
mess m. Réfectoire d'officiers.
message m. Information transmise.
messager, ère n. Chargé d'un message.

messagerie f. Transport rapide par train, bateau.
messe f. Célébration liturgique où le prêtre consacre le pain et le vin.
messidor m. Mois du calendrier républicain.
messie m. Celui dont on attend le salut.
messieurs mpl. Pl. de *monsieur*.
mesure f. Action d'évaluer une grandeur. Unité de mesure. Cadence. Modération.
mesuré, e adj. Réglé, modéré : *en termes* —.
mesurer vt. Déterminer une quantité par le moyen d'une mesure.
métabolisme m. Échanges dans l'organisme.
métairie f. Domaine exploité par un métayer.
métal m. Corps simple donnant des oxydes avec l'oxygène.
métallique adj. Fait de métal.
métallurgie f. Art de travailler les métaux.
métallurgique adj. De la métallurgie.
métamorphose f. Changement. Transformation.
métamorphoser vt. Transformer.
métaphore f. Emploi de mots au sens non littéral.
métaphysique f. Connaissance des causes premières.
métayer, ère n. Personne qui loue une terre et donne une partie des récoltes au propriétaire.
météore m. Phénomène lumineux dans le ciel.
météorite f. Objet solide tombé du ciel.
météorologie f. Étude des phénomènes atmosphériques.
métèque m. PÉJOR. Étranger établi dans un pays autre que le sien.
méthane m. Gaz incolore naturel.
méthode f. Démarche rationnelle et organisée de l'esprit.
méthodique adj. Raisonné, ordonné.

méticuleux, euse adj. Consciencieux. Précis.
métier m. Profession. Machine à tisser, etc.
métis [-tis], **isse** adj. et n. Issu d'un croisement de races.
métisser vt. Croiser, mêler.
métrage m. Longueur en mètres d'un tissu, d'un film.
mètre m. Unité de mesure de longueur.
métrer vt. Mesurer en mètres.
métreur m. Celui qui mesure.
métrique adj. Relatif au mètre. f. Art de faire des vers.
métro m. Chemin de fer souterrain urbain.
métronome m. Appareil pour battre la mesure.
métropole f. Capitale.
métropolitain, e adj. De la métropole.
mets [mɛ] m. Aliment préparé pour un repas.
metteur m. — *en scène*, celui qui dirige les acteurs au théâtre, au cinéma.
mettre vt. Placer, disposer. Porter un vêtement. Dépenser. Employer.
meuble adj. Friable. m. Objet mobile servant à l'usage ou à la décoration d'une maison.
meubler vt. Garnir de meubles.
meule f. Corps solide rond et plat pour broyer et pour aiguiser. Tas de foin, de blé.
meunerie f. Industrie du meunier.
meunier, ère n. Exploitant d'un moulin.
meurtre m. Homicide volontaire.
meurtrier, ère n. Assassin. adj. Qui cause la mort de beaucoup de personnes. f. Fente de tir dans une muraille.
meurtrir vt. Blesser, endolorir.
meurtrissure f. Contusion avec tache bleuâtre.
meute f. Troupe de chiens de chasse.

mévente f. Vente difficile, mauvaise.
mi m. Troisième note de la gamme. préf. signifiant *demi, à moitié*.
miasme m. Émanation pestilentielle.
miaulement m. Cri du chat.
mica m. Minéral translucide écailleux.
mi-carême f. Jeudi au milieu du carême.
miche f. Gros pain rond.
micro préf. qui signifie *petit*. m. Instrument qui capte et amplifie le son.
microbe m. Organisme microscopique, à l'origine des maladies infectieuses.
microfilm m. Photographie très réduite sur film.
microscope m. Appareil d'optique grossissant.
microscopique adj. Excessivement petit.
midi m. Milieu du jour. Sud (avec maj.) : *le Midi*.
mie f. Intérieur du pain.
miel m. Substance sucrée élaborée par l'abeille.
mielleux, euse adj. D'une douceur hypocrite.
mien, enne adj. et pron. poss. Qui est à moi.
miette f. Petit fragment de pain. Parcelle.
mieux adv. De meilleure façon. Davantage.
mièvre adj. Doucereux, fade.
mièvrerie f. Action, caractère mièvre.
mignon, onne adj. Délicat, gentil.
migraine f. Violent mal de tête.
migration f. Déplacement de populations. Déplacement périodique de certains animaux.
mijaurée f. Femme affectée et ridicule.
mijoter vt. Faire cuire lentement. Préparer.
mikado m. Jonchets.
milan m. Un oiseau rapace.
mildiou m. Maladie de la vigne.
milice f. Police (auxiliaire) dans certains pays.
milicien m. Soldat d'une milice.

milieu m. Centre. Moitié. Espace dans lequel un corps est placé. Entourage.
militaire adj. De la guerre. De l'armée. m. Soldat.
militant, e adj. et n. Qui lutte pour une cause, un parti.
militariser vt. Donner une structure militaire.
militarisme m. Politique qui s'appuie sur l'armée.
militer vi. Lutter pour une cause, un parti.
mille adj. inv. Dix fois cent. m. Millier. Unité de mesure pour la navigation (1 852 m). — *-feuille*, un gâteau à la crème. (pl. — - —*s*.)
millésime m. Date gravée (monnaies, etc.).
millet [mijɛ], **mil** [mil] m. Une céréale.
milli préf. qui divise l'unité par mille : *millimètre, milligramme*.
milliard [miljɑr] m. Mille millions.
milliardaire m. Qui possède des milliards.
millième adj. Qui occupe le rang marqué par le nombre mille. m. Partie d'un tout divisé en mille parties égales.
millier m. Mille : *un — de personnes*.
million [-ljɔ̃] m. Mille fois mille.
millionnaire m. Qui possède des millions.
mime m. Acteur qui joue dans la pantomime.
mimer vi. et t. Contrefaire. Jouer en mimant.
mimétisme m. Ressemblance de certains êtres vivants avec le milieu dans lequel ils vivent.
mimique f. Expression de la pensée par le geste.
mimosa m. Plante à fleurs jaunes.
minable adj. FAM. Piteux, médiocre.
minaret m. Tour d'une mosquée.
minauder vi. Faire des mines, des façons.
mince adj. Peu épais. Sans valeur.
minceur f. Qualité de ce qui est mince.
mine f. Air, aspect. Souterrain d'où on extrait un

minerai. Engin explosif : — *flottante*. Substance colorée d'un crayon.
miner vt. Poser des mines. Creuser lentement.
minerai m. Minéral tiré de la mine.
minéral, e adj. De matière non vivante. m. Corps solide qui se trouve dans le sol.
minéralogie f. Science des minéraux.
minet, ette n. Chat. FAM. Jeune à la mode.
mineur, e adj. Plus petit. n. Qui n'est pas majeur. m. Qui travaille dans les mines.
miniature f. Peinture de petites dimensions.
minier, ère adj. Relatif aux mines.
minimal, e adj. Au plus petit degré.
minime adj. Très petit : *somme* —.
minimum adj. et m. Au plus bas degré.
ministère m. Fonction exercée par un prêtre. Fonctions de ministre. Bureaux d'un ministre.
ministériel, elle adj. Du ministère.
ministre m. Homme d'État qui dirige un grand service public. Prêtre, pasteur.
minois m. FAM. Visage gracieux.
minorité f. État de la personne mineure. Le petit nombre, dans une assemblée, un vote.
minoterie f. Industrie de la mouture des grains.
minuit m. Milieu de la nuit : *messe de* —.
minuscule adj. Tout petit. f. Petite lettre.
minute f. Soixantième partie d'une heure, d'un degré. Original d'une lettre, d'un acte.
minuterie f. Mécanisme d'horlogerie.
minutie [minysi] f. Caractère minutieux.
minutieux, euse adj. Qui s'attache aux détails.
mioche n. FAM. Jeune enfant.
mirabelle f. Petite prune : *tarte aux* —.
miracle m. Fait surnaturel. Prodige.
miraculeux, euse adj. Qui tient du miracle.

mirador m. Tour de surveillance.
mirage m. Illusion d'optique dans le désert.
mire f. Cran de visée d'une arme à feu. Image simple permettant de régler un téléviseur.
mirer vt. Examiner un œuf à contre-jour.
mirifique adj. FAM. Étonnant : *promesse —*.
mirliton m. Sorte de flûte de roseau.
mirobolant, e adj. FAM. Merveilleux.
miroir m. Surface polie qui reflète les objets.
miroiter vi. Jeter des reflets chatoyants.
misanthrope adj. et n. Qui hait les hommes.
mise f. Action de mettre : *— en scène*. Somme d'argent qu'on risque.
miser vt. Déposer une mise.
misérable adj. Très pauvre. Triste, déplorable. Très faible. Vil, méprisable.
misère f. Grande pauvreté.
miséreux, euse adj. et n. Personne très pauvre.
miséricorde f. Pitié qui pousse à pardonner.
miséricordieux, euse adj. Qui pardonne.
misogyne adj. Qui hait les femmes.
missel m. Livre des prières de la messe.
missile m. Fusée portant des charges nucléaires.
mission f. Pouvoir donné à un délégué. Fonction temporaire. Ensemble de personnes ayant reçu une mission.
missionnaire m. Prêtre envoyé pour évangéliser.
missive f. LITT. Lettre adressée à quelqu'un.
mistral m. Vent du nord, dans le Midi.
mite f. Insecte s'attaquant aux vêtements de laine.
miteux, euse adj. D'apparence misérable.
mitigé, e adj. Plutôt défavorable.
mitonner vt. Faire cuire doucement.
mitoyen, enne adj. Qui est entre deux choses.
mitraille f. Ferraille qui chargeait un canon. Pluie de projectiles.

mitrailler vt. Tirer par rafales.
mitraillette f. Arme à tir automatique.
mitrailleur m. Qui tire à la mitrailleuse.
mitrailleuse f. Arme à tir automatique rapide.
mitre f. Coiffure des évêques.
mitron m. Apprenti boulanger.
mi-voix (à) loc. adv. À voix basse.
mixer [-ksœr] ou **mixeur** m. Appareil ménager servant à broyer, à mélanger des denrées alimentaires.
mixte adj. Formé d'éléments différents.
mixture f. Mélange au goût désagréable.
mobile adj. Qui se meut. Qui peut être mû. Changeant. m. Corps en mouvement. FIG. Cause qui fait agir.
mobilier, ère adj. Meuble. m. Les meubles.
mobiliser vt. Mettre sur le pied de guerre.
mobilité f. Facilité à se déplacer.
mocassin m. Chaussure basse sans lacet.
moche adj. FAM. Laid ; mauvais.
modalité f. Circonstance, condition.
mode f. Manière passagère de vivre, de s'habiller. m. Manière d'être. Manière dont le verbe exprime l'action. MUS. Ton.
modèle m. Ce qu'on imite. Représentation en petit. Homme, femme que l'artiste reproduit.
modeler vt. Sculpter, façonner. Conformer.
modération f. Sagesse, retenue. Réduction.
modéré, e adj. Éloigné de tout excès.
modérer vt. Tempérer, diminuer, adoucir.
moderne adj. Du temps présent.
moderniser vt. Rajeunir, actualiser.
modernisme m., **modernité** f. Caractère moderne.
modeste adj. Qui montre de la modestie. Modéré : *prétentions* —. Simple.

modestie f. Absence d'orgueil. Modération. Absence de faste. Réserve, pudeur.
modification f. Action de modifier.
modifier vt. Changer : *— un projet.*
modique adj. Peu important : *prix —.*
modiste f. Qui fait, vend des chapeaux de femme.
modulation f. Inflexion de la voix, du ton.
module m. Élément d'un vaisseau spatial. Unité.
moduler vt. Exécuter avec des inflexions variées.
moelle [mwal] f. Substance molle des os.
moelleux, euse adj. Doux au toucher.
moellon m. Petite pierre de construction.
mœurs [mœr *ou* mœrs] fpl. Habitudes de vie.
moi pron. de la 1re pers. du singulier.
moignon [mwaɲɔ̃] m. Bout d'un membre coupé.
moindre adj. Plus petit : *le — de mes soucis.*
moine m. Religieux vivant dans un monastère.
moineau m. Oiseau passereau très commun.
moins adv. marquant une infériorité : *il fait — froid.*
mois m. Chacune des douze divisions de l'année.
moisi m. Moisissure.
moisir vt. et i. Se couvrir de moisissure.
moisissure f. Mousse qui se développe sur une substance organique en décomposition.
moisson f. Récolte des céréales : *faire la —.*
moissonner vt. Faire la moisson.
moissonneuse f. Machine à moissonner.
moite adj. Légèrement humide.
moiteur f. Légère humidité.
moitié f. Une des deux parties égales d'un tout. FAM. Épouse. *À —*, en partie, à demi.
moka m. Une sorte de café.
mol adj. V. MOU.
molaire f. Grosse dent pour broyer les aliments.

môle m. Jetée d'un port.
molécule f. La plus petite partie d'un corps existant à l'état libre.
molester vt. Faire subir des violences à.
molette f. Petite roue striée : — *de briquet.*
mollasse adj. FAM. Mou, flasque. Sans énergie.
mollesse f. État de ce qui est mou.
mollet adj. m. *Œuf* —, cuit à peine. m. Saillie de la partie postérieure de la jambe.
molleton m. Une étoffe moelleuse et chaude.
mollir vi. Devenir mou. Se calmer (vent).
mollusques mpl. Animaux à corps mou, sans vertèbres (escargot, huître, etc.).
molosse m. Gros chien de garde.
moment m. Temps très court. Occasion.
momentané, e adj. Qui ne dure qu'un moment.
momie f. Cadavre embaumé.
momifier vt. Transformer en momie.
mon, ma, mes adj. poss. À moi.
monacal, e adj. Des moines : *la vie* —.
monarchie f. État gouverné par un roi.
monarchique adj. De la monarchie : *pouvoir* —.
monarchiste n. Partisan de la monarchie.
monarque m. Chef d'une monarchie : — *absolu.*
monastère m. Édifice habité par les moines.
monastique adj. Relatif aux moines : *vie* —.
monceau m. Tas, amas : *un — de pierres.*
mondain, e adj. Relatif à la vie des classes riches. n. Personne mondaine.
monde m. Ensemble de ce qui existe. Terre. Genre humain. Gens.
mondial, e adj. Du monde entier : *politique* —.
monégasque adj. et n. De Monaco.
monétaire adj. De la monnaie : *système* —.
mongolien, enne n. Atteint de mongolisme.

mongolisme m. Malformation congénitale avec arriération mentale.
moniteur m. Personne chargée de l'enseignement de certains sports.
monnaie f. Pièce de métal frappée servant aux échanges.
monnayer vt. Convertir en argent. Tirer de l'argent de.
mono préf. signif. *seul : monocorde, monoplan.*
monocle m. Lorgnon à un seul verre.
monogramme m. Lettres entrelacées.
monographie f. Étude sur un sujet restreint.
monolithe adj. et m. D'un seul bloc de pierre.
monologue m. Discours d'une personne qui se parle à elle-même.
monologuer vi. Parler seul, en monologue.
monôme m. Manifestation d'étudiants en longue colonne. Expression algébrique.
monopole m. Privilège exclusif : — *de vente.*
monopoliser vt. Exercer un monopole. Accaparer.
monothéisme m. Doctrine qui n'admet qu'un seul Dieu.
monotone adj. Uniforme : *chant* —.
monotonie f. Uniformité ennuyeuse.
monseigneur m. Titre des princes, des évêques. (pl. *messeigneurs, nosseigneurs.*)
monsieur m. Titre de politesse en parlant à un homme. (pl. *messieurs.*)
monstre m. Être atteint d'une malformation importante. Personne très laide. Objet, animal énorme.
monstrueux, euse adj. Difforme. Horrible : *commettre un crime* —.
monstruosité f. Chose monstrueuse.
mont m. Relief de hauteur variable.
montage m. Action de monter, de construire.

montagnard, e n. Qui habite les montagnes.
montagne f. Grande élévation du sol. Amoncellement : *— de livres.*
montagneux, euse adj. Où il y a des montagnes.
montant, e adj. Qui monte. m. Total d'une somme.
mont-de-piété m. Établissement de prêt sur gages.
monté, e adj. Préparé : *coup —.*
monte-charge m. inv. Appareil pour déplacer verticalement des marchandises.
montée f. Chemin montant. Action de monter.
monte-plats m. inv. Monte-charge de cuisine.
monter vi. Se porter vers le haut. Augmenter. Se placer sur. S'élever. vt. Gravir. Transporter en haut. Fournir du nécessaire. Assembler.
montgolfière f. Aérostat gonflé à l'air chaud.
monticule m. Petit mont.
montre f. Instrument portatif qui indique l'heure.
montrer vt. Faire voir. Prouver.
monture f. Bête qu'on chevauche. Partie d'un objet qui sert à fixer l'élément principal.
monument m. Ouvrage d'art commémoratif. Édifice, bâtiment. Œuvre imposante.
monumental, e adj. Très grand : *porte —.*
moquer (se) vpr. Railler. Plaisanter.
moquerie f. Parole, action moqueuse.
moquette f. Tapis qui recouvre complètement le sol d'une pièce.
moqueur, euse adj. Qui se moque.
moral, e adj. Relatif aux mœurs. Conforme aux bonnes mœurs. Intellectuel, spirituel. m. Ensemble des facultés mentales. État d'esprit. f. Science du bien et du mal. Conclusion morale : *— d'une fable.*
moraliser vt. Rendre moral.

moraliste n. Qui écrit sur la morale, sur les mœurs.
moralité f. Bonne conduite. Mœurs. Sens moral d'une fable.
moratoire m. Suspension légale d'une obligation.
morbide adj. Maladif. Déséquilibré, malsain.
morceau m. Partie, fragment : *un — de pain.*
morceler vt. Diviser en morceaux. *(Morcelle.)*
mordant, e adj. Incisif. Caustique.
mordiller vt. Mordre légèrement.
mordre vt. Saisir, entamer avec les dents.
morfondre (se) vpr. S'ennuyer à attendre.
morgue f. Contenance hautaine. Dépôt pour les cadavres non identifiés.
moribond, e adj. et n. Près de mourir.
morigéner vt. Litt. Réprimander, gronder.
morille [-rij] f. Genre de champignons.
morne adj. Triste, désolé : *un — silence.*
morose adj. Triste, maussade.
morphine f. Produit qui enlève la douleur.
mors [mɔr] m. Barre métallique passée dans la bouche du cheval et maintenant les brides.
morse m. Un mammifère amphibie.
morsure f. Action de mordre : *— de vipère.*
mort f. Cessation de la vie. Fin d'activité.
mort, e adj. Privé de vie. n. Cadavre.
mortadelle f. Gros saucisson.
mortaise f. Entaille recevant un tenon.
mortalité f. Nombre des décès.
mortel, elle adj. Sujet à la mort. Ennuyeux. n. Homme, femme : *le commun des —.*
morte-saison f. Temps où le travail diminue. (pl. *—s- —s.*)
mortier m. Mélange de chaux et de sable. Récipient pour broyer.
mortification f. Action de mortifier.

mortifier vt. Humilier. Fâcher. vpr. S'infliger des traitements pénibles.
mort-né, e adj. Mort en naissant. (pl. — - —*s*.)
mortuaire adj. Relatif au décès : *service* —.
morue f. Gros poisson de mer.
morutier adj. et m. Qui pêche la morue.
morve f. Maladie du cheval. Mucosité du nez.
morveux, euse adj. Qui a de la morve au nez.
mosaïque f. Assemblage d'éléments nombreux et disparates. adj. Relatif à Moïse.
mosquée f. Édifice du culte musulman.
mot m. Sons ou signes correspondant à une idée. Ce qu'on dit ou écrit brièvement.
moteur, trice adj. Qui produit un mouvement. m. Appareil qui transforme en énergie mécanique d'autres formes d'énergie.
motif m. Ce qui pousse à agir. Ornement décoratif.
motion f. Proposition : *présenter une* —.
motiver vt. Justifier, excuser. Susciter.
moto f. Véhicule à deux roues actionné par un moteur de plus de 125 cm^3.
motoriser vt. Munir de véhicules à moteur.
motte f. Morceau de terre. Masse : — *de beurre.*
motus ! [-tys] interj. Silence !
mou ou **mol, molle** adj. Qui n'est pas dur. Indolent. m. Poumon des animaux de boucherie.
mouchard m. FAM. Qui dénonce.
mouche f. Insecte diptère. Centre de la cible.
moucher vt. Débarrasser les narines des sécrétions nasales.
moucheron m. Petite mouche.
moucheté, e adj. Tacheté.
mouchoir m. Linge pour se moucher : — *de poche.*
moudre vt. Broyer avec un moulin : — *du café. (Je mouds, moulant, moulu.)*

moue f. Grimace de dépit, de mépris.
mouette f. Un petit oiseau de mer palmipède.
moufle f. Gros gant où seul le pouce est séparé.
mouflon m. Espèce de grand mouton sauvage.
mouillage m. Action de mouiller. MAR. Plan d'eau favorable au stationnement des navires.
mouiller vt. Humecter, tremper. Ajouter de l'eau, du liquide : — *du vin.*
mouillette f. Morceau de pain qu'on trempe.
moulage m. Action de mouler. Empreinte.
moule m. Objet creusé pour donner une forme à une matière fondue ou pâteuse. f. Un mollusque comestible.
mouler vt. Faire au moule. Prendre une empreinte.
moulin m. Machine à moudre : — *à café.*
moulu, e adj. Réduit en poudre. Très fatigué.
moulure f. Ornement architectural saillant.
mourant, e adj. Qui se meurt. Languissant.
mourir vi. Cesser de vivre. Souffrir beaucoup : — *de faim.* S'affaiblir graduellement. *(Meurs, meurent, mourus, meure, -ent, mourant, mort.)*
mouron m. Plante que mangent les oiseaux.
mousquetaire m. Gentilhomme de la maison du roi, autrefois.
mousqueton m. Fusil court. Sorte de crochet.
mousse m. Jeune marin. f. Écume de certains liquides. Crème fouettée. Petite plante qui pousse sur les pierres, les arbres, etc.
mousseline f. Un tissu léger et transparent.
mousser vi. Produire de la mousse.
mousseux, euse adj. Qui fait de la mousse.
mousson f. Vent périodique des tropiques.
moustache f. Poils sur la lèvre supérieure.
moustachu, e adj. Qui a de la moustache.
moustiquaire f. Rideau contre les moustiques.

moustique m. Insecte diptère piqueur et suceur de sang.
moût m. Jus de raisin non encore fermenté.
moutarde f. Plante dont la graine sert de condiment.
mouton m. Mammifère ruminant élevé pour sa laine, sa viande et son lait.
moutonner vi. S'agiter légèrement (vagues).
moutonnier, ère adj. Qui imite les autres.
mouture f. Action de moudre.
mouvant, e adj. Instable. Changeant.
mouvement m. Déplacement. Manière de se mouvoir. Agitation : *— de la foule.* Animation. Inspiration. Sentiment : *de son propre —.*
mouvementé, e adj. Troublé par des incidents.
mouvoir vt. Mettre en mouvement. Exciter. *(Meus, mus, mouvrai, meuve, -ent, mû.)*
moyen [mwajɛ̃], **enne** adj. Entre deux extrémités. Ordinaire, commun : *Français —.* m. Ce qui sert pour parvenir. pl. Ressources.
Moyen Âge m. Période comprise entre le début du ve s. et le milieu du xve s.
moyenâgeux, euse adj. Du Moyen Âge.
moyennant prép. Au moyen de : *— finances.*
moyenne f. Ce qui tient le milieu. Quotient d'une somme par le nombre de ses parties.
moyeu m. Centre d'une roue.
M.S.T. f. Maladie sexuellement transmissible.
mucosité f. Humeur sécrétée par la muqueuse.
mue f. Changement de poil, de plume, de peau.
muer vt. et i. Changer de peau, etc.
muet, ette adj. Qui ne parle pas. Se dit de la lettre qui ne se prononce pas : *« h » —.*
mufle m. Museau. FAM. Individu grossier.
muflerie f. Grossièreté, impolitesse.

mugir vi. Crier (se dit des bovidés).
mugissement m. Cri du bœuf, de la vache.
muguet m. Plante à petites fleurs blanches. Maladie des muqueuses.
mulâtre, esse n. Métis de Noir et de Blanc.
mule f., **mulet** m. Produit de l'âne et de la jument.
mulot m. Petit rat des champs.
multi préf. signifiant *nombreux : multicolore.*
multiple adj. Nombreux. m. Nombre qui en contient un autre plusieurs fois.
multiplicande m. Nombre qui est multiplié.
multiplicateur m. Nombre qui multiplie.
multiplication f. Opération dans laquelle, étant donné deux nombres, le *multiplicande* et le *multiplicateur*, on en cherche un troisième *(produit)*.
multiplicité f. Grand nombre.
multiplier vt. Faire une multiplication.
multitude f. Grand nombre, foule.
municipal, e adj. Relatif à la municipalité.
municipalité f. Commune.
munir vt. Pourvoir. Doter. Équiper.
munitions fpl. Projectiles pour armes à feu.
muqueuse f. Membrane qui tapisse une cavité du corps.
mur m. Ouvrage de maçonnerie qui entroure, qui sépare ou divise : — *mitoyen.*
mûr, e adj. Entièrement développé : *fruit* —.
muraille f. Mur épais. pl. Remparts.
mural, e adj. Fixé au mur : *carte* —.
mûre f. Fruit du mûrier, de la ronce.
murer vt. Entourer de murs.
mûrier m. Arbre dont la feuille sert de nourriture au ver à soie.
mûrir vt. Rendre mûr. vi. Devenir mûr.
murmure m. Bruit sourd, confus. Plainte.

murmurer vi. et t. Dire à voix basse.
musaraigne f. Très petit rongeur.
musarder vi. Perdre son temps à des riens.
musc m. Substance odorante.
muscade f. Fruit aromatique du muscadier.
muscat m. Vin sucré.
musclé, e adj. Qui a les muscles bien développés.
musculaire adj. Des muscles : *force —.*
musculature f. Ensemble des muscles.
muse f. Déesse des arts libéraux. Inspiration.
museau m. Partie saillante de la face de certains animaux.
musée m. Édifice où est présentée une collection publique artistique, scientifique.
museler vt. Mettre une muselière. *(Muselle.)*
muselière f. Appareil qui empêche les chiens de mordre.
muser vi. Perdre son temps à des riens.
musette f. Sac en toile. *Bal —*, bal populaire.
musical, e adj. Relatif à la musique : *l'art —.*
music-hall [myzikol] m. Spectacle de variétés. (pl. — - —*s.*)
musicien, enne n. et adj. Qui compose, exécute de la musique. Qui s'y connaît en musique.
musique f. Art de combiner les sons. Ensemble de musiciens : *— de régiment.*
musqué, e adj. Qui a une odeur de musc.
musulman, e adj. et n. De l'islam.
mutant m. Animal, végétal présentant des caractères nouveaux par rapport à ses ascendants.
mutation f. Changement.
muter vt. Changer d'affectation, de poste.
mutiler vt. Amputer. Détériorer.
mutin, e adj. et n. Insoumis. Espiègle.
mutiner (se) vpr. Se révolter.

mutinerie f. Révolte : — *de troupes.*
mutisme m. État de celui qui est muet.
mutualité f. Système d'aide mutuelle.
mutuel, elle adj. Réciproque : *amour —.*
mycologie f. Étude des champignons.
myope adj. Qui voit trouble les objets éloignés.
myosotis m. Plante à petites fleurs bleues.
myrrhe f. Une résine odorante.
myrte m. Arbuste à petites fleurs blanches.
myrtille f. Baie noire comestible.
mystère m. Doctrine secrète. Dogme incompréhensible. Secret : *agir avec —.*
mystérieux, euse adj. Incompréhensible. Secret. Inconnu.
mysticisme m. Doctrine religieuse selon laquelle l'homme peut communiquer directement avec Dieu.
mystification f. Action de mystifier.
mystifier vt. Abuser de la crédulité de.
mystique adj. et n. Relatif au mysticisme.
mythe m. Légende. Représentation idéalisée.
mythologie f. Ensemble des mythes d'un peuple.

N

nabab m. Homme très riche.
nabot, e adj. et n. Personne très petite.
nacelle f. Panier pour les aéronautes emmenés en ballon.
nacre f. Substance irisée des coquilles.
nage f. Action, manière de nager.
nageoire f. Organe locomoteur des poissons.
nager vi. Se soutenir et avancer dans l'eau.
nageur, euse adj. et n. Qui nage.
naïade f. Divinité des fontaines.
naïf, ïve adj. et n. Simple, ingénu. Crédule.
nain, e adj. et n. De très petite taille.
naissance f. Venue au monde. Commencement.
naître vi. Venir au monde. Commencer. *(Nais, naît, naquis, naissant, né.)*
naïveté f. Caractère naïf.
nantir vt. Donner un gage en garantie. Munir.
napalm m. Produit incendiaire à base d'essence.
naphtaline f. Produit contre les mites.
nappe f. Linge qui recouvre une table. Vaste étendue : — *d'eau, de gaz.*
narcisse m. Plante à fleurs blanches ou jaunes.
narcotique adj. et m. Qui endort : *boisson —.*
narguer vt. Braver avec insolence : — *le danger.*
narguilé m. Pipe orientale à tuyau flexible.
narine f. Ouverture du nez.
narquois, e adj. Moqueur. Malicieux.
narration f. Récit. Exercice de rédaction.
narrer vt. Exposer, raconter : — *un combat.*
nasal, e adj. Du nez : *fosses —.*
naseau m. Narine d'un animal.
nasiller vi. Parler du nez.

nasse f. Panier pour la pêche.
natal, e adj. Où l'on est né : *pays —*.
natalité f. Proportion des naissances par rapport au nombre d'habitants.
natation f. Action de nager.
natatoire adj. Qui sert à nager : *vessie —*.
natif, ive adj. Né dans un lieu déterminé.
nation f. Communauté humaine soumise à une même autorité et aux mêmes lois.
national, e adj. De la nation : *langue —*.
nationalisation f. Transfert de la propriété d'une entreprise à l'État.
nationalisme m. Patriotisme.
nationalité f. Appartenance juridique à une nation déterminée : *la — française*.
nativité f. Naissance du Christ.
natte f. Tresse : *— de cheveux*. Tissu de paille ou de jonc tressés.
natter vt. Tresser en natte.
naturaliser vt. Accorder à un étranger la qualité de citoyen d'un pays. Empailler.
naturalisme m. École littéraire (Zola).
naturaliste n. Qui étudie les sciences naturelles. Empailleur.
nature f. Ensemble de ce qui existe. Monde physique. Tempérament. Modèle naturel.
naturel, elle adj. Conforme à la nature. Qui tient de la nature. Non falsifié. m. Caractère, nature.
naturisme m. Nudisme.
naufrage m. Perte d'un navire en mer.
nauséabond, e adj. Qui donne envie de vomir.
nautique adj. Propre à la navigation : *art —*.
nautisme m. Ensemble des sports nautiques.
naval, e adj. Relatif à la marine : *combat —*.
navet m. Plante à racine comestible.

navette f. Instrument du tisserand. Véhicule à court parcours et à trajet répété.
navigable adj. Où l'on peut naviguer : *lac* —.
navigateur m. Qui navigue, marin.
navigation f. Art, action de naviguer.
naviguer vi. Voyager sur l'eau.
navire m. Bateau pour la navigation en pleine mer.
navrer vt. Causer une grande peine. Affliger.
nazi m. Qui adhère à la doctrine raciste de Hitler.
ne adv. de négation.
né, e adj. Venu au monde. Issu de.
néanmoins adv. Toutefois, pourtant.
néant m. Rien, ce qui n'existe pas.
nébuleux, euse adj. Nuageux. Obscur. f. Amas d'étoiles : *la Voie lactée est une* —.
nécessaire adj. Dont on a besoin. Inévitable. m. Ce qui est nécessaire.
nécessité f. Caractère de ce qui est nécessaire. Contrainte.
nécessiter vt. Rendre nécessaire. Exiger.
nécessiteux, se adj. Qui manque du nécessaire.
nécrologie f. Ensemble des faire-part de deuil publiés un jour dit. Notice sur la vie d'une personne décédée.
nécropole f. Grand cimetière.
nécrose f. Gangrène d'un tissu organique.
nectar m. Breuvage des dieux. Liquide sucré des fleurs. FIG. Boisson délicieuse.
néerlandais, e adj. et n. Des Pays-Bas.
nef f. Partie d'une église.
néfaste adj. Fatal, funeste : *action, présage* —.
nèfle f. Fruit comestible du néflier.
négatif, ive adj. Qui nie. Se dit du nombre précédé du signe moins (—). m. Cliché photographique où le blanc est noir.

négation f. Action de nier : *adverbe de —.*
négligé m. Manque de soin. Tenue du matin.
négligence f. Manque de soin, d'application.
négligent, e adj. Qui montre de la négligence.
négliger vt. Ne pas prendre soin de. Omettre.
négoce m. Vx. Commerce important.
négociant, e n. Commerçant en gros.
négociation f. Action de négocier. Pourparlers.
négocier vt. Traiter une affaire pour arriver à un accord : *— un traité.*
nègre, esse adj. et n. Terme raciste désignant une personne de race noire.
négritude f. Valeurs culturelles de la race noire.
neige f. Eau congelée qui tombe en flocons.
neigeux, euse adj. Couvert par la neige.
neiger vimpers. Tomber (se dit de la neige).
nénuphar m. Plante aquatique.
néo préf. signif. *nouveau : néo-classique.*
néo-calédonien, enne adj. et n. De la Nouvelle-Calédonie. (pl. *— - —s.*)
néologisme m. Mot nouveau.
néon m. Gaz rare employé dans l'éclairage par tubes.
néophyte n. Adepte récent.
néphrite f. Inflammation du rein.
népotisme m. Abus que l'on fait de son crédit, de sa situation, en faveur de sa famille.
nerf [nɛr] m. Organe conducteur des incitations sensorielles ou motrices du cerveau aux autres parties du corps. Tendon. Force, vigueur.
nerveux, euse adj. Relatif aux nerfs. Qui a les nerfs irritables. Vigoureux.
nervi m. Tueur stipendié.
nervosité f. Irritation ; énervement.
nervure f. Filet saillant sur une feuille, etc.

net [nɛt], **nette** adj. Propre. Poli. Clair. Bien marqué. Sans réduction : *prix* —.
netteté f. Qualité de ce qui est net.
nettoyage m. Action de nettoyer.
nettoyer [-twaje] vt. Rendre propre.
neuf adj. et m. inv. Huit et un. Neuvième.
neuf, ve adj. Qui n'a pas servi. Original.
neurasthénie f. État d'abattement.
neurologie f. Science qui traite du système nerveux.
neutralité f. État de ce qui est neutre.
neutre adj. Qui ne prend pas parti. Impartial. Ni acide ni alcalin. Non électrisé. GRAMM. Ni masculin ni féminin.
neuvième adj. Qui suit le huitième. m. Partie d'un tout divisé en neuf parties.
névé m. Neige durcie à l'origine des glaciers.
neveu m. Fils du frère ou de la sœur.
névralgie f. Vive douleur d'origine nerveuse.
névrose f. Maladie caractérisée par des troubles nerveux et psychiques.
nez m. Organe de l'odorat. Odorat.
ni conj. indiquant la négation.
niais, e adj. et n. Simple, sot : *réponse* —.
niaiserie f. Caractère niais. Chose niaise.
niche f. Enfoncement dans un mur. Cabane à chien. Malice, espièglerie.
nichée f. Petits d'une même couvée.
nicher vi. Faire son nid. FAM. Habiter.
nickel m. Métal blanc très brillant.
nickeler vt. Couvrir de nickel : *acier* —.
nicotine f. Substance chimique du tabac.
nid [ni] m. Abri que se font les oiseaux, etc. Habitation, logement. Repaire.
nièce f. Fille du frère ou de la sœur.

nielle f. Maladie des céréales.
nier vt. Contester. Refuser.
nigaud, e adj. et n. Sot, niais.
nimbe m. Cercle entourant la tête d'un saint.
nimbus [-bys] m. Large nuage gris.
nippes fpl. FAM. Vêtements usés.
nippon, e adj. et n. Japonais.
nique f. *Faire la —*, faire un signe de moquerie.
nitrate m. Sel de l'acide nitrique.
nitroglycérine f. Un explosif violent.
nival, e adj. De la neige.
niveau m. Hauteur d'un point, d'un lieu. Degré : — *social*. Instrument pour vérifier l'horizontalité.
niveler vt. Rendre horizontal. Rendre égal.
nivellement m. Action de niveler.
nivôse m. Mois du calendrier républicain.
nobiliaire adj. De la noblesse.
noble adj. et n. D'une classe jouissant de titres ou privilèges héréditaires. Grand, élevé : — *sentiment*.
noblesse f. Qualité de noble. Classe des personnes nobles. Grandeur, élévation.
noce f. Mariage. Personnes qui accompagnent la noce. Partie de plaisir, de débauche.
noceur, euse adj. et n. FAM. Qui fait la noce.
nocif, ive adj. Nuisible : *produit —*.
noctambule n. Qui aime se divertir la nuit.
nocturne adj. Qui a lieu la nuit. Qui vit la nuit. m. MUS. Composition mélancolique.
Noël m. Fête de la nativité du Christ.
nœud m. Enlacement serré de fil, corde, etc. Ornement. Jointure. Excroissance du bois.
noir, e adj. De la couleur du charbon. Triste. Hostile. Clandestin. n. Personne de race noire. m. Couleur noire.

noirâtre adj. Tirant sur le noir : *couleur —*.
noiraud, e adj. Très brun : *fillette —*.
noirceur f. État de ce qui est noir. Perfidie.
noircir vt. Rendre noir. vi. Devenir noir.
noise f. *Chercher — à*, chercher querelle.
noisette f. Fruit du noisetier.
noix f. Fruit du noyer, du cocotier, etc.
nom m. Mot qui sert à désigner une personne ou une chose : *— commun, propre*.
nomade adj. et n. Sans habitation fixe.
no man's land [nomanslɑ̃d] m. inv. Territoire inoccupé entre deux zones ennemies.
nombre m. Quantité. Réunion de personnes, de choses. GRAMM. Ce qui permet l'opposition entre singulier et pluriel.
nombreux, euse adj. En grand nombre.
nombril [nɔ̃bri *ou* nɔ̃bril] m. Cicatrice du cordon ombilical.
nomenclature f. Ensemble de mots, liste.
nominal, e adj. Qui est relatif au nom. Qui n'existe que de nom : *chef —*.
nominatif, ive adj. Qui porte le nom du propriétaire : *titre —*.
nomination f. Action de nommer : *— à un poste*.
nommer vt. Donner un nom. Désigner. Choisir.
nonagénaire adj. et n. Âgé de 90 ans.
nonce m. Ambassadeur du pape.
nonchalant, e adj. Sans ardeur ni zèle, mou.
non-conformiste adj. et n. Qui refuse le conformisme.
non-lieu m. Déclaration de cessation de poursuites judiciaires. (pl. *non - —x*.)
non-recevoir m. *Fin de —*, refus catégorique.
non-sens m. inv. Absurdité : *dire des —*.
non-stop adj. inv. Continu.

non-violence f. Attitude politique excluant toute violence.
nord m. Un des points cardinaux.
nordique adj. Du nord.
noria f. Machine à godets pour irriguer.
normal, e adj. Régulier. Conforme à la règle.
normalien, enne n. Élève d'une école normale.
normalisation f. Unification de règles techniques. Retour à la normale.
norme f. Principe, règle. Standard, type.
norvégien, enne adj. et n. De Norvège.
nostalgie f. Mal du pays. Regret mélancolique.
nota m. inv. Note en marge, au bas d'un écrit.
notabilité f. Personne notable.
notable adj. et n. Remarquable. Important.
notaire m. Officier public qui rédige les actes, les contrats pour les rendre authentiques.
notamment adv. En particulier.
notarié, e adj. Passé devant notaire : *acte* —.
notation f. Action, manière de noter.
note f. Marque. Observation écrite. Commentaire : — *explicative*. Compte à acquitter. Chiffre d'appréciation : *mettre une bonne* —. Son musical ; sa figuration.
noter vt. Mettre une note sur. Prendre note de.
notice f. Écrit succinct sur un sujet.
notifier vt. Faire savoir : — *un acte*.
notion f. Idée qu'on a d'une chose : *une — vague*.
notoire adj. Connu de tous : *défaut* —.
notoriété f. État de ce qui est notoire.
notre adj. poss. Qui est à nous.
nôtre pron. poss. Ce qui est à nous.
nouer vt. Lier avec un nœud. Faire un nœud.
noueux, euse adj. Qui a des nœuds : *bâton* —.
nougat m. Gâteau d'amandes et de miel.

nouilles fpl. Pâtes alimentaires découpées en lanières.
nourrice f. Femme qui allaite un enfant.
nourricier, ère adj. Qui nourrit : *un suc —*.
nourrir vt. Alimenter. Allaiter. Entretenir.
nourrisson m. Enfant en bas âge.
nourriture f. Ce qui sert à nourrir.
nous pron. pers. de la 1re pers. du pl.
nouveau, el (devant une voyelle ou un *h* muet), **elle** adj. Qui existe depuis peu. Qui succède. Novice. m. Ce qui est nouveau. — *-né*, enfant nouvellement né. (pl. *nouveau-nés*.)
nouveauté f. Qualité de ce qui est nouveau. Chose nouvelle.
nouvelle f. Annonce d'un événement récent. Renseignement. Roman très court.
novembre m. Onzième mois de l'année.
novice adj. et n. Qui passe un temps d'essai dans un monastère. Qui débute dans un métier.
noyade f. Action de noyer, de se noyer.
noyau [nwajo] m. Partie centrale d'un fruit, etc.
noyauter vt. Introduire dans un groupe des éléments chargés de le désorganiser.
noyer [nwaje] vt. Asphyxier par immersion. vpr. Mourir par asphyxie dans un liquide.
noyer m. Arbre qui produit les noix.
nu, e adj. Non vêtu. Non garni.
nuage m. Vapeur en suspension dans l'air.
nuageux, euse adj. Couvert de nuages.
nuance f. Degré d'une couleur. Différence.
nubile adj. En âge de se marier.
nucléaire adj. Relatif au noyau et spécialement au noyau de l'atome : *physique —*.
nudisme m. Pratique de la vie en plein air dans un état de nudité complète.

nue f. Nuage. *Tomber des —s*, être surpris.
nuée f. Gros nuage. FIG. Multitude.
nuire vi. Faire du tort à. (Conj. comme *cuire*.)
nuisible adj. Qui nuit : *animal —*.
nuit f. Temps entre le coucher et le lever du soleil. Obscurité, ténèbres.
nul, nulle adj. Pas un. Sans valeur. pron. indéf. Personne : *— ne le sait.*
nullité f. Caractère nul. Personne nulle.
numéraire m. Toute monnaie ayant cours légal.
numéral, e adj. Qui désigne un nombre.
numérateur m. Un des termes d'une fraction.
numération f. Art d'énoncer et d'écrire les nombres.
numérique adj. Du nombre : *supériorité —*.
numéro m. Chiffre. Billet de loterie. Livraison d'un périodique. Partie d'un programme.
numéroter vt. Mettre des numéros.
numismatique f. Science des monnaies et médailles.
nuptial, e adj. Du mariage : *cérémonie —*.
nuque f. Partie postérieure du cou.
nurse [nœrs] f. Vx. Bonne d'enfant.
nutritif, ive adj. Qui nourrit, nourrissant.
nutrition f. Assimilation de la nourriture.
Nylon m. (nom déposé). Fibre textile artificielle.
nymphe f. Divinité des fleuves, des bois, etc.
nymphomanie f. Exagération des désirs sexuels chez la femme.

O

ô interj. Marque l'admiration, la douleur, etc.
oasis [ɔazis] f. Région couverte de végétation dans le désert.
obéir vi. Se soumettre à la volonté d'autrui.
obéissance f. Action d'obéir. Soumission.
obéissant, e adj. Qui obéit : *un enfant* —.
obélisque m. Monument en forme d'aiguille.
obérer vt. Accabler de dettes : *finances* —.
obèse adj. et n. Qui a un excès d'embonpoint.
objecter vt. Émettre une protestation.
objectif, ive adj. Qui existe hors de l'esprit. Impartial. m. Système optique d'un appareil tourné vers l'objet à examiner ou à photographier. But.
objection f. Ce qu'on objecte.
objet m. Chose concrète. But.
obligation f. Devoir. Motif de reconnaissance. Titre de prêt donnant droit à intérêts.
obligatoire adj. Imposé ; auquel on ne peut échapper.
obligé, e adj. Nécessaire. Redevable.
obligeant, e adj. Qui aime à obliger. Aimable.
obliger vt. Forcer à. Rendre service.
oblique adj. Incliné. f. Ligne oblique.
oblitérer vt. Marquer d'une empreinte : — *un timbre*. Obstruer : *veine* —.
oblong, ongue adj. Plus long que large.
obole f. Petite offrande en argent.
obscène adj. Qui blesse la pudeur.
obscur, e adj. Sombre. Caché : *vie* —.
obscurcir vt. Rendre obscur.
obscurité f. Qualité de ce qui est obscur.
obséder vt. Occuper totalement l'esprit.

obsèques fpl. Funérailles.
obséquieux, euse adj. Respectueux à l'excès.
obséquiosité f. Caractère obséquieux.
observateur, trice adj. et n. Qui observe.
observation f. Action d'observer. Remarque.
observatoire m. Lieu pour observer.
observer vt. Suivre (règle). Considérer avec attention. Épier : — *l'ennemi*. Remarquer.
obsession f. Idée qui obsède, qui poursuit.
obstacle m. Ce qui empêche de passer. Difficulté.
obstétrique f. Art des accouchements.
obstination f. Entêtement : *montrer de l'—*.
obstiné, e adj. Opiniâtre, entêté : *enfant —*.
obstiner (s') vpr. Persévérer dans ce qu'on a entrepris.
obstruction f. Action d'entraver une action.
obstruer vt. Boucher, embarrasser.
obtempérer vi. Obéir. *(J'obtempère.)*
obtenir vt. Recevoir ce qu'on désire.
obturer vt. Boucher, fermer : — *un passage*.
obtus, e adj. MATH. Plus grand que 90° : *angle —*. FIG. Borné, lourd.
obus m. Projectile rempli d'explosif.
oc m. *Langue d'—*, langue que l'on parlait dans le sud de la France.
occasion f. Circonstance favorable. *D'—*, qui n'est pas neuf.
occasionner vt. Causer, provoquer.
occident m. Ouest, couchant.
occidental, e adj. De l'Occident, de l'Ouest.
occiput [ɔksipyt] m. Arrière de la tête.
occlusion f. Fermeture d'un conduit organique.
occulte adj. Caché. Obscur, mystérieux : *sens —*.
occultisme m. Étude des sciences occultes.
occupation f. Action de se rendre maître d'un pays. Ce à quoi on occupe son temps.

occuper vt. Remplir un espace, un temps. Habiter. Envahir. Remplir (emploi). Consacrer (temps). Employer : — *des ouvriers.*
occurrence f. *En l'—*, dans cette circonstance.
océan m. Vaste étendue d'eau salée, etc.
ocre f. Argile jaune ou rouge.
octave f. Intervalle musical de huit degrés.
octobre m. Dixième mois de l'année.
octogénaire adj. et n. Qui a 80 ans.
octogone adj. Qui a huit angles.
octroi m. Action d'octroyer. Droit que payaient certaines denrées à leur entrée dans une ville.
octroyer vt. Accorder. *(J'octroie.)*
oculaire adj. De l'œil : *nerf —*. Qui a vu : *témoin —*. m. Lentille où l'on applique l'œil dans un appareil d'optique.
oculiste n. Médecin spécialiste des yeux.
ode f. Poème lyrique.
odeur f. Émanation qui affecte l'odorat.
odieux, euse adj. Qui excite l'indignation.
odorat m. Sens qui perçoit les odeurs.
odyssée f. Voyage aventureux.
œcuménique [eky-] adj. Universel (concile).
œdème [e-] m. Gonflement d'un organe.
œil [œj] m. Organe de la vue. *Coup d'—*, regard. (pl. *yeux.*)
œillade f. Coup d'œil.
œillère f. Volet de cuir qui abrite l'œil du cheval. pl. FIG. Étroitesse d'esprit : *avoir des —.*
œillet m. Fleur d'ornement. Trou pour lacet.
œnologie [eno-] f. Science de la fabrication des vins.
œsophage m. Canal de la bouche à l'estomac.
œuf [œf, *pl.* ф] m. Corps arrondi, protégé par une coquille, que produisent les femelles des oiseaux, des reptiles, etc.

œuvre f. Travail, tâche. Activité. Ouvrage d'écrivain, d'artiste.
offense f. Injure, affront, outrage.
offenser vt. Offusquer. Insulter.
offensif, ive adj. Qui sert à attaquer : *arme —*. f. Attaque : *passer à l'—*.
office m. Tâche, fonction. Charge d'avoué, etc. Service : *bons —*. Cérémonie religieuse. Dépendance de la cuisine.
officiel, elle adj. Qui émane de l'autorité.
officier vi. Célébrer un office religieux.
officier m. Titulaire d'une charge. Militaire de grade au moins égal à sous-lieutenant.
officieux, euse adj. Non officiel.
officinal, e adj. Utilisé en pharmacie.
officine f. Locaux du pharmacien.
offrande f. Don offert : *modeste —*.
offrant adj. et m. Qui offre : *vendre au plus —*.
offre f. Action d'offrir : *l'— et la demande*.
offrir vt. Présenter, proposer.
offset m. Impression par transfert au moyen d'un rouleau de caoutchouc.
offusquer vt. Choquer, déplaire fortement.
ogive f. Arc, voûte à sommet en angle aigu.
ogre, esse n. Dans les contes, géant qui mange les enfants.
oh ! interj. Marque la surprise.
ohm m. Unité de mesure de résistance électrique.
oïdium [-djɔm] m. Maladie de la vigne.
oie f. Oiseau palmipède comestible.
oignon m. Plante à racine bulbeuse. Bulbe. Cal aux pieds.
oïl m. *Langue d'—*, langue que l'on parlait dans le nord de la France.
oindre vt. Frotter d'huile. (Conj. comme *craindre*.)

oiseau m. Vertébré ovipare ailé.
oiseleur m. Qui prend des oiseaux au piège.
oiseux, euse adj. Inutile : *vie, parole* —.
oisif, ive adj. Inoccupé, désœuvré.
oisiveté f. Désœuvrement : *vivre dans l'*—.
oison m. Petit de l'oie.
oléagineux, euse adj. Qui produit de l'huile.
olfactif, ive adj. De l'odorat : *nerf* —.
oligarchie f. Gouvernement de quelques familles.
olivâtre adj. Verdâtre : *teint* —.
olive f. Fruit de l'olivier.
Olympe m. Séjour des dieux de la mythologie grecque.
olympiade f. Espace de quatre ans entre les jeux Olympiques.
olympien, enne adj. Noble, majestueux.
Olympique adj. *Jeux* —, compétition sportive internationale et quadriennale.
ombelle f. Type de fleur en parasol.
ombellifère f. Plante à fleurs en ombelle.
ombilic m. Nombril.
ombrage m. Feuillage qui ombrage.
ombrager vt. Donner de l'ombre.
ombrageux, euse adj. Méfiant : *caractère* —.
ombre f. Obscurité projetée par un corps sur un autre.
ombrelle f. Petit parasol.
omelette f. Œufs battus cuits à la poêle.
omettre vt. Négliger de faire quelque chose.
omission f. Action d'omettre. Chose omise.
omnibus [-bys] adj. Qui dessert toutes les gares.
omniprésent, e adj. Présent en tous lieux.
omnisports adj. Où l'on pratique tous les sports.
omnivore adj. Qui se nourrit d'animaux et de végétaux.

omoplate f. Os plat de l'épaule.
on pron. indéf. Une ou plusieurs personnes.
once f. 12ᵉ de la livre. Espèce de léopard.
oncle m. Frère du père ou de la mère.
onction f. Action d'oindre. Douceur.
onctueux, euse adj. Velouté. Doucereux.
onde f. Mouvement d'un fluide ébranlé : — *sonore*.
ondée f. Averse.
ondoyer vi. Flotter par ondes. vt. Baptiser sans les cérémonies accessoires.
ondulation f. Mouvement d'un fluide ébranlé. Mouvement des cheveux qui frisent.
onduler vi. Présenter des ondulations. vt. Rendre ondulé : — *les cheveux*.
onéreux, euse adj. Coûteux.
ongle m. Partie cornée du bout des doigts.
onglée f. Froid douloureux aux doigts.
onglet m. Petite bande collée.
ongulé, e adj. et m. Se dit des mammifères à pied terminé par des ongles ou sabots.
onirique adj. Relatif au rêve.
onomatopée f. Mot imitant un bruit.
onze adj. num et m. inv. Dix et un. Onzième.
onzième adj. Qui suit le dixième. m. La onzième partie d'un tout divisé en onze.
opacité f. État de ce qui est opaque.
opale f. Pierre précieuse à reflets irisés.
opalin, e adj. À teinte d'opale.
opaque adj. Qui arrête la lumière : *corps* —.
opéra m. Poème dramatique en musique. Théâtre où on le joue. — *-comique*, pièce où le chant alterne avec le dialogue parlé. (pl. *—s- —s*.)
opérateur, trice n. Qui fait fonctionner des appareils.
opération f. Calcul d'une addition, soustraction,

division, multiplication. Intervention chirurgicale.
opercule m. ZOOL. Organe servant à couvrir.
opérer vt. Produire un effet. Soumettre à une opération chirurgicale. Accomplir.
opérette f. Petit opéra bouffe.
ophidien m. Reptile.
ophtalmie f. Affection inflammatoire de l'œil.
opiner vi. Donner son avis.
opiniâtre adj. Tenace, entêté : *enfant* —.
opiniâtreté f. Obstination.
opinion f. Avis. Sentiment, jugement.
opium [ɔpjɔm] m. Suc narcotique du pavot.
opportun, e adj. Qui arrive à propos : *avis* —.
opportunisme m. Attitude de qui sait utiliser les circonstances.
opportunité f. Qualité de ce qui est opportun.
opposant, e adj. et n. Qui s'oppose.
opposé, e adj. Contraire : *intérêts* —.
opposer vt. Mettre vis-à-vis. Placer en obstacle. Faire s'affronter. Objecter. vpr. Être hostile à.
opposition f. Contraste. Différence extrême. Obstacle. Conflit. Ensemble de personnes hostiles à un régime.
oppresser vt. Causer de l'oppression.
oppression f. Action d'opprimer. Gêne dans la respiration. FIG. Tourment.
opprimer vt. Écraser sous l'arbitraire.
opprobre m. Ignominie, honte.
opter vi. Choisir : — *pour un emploi.*
opticien m. Fabricant de lunettes, etc.
optimiste adj. et n. Qui voit tout en bien.
optimum [-mɔm] m. État le plus favorable.
option f. Faculté de choisir. Chose choisie.
optique adj. Relatif à la vision : *nerf* —. f. Étude de la lumière et de la vision.

opulence f. Grande richesse : *vivre dans l' —*.
opulent, e adj. Très riche. Ample : *poitrine —*.
opuscule m. Petit ouvrage imprimé.
or m. Métal précieux de couleur jaune.
oracle m. Réponse faite par les dieux. Prophétie. Déclaration autorisée.
orage m. Perturbation atmosphérique violente. Trouble, agitation.
orageux, euse adj. De l'orage : *temps —*. Agité.
oraison f. Prière. Discours : *— funèbre*.
oral, e adj. De vive voix. De la bouche.
orange f. Fruit de l'oranger. m. Sa couleur.
orangeade f. Jus d'orange.
orangeraie f. Plantation d'orangers.
orangerie f. Serre pour les orangers.
orang-outan [ɔrɑ̃utɑ̃] m. Grand singe d'Asie.
orateur m. Qui prononce un discours.
oratoire adj. De l'orateur. m. Petite chapelle.
orbite f. Trajectoire d'une planète autour du Soleil, d'un satellite autour d'une planète. Cavité de l'œil.
orchestre [-kɛstr] m. Ensemble d'instruments de musique. Place où ils sont dans un théâtre. Rez-de-chaussée des salles de spectacle.
orchestrer vt. Composer ou adapter un morceau de musique pour un orchestre.
orchidée [-ki-] f. Plante à très belles fleurs.
ordinaire adj. Habituel. Vulgaire. m. Ce qu'on mange d'habitude.
ordinal, e adj. Qui indique un rang précis dans une numération.
ordinateur m. Calculateur universel permettant le traitement de l'information par des opérations complexes.
ordination f. Cérémonie qui confère un titre religieux.

ordonnance f. Arrangement. Ordre, prescription.
ordonner vt. Mettre en ordre. Commander.
ordre m. Disposition des choses à leur place. Catégorie, groupe. Compagnie religieuse, professionnelle. Style d'architecture antique.
ordures fpl. Déchets, détritus.
ordurier, ère adj. Grossier, obscène.
orée f. Lisière : *l'— d'un bois.*
oreille f. Organe de l'ouïe. Sa partie externe. Ouïe : *avoir l'— fine.*
oreiller m. Coussin pour la tête.
oreillette f. Cavité supérieure du cœur.
oreillons mpl. Inflammation des parotides.
orfèvre m. Qui travaille l'or et l'argent.
orfèvrerie f. Travail de l'orfèvre.
organe m. Partie du corps qui remplit une fonction. Élément d'une machine.
organigramme m. Graphique de la structure hiérarchique d'une organisation sociale.
organique adj. Relatif aux organes.
organisation f. Action d'organiser. Association.
organiser vt. Combiner, élaborer. Préparer.
organisme m. Ensemble des organes qui constituent un être vivant. Groupe organisé.
organiste n. Qui joue de l'orgue.
orgasme m. Point culminant du plaisir sexuel.
orge f. Genre de céréales graminées. La graine.
orgelet m. Furoncle situé au bord de la paupière.
orgie f. Débauche.
orgue m., f. au pl. Instrument de musique à vent, à clavier et à tuyaux.
orgueil m. Grande estime de soi.
orgueilleux, euse adj. et n. Qui a de l'orgueil.
orient m. Est (point cardinal).
oriental, e adj. De l'Orient : *peuple —.*

orientation f. Action d'orienter. Position.
orienter vt. Disposer par rapport aux points cardinaux. Guider. vpr. Se diriger.
orifice m. Ouverture, trou d'entrée, de sortie.
oriflamme f. Bannière d'apparat.
originaire adj. Qui vient de : — *d'Afrique*.
original, e adj. Fait par l'artiste lui-même. Nouveau. Singulier, bizarre. m. Modèle originel. n. Excentrique.
originalité f. Caractère original.
origine f. Commencement, début. Point de départ.
originel, elle adj. Qui remonte à l'origine.
oripeaux mpl. Vieux vêtements.
orme m. Arbre à bois fibreux et solide.
ornement m. Ce qui orne : — *d'architecture*.
ornemental, e adj. Qui sert d'ornement.
orner vt. Parer, décorer.
ornière f. Trace de roue de voiture. FIG. Routine.
ornithologie f. Étude des oiseaux.
orphelin, e n. Qui a perdu ses parents.
orphelinat m. Asile pour orphelins.
orphéon m. Société chorale.
orteil m. Doigt du pied.
orthodoxe adj. Conforme au dogme. *Églises* —, Églises chrétiennes d'Orient.
orthographe f. Écriture correcte des mots.
orthopédie f. Correction des difformités du corps.
orthoptères mpl. Insectes dont les ailes membraneuses ont des plis droits.
ortie [-ti] f. Plante à poils irritants.
ortolan m. Petit oiseau à chair très estimée.
orvet m. Saurien appelé *serpent de verre*.
os m. Partie dure de la charpente du corps.
oscillation f. Mouvement de va-et-vient.
osciller [ɔsile] vi. Exécuter des oscillations.

osé, e adj. Audacieux. Choquant.
oser vt. Avoir le courage de : *— se plaindre*.
osier m. Rameau flexible de saule.
ossature f. Ensemble des os. Armature.
osselet m. Petit os : *les — de l'oreille.*
ossements mpl. Os décharnés d'un cadavre.
osseux, euse adj. De la nature des os.
ossuaire m. Dépôt d'ossements.
ostéite f. Inflammation du tissu osseux.
ostensible adj. Qu'on cherche à montrer.
ostensoir m. Pièce d'orfèvrerie pour l'hostie.
ostentation f. Attitude de celui qui cherche à se faire remarquer.
ostréiculture f. Élevage des huîtres.
otage m. Personne enlevée, détenue comme gage contre un adversaire.
otarie f. Sorte de phoque.
ôter vt. Enlever. Supprimer.
otite f. MÉD. Inflammation de l'oreille.
oto-rhino-laryngologie f. Étude des maladies de l'oreille, du nez, de la gorge.
ou conj. marquant l'alternative.
où adv. marquant le lieu, le temps, le but.
ouate f. Coton cardé. *(L'ouate* ou *la ouate.)*
oubli m. Perte du souvenir : *l'— des injures*.
oublier vt. Perdre le souvenir. Laisser par inadvertance. Omettre. Manquer à.
oubliette f. Cachot souterrain.
oublieux, euse adj. Qui oublie.
ouest m. Couchant, occident. Région occidentale.
ouf ! interj. de soulagement, de débarras.
oui adv. Particule affirmative.
ouï-dire m. inv. *Par —*, par la rumeur publique.
ouïe f. Sens qui perçoit les sons. pl. Branchies.
ouïr vt. Entendre.

ouistiti m. Petit singe d'Amérique.
ouragan m. Tempête violente.
ourdir vt. Préparer la trame d'une étoffe. FIG. Tramer, machiner : — *un complot.*
ourlet m. Repli cousu au bord d'une étoffe.
ours, e n. Mammifère carnassier.
oursin m. Animal marin couvert de piquants.
outarde f. Un oiseau échassier.
outil [uti] m. Instrument de travail manuel.
outillage m. Assortiment d'outils : — *de forge.*
outiller vt. Munir des outils nécessaires.
outrage m. Injure, offense, affront.
outrager vt. Faire outrage : — *la morale.*
outrance f. Exagération. *À* —, à l'excès.
outrancier, ère adj. Excessif.
outre f. Peau de bouc pour porter le vin, etc. prép. Au-delà de, de plus. *En* —, de plus.
outrecuidance f. Orgueil, arrogance.
outremer m. Couleur d'un beau bleu d'azur.
outrepasser vt. Aller au-delà : — *son droit.*
outrer vt. Exagérer. Indigner.
outre-tombe adv. Après la mort.
outsider [awtsajdɛr] m. Dans une compétition, concurrent qui n'est pas le favori.
ouvert, e adj. Non fermé : *lettre* —. Franc.
ouverture f. Action d'ouvrir. Fente, trou. Commencement : — *d'une séance.* Proposition.
ouvrable adj. *Jour* —, où on travaille.
ouvrage m. Travail. Production, œuvre : *bel* —.
ouvragé, e adj. Travaillé avec soin, minutie.
ouvrant, e adj. Qui ouvre.
ouvrer vt. Travailler, façonner.
ouvreuse f. Qui place les spectateurs dans un cinéma.
ouvrier, ère n. Travailleur manuel. adj. *La classe* —, les ouvriers.

ouvrir vt. Défaire la fermeture. Séparer. Entamer, commencer. *(Ouvre, ouvrant, ouvert.)*
ovaire m. Organe où se forme l'œuf, la graine.
ovale adj. En forme d'ellipse.
ovation f. Acclamation : *faire une — à quelqu'un.*
ovin, e adj. Des moutons : *race —.*
ovipare adj. Qui se reproduit par des œufs.
ovni m. Engin volant d'origine mystérieuse.
ovoïde adj. En forme d'œuf.
ovule m. Cellule femelle destinée à être fécondée. Masse médicamenteuse ovoïde.
oxydation f. Action d'oxyder.
oxyde m. Union d'un corps avec l'oxygène.
oxyder vt. Convertir en oxyde.
oxygène m. Corps simple gazeux formant la partie respirable de l'air.
oxygéner vt. Combiner avec l'oxygène.
oxyure m. Petit ver de l'intestin.
ozone m. Corps simple gazeux.

P

pacage m. Pâturage.
pacha m. Ancien titre turc.
pachyderme m. Mammifère à peau épaisse (éléphant, rhinocéros, hippopotame).
pacifier vt. Rétablir la paix : — *un pays*.
pacifique adj. Qui aime la paix : *caractère* —.
pacifiste vt. Partisan de la paix.
pacotille [-tij] f. Marchandise médiocre.
pacte m. Convention, accord.
pactiser vi. Faire un pacte. Transiger.
pactole m. Source de richesse.
pagaie f. Aviron court, semblable à une pelle.
pagaille ou **pagaïe** f. FAM. Désordre.
paganisme m. État de ceux qui ne sont pas chrétiens.
page f. Côté d'un feuillet. Texte écrit sur une page. m. Jeune noble servant un prince.
pagination f. Série numérotée des pages.
pagne m. Étoffe nouée autour de la ceinture.
pagode f. Temple d'Extrême-Orient.
paie ou **paye** [pɛj] f. Salaire. Action de payer.
paiement ou **payement** m. Action de payer.
païen, enne adj. et n. Se dit des peuples non chrétiens.
paillard, e adj. Grivois, égrillard.
paillasson m. Natte pour s'essuyer les pieds.
paille f. Tige des graminées. Défaut.
paillette f. Parcelle d'or. Lame mince de métal employée comme ornement.
paillote f. Hutte de paille dans les pays chauds.
pain m. Aliment de farine pétrie et cuite. Matière coulée dans un moule : — *de sucre*.

pair, e adj. Divisible par deux. m. Égal. Taux nominal d'une valeur. Lord anglais. f. Couple.
paisible adj. Tranquille : *une vie —*.
paître vi. Brouter. (Conj. comme *paraître*, p. p. manque.)
paix f. État d'un pays qui n'est pas en guerre. Traité qui termine la guerre. Calme.
pal m. Pieu aiguisé.
palabre f. Discussion longue et oiseuse.
palabrer vi. Discuter interminablement.
palace m. Hôtel luxueux.
palais m. Résidence magnifique. Siège des tribunaux. Voûte de la bouche. Goût.
palan m. Assemblage de poulies.
palanquin m. Chaise à porteurs en Orient.
pale f. Partie plate d'un aviron, d'une hélice.
pâle adj. Sans couleurs. Faible, sans éclat.
palefrenier m. Garçon d'écurie.
paléographie f. Étude des écritures anciennes.
paléontologie f. Science des fossiles.
palestinien, enne adj. et n. De Palestine.
palet m. Disque qu'on lance vers un but.
paletot m. Pardessus, vêtement de dessus.
palette f. Instrument large et plat : *— de peintre*.
pâleur f. Qualité de ce qui est pâle.
palier m. Partie plane d'un escalier. Étape : *progresser par —*.
pâlir vi. Devenir pâle : *— de rage*.
palissade f. Barrière de pieux.
palissandre m. Bois d'un noir violet.
palliatif, ive adj. D'efficacité passagère. m. Ce qui n'a qu'une efficacité incomplète.
pallier [palje] vt. Atténuer : *— un défaut*.
palmarès m. Liste de lauréats.
palme f. Branche de palmier. Nageoire en caoutchouc pour le pied.

palmé, e adj. À doigts réunis par une membrane. Semblable à une main ouverte : *feuille —*.
palmier m. Plante à longues feuilles au bout d'une tige plus ou moins élevée : *— -dattier*.
palmipèdes mpl. Oiseaux à pieds palmés.
palombe f. Espèce de pigeon.
pâlot, otte adj. Un peu pâle : *un enfant —*.
palpable adj. Clair, évident : *vérité —*.
palper vt. Toucher avec la main.
palpitant, e adj. Qui palpite. Intéressant.
palpiter vi. Battre (cœur). Frémir. Être ému.
paludisme m. Maladie contagieuse des pays chauds et marécageux.
pâmer (se) vpr. Défaillir d'émotion.
pâmoison f. *Tomber en —*, s'évanouir.
pampa f. Plaine herbeuse en Amérique du Sud.
pamphlet m. Petit écrit satirique.
pamplemousse m. Sorte d'orange à peau jaune.
pan préf. signifiant *tout : panaméricain*.
pan m. Partie tombante d'un vêtement, d'une tenture. Partie d'un mur.
panacée f. Remède universel.
panache m. Plumes d'un casque, etc. Ce qui ondoie comme un panache : *— de fumée*. Brio.
panaché, e adj. De diverses couleurs. FAM. Mélangé, disparate.
panacher vt. Mélanger.
panaris [-ri] m. Inflammation du doigt.
pancarte f. Plaque portant des informations.
pancréas m. Une glande abdominale.
panégyrique m. Éloge.
paner vt. Couvrir de chapelure.
panier m. Réceptacle d'osier, etc. Son contenu.
panifier vt. Transformer en pain.
panique adj. et f. Terreur irraisonnée.

panne f. Velours à poil long. Arrêt d'un mécanisme. Graisse de porc.
panneau m. Surface unie encadrée. Plaque portant des indications.
panonceau m. Enseigne de certains établissements.
panoplie f. Collection d'armes. Ensemble d'outils.
panorama m. Vaste paysage.
panse f. Estomac des ruminants. Ventre.
pansement m. Action de panser une plaie. Ce qui sert à panser.
panser vt. Appliquer un pansement. Étriller, soigner un animal : — *un cheval*.
pantalon m. Culotte qui va de la ceinture aux pieds.
pantelant, e adj. Haletant. Palpitant.
panthéon m. Ensemble des dieux d'un pays.
panthère f. Félin à robe tachetée, d'Asie.
pantin m. Figurine dont on agite les membres à l'aide de ficelles.
pantois, e adj. Interdit, stupéfait : *rester* —.
pantomime f. Art de s'exprimer par gestes.
pantoufle f. Chaussure d'intérieur.
paon [pɑ̃] m. Gallinacé à beau plumage.
papa m. Père dans le langage des enfants.
papauté f. Dignité de pape.
pape m. Chef de l'Église catholique.
paperasse f. Papier sans valeur.
paperasserie f. Grande quantité d'écrits.
papeterie f. Commerce de papier.
papetier, ère n. Qui fait ou vend du papier.
papier m. Feuille mince pour écrire, envelopper, etc. Écrit ou imprimé. — *-monnaie*, billet.
papille f. Petite éminence à la surface de la peau et des muqueuses.

papillon m. Insecte aux ailes colorées.
papillote f. Papier roulé pour envelopper un bonbon.
papilloter vi. Clignoter (yeux).
papoter vi. Dire des choses futiles.
papyrus [-rys] m. Plante dont les Égyptiens faisaient du papier. Manuscrit sur papyrus.
Pâque f. Fête annuelle des juifs.
paquebot m. Grand navire de commerce.
pâquerette f. Petite marguerite.
Pâques m. Fête chrétienne de la résurrection du Christ.
paquet m. Assemblage de choses enveloppées.
paquetage m. Ensemble des objets d'un soldat.
par prép. À travers. Indique la cause, la manière.
parabole f. Allégorie. Figure géométrique.
parachever vt. Finir parfaitement.
parachute m. Appareil qui ralentit la chute.
parachutiste n. Qui descend en parachute.
parade f. Revue de troupes. Manière de parer un coup.
parader vi. Défiler (troupes). Se pavaner.
paradis m. Séjour des bienheureux au ciel. Endroit charmant.
paradoxe m. Opinion contraire à la logique.
paraffine f. Substance qui sert à faire des bougies.
parages mpl. Zone proche du littoral.
paragraphe m. Subdivision d'un texte.
paraître vi. Se faire voir. Sembler. Être publié. (Conj. comme *connaître*.)
parallèle adj. Se dit des lignes, des plans toujours à égale distance l'un de l'autre. f. Ligne parallèle. m. Comparaison.
parallélépipède m. Polyèdre à bases parallèles.
parallélisme m. État des choses parallèles.

parallélogramme m. Quadrilatère à côtés opposés parallèles.
paralyser vt. Frapper de paralysie. Arrêter.
paralysie f. Privation de mouvement.
paralytique adj. et n. Atteint de paralysie.
paramètre m. Élément à prendre en compte pour évaluer une situation.
parapet m. Mur à hauteur d'appui.
paraphe ou **parafe** m. Signature abrégée.
parapher vt. Marquer d'un paraphe.
paraphrase f. Explication développée d'un texte.
parapluie m. Abri portatif contre la pluie.
parasite adj. et m. Animal qui vit aux dépens d'un autre (puce, pou, ténia, etc.). pl. Perturbations des signaux radioélectriques.
parasol m. Sorte de parapluie pour abriter du soleil.
paratonnerre m. Appareil destiné à préserver les bâtiments de la foudre.
paravent m. Écran mobile composé de plusieurs panneaux articulés.
parc m. Enclos boisé. Clôture pour les moutons, les huîtres, etc.
parcelle f. Petite partie : *une — de terrain.*
parce que loc. conj. Par la raison que.
parchemin m. Peau de mouton, de chèvre, préparée pour écrire.
parcheminé, e adj. Sec comme le parchemin.
parcimonie f. Épargne rigoureuse.
parcimonieux, se adj. Qui use de parcimonie.
parcmètre m. Appareil pour payer le stationnement.
parcourir vt. Traverser, visiter en tous sens.
parcours m. Trajet, chemin : *un — sinueux.*
pardessus m. Manteau.

pardi ! interj. Bien sûr.
pardon m. Action de pardonner. Formule de politesse quand on dérange. Pèlerinage.
pardonner vt. Renoncer à punir une faute. vi. Faire grâce. Épargner : *maladie qui ne — pas.*
pare- préf. qui forme des mots composés avec l'idée de protection : *— -chocs, — -brise.*
pareil, eille adj. Égal, semblable. n. Égal : *n'avoir pas son —.* f. Équivalent : *rendre la —.*
parent, e n. Personne de la même famille : *— éloigné.* mpl. Le père et la mère.
parenté f. Lien entre parents. Les parents.
parenthèse f. Signe pour intercaler ( ).
parer vt. Orner, arranger. Éviter.
paresse f. Répugnance au travail, à l'effort.
paresseux, euse adj. Qui montre de la paresse.
parfait, e adj. Sans défaut. Excellent.
parfois adv. Dans certaines circonstances.
parfum m. Odeur agréable : *le — de la rose.*
parfumer vt. Imprégner de parfum.
parfumerie f. Art, commerce des parfums.
parfumeur, euse n. Qui fait, vend des parfums.
pari m. Action de parier. Chose pariée.
paria m. Misérable écarté d'un groupe.
parier vt. Convenir d'un enjeu que gagnera celui qui aura raison dans une chose disputée.
pariétal m. Os latéral du crâne.
paritaire adj. Formé à égalité : *commission —.*
parité f. Égalité.
parjure m. Faux serment : *commettre un —.* n. et adj. Coupable de parjure : *punir un —.*
parking [-kiŋ] m. Endroit où l'on gare une automobile.
parlant, e adj. Expressif. Accompagné de paroles : *cinéma —.*

Parlement m. Assemblée législative (avec maj.).
parlementaire adj. et n. Du Parlement. m. Officier délégué pour parlementer avec l'ennemi.
parlementer vi. Entrer en pourparlers.
parler vi. Exprimer sa pensée par la parole. Discourir : — *sur tout.* vt. User d'une langue : — *l'anglais.* m. Langue.
parleur, euse adj. et n. Qui parle : *un beau* —.
parloir m. Salle où on reçoit les visiteurs.
parodie f. Imitation burlesque.
paroi f. Face interne d'un récipient. Cloison.
paroisse f. Territoire d'un curé.
paroissien, enne n. Habitant d'une paroisse. FAM. Individu : *drôle de* —. m. Livre de messe.
parole f. Faculté de parler. Mot, phrase : *une* — *malheureuse.* Promesse.
parotide f. Glande salivaire.
paroxysme m. Extrême intensité.
parpaing m. Bloc artificiel de ciment, etc.
parquer vt. Mettre dans un parc. Garer.
parquet m. Ensemble des magistrats de l'accusation. Plancher.
parrain m. Celui qui, au baptême, promet au nom de l'enfant d'être fidèle à l'Église.
parricide m. Meurtre du père ou de la mère. n. Personne qui commet le parricide.
parsemer vt. Répandre çà et là. *(Je parsème).*
part f. Portion d'un tout divisé. *Prendre, avoir* —, participer, s'intéresser à. *À* —, excepté.
partage m. Action de partager : *un — équitable.*
partager vt. Diviser en parts. Posséder avec d'autres.
partance (en) loc. adv. Sur le point de partir.
partant, e adj. Qui part. conj. Par conséquent.
partenaire n. Celui avec qui on est associé dans une action.

parterre m. Gazon, fleurs dans un jardin. Partie du théâtre derrière l'orchestre.
parti m. Résolution, décision. Groupe de personnes défendant la même opinion.
partial [-sjal], **e** adj. Qui manque d'équité.
participation f. Action de participer.
participe m. Mot qui est à la fois verbe et adj. : — *présent*, — *passé*.
participer vi. S'associer, prendre part à.
particularité f. Caractère particulier de.
particule f. Petite partie. Petit mot qui ne s'emploie pas seul : — *négative*.
particulier, ère adj. Propre à une personne, une chose. Opposé à général. Spécial. Privé.
partie f. Portion. Élément d'un ensemble. Mus. Mélodie faisant partie d'une harmonie. Jeu, divertissement en commun : — *de cartes*. Adversaire dans un procès.
partiel [-sjɛl], **elle** adj. Incomplet.
partir vi. S'en aller : — *pour la campagne*. Commencer. Émaner. *À — de*, à dater de.
partisan, e adj. Favorable à. m. Personne dévouée à une cause. Soldat irrégulier.
partition f. Ensemble des parties d'une composition musicale.
partout adv. En tout lieu.
parure f. Ornement : — *de brillants*.
parution f. Sortie en librairie.
parvenir vi. Arriver : — *à un endroit*.
parvenu, e n. Personne enrichie qui a gardé de mauvaises manières.
parvis m. Place devant une église.
pas m. Mouvement des pieds pour marcher. Progrès. Trace de pas. Allure lente.
pascal, e adj. De la Pâque, de Pâques.

passable adj. D'une qualité moyenne.
passage m. Action de passer. Lieu par où l'on passe. Moment où l'on passe.
passager, ère adj. De peu de durée. n. Qui emprunte un moyen de transport.
passant, e adj. Où on passe beaucoup : *rue —*. n. Personne qui passe : *arrêter les —*.
passe f. Action de transmettre le ballon. *Mot de —*, de reconnaissance.
passé, e adj. Relatif au temps écoulé. m. Le temps écoulé. Temps du verbe.
passe-droit m. Faveur contre le droit. (pl. — -—*s*.)
passementerie f. Art, commerce des galons, rubans.
passe-montagne m. Sorte de cagoule. (pl. — -—*s*.)
passe-partout m. inv. Clef pour plusieurs serrures.
passe-passe m. inv. Tour d'adresse. Tromperie.
passeport m. Permis pour aller à l'étranger.
passer vi. Aller d'un lieu à un autre. Traverser. Devenir : *— chef*. Disparaître. vt. Traverser : *— un fleuve*. Filtrer, tamiser. Dépasser : *— le but*. Subir : *— un examen*. Omettre, pardonner.
passereau m. Petit oiseau (moineau, merle, etc.).
passerelle f. Petit pont léger.
passe-temps m. Distraction, amusement.
passeur m. Qui conduit un bac pour passer.
passible adj. Qui a mérité : *— d'une peine*.
passif, ive adj. Qui subit sans réagir. m. Ensemble des dettes.
passion f. Amour très vif. Souffrances de Jésus (avec maj.).
passionner vt. Inspirer de la passion. Intéresser vivement : *se — pour l'étude*.

passoire f. Ustensile pour passer, filtrer.
pastel m. Sorte de crayon de couleur. Dessin exécuté avec ce type de crayon.
pastèque f. Melon d'eau.
pasteur m. Ministre de la religion protestante.
pasteuriser vt. Chauffer pour stériliser.
pastiche m. Œuvre littéraire ou artistique où l'on imite la manière d'autrui.
pastille f. Bonbon de confiserie ou de pharmacie.
pastis [pastis] m. Boisson alcoolique à l'anis.
pastoral, e adj. Propre au berger. Champêtre.
pataquès m. Faute de liaison.
patate f. FAM. Pomme de terre.
pataud, e n. et adj. Personne lourde, lente.
patauger vi. Piétiner dans la boue. S'embarrasser : *— dans ses explications.*
patchouli m. Parfum extrait d'une plante orientale.
patchwork [patʃwœrk] m. Assemblage disparate.
pâte f. Farine délayée et pétrie. Matière broyée amalgamée : *— d'amandes.* pl. *— alimentaires,* produits à base de semoule de blé dur.
pâté m. Hachis de viande, de poisson. Tache d'encre. Groupe de maisons.
pâtée f. Nourriture pour animaux domestiques.
patelin m. FAM. Village.
patent, e adj. Évident : *vérité —.* f. Ancien impôt des commerçants.
Pater [-tɛr] m. Prière chrétienne.
patère f. Support pour accrocher des vêtements.
paternel, elle adj. Du père : *puissance —.*
pâteux, euse adj. Trop épais : *encre —.*
pathétique adj. Émouvant : *discours —.*
pathogène adj. Qui provoque une maladie.
patibulaire adj. *Air —,* qui inspire la défiance.
patience f. Qualité de celui qui endure une épreuve avec sérénité.

patient, e adj. Qui a de la patience. n. Qui subit une opération chirurgicale, un traitement médical.
patienter vt. Attendre sans énervement.
patin m. Semelle à lame d'acier pour glisser sur la glace.
patine f. Coloration que prennent certains objets avec le temps : *la — d'un bronze*.
patiner vi. Glisser sur des patins. Glisser.
patineur, euse n. Qui patine.
patinoire f. Lieu préparé pour le patinage.
pâtir vi. Souffrir.
pâtisserie f. Pâte cuite au four, garnie de sucre, fruits, etc. Boutique du pâtissier.
pâtissier, ère n. Qui fait de la pâtisserie.
patois m. Parler local.
pâtre m. Gardien d'un troupeau.
patriarche m. Vieillard respectable. Titre des chefs de l'Église grecque.
patricien, enne adj. et n. À Rome, citoyen issu des plus anciennes familles.
patrie f. Pays où l'on est né, dont on est citoyen.
patrimoine m. Bien qui vient des parents.
patriote n. Qui aime sa patrie.
patriotisme m. Amour de la patrie.
patron, onne n. Protecteur, protectrice. Saint, sainte dont on porte le nom. m. Chef d'entreprise. Qui commande un bateau. Modèle.
patronage m. Protection. Association de bienfaisance : *— pour enfants délinquants*.
patronat m. Ensemble des employeurs.
patronner vt. Recommander : *— un candidat*.
patronyme m. Nom de famille.
patrouille f. MIL. Groupe de surveillance.
patrouilleur m. MIL. Chargé de surveiller.

patte f. Pied, jambe d'animal. FAM. Main, pied d'homme. Style d'un artiste.
patte-d'oie f. Carrefour de plusieurs routes. FAM. Petites rides à l'angle extérieur de l'œil. (pl. *pattes-d'oie*.)
pâturage m., **pâture** f. Endroit où paît le bétail.
paume f. Creux de la main. Jeu de balle.
paupérisme m. État permanent de pauvreté.
paupière f. Membrane de peau mobile qui recouvre l'œil.
pause f. Temps d'arrêt : *faire une longue* —.
pauvre adj. Dépourvu du nécessaire. Sans ressources. m. Indigent, miséreux.
pauvreté f. État du pauvre.
pavaner (se) vpr. Marcher orgueilleusement.
pavé m. Bloc de pierre dure pour paver. Partie pavée d'une rue. *Être sur le* —, sans domicile, sans emploi.
paver vt. Couvrir le sol de pavés.
pavillon m. Petite maison. Oreille externe. Drapeau d'un bateau.
pavoiser vt. Garnir de drapeaux.
pavot m. Plante dont on tire l'opium.
paye, payement V. PAIE, PAIEMENT.
payer [pɛje] vt. Donner l'argent dû. Récompenser. Expier : — *de sa vie*.
payeur, euse n. Qui paie.
pays [pɛi] m. Territoire d'une nation. Région. Patrie. FAM. Compatriote (f. *payse*).
paysage m. Étendue de pays qui s'offre à la vue. Tableau représentant une vue de la campagne.
paysan, anne n. Agriculteur. Cultivateur.
péage m. Droit payé pour emprunter un pont, une autoroute, etc.
peau f. Tissu organique recouvrant le corps de l'homme et des animaux. Enveloppe d'un fruit.

peccadille f. Faute légère : *punir une —*.
pêche f. Fruit du pêcher.
pêche f. Action de pêcher.
péché m. Transgression de la loi divine.
pécher vi. Commettre un péché. Faillir.
pêcher m. Arbre dont le fruit est la pêche.
pêcher vt. Prendre du poisson à la pêche.
pécheur, eresse n. Qui commet des péchés.
pêcheur, euse n. Qui pêche : *— à la ligne*.
pectoral, e adj. De ou pour la poitrine.
pécule m. Économies : *amasser un —*.
pécuniaire adj. Relatif à l'argent : *gêne —*.
pédagogie adj. Art d'éduquer les enfants.
pédagogue n. Qui élève, instruit les enfants.
pédale f. Levier actionné avec le pied.
pédaler vi. Actionner une pédale.
pédant, e n. Qui affecte d'être savant.
pédéraste m. Homme attiré sexuellement par les jeunes garçons.
pédestre adj. Fait à pied : *voyage —*.
pédiatre n. Spécialiste des maladies de l'enfance.
pédicure n. Qui soigne les pieds.
pedigree [-gre] m. Généalogie d'un animal de race.
pédoncule m. La queue d'une fleur, d'un fruit.
pègre f. Ensemble des voleurs, des escrocs.
peigne m. Instrument pour démêler les cheveux.
peigner vt. Démêler les cheveux avec le peigne.
peignoir m. Manteau de bain. Robe de chambre.
peindre vt. Représenter par des couleurs. Couvrir de peinture : *— un mur*. Décrire.
peine f. Punition. Souffrance. Travail, fatigue. Difficulté : *avoir de la — à parler*.
peiner vt. Affliger. vi. Éprouver de la peine, de la fatigue : *— à la tâche*.
peintre m. Qui exerce l'art de peindre.

peinture f. Art de peindre. Ouvrage de peintre. Matière colorante : *une — émaillée.*
peinturlurer vt. Barbouiller de couleurs vives.
péjoratif, ive adj. et m. Qui comporte ou ajoute une idée défavorable.
pékinois m. Petit chien à poil long.
pelade f. Maladie qui fait tomber les poils.
pelage m. Poil d'un animal.
pelé, e adj. Qui a perdu ses poils. Dont on a ôté la peau. Sans végétation.
pêle-mêle adv. Dans le plus grand désordre.
peler vt. Ôter le poil, la peau : — *un fruit.* vi. Perdre la peau, l'épiderme.
pèlerin m. Qui va en pèlerinage.
pèlerinage m. Voyage fait pour des raisons religieuses.
pèlerine f. Manteau sans manches et à capuchon.
pélican m. Oiseau palmipède à large bec.
pelisse f. Manteau garni de fourrure.
pelle f. Instrument plat à manche.
pelletée f. Contenu d'une pelle : — *de terre.*
pelleterie f. Art de préparer les peaux.
pellicule f. Peau très mince. Film (photo).
pelote f. Boule de fil roulé. Coussinet pour piquer les épingles. Balle pour jouer.
peloton m. Pelote de fil. Groupe de personnes.
pelouse f. Terrain couvert d'herbe.
peluche f. Étoffe à poils longs.
pelure f. Peau des fruits, des légumes.
pénal, e adj. Relatif aux infractions et aux peines.
pénalité f. Peine qui frappe un délit, une faute.
pénates mpl. Dieux domestiques des Romains.
penaud, e adj. Embarrassé, honteux.
penchant m. Inclination : *mauvais —.*
pencher vt. Diriger vers le bas ou sur le côté. vi. Être incliné. Être enclin à.

pendaison f. Action de pendre, de se pendre.
pendant, e adj. Qui pend. m. Objet symétrique. prép. Durant : *— l'année*.
pendeloque f. Bijou suspendu (boucle d'oreille).
pendentif m. Bijou suspendu (à une chaîne).
pendre vt. Accrocher. Tuer en suspendant par le cou à une corde. vi. Être suspendu. Tomber trop bas : *robe qui — d'un côté*.
pendule m. Corps pesant suspendu par un fil. f. Petite horloge.
pêne m. Pièce de la serrure.
pénétrant, e adj. Perspicace : *esprit —*.
pénétrer vt. Entrer dans. Comprendre. vi. Entrer. vpr. Se mêler. Remplir son esprit : *— de son devoir*.
pénible adj. Difficile, fatigant : *travail —*.
péniche f. Grand chaland de transport fluvial.
pénicilline [penisilin] f. Substance antibiotique.
péninsule f. Presqu'île : *la — Ibérique*.
pénis [penis] m. Organe d'accouplement mâle.
pénitence f. Sacrement qui efface le péché. Punition.
pénitent, e adj. et n. Qui fait pénitence.
penne f. Plume longue d'oiseau.
pénombre f. Lumière faible. Clair-obscur.
pensée f. Faculté de penser. Idée. Réflexion.
penser vi. Former des idées dans l'esprit. Réfléchir. Raisonner. vt. Avoir dans l'esprit.
penseur, euse n., **pensif, ive** adj. Qui pense.
pension f. Prix du logement et de la nourriture. Maison d'éducation. Rente : *— civile*.
pensionnaire n. Qui paye pension. Interne.
pensum [pɛ̃sɔm] m. Travail imposé comme punition à un élève.
pentagone [pɛ̃-] m. Polygone ayant cinq côtés.

pente f. État d'une surface inclinée par rapport à l'horizontale.
Pentecôte f. Fête 50 jours après Pâques.
pénurie f. Extrême disette. Manque.
pépie f. FAM. *Avoir la —*, très soif.
pépier vi. Crier (se dit des petits oiseaux).
pépin m. Graine de certains fruits : *— de poire*.
pépinière f. Lieu où l'on cultive de jeunes arbres.
pépite f. Masse de métal : *— d'or*.
perce f. *Mettre un tonneau en —*, faire une ouverture.
percée f. Ouverture, trouée : *faire une —*.
percepteur m. Chargé du recouvrement des impôts.
perception f. Action de percevoir. Bureaux du percepteur.
percer vt. Faire un trou. Traverser. Découvrir : *— un secret*. vi. Crever, s'ouvrir. Se manifester. Se faire connaître.
percevoir vt. Saisir par les sens. Encaisser.
perche f. Long bâton. Poisson d'eau douce.
percher vi. Se poser sur une branche.
perchoir m. Endroit où perchent les volailles.
perclus, e adj. Qui ne peut se mouvoir.
percussion f. Coup, choc.
percuter vt. Frapper. Heurter.
perdition f. *En —*, en danger de naufrage.
perdre vt. Cesser d'avoir. Avoir le désavantage : *— la partie*. Être séparé par la mort. Ne pas utiliser : *— son temps*. Abandonner : *— une habitude*. vi. Faire une perte. vpr. S'égarer. Disparaître.
perdreau m. Jeune perdrix.
perdrix f. Oiseau apprécié comme gibier.
père m. Homme qui a des enfants. Créateur.
pérégrinations fpl. Voyages nombreux.

péremptoire adj. Décisif, qui n'admet aucune discussion.
pérennité f. Caractère de ce qui dure toujours.
peréquation f. Répartition égale : *— d'impôts.*
perfection f. État de ce qui est parfait.
perfectionner vt. Améliorer : *— son travail.*
perfide adj. Déloyal, trompeur.
perfidie f. Déloyauté : *agir avec —.*
perforer vt. Percer : *— un papier.*
performance f. Résultat sportif. Exploit.
perfusion f. Introduction lente d'un médicament ou de sang dans l'organisme.
pergola f. Sorte de tonnelle.
péricliter vi. Être en péril, décliner.
péril m. Danger, risque : *mettre en —.*
périlleux, euse adj. Dangereux.
périmer (se) vpr. Perdre sa valeur.
périmètre m. Ligne qui délimite un contour.
période f. Espace de temps. Phase d'une maladie.
périodique adj. Qui revient régulièrement. m. Journal, revue paraissant à date fixe.
péripétie f. Rebondissement dans un roman. Événement imprévu.
périphérie f. Quartiers situés loin du centre ville.
périphérique adj. De la périphérie.
périphrase f. Tour de phrase équivalant à un seul mot comme *la Ville Lumière* pour Paris.
périple m. Voyage touristique.
périr vi. Mourir. Tomber en ruine, etc.
périscope m. Lunette de sous-marin.
périssoire f. Une embarcation étroite.
péristyle m. Colonnade.
perle f. Corps rond, nacré qui se forme dans une huître. Petite boule.
permanence f. Service permanent. Son siège.

permanent, e adj. Qui dure sans arrêt.
perméable adj. Qui se laisse traverser.
permettre vt. Autoriser. Tolérer. Admettre.
permis m. Permission écrite : — *de chasse*.
permission f. Autorisation.
permuter vt. Échanger, intervertir.
pernicieux, euse adj. Très nuisible : *fièvre* —.
péroné m. Os long de la jambe.
péronnelle f. FAM. Femme, fille sotte.
péroraison f. Conclusion d'un discours.
pérorer vi. PÉJOR. Discourir longuement.
perpendiculaire adj. Qui fait un angle droit.
perpétrer vt. Commettre : — *crime*.
perpétuel, elle adj. Qui dure, continuel.
perpétuité f. *À* —, pour la vie.
perplexe adj. Embarrassé, indécis.
perquisition f. Recherche ordonnée par la justice.
perron m. Escalier en saillie sur la façade.
perroquet m. Un oiseau grimpeur. Bavard.
perruche f. Sorte de petit perroquet.
perruque f. Coiffure de faux cheveux.
pers [pɛr], **e** adj. De couleur bleu-vert : *yeux* —.
persécuter vt. Harceler. Tourmenter.
persécution f. Action de persécuter.
persévérance f. Constance, fermeté.
persévérer vi. Demeurer constant ; s'obstiner.
persienne f. Contrevent fait de lames minces.
persifler vt. Se moquer, tourner en ridicule.
persil [-si] m. Plante aromatique.
persister vi. Continuer, durer : *le froid* —.
personnage m. Personne importante. Rôle de théâtre, héros de roman : *scène à nombreux* —.
personnalité f. Individualité, caractère.
personne f. Être humain. Forme du verbe qui précise celui qui parle, à qui l'on parle ou de qui l'on parle. pron. indéf. Quelqu'un, aucun.

personnel, elle adj. Propre à une personne. m. Ensemble des personnes travaillant dans une même entreprise.
personnifier vt. Représenter une notion abstraite ou une chose sous les traits d'une personne.
perspective f. Aspect des objets vus de loin. Leur représentation. Espérance.
perspicace adj. Vif et subtil : *esprit —*.
persuader vt. Amener à croire, à vouloir.
persuasion f. Action de persuader.
perte f. Privation de ce qu'on possédait. Gaspillage. Mort.
pertinent, e adj. Qui se rapporte exactement à ce dont il est question.
perturbation f. Trouble, désordre.
pervenche f. Plante à fleurs bleu clair.
pervers, e adj. Enclin au mal, vicieux.
perversion f. Caractère de celui qui est pervers ou perverti.
perversité f. Caractère pervers. Acte pervers.
pervertir vt. Corrompre, inciter à la débauche.
pesant, e adj. Lourd. Lent, pénible : *marche —*.
pesanteur f. Force qui attire les corps vers la Terre. Lourdeur : *la — d'un fardeau*.
pesée f. Action de peser. Ce qu'on pèse.
peser vt. Chercher le poids de. Examiner. vi. Avoir un certain poids. Appuyer fortement.
pessimiste adj. Qui pense que tout va mal.
peste f. Maladie épidémique très grave.
pester vi. Manifester sa mauvaise humeur.
pestiféré, e adj. et n. Atteint de la peste.
pestilentiel, elle adj. Qui a une odeur infecte.
pet [pɛ] m. Gaz intestinal qui sort de l'anus.
pétale m. BOT. Chacune des pièces d'une corolle.
pétarade f. Suite de détonations.

pétard m. Petite charge d'explosif.
péter vi. Faire des pets. FAM. Se briser.
pétiller vi. Crépiter. Briller. Dégager des bulles.
pétiole [-sjɔl] m. BOT. Queue de la feuille.
petit, e adj. De faible dimension. Peu important. Sans générosité. Terme d'affection.
petitesse f. Faible étendue, quantité.
petit-fils, petite-fille, petits-enfants n. Enfants du fils ou de la fille.
pétition f. Demande collective : *signer une —*.
petit-lait m. Liquide qui se sépare du lait caillé.
pétrifier vt. Changer en pierre. Frapper de stupeur.
pétrin m. Coffre pour pétrir. Situation embarrassante.
pétrir vt. Malaxer la farine avec l'eau.
pétrole m. Huile minérale combustible : *lampe à —*.
pétrolier, ère adj. Relatif au pétrole. m. Navire pour le transport du pétrole.
pétulant, e adj. Vif, impétueux : *élève —*.
pétunia m. Plante à belles fleurs.
peu adv. Pas beaucoup. m. Petite quantité.
peuplade f. Groupe humain peu organisé.
peuple m. Ensemble d'hommes. Nation. Foule.
peupler vt. Établir des hommes, des animaux, des végétaux dans un endroit.
peuplier m. Arbre à tronc élancé.
peur f. Sentiment d'inquiétude, de crainte.
peureux, euse adj. Qui a peur. Lâche, poltron.
peut-être adv. marquant la possibilité.
phalange f. Troupe nombreuse. Os du doigt.
phallocratie f. Oppression de la femme par l'homme.
phallus [falys] m. Membre viril.
pharaon m. Roi de l'Égypte ancienne.

phare m. Tour surmontée d'un fanal pour guider les navires pendant la nuit. Dispositif d'éclairage d'un véhicule.
pharmacie f. Art de préparer les médicaments. Boutique du pharmacien.
pharmacien, enne n. Qui exerce la pharmacie.
pharynx m. Conduit entre la bouche et l'œsophage.
phase f. Chacune des étapes d'un phénomène.
phénix m. Oiseau fabuleux. Personne unique.
phénomène m. Fait observable, événement. Être, chose extraordinaire.
philanthrope adj. Qui aime l'humanité.
philatélie f. Goût du philatéliste.
philatéliste n. Collectionneur de timbres-poste.
philologie f. Étude des documents écrits d'une langue.
philosophe n. Qui étudie la philosophie. adj. Sage, résigné.
philosophie f. Étude des êtres, des principes et des causes. Sagesse : *montrer de la —*.
philtre m. Breuvage magique.
phlébite f. Inflammation des veines.
phlegmon m. Inflammation du derme.
phobie f. Peur instinctive.
phonétique adj. Des sons du langage. f. Étude des sons du langage.
phoque m. Mammifère marin des côtes arctiques.
phosphate m. Produit chimique qui sert d'engrais.
phosphore m. Corps simple inflammable.
phosphorescent, e adj. Lumineux dans le noir.
photo préf. signifiant *lumière*. f. Photographie.
photocopie f. Reproduction de documents rapidement par photographie.
photogénique adj. Qui fait un bel effet en photo.

photographe n. Qui s'occupe de photographie.
photographie f. Art de fixer les images sur une surface sensible à la lumière.
photographier vt. Reproduire par la photo.
photographique adj. Relatif à la photographie.
photogravure f. Gravure par la photographie.
photosynthèse f. Processus par lequel les plantes absorbent le gaz carbonique et rejettent l'oxygène.
phrase f. Groupe de mots formant un message complet.
phraséologie f. Discours pompeux.
phréatique adj. *Nappe* —, nappe d'eau dans le sol.
phylloxéra m. Insecte parasite de la vigne.
physicien, enne n. Spécialiste de la physique.
physiologie f. Science du fonctionnement des organismes.
physionomie f. Ensemble des traits du visage.
physionomiste n. Qui juge par la physionomie.
physique adj. Matériel. f. Science qui étudie les propriétés des corps et les lois qui modifient leur état sans changer leur nature.
piaffer vi. Piétiner (se dit du cheval).
piailler vi. Pousser des cris aigus et répétés.
pianiste n. Celui ou celle qui joue du piano.
piano m. Instrument de musique à clavier et à cordes frappées.
pianoter vi. Jouer du piano sans habileté. Tapoter.
piastre f. Monnaie de divers pays.
piauler vi. Crier en parlant des petits poulets.
pic m. Instrument pointu pour creuser la terre. Montagne élevée et pointue. Oiseau grimpeur.
pichenette f. Chiquenaude : *donner une* —.
pichet m. Petit broc : *un — de cidre*.
pickpocket [pikpɔkɛt] m. Qui vole ce qu'il y a dans les poches des gens.

picorer vt. Prendre sa nourriture çà et là.
picotement m. Sensation de piqûres légères.
picoter vt. Causer des picotements. Becqueter.
pie f. Oiseau à plumage blanc et noir. adj. Pieux, charitable : *faire œuvre —*.
pièce f. Partie, fragment, morceau. Chambre. Monnaie. Ouvrage dramatique.
pied m. Extrémité de la jambe. Tige servant de support à un meuble. Arbre, plante : *— de céleri*. Ancienne mesure.
pied-à-terre [pjetatɛr] m. inv. Logement de passage.
piédestal m. Support pour statue, etc.
piège m. Engin pour attraper des animaux.
pierraille f. Amas de pierres.
pierre f. Corps minéral dur et solide. Caillou. *Pierres précieuses*, diamant, émeraude, rubis et saphir.
pierreries fpl. Pierres précieuses.
pierreux, euse adj. De pierre.
piété f. Dévotion. Amour pour ses parents.
piétiner vt. Fouler aux pieds.
piéton m. Qui va à pied.
piètre adj. Médiocre, sans valeur.
pieu m. Pièce de bois pointue.
pieuvre f. Mollusque à huit tentacules.
pieux, euse adj. Qui a de la piété.
pigeon m. Un oiseau domestique.
pigeonnier m. Bâtiment pour les pigeons.
pigment m. Substance colorante ou colorée.
pignon m. Partie supérieure d'un mur, qui finit en triangle. Roue dentée d'engrenage. Graine de pin.
pilastre m. Pilier encastré.
pile f. Amas de choses. Pilier de maçonnerie. Petit accumulateur d'électricité.

piler vt. Broyer, réduire en fragments.
pileux, euse adj. Relatif aux poils : *système* —.
pilier m. Massif de maçonnerie. Soutien.
pillage m. Action de piller.
pillard [-jar], **e** adj. Qui pille.
piller [pije] vt. Dépouiller, voler.
pilon m. Instrument pour piler. Cuisse de volaille. FAM. Jambe de bois.
pilonner vt. Écraser sous les bombes.
pilori m. *Clouer au* —, désigner à la réprobation publique.
pilotage m. Action de piloter.
piloter vt. Conduire (bateau, auto, etc.).
pilotis m. Ensemble de pieux.
pilule f. Médicament en forme de petite boule.
pimbêche f. Femme prétentieuse.
piment m. Plante à fruit piquant.
pimpant, e adj. Gracieux, élégant : *femme* —.
pin m. Conifère à feuillage toujours vert.
pinacle m. *Porter au* —, faire un très grand éloge de.
pince f. Sorte de tenailles. Levier. Pli en pointe, dans un vêtement.
pincé, e adj. Dédaigneux, froid : *un air* —.
pinceau m. Faisceau de poils pour peindre, coller, etc.
pincée f. Ce qu'on peut prendre avec deux ou trois doigts : *une — de sel.*
pincer vt. Serrer avec les doigts, etc. Coincer. Saisir, surprendre.
pince-sans-rire m. inv. Railleur à froid.
pincette f. Longue pince pour le feu.
pinçon m. Marque sur la peau pincée.
pingouin m. Oiseau palmipède des pôles.
ping-pong [piŋpɔ̃g] m. Sport de balle et raquettes qui se joue sur une table. (pl. — - —*s.*)

pingre adj. Très avare.
pinson m. Oiseau passereau chanteur.
pintade f. Gallinacé à plumage tacheté.
pinte f. Ancienne mesure de capacité.
pin-up [pinœp] f. Jeune femme au physique agréable.
pioche f. Outil à manche pour creuser.
piocher vt. Creuser avec la pioche.
piolet m. Bâton ferré d'alpiniste.
pion m. Pièce des échecs, des dames. FAM. Maître d'étude, surveillant.
pionnier m. Qui ouvre la voie dans un domaine.
pipe f. Objet à tuyau pour fumer.
pipeau m. Petite flûte à six trous.
pipelet, ette n. FAM. Concierge.
pipe-line [piplin] ou [pajplajn] m. Tuyau enterré pour transporter le pétrole. (pl. — - —*s.*)
piper vt. Truquer.
pipette f. Tube pour prélever les liquides.
pipi m. Urine, dans le langage des enfants.
piquant, e adj. Qui pique. De goût fort. m. Épine.
pique f. Tige munie d'une pointe de fer, qui servait d'arme. m. Une couleur au jeu de cartes.
piqué m. Sorte d'étoffe.
pique-assiette m. inv. FAM. Personne qui se fait nourrir par les autres.
pique-nique m. Repas sur l'herbe. (pl. — - —*s.*)
piquer vt. Percer avec une pointe. Faire une couture. Intéresser. FAM. Voler.
piquet m. Petit pieu.
piqûre f. Blessure faite par un instrument pointu. Petite blessure morale. Couture piquée. Injection d'un médicament.
pirate m. Brigand de mer.

piraterie f. Acte de pirate.
pire adj. Plus mauvais, plus nuisible.
pirogue f. Sorte de canot.
pirouette f. Tour sur la pointe d'un pied.
pis [pi] adv. Plus mal. m. Mamelle de la vache.
pisciculture f. Élevage des poissons.
piscine f. Grand bassin pour la natation.
pisé m. Maçonnerie de terre : *mur en —*.
pissenlit m. Plante consommée en salade.
pisser vt. et i. Pop. Uriner.
pistache f. Fruit comestible du pistachier.
piste f. Trace des pas d'un animal. Chemin de terre : *— cavalière*. Direction prise.
pistil [-til] m. Organe femelle des fleurs.
pistolet m. Arme à feu de très petite taille.
piston m. Disque qui se déplace dans le cylindre d'un moteur. Fam. Protection, recommandation.
pistonner vt. Fam. Recommander, aider.
pitance f. Nourriture journalière.
piteux, euse adj. Penaud. Misérable.
pitié f. Sentiment de celui qui compatit.
piton m. Vis à anneau. Pic montagneux.
pitoyable adj. Qui excite la pitié.
pitre m. Qui fait des facéties.
pittoresque adj. Qui frappe par sa beauté : *site —*. Piquant, original : *style —*.
pivert m. Oiseau à plumage vert.
pivoine f. Plante à belles fleurs.
pivot m. Axe : *— d'une roue*. Base, soutien.
pivoter vi. Tourner sur un pivot.
pizza [pidza] f. Tarte italienne garnie de tomates, d'anchois, d'olives, etc.
placage m. Feuille de bois de faible épaisseur.
placard m. Armoire dans un mur. Affiche.
placarder vt. Afficher : *— un avis*.

place f. Endroit. Emploi. Rang. Espace découvert, dans une ville. Ville : — *forte*.
placement m. Action de placer. Action de placer un capital pour qu'il rapporte.
placenta m. Organe reliant l'embryon à l'utérus.
placer vt. Établir, mettre. Donner une place. Donner un emploi. Vendre pour autrui.
placide adj. Calme, paisible.
plafond m. Partie supérieure plane d'un lieu couvert : *le — d'une chambre*.
plafonnier m. Appareil d'éclairage au plafond.
plage f. Étendue plate au bord de la mer.
plagiat m. Imitation, contrefaçon : — *littéraire*.
plaider vi. Défendre en justice. Témoigner en faveur de quelqu'un.
plaideur, euse n. Qui plaide.
plaidoirie f., **plaidoyer** m. Défense d'avocat.
plaie f. Blessure. Peine, affliction.
plaindre vt. Témoigner de la pitié. vpr. Se lamenter, gémir. (Conj. comme *craindre*.)
plaine f. Étendue de pays plat.
plain-pied (de) adv. Au même niveau.
plainte f. Lamentation. Récrimination. Déclaration en justice contre quelqu'un.
plaintif, ive adj. Qui se plaint : *ton* —.
plaire vi. Être agréable. vpr. Avoir du plaisir à. *(Plais, plus, plaisant, plu.)*
plaisance f. *De* —, pour l'agrément.
plaisant, e adj. Amusant, qui plaît.
plaisanter vi. Dire, faire pour s'amuser.
plaisanterie f. Chose dite, faite pour amuser.
plaisir m. Joie, contentement. Satisfaction.
plan, e adj. Plat, uni : *une surface* —. m. Surface. Représentation d'un objet en projection. Projet : *un — de travail*.

planche f. Pièce de bois longue, large et peu épaisse. Page d'illustration dans un livre. Carré de jardin.
plancher m. Séparation horizontale entre les étages.
plancton [plɑ̃ktɔ̃] m. Animaux microscopiques en suspension dans les eaux.
planer vi. Se soutenir dans l'air sans voler. Être au-dessus de, dominer.
planète f. Astre tournant autour du Soleil.
planeur adj. et m. Avion sans moteur.
planification f. Établissement de programmes économiques.
planisphère m. Carte des deux hémisphères.
planning [planiŋ] m. Plan de travail détaillé. — *familial*, contrôle des naissances.
plant m. Jeune tige propre à être repiquée.
plantain m. Plante dont la graine sert à nourrir les oiseaux.
plantation f. Végétaux plantés. Exploitation agricole dans les pays tropicaux.
plante f. Végétal. Face inférieure du pied.
planter vt. Mettre une plante en terre. Fixer en enfonçant. Installer, dresser.
planteur m. Propriétaire d'une plantation.
plantigrade m. Qui marche sur la plante du pied : *l'ours est un —*.
plantoir m. Outil pour planter.
planton m. Soldat chargé de transmettre des ordres.
plantureux, euse adj. Abondant, copieux.
plaque f. Feuille de métal. Insigne.
plaquer vt. Appliquer : *or — sur argent*.
plaquette f. Petite plaque. Petit livre.
plastic m. Explosif plastique.

plastifier vt. Recouvrir d'une pellicule de matière plastique transparente.

plastique adj. Propre à être modelé. *Arts* —, ensemble des arts du dessin. *Matière* — (ou *plastique* m.), matière synthétique.

plastron m. Protection pour la poitrine. Devant de chemise.

plat, e adj. Plan, uni. Calme. Sans grâce. m. Partie plate d'une chose. Grande assiette.

platane m. Arbre à larges feuilles.

plateau m. Large plat. Disque de balance. Plaine élevée : *le — de Langres.*

plate-bande f. Bordure de parterre. (pl. *—s - —s.*)

plate-forme f. Toit plat en terrasse. Partie d'un véhicule où les voyageurs sont debout. Support plat destiné à recevoir des matériels. (pl. *—s - —s.*)

platine f. Pièce plate d'une machine, etc. m. Métal précieux blanc et très lourd.

platitude f. Banalité.

platonique adj. Purement idéal : *amour —.*

plâtras m. Débris de plâtre.

plâtre m. Gypse cuit, pulvérisé : *moulage en —.*

plâtrer vt. Couvrir de plâtre : *— un mur.*

plausible adj. Admissible, vraisemblable.

play-back [plɛbak] m. inv. Interprétation mimée d'une chanson enregistrée auparavant.

plèbe f. Classe populaire, chez les Romains.

plébiscite m. Consultation du peuple.

pléiade f. Groupe de gens célèbres.

plein, e adj. Rempli. Sans cavités : *mur —.* Entier, complet. m. Espace plein. Gros trait.

plénier, ère adj. *Assemblée —*, où tous les membres sont convoqués.

plénipotentiaire m. et adj. Diplomate muni de pleins pouvoirs : *ministre —.*

plénitude f. Totalité.
pléonasme m. Emploi simultané de mots ayant le même sens (ex. : *monter en haut*).
pléthore f. Abondance excessive.
pleurs mpl. Larmes : *verser des — abondants.*
pleurer vi. Verser des larmes. vt. Regretter.
pleurésie f. Inflammation de la plèvre.
pleureur adj. m. *Saule —*, à feuillage retombant.
pleurnicher vi. Pleurer sans raison.
pleutre m. Homme vil, lâche.
pleuvoir vimpers. Tomber, en parlant de la pluie. *(Pleut, plut, pleuve, pleuvant, plu.)*
plèvre f. Enveloppe des poumons.
plexus [-ksys] m. Réseau de nerfs, de vaisseaux.
pli m. Rabat en double épaisseur fait à une étoffe, un papier. Lettre. Ride. Levée (jeu). Habitude : *prendre un bon —.*
pliant, e adj. Qui se plie. m. Siège pliant.
plie f. Poisson plat.
plier vt. Rabattre une partie sur une autre : *— un drap.* Courber, fléchir. vi. Se courber. Céder.
plinthe f. Planche au bas d'un mur.
plisser vt. et i. Faire des plis.
pliure f. Action, manière de plier.
plomb m. Métal lourd bleuâtre. Projectile de fusil. *Fil à —*, lesté pour matérialiser la verticale.
plombage m. Action de plomber : *— des dents.*
plomber vt. Apposer un sceau de plomb. Obturer une dent cariée.
plombier m. Ouvrier qui établit et entretient les canalisations d'eau et de gaz.
plongée f. Action de plonger : *sous-marin en —.*
plongeon m. Action de plonger. Un palmipède.
plonger vt. Immerger dans un liquide. Enfoncer. vi. S'enfoncer.

plongeur, euse adj. Qui plonge. m. Scaphandrier. Laveur de vaisselle dans un restaurant.
ployer [plwaje] vt. Courber. vi. Fléchir.
pluie f. Eau qui tombe du ciel : — *d'orage.*
plumage m. Plumes d'un oiseau : — *brillant.*
plume f. Tige garnie de longs filaments qui couvre l'oiseau. Pointe de métal taillée pour écrire.
plumeau m. Faisceau de plumes pour nettoyer.
plumer vt. Arracher les plumes à.
plumet m. Ornement de plumes : — *de casque.*
plumier m. Boîte pour les porte-plume, etc.
plupart (la) f. La plus grande partie.
pluralité f. Le fait d'être plusieurs.
pluriel, elle adj. et m. Qui marque la pluralité.
plus adv. En plus grande quantité. En outre.
plusieurs adj. indéf. Un nombre indéterminé.
plus-que-parfait m. Passé par rapport à un autre passé (ex. : *j'avais fini quand il entra*).
plus-value f. Augmentation de valeur. (pl. — -—*s*.)
plutonium [-njɔm] m. Métal très toxique obtenu dans les réacteurs nucléaires.
plutôt adv. De préférence.
pluvieux, euse adj. Abondant en pluie.
pluviôse m. Mois du calendrier républicain.
pneu m. Abrév. de pneumatique.
pneumatique adj. Qui fonctionne à l'air comprimé : *marteau* —. m. Bandage à air comprimé pour les roues des cycles et autos.
pneumonie f. Inflammation du poumon.
pochade f. Œuvre exécutée rapidement.
poche f. Petit sac cousu aux vêtements.
pocher vt. Cuire un aliment dans un liquide frissonnant.
pochette f. Petit sac. Mouchoir de fantaisie.

pochoir m. Forme découpée pour peindre.
poêle m. Appareil de chauffage. Voile de cercueil. f. Ustensile de cuisine pour frire.
poêlon m. Casserole en métal épais.
poème m. Ouvrage en vers : — *lyrique.*
poésie f. Art de faire des vers. Poème.
poète, poétesse n. Qui écrit des vers.
poétique adj. De la poésie : *inspiration* —.
poids m. Qualité d'un corps pesant. Morceau de métal servant à peser d'autres corps. FIG. Force, importance.
poignant, e adj. Déchirant. Aigu.
poignard m. Arme courte, pointue et tranchante.
poignarder vt. Frapper avec un poignard.
poigne f. Force du poignet. Énergie.
poignée f. Ce que la main peut tenir. Partie par où l'on tient un objet. FIG. Petit nombre.
poignet m. Articulation qui joint la main à l'avant-bras.
poil m. Production de la peau, en forme de fil. Pelage.
poilu, e adj. Couvert de poils. m. Soldat de 1914.
poinçon m. Outil pour percer, pour graver.
poinçonner vt. Marquer au poinçon. Perforer.
poindre vi. Apparaître : *le jour* —. (Conj. c. *craindre.*)
point m. Piqûre (couture). Signe de l'écriture. Unité de valeur au jeu. Endroit : — *de départ.* adv. Pas : *ne — s'apercevoir.*
point de vue m. Manière de considérer les choses ; opinion. (pl. *points de vue.*)
pointe f. Bout piquant. Petit clou. Extrémité.
pointer vt. Marquer. Contrôler. Braquer.
pointillé m. Ligne de points.
pointilleux, euse adj. Ombrageux, susceptible.

pointu, e adj. Terminé en pointe.
pointure f. Dimension (chaussures, gants).
poire f. Fruit du poirier.
poireau m. Plante potagère.
pois m. Plante à graines comestibles.
poison m. Toute substance qui altère ou détruit les fonctions vitales.
poisser vt. Salir avec une matière gluante.
poisseux, euse adj. Qui poisse : *mains* —.
poisson m. Animal vertébré aquatique.
poissonnerie f. Lieu où l'on vend le poisson.
poissonneux, euse adj. Qui abonde en poissons.
poissonnier, ère n. Qui vend du poisson.
poitrail m. Devant du corps du cheval.
poitrine f. Buste entre le cou et l'abdomen. Seins d'une femme.
poivre m. Condiment piquant.
poivrer vt. Assaisonner de poivre.
poix [pwa] f. Substance gluante tirée du pin, etc.
poker [-kɛr] m. Un jeu de cartes
polaire adj. Des pôles : *les mers* —.
polder [-dɛr] m. Marais littoral asséché.
pôle m. Extrémité de l'axe de la Terre. Extrémité d'un aimant. Point de départ ou d'arrivée du courant dans un générateur.
polémique f. Dispute, débat : — *littéraire.*
poli, e adj. Uni, lisse. Fig. Courtois, affable.
police f. Administration assurant le maintien de l'ordre public et réprimant les infractions. Contrat d'assurance.
polichinelle m. Pantin à deux bosses.
policier, ère adj. et n. De la police.
poliomyélite f. Maladie qui provoque des paralysies.
polir vt. Rendre uni, lisse. Parachever.

polisson, onne adj. et n. Égrillard. Espiègle.
politesse f. Ensemble des règles de la courtoisie.
politicien, enne n. Qui fait de la politique.
politique f. Gouvernement d'un État. Manière prudente d'agir. adj. De la politique. Prudent, avisé.
pollen [pɔlɛn] m. Éléments mâles des fleurs formant une poudre.
pollution f. Souillure. Action de rendre malsain.
polo m. Jeu de balle qui se joue à cheval.
polonais, e adj. et n. De Pologne.
poltron, onne adj. et n. Lâche, sans courage.
polychrome adj. De diverses couleurs.
polycopie f. Reproduction par décalque, etc.
polyculture f. Culture de plusieurs produits sur une même propriété.
polyèdre m. Solide à plusieurs faces.
polygamie f. Fait pour un homme d'être marié à plusieurs femmes en même temps.
polyglotte adj. Qui parle plusieurs langues.
polygone m. Surface limitée par des droites.
polynôme m. Expression algébrique à plusieurs termes séparés par les signes + ou −.
polype m. Tumeur molle. Animal marin dont le corps est cylindrique et à deux parois.
polypier m. Squelette calcaire des colonies de polypes.
polytechnique adj. Relatif à diverses sciences.
polythéisme m. Pluralité de dieux.
pommade f. Corps gras parfumé ou médicinal.
pomme f. Fruit du pommier. — *de pin*, fruit du pin. — *de terre*, tubercule comestible.
pommé, e adj. Arrondi comme une pomme.
pommeau m. Bout de la poignée d'une arme.
pommelé, e adj. Marqué de gris et de blanc.
pommette f. Partie saillante de la joue.

pompe f. Cérémonial somptueux. Gloire, éclat. Machine pour aspirer, élever, refouler.
pomper vt. Puiser avec une pompe.
pompeux, euse adj. D'une solennité excessive.
pompier m. Celui qui combat les incendies.
pompon m. Petite houppe de soie, de laine, etc.
pomponner vt. Habiller avec élégance.
ponce f. Roche poreuse, dite aussi *pierre* —.
poncer vt. Polir, décaper.
poncif m. Idée sans originalité.
ponction f. Prélèvement d'un liquide organique.
ponctuation f. Manière de ponctuer.
ponctuel, elle adj. Qui arrive à l'heure. Constitué par un point : *image* —. Isolé, sans suite : *action* —.
ponctuer vt. Mettre les points, virgules, etc. : — *une phrase*. Marquer, accentuer.
pondération f. Équilibre, modération.
pondre vt. Produire des œufs.
poney [pɔnɛ] m. Petit cheval.
pont m. Construction qui franchit un cours d'eau ou une dépression. Plancher de navire. Essieu arrière d'une automobile.
ponte f. Action de pondre. Œufs pondus. m. FAM. Homme important.
pontife m. Chef religieux. Homme solennel.
pontificat m. Dignité, fonction de pape.
pontifier vi. Parler avec emphase.
pont-levis m. Pont mobile d'un château fort.
ponton m. Plate-forme flottante.
pop adj. inv. et f. Style de musique dérivée du rock.
pope m. Prêtre de rite oriental.
popeline f. Étoffe de soie et de laine.
popote f. FAM. Cuisine.

populace f. PÉJOR. Bas peuple.
populaire adj. Du peuple. Qui plaît beaucoup.
popularité f. Faveur populaire.
population f. Tous les habitants d'un pays.
populeux, euse adj. Très peuplé.
porc m. Cochon. FIG. Homme sale, grossier.
porcelaine f. Poterie blanche à pâte fine.
porc-épic [pɔrkepik] m. Rongeur au corps couvert de piquants. (pl. *—s - —s.*)
porche m. Auvent à l'entrée d'un édifice.
porcherie f. Étable à porcs.
porcin, e adj. Du porc : *une race —.*
pore m. Minuscule orifice de la peau.
poreux, euse adj. Qui a des pores : *pierre —.*
pornographie f. Représentation littéraire ou plastique de scènes obscènes.
port m. Abri naturel ou artificiel pour les navires.. Ville bâtie auprès. Refuge. Action de porter. Prix du transport. Maintien.
portail m. Entrée monumentale.
portant, e adj. Qui se porte bien ou mal. *À bout —,* de près. m. THÉÂTR. Montant de décor.
portatif, ive adj. Aisé à porter.
porte f. Ouverture pour entrer et sortir. Ce qui la clôt. *— -fenêtre,* porte vitrée.
porte-bonheur m. inv. Objet qui porte bonheur.
porte-drapeau m. inv. Officier qui porte le drapeau d'un régiment.
portée f. Petits qu'une femelle a en même temps. Distance qu'atteint un canon, etc. Étendue. Valeur, importance.
portefaix [-fɛ] m. Vx. Porteur de fardeaux.
portefeuille m. Pochette de cuir pour ranger des papiers, des billets de banque. Fonctions de ministre.

portemanteau m. Support à pied ou mural pour suspendre les vêtements.
portemine m. Sorte de crayon.
porte-monnaie m. inv. Bourse pour pièces de monnaie.
porte-parole m. inv. Qui parle au nom d'autres.
porte-plume m. inv. Tige sur laquelle se fixe la plume à écrire.
porter vt. Soutenir une charge. Transporter. Avoir sur soi. Tenir. Diriger, inciter. Causer : — *bonheur.* vi. Reposer : — *à faux.* Atteindre. vpr. Se transporter. Se présenter.
porteur, euse adj. Qui porte.
porte-voix m. Instrument pour amplifier la voix.
portier m. Gardien de la porte.
portière f. Porte d'une automobile.
portillon m. Petite porte.
portion f. Partie d'un tout. Quantité de nourriture : *une — de viande.*
portique m. Galerie à colonnes.
porto m. Vin doux du Portugal.
portrait m. Image peinte, sculptée, écrite.
portraitiste n. Artiste qui fait des portraits.
portugais, e adj. Du Portugal. f. Sorte d'huître.
pose f. Action de poser. Attitude. Morgue.
posé, e adj. Grave, sérieux.
poser vt. Placer, mettre. Installer, établir.
poseur, euse adj. Qui pose. Affecté, maniéré.
positif, ive adj. Concret, certain. Pratique. MATH. Affecté du signe +. Se dit de l'électricité obtenue en frottant le verre. m. PHOT. Épreuve tirée à partir d'un négatif.
position f. Situation. Orientation, attitude.
possédé, e adj. et n. Démoniaque.
posséder vt. Avoir. FIG. Connaître à fond.

possesseur m. Qui possède.
possessif, ive adj. et m. Qui indique la possession. Qui éprouve un besoin de possession, de domination envers quelqu'un.
possession f. Fait de posséder. Propriété.
possibilité f. Qualité de ce qui est possible.
possible adj. Qui peut être, se faire.
postal, e adj. Relatif aux postes : *wagon —*.
poste f. Administration du transport des lettres. m. Lieu où des gens sont de garde. Emploi. Appareil de téléphone, de radio, de télévision.
postérieur, e adj. Qui vient après. Situé derrière. m. FAM. Fesses.
postérité f. Descendance : *la — d'Abraham*.
posthume adj. Né après la mort du père. Publié après le décès de l'auteur.
postiche adj. Artificiel.
postier, ère n. Employé de la poste.
postillon m. AUTREF. Conducteur de diligence.
post-scriptum [-tɔm] m. Addition à une lettre. (ABRÉV. P.-S.)
postulant, e n. Qui demande une place, etc.
posture f. Attitude, maintien.
pot m. Vase de terre, de métal. — *-de-vin*, cadeau illégal fait pour obtenir un marché.
potable adj. Qui peut être bu : *eau —*.
potache m. FAM. Collégien.
potage m. Bouillon contenant des légumes, etc.
potager adj. et m. Jardin de légumes.
potasse f. Solide blanc soluble dans l'eau.
pot-au-feu m. inv. Viande bouillie avec des légumes. adj. inv. Terre à terre.
poteau m. Madrier planté verticalement.
potée f. Plat de légumes au lard.
potelé, e adj. Gras, rebondi : *enfant —*.

potence f. Instrument servant à la pendaison.
potentat m. Homme très puissant.
potentiel, elle adj. Virtuel. m. État d'un conducteur électrique par rapport à un autre.
poterie f. Vaisselle de terre. Art du potier.
poterne f. Porte de fortifications.
potiche f. Grand vase de porcelaine : — *chinoise.*
potier m. Qui fait, vend de la poterie.
potin m. FAM. Tapage. Cancan.
potion f. Médicament que l'on boit.
potiron m. Espèce de courge.
pou m. Insecte parasite.
poubelle f. Boîte à ordures.
pouce m. Gros doigt de la main, du pied. Ancienne mesure de longueur (27,07 mm).
pudding [pudiŋ] m. Gâteau anglais.
poudre f. Substance pulvérulente. Mélange inflammable et explosif.
poudrer vt. Couvrir de poudre.
poudreux, euse adj. Semblable à la poudre.
poudrière f. Entrepôt d'explosifs. FIG. Situation explosive.
pouf m. Gros tabouret capitonné.
pouffer vi. Éclater de rire.
pouilleux, euse adj. Qui a des poux. Miséreux.
poulailler m. Lieu où l'on loge les poules.
poulain m. Jeune cheval de moins de 30 mois.
poularde f. Jeune poule grasse.
poule f. Femelle du coq.
poulet m. Petit de la poule. POP. Policier.
pouliche f. Jument non adulte.
poulie f. Roue de transmission.
poulpe m. Syn. de PIEUVRE.
pouls [pu] m. Battement des artères.
poumon m. Organe de la respiration.

poupe f. Arrière d'un vaisseau.
poupée f. Jouet figurant un être humain.
poupin, e adj. Qui a le visage rebondi.
poupon m. Bébé.
pouponnière f. Crèche pour les nourrissons.
pour prép. Au profit de, à la place de. Destiné à. Au lieu de. En faveur de.
pourboire m. Somme d'argent donnée par un client.
pourceau m. LITT. Porc, cochon.
pourcentage m. Intérêt, proportion pour cent.
pourchasser vt. Poursuivre : *— un ennemi.*
pourlécher (se) vpr. Se passer la langue sur les lèvres.
pourparlers mpl. Discussions, entretiens.
pourpre m. Couleur rouge foncé. f. Dignité de cardinal. adj. Rouge foncé : *— de colère.*
pourquoi adv. et conj. Pour quelle raison. m. Cause, raison : *le — d'une chose.*
pourrir vt. et i. Gâter, corrompre.
pourriture f. Ce qui est pourri.
poursuite f. Action de poursuivre.
poursuivre vt. Courir pour atteindre. Pourchasser. Continuer. Agir en justice contre quelqu'un.
pourtant adv. Cependant : *je le lui ai — dit.*
pourtour m. Ligne qui fait le tour d'un lieu.
pourvoi m. Réclamation contre un jugement.
pourvoir vt. Fournir ce qui est nécessaire. vi. Parer, aviser à. vpr. Se munir. (Conj. comme *voir*, et *pourvus, pourvoirai, pourvusse*.)
pourvoyeur m. Fournisseur.
pourvu que loc. conj. À condition que.
pousse f. Jeune branche. Développement.
poussée f. Action de pousser. Accès.
pousser vt. Déplacer avec effort. Faire avancer.

Faire agir. Jeter : — *un cri.* vi. Naître, se développer : *fleur, barbe qui —.*

poussier m. Poussière de charbon.

poussière f. Terre, matière réduite en poudre.

poussiéreux, euse adj. Couvert de poussière.

poussif, ive adj. Essoufflé.

poussin m. Poulet qui vient d'éclore.

poutre f. Pièce de charpente horizontale.

pouvoir vt. Avoir le moyen, la force, etc., de faire une chose. *(Peux, pouvais, pus, pourrai, puisse, pouvant, pu.)* m. Autorité, puissance. Crédit. Procuration, mandat : *donner un —.*

pragmatique adj. Fondé sur l'action, la pratique.

praire f. Mollusque bivalve comestible.

prairial m. Mois de l'année républicaine.

prairie f. Terre qui donne de l'herbe.

praline f. Amande rissolée dans du sucre.

praticable adj. Par où l'on peut passer : *chemin —.*

praticien m. Médecin.

pratiquant, e adj. et n. Qui pratique sa religion.

pratique f. Application des règles d'un art. Application : *mettre en —.* adj. Concret, positif. Commode, efficace.

pratiquer vt. Mettre en pratique. Exercer.

pré m. Petite prairie.

préalable adj. Qui doit être fait, dit d'abord.

préambule m. Avant-propos. Prélude.

préau m. Cour couverte de cloître, d'école, etc.

préavis m. Avis préalable, avertissement.

prébende f. Revenu d'un titre ecclésiastique.

précaire adj. Instable, mal assuré : *santé —.*

précaution f. Ménagement, prévoyance.

précautionneux, euse adj. Très prudent.

précédent, e adj. Immédiatement avant. m. Acte antérieur : *créer un —.*

précéder vt. Marcher devant. Être avant.
précepte m. Commandement, règle.
précepteur m. Chargé d'éduquer un enfant.
prêche m. Prédication.
prêcher vt. Prononcer un sermon. Recommander.
précieux, euse adj. De grand prix. Affecté, recherché.
précipice m. Gouffre, lieu profond et escarpé.
précipitation f. Extrême vitesse. Empressement extrême : *agir avec* —.
précipiter vt. Jeter d'un lieu élevé. Accélérer. Renverser. vpr. Se jeter. Se hâter.
précis, e adj. Net, exact. m. Abrégé.
préciser vt. Déterminer, définir de façon rigoureuse.
précision f. Qualité de ce qui est précis.
précoce adj. Mûr avant la saison. Développé avant le temps normal : *enfant* —.
préconçu, e adj. Pensé, conçu par avance.
préconiser vt. Recommander vivement.
précurseur adj. et m. Qui annonce, qui précède.
prédécesseur m. Celui qui a précédé quelqu'un.
prédestination f. Détermination immuable des événements futurs.
prédestiner vt. Destiner d'avance.
prédicateur m. Qui prêche.
prédication f. Action de prêcher.
prédiction f. Action de prédire.
prédilection f. Préférence.
prédire vt. Annoncer d'avance : — *l'avenir.*
prédisposer vt. Disposer d'avance.
prédisposition f. Tendance naturelle.
prédominer vi. Prévaloir, être supérieur.
préface f. Texte préliminaire en tête d'un livre.
préfecture f. Circonscription administrative du préfet. Résidence d'un préfet.

préférer vt. Aimer, estimer mieux. *(Préfère.)*
préfet m. Administrateur d'un département.
préfixe m. Particule mise au début d'un mot.
préhension f. Action de saisir : *organe de —.*
préhistorique adj. Antérieur aux temps historiques. Très ancien.
préjudice m. Tort, dommage : *porter — à.*
préjugé m. Opinion préconçue.
prélasser (se) vpr. S'installer à son aise.
prélat m. Dignitaire ecclésiastique.
prélever vt. Prendre une portion d'un tout.
préliminaire adj. Qui précède. mpl. Ce qui précède, qui prépare : *— de la paix.*
prélude m. Introduction musicale. Présage.
préluder vt. et i. Marquer le début de ; annoncer.
prématuré, e adj. Fait avant le temps normal. adj. et n. Né viable, avant terme.
préméditer vt. Décider d'avance, après réflexion.
prémices fpl. Commencements.
premier, ère adj. Qui précède les autres. Le meilleur, le plus remarquable. Élémentaire.
prémisses fpl. Premières propositions d'un syllogisme : *poser des —.*
prémonition f. Pressentiment d'un événement.
prémunir vt. Protéger. vpr Prendre des précautions.
prendre vt. Saisir, tenir. S'emparer de. Se munir de. Surprendre. Accepter, recevoir. vi. S'enraciner. Geler, se cailler. Réussir.
preneur, euse adj. et n. Qui offre d'acheter.
prénom m. Nom de baptême.
préoccupation f. Ce qui préoccupe.
préoccuper vt. Inquiéter. Tourmenter.
préparatif m. Ce qu'on fait pour préparer.
préparation f. Action de préparer.

préparatoire adj. Qui prépare : *école —*.
préparer vt. Rendre propre à un usage. Réfléchir à. Étudier.
prépondérant, e adj. Qui a plus d'importance, d'autorité.
préposé, e n. Chargé d'un service.
préposition f. Mot invariable de liaison.
prépuce m. Repli de peau qui recouvre le bout de la verge.
près adv. À peu de distance. En un temps prochain.
présage m. Signe qui prédit l'avenir.
presbyte adj. Qui ne voit bien que de loin.
presbytère m. Habitation du curé.
prescription f. Ordre formel. Extinction d'une peine, d'un droit, au bout d'un temps légal.
prescrire vt. Ordonner. Préconiser.
préséance f. Droit de passer avant les autres.
présence f. Fait de se trouver en un lieu.
présent, e adj. Qui est là. m. Don, cadeau. Le temps actuel. Temps du verbe.
présentation f. Action de présenter.
présenter vt. Tendre, offrir, donner. Faire connaître une personne à une autre. Montrer.
préservatif m. Gaine de caoutchouc employée par les hommes pour la contraception et la prophylaxie.
préservation f. Action de préserver.
préserver vt. Mettre à l'abri de : *— de l'air.*
présidence f. Fonctions de président.
président m. Qui préside une réunion. Chef de l'État d'une république.
présider vt. et i. Être à la tête de. Diriger.
présomptif, ive adj. *Héritier —*, désigné d'avance.
présomption f. Supposition. Outrecuidance.

présomptueux, euse adj. Vaniteux, prétentieux.
presque adv. Environ, à peu près.
presqu'île f. Terre entourée d'eau, excepté d'un côté.
presse f. Machine pour comprimer. *La* —, les journaux.
pressé, e adj. Urgent. Qui a hâte.
pressentiment m. Sentiment vague de l'avenir.
pressentir vt. Avoir un pressentiment. Sonder les sentiments, les intentions de quelqu'un.
presser vt. Comprimer. vi. Être urgent.
pression f. Action de presser. Contrainte.
pressoir m. Presse à raisin, à pommes, etc.
pressurer vt. Passer au pressoir. Accabler d'impôts.
pressurisation f. Pression atmosphérique normale à l'intérieur d'un avion en vol.
prestance f. Maintien imposant : *belle* —.
prestation f. Fourniture, service.
preste adj. Adroit, agile.
prestidigitateur m. Qui fait des tours d'adresse, produisant une illusion.
prestige m. Charme, attrait. Influence, éclat.
prestigieux, euse adj. Qui a du prestige.
présumer vt. Croire que, supposer.
présure f. Liquide qui sert à cailler le lait.
prêt m. Action de prêter. La chose prêtée.
prêt, e adj. Disposé, décidé à : — *à sortir.*
prêt-à-porter m. Ensemble des vêtements coupés selon des mesures standards.
prétendant, e n. Qui prétend au trône. m. Qui désire épouser une femme.
prétendre vt. Réclamer, exiger. Affirmer.
prétentieux, euse adj. Qui a de la prétention.
prétention f. Revendication. Orgueil.

prêter vt. Céder pour un temps. Fournir. Attribuer. vpr. Consentir à : *— à un jeu.*
prêteur, euse n. Qui prête : *un — sur gages.*
prétexte m. Raison apparente, échappatoire.
prétexter vt. Donner comme prétexte.
prétoire m. Salle d'audience d'un tribunal.
prêtre m. Ministre d'un culte, en général.
prêtrise f. Fonction et dignité de prêtre.
preuve f. Ce qui prouve. Marque, témoignage.
prévaloir vi. L'emporter sur. vpr. S'enorgueillir. (Conj. comme *valoir,* et *que je prévale.*)
prévenance f. Attitude obligeante.
prévenant, e adj. Qui prévient les désirs de quelqu'un.
prévenir vt. Satisfaire par avance. Avertir : *— les pompiers.*
préventif, ive adj. Qui prévient, empêche.
prévention f. Opinion préconçue. Prison infligée avant jugement. *— routière,* mesures prises pour limiter les accidents de la route.
préventorium m. Hôpital où l'on soigne les tuberculeux en phase initiale.
prévenu, e n. Inculpé.
prévision f. Action de prévoir.
prévoir vt. Imaginer par avance. Calculer. Envisager.
prévoyance f. Faculté de prévoir.
prévoyant, e adj. Qui prévoit : *se montrer —.*
prier vt. Adresser des prières. Demander.
prière f. Supplication. Demande.
prieur, e n. Supérieur de certains monastères.
prieuré m. Monastère dirigé par un prieur.
primaire adj. Du premier degré : *école —.*
primauté f. Supériorité ; premier rang.
prime f. Prix d'une assurance. Récompense. Cadeau à un acheteur. adj. Premier.

primer vt. Dominer, surpasser.
primesautier, ère adj. Impulsif, spontané.
primeur f. Nouveauté. pl. Fruits, légumes obtenus avant l'époque normale.
primevère f. Une fleur des champs.
primitif, ive adj. Du début. Simple. Sommaire.
primo adv. Premièrement.
primordial, e adj. Capital, essentiel.
prince m. Souverain.
princesse f. Femme, fille de prince.
princier, ère adj. De prince : *un air* —.
principal, e adj. Primordial. Premier.
principauté f. État gouverné par un prince.
principe m. Début. Cause, raison. Loi : — *d'Archimède.* Règle de conduite : *fidèle à ses* —.
printanier, ère adj. Du printemps.
printemps m. Première saison de l'année. Jeunesse. Année : *avoir seize* —.
priorité f. Droit de passer le premier.
prise f. Action de prendre. Ce qu'on prend. Pincée : — *de tabac.* Coagulation. Engrenage.
priser vt. Estimer. Aspirer (tabac).
prisme m. Solide à bases égales et parallèles.
prison f. Lieu où l'on enferme les condamnés.
prisonnier, ère n. Détenu en prison.
privation f. Action de priver, de se priver.
privauté f. Familiarité excessive.
privé, e adj. Non public. Personnel, intime.
priver vt. Ôter, refuser : — *de dessert.* vpr. S'abstenir de, s'interdire.
privilège m. Avantage exclusif. Droit.
privilégier vt. Accorder un privilège, favoriser.
prix m. Ce que coûte une chose. Récompense.
probabilité f. Qualité de ce qui est probable.
probable adj. Qu'il est raisonnable de supposer, vraisemblable : *événement* —.

probité f. Grande honnêteté.
problématique adj. Douteux, hasardeux.
problème m. Question à résoudre : — *d'algèbre.* Difficulté.
procédé m. Manière d'agir. Méthode.
procéder vi. Agir, opérer : — *avec lenteur.*
procédure f. Formalités judiciaires.
procès m. Litige porté devant un tribunal.
procession f. Cortège en marche solennelle.
processus [-sys] m. Enchaînement de faits aboutissant à un résultat.
procès-verbal m. Constat officiel d'un fait.
prochain, e adj. Qui est proche. m. Autrui.
proche adj. Qui est près. pl. Les parents.
proclamer vt. Publier avec solennité. Divulguer.
procréer vt. Engendrer.
procuration f. Pouvoir donné à quelqu'un d'agir à notre place
procurer vt. Faire obtenir : — *une place.*
procureur m. Nom de divers magistrats.
prodige m. Personne ou chose extraordinaire.
prodigieux, euse adj. Extraordinaire : *succès* —.
prodigue adj. Qui dépense follement.
prodiguer vt. Dépenser, donner sans mesure.
producteur, trice n., **-tif, ive** adj. Qui produit.
producteur, trice n. Responsable financier d'un film.
production f. Action de produire. Produit.
produire vt. Engendrer, donner. Occasionner.
produit m. Production. Résultat d'une multiplication. Objet manufacturé.
proéminent, e adj. Saillant : *nez* —.
profane adj. Non religieux. Non initié.
profaner vt. Avilir une chose sainte.
proférer vt. Prononcer : — *des injures.*

professer vt. Déclarer ses opinions.
professeur m. Celui qui enseigne.
profession f. Métier, emploi. *Faire* —, professer.
professionnel, elle adj. De la profession.
professorat m. Fonction de professeur.
profil m. Vue de côté : *portrait de* —.
profiler (se) vpr. Apparaître en silhouette.
profit m. Gain, bénéfice : — *illicite.*
profiter vi. Tirer profit de.
profond, e adj. Qui a de la profondeur.
profondeur f. Distance jusqu'au fond.
profusion f. Grande abondance : *donner à* —.
progéniture f. Les enfants : — *nombreuse.*
programme m. Annonce des détails d'une fête, un examen, un concours, etc. Ensemble d'instructions nécessaires à un ordinateur.
progrès m. Évolution vers un état meilleur.
progresser vi. Faire des progrès.
progression f. Mouvement en avant. Développement.
prohiber vt. Interdire, défendre.
proie f. Ce dont on s'empare. Victime.
projecteur m. Appareil projetant la lumière.
projectile m. Corps lancé : — *d'artillerie.*
projection f. Action de projeter.
projet m. Ce que l'on projette : — *de loi.*
projeter vt. Lancer. Émettre. Former le dessein de, envisager.
prolétaire adj. et n. Qui vit de son salaire.
prolétariat m. Classe sociale des prolétaires.
prolifique adj. Qui se multiplie vite. Fécond.
prolixe adj. Diffus, trop long : *discours* —.
prologue m. Avant-propos. Préliminaires.
prolonger vt. Accroître la longueur de.
promenade f. Action de se promener.

promener vt. Conduire en divers lieux. vpr. Aller d'un endroit à un autre pour se distraire.
promeneur, euse n. Qui se promène.
promenoir m. Lieu de promenade.
promesse f. Action de promettre. Engagement.
promettre vt. S'engager à. Annoncer.
promiscuité f. Proximité choquante de personnes.
promontoire m. Cap élevé.
promoteur m. Celui qui donne l'impulsion. Professionnel du marché de l'immobilier.
promotion f. Avancement dans la hiérarchie.
prompt, e adj. Qui agit vite.
promptitude f. Rapidité, célérité.
promulguer vt. Rendre applicable une loi votée.
prôner vt. Recommander : — *un remède*.
pronom m. Mot qui tient la place du nom.
pronominal, e adj. Du pronom. *Verbe* —, réfléchi.
prononcé, e adj. Marqué. m. Décision, sentence.
prononcer vt. Émettre distinctement les sons de la parole. Articuler.
prononciation f. Façon de prononcer.
pronostic m. Prévision : — *favorable*.
propagande f. Ce qui propage une opinion.
propagation f. Fait de se propager.
propager vt. Répandre, diffuser dans le public. vpr. Gagner du terrain.
propension f. Tendance naturelle, penchant.
prophète, prophétesse n. Qui prédit l'avenir.
prophétie f. Prédiction, annonce de l'avenir.
prophétiser vt. Prédire l'avenir. Prévoir.
prophylaxie f. Lutte préventive contre les maladies.
propice adj. Opportun. Favorable.
proportion f. Rapport des parties entre elles et avec leur tout.

proportionner vt. Mettre en proportion.
propos m. Intention. Discours, conversation.
proposer vt. Présenter, soumettre.
proposition f. Ce qu'on propose.
propre adj. Qui appartient à. Convenable. Qui n'est pas sale.
propreté f. Qualité de ce qui est propre.
propriétaire n. Possesseur.
propriété f. Possession. Immeuble, bien, domaine. Caractère propre.
propulsion f. Action de pousser en avant.
prorata m. Proportion : *répartir au —.*
proroger vt. Prolonger : *— une échéance.*
prosaïque adj. Banal. Commun.
prosateur m. Écrivain en prose.
proscrire vt. Bannir, exclure.
prose f. Forme ordinaire du discours, qui n'est pas assujettie aux règles propres à la poésie.
prosélyte m. Nouveau converti, nouvel adepte.
prospecter vt. Examiner un terrain minier.
prospectus [-tys] m. Imprimé publicitaire.
prospère adj. Qui est dans une période de réussite.
prospérer vi. Avoir du succès.
prospérité f. État prospère. Richesse.
prosterner (se) vpr. S'agenouiller par respect.
prostituée f. Femme qui se prostitue.
prostituer (se) vpr. Se livrer à la prostitution.
prostitution f. Action de consentir à des rapports sexuels contre de l'argent.
prostré, e adj. Abattu, sans forces.
protagoniste n. Qui joue le rôle principal.
protecteur, trice adj. et n. Qui protège.
protection f. Action de protéger, de défendre.
protectorat m. Tutelle d'un État sur un autre.

protéger vt. Mettre à l'abri d'un dommage, d'un danger.
protéine f. Substance contenue dans la viande et les végétaux.
protestant, e adj. et n. Qui pratique le protestantisme ou religion chrétienne réformée.
protestation f. Action de protester.
protester vi. S'élever contre : — *contre un abus.* — *de*, donner l'assurance de.
prothèse f. Remplacement chirurgical d'un organe.
protide m. Protéine.
protocole m. Cérémonial. Procès-verbal.
proton m. Noyau de l'atome d'hydrogène, corpuscule chargé d'électricité positive.
prototype m. Original, modèle. Exemple.
protubérance f. Saillie en forme de bosse.
prou adv. *Peu ou* —, plus ou moins.
proue f. Avant du navire.
prouesse f. Exploit, haut fait. Performance.
prouver vt. Établir sans conteste.
provenance f. Origine : *objet de — étrangère.*
provençal, e adj. et n. De Provence.
provenir vi. Venir de. Résulter de.
proverbe m. Maxime devenue populaire.
providence f. Dieu (avec maj.). Chance.
providentiel, elle adj. Tout à fait opportun.
province f. Division territoriale. Toute la France, en dehors de la capitale.
provincial, e adj. et n. De la province.
proviseur m. Administrateur d'un lycée.
provision f. Choses nécessaires, utiles.
provisoire adj. Temporaire.
provocant, e, -cateur, trice adj. Qui provoque.
provocation f. Action de provoquer.
provoquer vt. Exciter. Défier. Susciter.

proximité f. Faible distance dans l'espace ou le temps.
prude adj. Qui affecte une vertu austère.
prudence f. Vertu qui fait éviter le risque.
prudent, e adj. Qui a de la prudence.
pruderie f. Caractère prude.
pud'homme m. Juge de différends professionnels entre patrons et ouvriers.
prune f. Fruit du prunier.
pruneau m. Prune séchée.
prunelle f. Prune sauvage. Pupille (œil).
prurit [-rit] m. Démangeaison vive.
psalmodier vt. Réciter d'une voix monotone.
psaume m. Cantique de la Bible.
pseudo préf. qui signifie *faux*.
pseudonyme m. Nom d'emprunt : *signer d'un —*.
psychanalyse f. Investigation des processus psychiques inconscients.
psychiatrie f. Étude et traitement des maladies mentales.
psychique adj. Qui concerne l'esprit.
psychologie [-kɔ-] f. Étude des faits psychiques.
psychose [-koz] f. Perte maladive du contact avec la réalité.
psychosomatique adj. Qui concerne à la fois le corps et l'esprit.
pubère adj. et n. Qui a atteint l'âge de la puberté.
puberté f. Passage de l'enfance à l'adolescence.
pubis [-bis] m. Partie inférieure du ventre.
public, ique adj. Commun à tous. m. Peuple. Ensemble de personnes assistant à un spectacle.
publication f. Action de publier. Imprimé.
publicitaire adj. De la publicité. n. Qui travaille dans la publicité.
publicité f. Caractère public. Ensemble des

moyens mis en œuvre pour faire connaître un produit commercial.
publier vt. Rendre public. Faire paraître un écrit.
puce f. Insecte parasite. adj. inv. De couleur brune.
puceron m. Petit insecte parasite des plantes.
pudeur f. Chasteté. Décence.
pudibond, e adj. D'une pudeur excessive.
pudique adj. Chaste, modeste, réservé.
puer vi. Sentir très mauvais.
puéril, e adj. Enfantin ; naïf.
puérilité f. Caractère puéril. Enfantillage.
pugilat m. Combat à coups de poings.
puîné, e adj. Né après : *frère* —.
puis adv. Ensuite, après.
puisard m. Égout vertical pour absorber les eaux.
puisatier m. Qui creuse des puits.
puiser vt. Tirer un liquide.
puisque conj. Comme, attendu que.
puissance f. Autorité, pouvoir. Force. État.
puissant, e adj. Qui a de la puissance.
puits [pɥi] m. Trou creusé dans le sol pour tirer de l'eau.
pull-over ou **pull** m. Chandail qu'on enfile par la tête. (pl. — - —*s*.)
pulluler vi. Augmenter rapidement en nombre.
pulmonaire adj. Des poumons.
pulpe f. Substance charnue des fruits, etc.
pulsation f. Battement répété.
pulsion f. Mouvement instinctif qui pousse à agir.
pulvériser vt. Réduire en poussière.
pulvérulent, e adj. À l'état de poussière.
punaise f. Insecte puant. Petit clou à tête large.
punch [pɔ̃ʃ] m. Boisson à base de rhum.
punir vt. Infliger un châtiment.

punition f. Action de punir. Peine.
pupille [pypij] n. Orphelin soumis à un tuteur. f. Prunelle de l'œil.
pupitre m. Petit meuble pour poser un livre.
pur, e adj. Sans mélange. Non vicié.
purée f. Bouillie de légumes cuits et écrasés.
pureté f. Qualité de ce qui est pur.
purgatif m. Remède qui purge.
purgatoire m. RELIG. Lieu d'expiation des âmes.
purger vt. Faciliter l'évacuation intestinale.
purification f. Action de purifier.
purifier vt. Rendre pur.
purin m. Liquide s'écoulant du fumier.
purisme m. Souci exagéré de la pureté du langage.
puriste n. Partisan du purisme.
puritain, e adj. et n. Sévère, austère.
puritanisme m. Rigorisme outré dans les mœurs.
pur-sang m. inv. Cheval de race pure.
purulence f. État de ce qui est purulent.
purulent, e adj. Qui contient ou produit du pus.
pus m. Liquide jaunâtre se formant aux points d'infection.
pusillanime [pyzilanim] adj. Craintif, timoré.
pustule f. Petite tumeur suppurante.
putatif, ive adj. Supposé : *père —*.
putois m. Petit carnassier.
putréfier vt. Corrompre, pourrir.
putride adj. Pourri, corrompu : *liquide —*.
putsch [putʃ] m. Soulèvement armé pour s'emparer du pouvoir.
puy m. Montagne d'Auvergne : *le — de Sancy*.
puzzle [pœzl] m. Un jeu de patience.
pygmée m. Nom donné à une race africaine d'hommes très petits.
pyjama m. Un vêtement de nuit.

pylône m. Support pour câbles électriques aériens.

pyramide f. Solide ayant pour base un polygone et pour faces latérales des triangles.

pyrotechnie f. Art de l'artificier.

Q

quadragénaire [kwa-] adj. Âgé de 40 ans.
quadrangulaire [kwa-] adj. À quatre angles.
quadrant m. Quart de la circonférence.
quadriennal, e adj. Qui revient tous les quatre ans, qui dure quatre ans.
quadrilatère [kwa- *ou* ka-] m. Polygone à quatre côtés.
quadrille m. Danse exécutée par quatre couples.
quadriller vt. Couvrir de lignes croisées.
quadrumane [kwa-] adj. et n. À quatre mains.
quadrupède [kwa-] adj. et n. À quatre pieds.
quadruple [kwa- *ou* ka-] adj. Quatre fois autant.
quai m. Construction le long d'un rivage, pour accoster. Trottoir de gare.
qualification f. Attribution d'une qualité.
qualifier vt. Exprimer la qualité de.
qualité f. Ce qui caractérise. Excellence.
quand adv. À quelle époque. Lorsque.
quantième m. Numéro d'ordre du jour dans le mois.
quantité f. Caractère de ce qui est mesurable. Grand nombre.
quantum [kwɑ̃tɔm] m. Quote-part. PHYS. Quantité minimale d'énergie pouvant être émise, propagée ou absorbée. (pl. *quanta*.)
quarantaine f. Nombre de quarante. Isolement imposé en cas d'épidémie.
quarante adj. Quatre fois dix. Quarantième.
quart m. Quatrième partie. Veille à bord. Petit gobelet pour boire.
quarte f. MUS. Intervalle de quatre degrés.
quartier m. Quart. Gros fragment. Division d'une ville. Phase de la Lune.

quartier-maître m. Premier grade (marine).
quart-monde m. Partie la plus défavorisée du tiers-monde, d'une population. (pl. *—s – —s.*)
quartz [kwarts] m. Silice cristallisée.
quasi [kazi] m. Partie de la cuisse du bœuf, du veau. adv. Presque.
quaternaire [kwa-] m. Ère géologique actuelle.
quatorze adj. Dix et quatre. Quatorzième.
quatorzième adj. Qui vient après le 13e.
quatrain m. Strophe de quatre vers.
quatre adj. et m. inv. Deux fois deux.
quatre-vingts adj. Quatre fois vingt. (*Quatre-vingt-*, suivi d'un autre nombre.)
quatrième adj. Qui suit le troisième.
quatuor [kwa-] m. Morceau de musique à quatre parties. Groupe de quatre musiciens.
que conj. et pron. rel. employé comme compl. d'objet direct ou attribut. pron. interr. Quelle chose ?
québécois, e adj. et n. Du Québec.
quel, quelle adj. interr., exclam. : *— heure est-il ? — malheur !*
quelconque adj. indéf. Quel qu'il soit.
quelque adj. indéf. Un, plusieurs. adv. Environ.
quelquefois adv. En certaines occasions.
quelqu'un pron. indéf. Une personne.
quémander vt. Demander en insistant.
qu'en-dira-t-on m. inv. L'opinion publique.
quenelle f. Boulette de poisson, de viande hachés.
quenouille f. Baguette portant le textile à filer.
querelle f. Contestation vive.
quereller (se) vpr. Avoir une querelle avec.
question f. Demande pour obtenir une information.
questionnaire m. Liste de questions.

questionner vt. Poser des questions.
quête f. Recherche. Collecte.
quêter vt. Chercher. vi. Recueillir des dons.
quêteur, euse adj. et n. Qui quête.
queue f. Appendice terminal du corps des animaux. Pédoncule de fleur, fruit. Bâton pour jouer au billard. File de personnes.
qui pron. rel. Lequel, laquelle. pron. interr. Quelle personne ?
quiche f. Tarte garnie de lard et d'œufs battus.
quiconque pron. indéf. N'importe qui.
quidam [ki-] m. Personne dont on ignore le nom.
quiétude [kje-] f. Tranquillité d'eprit.
quille f. Partie inférieure de la coque d'un bateau. JEUX. Morceau de bois qu'on renverse avec une boule.
quincaillerie f. Ustensiles en métal.
quincaillier m. Marchand de quincaillerie.
quinconce (en) loc. Disposé en groupe de cinq.
quinine f. Substance tirée du quinquina.
quinquagénaire [kɥɛ̃kwa- *ou* kɛ̃kɑ-] adj. De cinquante ans.
quinquennal, e [kɛ̃ke-] adj. De cinq ans : *plan* —.
quintal m. Poids de 100 kilogrammes.
quinte f. Intervalle de cinq notes. Accès de toux.
quintessence f. Ce qu'il y a de meilleur.
quintette [kɛ̃- *ou* kɥɛ̃-] m. MUS. Morceau à cinq parties. Groupe de cinq musiciens.
quintuple [kɛ̃-] adj. Cinq fois plus grand.
quinzaine f. Environ quinze. Quinze jours.
quinze adj. Trois fois cinq. Quinzième.
quinzième adj. Qui vient après le 14e.
quiproquo [kiprɔko] m. Méprise.
quittance f. Écrit qui reconnaît un paiement.
quitte adj. Libéré d'une obligation : *tenir* —.
quitter vt. Se séparer de. Abandonner.

quitus [kitys] m. Attestation que la gestion d'un comptable est exacte.
qui-vive m. inv. *Sur le* —, qui prend garde.
quoi pron. rel. Dont, lequel. pron. interr. Quelle chose ?
quoique conj. Encore que, bien que.
quolibet m. Raillerie, sarcasme.
quorum [kɔrɔm] m. Nombre minimum de votants.
quote-part f. Part dans une répartition. (pl. *—s-—s.*)
quotidien, enne adj. Journalier. m. Journal paraissant chaque jour.
quotient m. MATH. Résultat de la division.
quotité [kɔ-] f. Montant d'une quote-part.

R

rabâcher vt. Redire fastidieusement, ressasser.
rabais m. Diminution de prix : *consentir un —*.
rabaisser vt. Mettre plus bas. Déprécier.
rabat-joie m. inv. Qui trouble la joie.
rabatteur m. Celui qui rabat le gibier.
rabattre vt. Baisser. Faire un rabais. Rassembler le gibier vers les chasseurs.
rabbin m. Chef spirituel d'une communauté israélite.
râble m. Partie du dos du lapin.
râblé, e adj. Qui a le râble épais. Vigoureux.
rabot m. Outil de menuisier.
raboter vt. Aplanir, polir au rabot.
raboteux, euse adj. Couvert d'aspérités.
rabougri, e adj. Petit, chétif : *arbuste —*.
rabrouer vt. Traiter rudement : *— un enfant*.
racaille f. Canaille.
raccommodage m. Action de raccommoder.
raccommodement m. Réconciliation.
raccommoder vt. Réparer. Réconcilier.
raccord m. Pièce qui en réunit deux autres.
raccorder vt. Joindre par un raccord.
raccourcir vt. Rendre plus court. vi. Devenir plus court.
raccroc m. *Par —*, par un heureux hasard.
raccrocher vt. Accrocher de nouveau. Rattacher.
race f. Subdivision de l'espèce humaine.
racé, e adj. Distingué, élégant.
rachat m. Action de racheter.
racheter vt. Acheter ce qu'on a vendu, acheter de nouveau. Libérer à prix d'argent. Compenser : *— ses défauts*. vpr. Expier.

rachitique adj. Affecté de rachitisme.
rachitisme m. Déformation osseuse.
racial, e adj. Relatif à la race.
racine f. Partie enterrée de la plante. Commencement, principe. Radical d'un mot.
racisme m. Système et comportement affirmant la supériorité d'un groupe racial sur les autres.
raclée f. FAM. Volée de coups.
racler vt. Enlever en grattant.
raclette f., **racloir** m. Outil pour racler.
racoler vt. Attirer des clients en les interpellant.
racontar m. Bavardage, commérage.
raconter vt. Faire le récit de : — *une histoire*.
racornir vt. Rendre dur et sec.
radar m. Dispositif de détection par ondes radioélectriques.
rade f. Bassin naturel dans un port.
radeau m. Assemblage flottant de pièces de bois.
radiateur m. Appareil pour chauffer une pièce ou pour refroidir un moteur.
radiation f. Émission de rayons. Exclusion.
radical, e adj. Complet. Infaillible. m. Partie invariable d'un mot. Groupement chimique d'atomes.
radier vt. Rayer. FIG. Exclure.
radieux, euse adj. Rayonnant : *un visage* —.
radio f. Appareil récepteur de radiodiffusion.
radioactivité f. Propriété de certains éléments chimiques de se transformer en émettant des rayonnements.
radiodiffusion f. Transmission de la parole et de la musique par ondes.
radioélectrique adj. Qui permet la transmission à distance de messages et de sons à l'aide d'ondes.

radiographie f. Photographie par rayons X.
radiologie f. Application médicale des rayons X.
radioscopie f. Examen aux rayons X.
radiothérapie f. Traitement par les rayons X.
radis m. Plante potagère à racine comestible.
radius [-djys] m. Os de l'avant-bras.
radoter vi. Divaguer, rabâcher.
radoub [radu] m. Réparation de la coque d'un navire.
radoucir vt. Rendre plus doux. FIG. Apaiser.
rafale f. Coup de vent violent. Succession de coups de feu.
raffermir vt. Rendre plus ferme.
raffinage m. Action de raffiner.
raffinement m. Distinction, délicatesse.
raffiner vt. Rendre plus fin, plus pur.
raffoler vi. Se passionner pour.
rafistoler vt. FAM. Raccommoder.
rafle f. Action de rafler. Arrestation en masse.
rafler vt. Saisir avec rapidité, voler.
rafraîchir vt. Rendre frais. Réparer. vpr. Boire un peu.
rafraîchissement m. Boisson fraîche.
rage f. Maladie virulente contagieuse. Douleur violente. Colère : *écumer de —*.
rageur, euse adj. Coléreux.
ragot m. FAM. Bavardage malveillant. Cancan.
ragoût m. Plat de viande, de légumes, etc., coupés en petits morceaux.
raid [rɛd] m. Incursion militaire rapide. Épreuve d'endurance.
raide adj. Rigide. Abrupt. Inflexible.
raideur f. État de ce qui est raide.
raidir vt. Rendre raide. vpr. Devenir raide. Tenir ferme, résister.

raie f. Trait de plume. Bande de couleur. Genre de poissons plats.
raifort m. Plante utilisée comme condiment.
rail [raj] m. Bande métallique de roulement pour chemin de fer, tramway, etc.
railler [raje] vt. et i. Se moquer, ridiculiser.
raillerie f. Moquerie.
railleur, euse adj. et n. Moqueur : *esprit, ton —*.
rainette f. Une sorte de petite grenouille verte.
rainure f. Entaille longue et étroite.
raisin m. Fruit de la vigne.
raison f. Faculté de connaître, de juger. Argument. Cause, motif.
raisonnable adj. Doué de raison. Modéré.
raisonnement m. Manière de raisonner.
raisonner vi. Juger avec sa raison. Discuter. vt. Essayer de rendre raisonnable.
rajeunir vt. Rendre jeune. vi. Redevenir jeune d'aspect. vpr. Se dire plus jeune.
rajouter vt. Ajouter de nouveau.
rajuster vt. Ajuster de nouveau.
râle m. Action de râler. Oiseau échassier.
ralentir vt. Rendre lent. vi. Devenir lent.
râler vi. Respirer avec un son rauque.
ralliement m. Action de rallier.
rallier vt. Rassembler. Rejoindre.
rallonge f. Ce qui sert à rallonger.
rallonger vt. Rendre plus long. *(Rallongea.)*
rallumer vt. Allumer de nouveau.
rallye m. Sorte de course.
ramadan m. Jeûne religieux des musulmans.
ramage m. Chant des oiseaux.
ramassage m. Action de ramasser.
ramasser vt. Réunir des choses éparses. Relever ce qui est à terre.

ramassis m. Assemblage confus.
rame f. Pièce de bois pour ramer. Tuteur. 500 feuilles de papier. Convoi de wagons.
rameau m. Petite branche.
ramener vt. Amener de nouveau : — *un évadé*.
ramer vi. Faire avancer un bateau avec des rames.
rameur, euse n. Qui rame.
ramier m. Pigeon sauvage.
ramifier vt. Subdiviser en plusieurs branches.
ramollir vt. Rendre mou. vpr. Devenir mou.
ramoner vt. Nettoyer une cheminée.
ramoneur m. Qui ramone.
rampant, e adj. Qui rampe. Humble. m. Non navigant, dans l'aviation.
rampe f. Rangée de courts piliers qui borde un escalier du côté du vide.
ramper vi. Avancer en se traînant sur le ventre. FIG. Se soumettre bassement.
ramure f. Ensemble de branches. Bois de cerf.
rancart m. FAM. Rebut : *mettre au —*.
rance adj. D'odeur forte et de saveur âcre.
rancir vi. Devenir rance.
rancœur f. Rancune, haine, ressentiment.
rançon f. Somme exigée pour la libération d'un captif. FIG. Inconvénient.
rançonner vt. Exiger par la force de l'argent non dû.
rancune f. Ressentiment tenace.
rancunier, ère adj. Sujet à la rancune.
randonnée f. Longue promenade.
rang m. Suite de personnes ou de choses sur une même ligne. Place. Classement.
rangée f. Ce qui est aligné sur un rang.
ranger vt. Mettre en rang, en ordre. Classer.
ranimer vt. Rendre la vie, la vigueur.

rap m. Musique soutenant un chant scandé sur un rythme très martelé.
rapace m. Oiseau carnivore. adj. Avide d'argent.
rapacité f. Avidité, cupidité.
rapatrier vt. Ramener dans sa patrie.
râpe f. Sorte de lime. Ustensile de cuisine.
râper vt. Mettre en poudre en râpant. User.
rapetisser vt. Rendre plus petit. vi. Diminuer.
raphia m. Palmier fournissant une fibre très solide.
rapide adj. Qui va vite. Très incliné. m. Partie d'un fleuve où le courant devient très rapide.
rapidité f. Vitesse, célérité.
rapiécer vt. Réparer en mettant des pièces.
rapine f. Vol. Pillage.
rappel m. Action de rappeler.
rappeler vt. Appeler de nouveau. Faire revenir. vpr. Se souvenir : — *une date*. (Pas *d'une*.)
rapport m. Revenu. Compte rendu. Analogie. pl. Relations.
rapporter vt. Apporter de nouveau. Apporter du dehors. Procurer un bénéfice. Raconter.
rapporteur, euse adj. et n. Qui rapporte.
rapprocher vt. Approcher de nouveau. Faire paraître plus proche. Réunir, réconcilier.
rapt m. Enlèvement par violence ou séduction.
raquette f. Cadre garni de cordes tendues pour des jeux de balle.
rare adj. Peu fréquent. Clairsemé.
raréfier vt. Rendre rare. vpr. Devenir rare.
rareté f. Qualité de ce qui est rare.
ras, e adj. Coupé très court : *cheveux* —.
rasade f. Contenu d'un verre plein à ras bord.
raser vt. Couper ras. Effleurer. Abattre à ras de terre. FAM. Ennuyer.

raseur, euse n. FAM. Personne ennuyeuse.
rasoir m. Instrument pour raser.
rassasier vt. Apaiser la faim. Satisfaire.
rassemblement m. Action de rassembler.
rassembler vt. Réunir : — *des matériaux*.
rasséréner vt. Apaiser, tranquilliser.
rassis, e adj. Pas frais (pain). Calme, posé.
rassurer vt. Rendre la tranquillité, la confiance.
rat m. Petit mammifère rongeur. Élève danseuse de l'Opéra.
ratatiner vt. Flétrir, rider, racornir.
rate f. Un viscère.
raté m. Fonctionnement défectueux.
râteau m. Instrument à dents pour jardinage.
râtelier m. Support pour fusils. Dentier.
rater vi. Ne pas partir (arme). Échouer. vt. Manquer : — *son train*.
ratifier vt. Confirmer ce qui a été promis.
ratine f. Étoffe de laine à poil frisé.
ration f. Portion : *maigre* —.
rationalisation f. Action de rendre un processus technique plus efficace et moins coûteux.
rationaliser vt. Rendre rationnel.
rationalisme m. Philosophie basée sur la raison seule.
rationnel, elle adj. Fondé sur la raison.
ratisser vt. Nettoyer, enlever au râteau.
raton m. Petit rat. — *laveur*, mammifère carnassier.
rattacher vt. Attacher à nouveau. Faire dépendre : — *une chose à une autre*.
rattraper vt. Attraper de nouveau. Rejoindre. Regagner : — *le temps perdu*.
raturer vt. Annuler par des ratures.
rauque adj. Rude, âpre : *une voix* —.

ravage m. Grand dégât. Désordre. Ruine.
ravager vt. Détruire, dévaster, saccager.
ravalement m. Remise à neuf d'une façade.
ravaler vt. Avaler de nouveau. Faire le ravalement. Déprécier.
rave f. Espèce de navet à grosse racine.
ravier m. Petit plat pour les hors-d'œuvre.
ravigote f. Sauce relevée à l'échalote.
ravigoter vt. FAM. Ranimer.
ravin m. Vallée étroite à versants raides.
raviner vt. Entraîner la terre par le ruissellement des eaux.
ravioli mpl. Petits carrés de pâte farcis de viande.
ravir vt. Enlever de force. Voler. Enchanter.
raviser (se) vpr. Changer d'avis.
ravissant, e adj. Qui charme : *beauté* —.
ravissement m. Action de ravir. Charme.
ravitailler vt. Fournir des vivres, des munitions.
raviver vt. Rendre plus vif : — *un feu*.
ravoir vt. Avoir de nouveau (seul. inf.).
rayer [rɛje] vt. Faire des raies. Raturer. *(Raies.)*
rayon m. Ligne de lumière. Lueur. Ligne partant d'un centre. Planche. Gâteau de miel.
rayonne f. Soie artificielle.
rayonnement m. Action de rayonner. FIG. Influence.
rayonner vi. Jeter des rayons. Montrer de la joie. Se diffuser.
rayure f. Partie rayée. Rainure.
raz(-)de(-)marée m. inv. Énorme vague provoquée par un tremblement de terre ou une éruption volcanique sous-marine.
razzia [razja] f. Incursion armée.
re préf. indiquant la répétition.
ré m. Note de musique.

réacteur m. Moteur fonctionnant par réaction.
réactif m. Produit chimique qui produit une réaction.
réaction f. Action en sens opposé. Action d'un corps chimique sur un autre. Politique conservatrice.
réactionnaire adj. et n. Opposé au progrès politique, social, etc.
réagir vi. S'opposer par une action contraire. Manifester un changement d'attitude.
réaliser vt. Rendre réel, effectif.
réalisme m. Doctrine artistique visant à la description du réel. Disposition à voir la réalité telle qu'elle est.
réaliste adj. Relatif au réalisme.
réalité f. Chose réelle. Existence effective.
réanimation f. Rétablissement des fonctions vitales.
réapparaître vi. Apparaître de nouveau.
rébarbatif, ive adj. Qui manque d'attrait.
rebâtir vt. Bâtir de nouveau : — *une ville*.
rebattu, e adj. Répété, rabâché : *sujet* —.
rebelle adj. Qui résiste, indocile. Insoumis.
rebeller (se) vpr. Résister, se soulever.
rébellion f. Révolte : *étouffer une* —.
rebiffer (se) vpr. Refuser d'obéir avec brusquerie.
rebondi, e adj. Arrondi : *joues* —.
rebondir vi. Faire un, plusieurs bonds.
rebondissement m. Renaissance imprévue d'une affaire qu'on croyait terminée.
rebord m. Bord élevé en saillie. Bord replié.
rebours (à) adv. À l'envers, à contresens.
rebouteux m. Celui qui prétend guérir les fractures, les foulures.
rebrousser vt. Relever à contre-poil. Refaire en sens inverse : — *chemin*.

rebuffade f. Mauvais accueil. Refus brutal.
rébus [-bys] m. Devinette, énigme.
rebut m. Chose rejetée. Chose méprisable.
rebuter vt. Décourager. Choquer.
récalcitrant, e adj. Qui résiste obstinément.
récapituler vt. Résumer, redire en abrégé.
recel m. Action de receler : *condamner pour —*.
receler vt. Cacher une chose volée. Contenir.
receleur, euse n. Qui pratique le recel.
recensement m. Dénombrement de la population.
recenser vt. Faire un recensement.
récent, e adj. Nouveau : *un livre —*.
récépissé m. Reçu.
réceptacle m. Lieu de rassemblement.
récepteur, trice adj. Qui reçoit. m. Appareil recevant une émission quelconque.
réception f. Action de recevoir. Accueil.
récession f. Ralentissement de l'activité industrielle et commerciale.
recette f. Ce qui est reçu en argent. Manière de préparer un mets. Procédé pour réussir.
recevable adj. Qui peut être admis.
receveur, euse n. Percepteur d'impôts. Administrateur d'un bureau de poste.
recevoir vt. Accepter ce qui est donné. Accueillir, admettre. Subir. vi. Avoir des visites.
rechange (de) loc. adj. Qui peut remplacer une pièce, un objet hors d'usage.
réchapper vi. Échapper par chance à.
recharge f. Remise en état de fonctionnement. Ce qui permet de recharger.
recharger vt. Charger de nouveau. *(-gea.)*
réchaud m. Petit fourneau.
réchauffé m. Chose connue donnée comme neuve.
réchauffer vt. Chauffer de nouveau. Ranimer.

rêche adj. Rude, âpre.
recherche f. Action de rechercher. Affectation. Travail scientifique.
recherché, e adj. Affecté, peu naturel.
rechercher vt. Chercher avec soin. Tâcher d'obtenir.
rechigner vi. Avoir de la répugnance pour.
rechute f. Recrudescence d'une maladie.
récidive f. Répétition d'une faute, etc.
récidiver vi. Faire une récidive.
récif m. Rocher à fleur d'eau.
récipient m. Vase pour recevoir, contenir.
réciproque adj. Qui marque une action équivalente : *amitié* —.
récit m. Narration : — *d'un événement*.
récital m. Spectacle donné par un seul artiste.
récitation f. Action de réciter.
réciter vt. Dire par cœur.
réclamation f. Action de réclamer.
réclame f. Publicité : *faire de la* —.
réclamer vt. Demander en insistant. Revendiquer. Exiger.
reclus, e adj. Enfermé.
réclusion f. État d'une personne recluse. Prison avec travail forcé.
recoin m. Coin caché. Partie secrète.
récolte f. Action de récolter.
récolter vt. Recueillir les biens de la terre. Recueillir : — *des informations*.
recommandation f. Conseil, avis. Appui.
recommander vt. Conseiller. Signaler à la bienveillance, aux bons soins de : — *un candidat*.
recommencer vt. Commencer de nouveau.
récompense f. Ce qui est offert en reconnaissance d'un mérite particulier, d'un service rendu.

récompenser vt. Accorder une récompense.
réconciliation f. Action de réconcilier.
réconcilier vt. Rétablir la bonne entente.
reconduction f. Renouvellement d'un bail, etc.
reconduire vt. Accompagner un visiteur. Continuer, renouveler.
réconfort m. Consolation.
réconforter vt. Redonner courage. Consoler.
reconnaissance f. Action de reconnaître. Gratitude. Aveu. Reçu. Exploration militaire.
reconnaissant, e adj. Qui a de la gratitude.
reconnaître vt. Se souvenir, identifier. Constater, avouer. Avoir de la gratitude. Explorer. vpr. *Se — coupable*, avouer sa faute.
reconstituant m. Qui redonne des forces.
reconstituer vt. Constituer, former de nouveau.
record m. Exploit sportif surpassant tout ce qui a été fait dans le même genre. Exploit.
recoupement m. Action de vérifier un fait.
recouper vt. Couper de nouveau. Confirmer.
recourber vt. Courber. Ployer par le bout.
recourir vi. Avoir recours à : *— à un ami.*
recours m. Recherche d'aide : *avoir — à*. Ressource. Pourvoi : *— en cassation ; — en grâce*.
recouvrement m. Action de recouvrer.
recouvrer vt. Retrouver la possession de : *— la santé*. Percevoir une somme due.
recouvrir vt. Couvrir de nouveau.
récréation f. Passe-temps. Temps de repos.
récréer vt. Réjouir, divertir.
récrier (se) vpr. S'exclamer, protester.
récrimination f. Réclamation, critique amère.
recroqueviller (se) vpr. Se dessécher, se racornir à la chaleur. Se replier sur soi-même.
recrudescence f. Intensité nouvelle. Reprise.

recrue f. Jeune soldat.
recruter vt. Lever des troupes. Embaucher.
recta adv. FAM. Ponctuellement : *payer —.*
rectangle adj. À un angle droit. m. Quadrilatère dont les angles sont droits.
rectifier vt. Redresser. Rendre exact, correct.
rectiligne adj. En ligne droite.
rectitude f. Conformité à la raison, à la justice.
recto m. Première page d'un feuillet.
rectum [-tɔm] m. Dernière portion de l'intestin.
reçu m. Écrit par lequel on reconnaît avoir reçu quelque chose.
recueil m. Réunion de textes.
recueillement m. État d'une personne qui se recueille.
recueillir vt. Récolter, obtenir. Rassembler. vpr. Réfléchir, méditer.
recul m. Mouvement en arrière.
reculade f. Action de reculer.
reculer vt. Pousser en arrière. Porter plus loin. vi. Se porter en arrière. Renoncer, céder.
reculons (à) loc. adv. En reculant : *aller à —.*
récupérer vt. Rentrer en possession de. Recueillir pour utiliser de nouveau.
récurer vt. Nettoyer : *— un évier.*
récuser vt. Contester la compétence de.
recyclage m. Formation complémentaire donnée à un travailleur. Action de récupérer la partie utile des déchets.
recycler vt. Effectuer un recyclage.
rédacteur m. Qui rédige : *— d'un journal.*
rédaction f. Action de rédiger. Ensemble des rédacteurs : *la — d'un journal.*
reddition f. Action de se rendre : *— d'une ville.*
redevable adj. Qui a une obligation envers.

redevance f. Dette, charge à termes fixes.
rédhibitoire adj. Qui peut annuler la vente. Qui constitue un obstacle radical.
rédiger vt. Mettre par écrit. *(Rédigeons.)*
redingote f. Manteau serré à la taille.
redire vt. Répéter. *Trouver à —*, blâmer.
redite f. Répétition inutile.
redonner vt. Donner de nouveau. Rendre.
redoubler vt. Rendre double. vi. Augmenter.
redoutable adj. Qui est à redouter.
redoute f. Ouvrage fortifié.
redouter vt. Craindre beaucoup.
redresser vt. Rendre droit. Corriger.
réduction f. Action de réduire. Copie réduite.
réduire vt. Rendre moindre, diminuer.
réduit m. Pièce de très petites dimensions.
rééducation f. Action de soumettre un membre, un organe du corps à des exercices pour lui permettre de retrouver un fonctionnement normal.
réel, elle adj. et m. Qui existe en réalité.
refaire vt. Faire de nouveau. vpr. Se rétablir.
réfection f. Action de remettre à neuf.
réfectoire m. Salle à manger d'une communauté.
référé m. Procédure d'urgence.
référence f. Indication précise servant à identifier.
référendum [-rɛ dɔm] m. Consultation des citoyens d'un pays sur un sujet déterminé.
référer vt. *En — à*, en appeler à.
réfléchi, e adj. Qui montre de la réflexion. Qui renvoie au sujet, en grammaire.
réfléchir vt. Réverbérer. vi. Méditer, penser.
réflecteur m. Appareil qui réfléchit la lumière, la chaleur, les ondes.
reflet m. Rayon lumineux réfléchi. Image.
refléter vt. Renvoyer la lumière. FIG. Exprimer.

réflexe m. Réaction nerveuse inconsciente.
réflexion f. Changement de direction des ondes lumineuses ou sonores. Méditation. Pensée.
refluer vi. Revenir au point de départ.
reflux [rəfly] m. Mouvement de recul du flot.
refondre vt. Refaire entièrement.
refonte f. Action de refondre.
réforme f. Changement qui améliore. Position d'une personne jugée inapte au service militaire. Protestantisme (avec maj.).
réformer vt. Corriger, améliorer. Déclarer inapte.
refouler vt. Faire reculer. PSYCHAN. Rejeter ses désirs dans l'inconscient.
réfractaire adj. Qui résiste.
réfracter vt. Produire la réfraction.
réfraction f. Déviation de la lumière.
refrain m. Mots, mélodie répétés. Rengaine.
refréner vt. Freiner, mettre un frein, réprimer.
réfrigérant, e adj. Qui refroidit.
réfrigérateur m. Appareil produisant du froid.
réfrigérer vt. Refroidir. Frigorifier.
refroidir vt. Rendre froid. Diminuer l'ardeur.
refroidissement m. Diminution de chaleur. Indisposition causée par le froid.
refuge m. Asile, retraite.
réfugier (se) vpr. Se mettre à l'abri.
refus m. Action de refuser.
refuser vt. Ne pas accorder. Ne pas reconnaître. vpr. Ne pas consentir à.
réfuter vt. Démontrer la fausseté de.
regagner vt. Retrouver. Reprendre. Revenir.
regain m. Herbe qui repousse. Recrudescence.
régal m. Grand festin. Ce qui plaît.
régalade f. *Boire à la —*, sans toucher le vase avec les lèvres.

régaler vt. Donner un bon repas.
regard m. Action de regarder. *En* —, vis-à-vis.
regarder vt. Jeter la vue sur. Être tourné vers, être en face de.
régate f. Course de bateaux.
régence f. Fonction de régent, sa durée.
régénérer vt. Rétablir ce qui était détruit.
régent m. Chef du gouvernement pendant la minorité, l'absence, etc., du souverain.
régenter vt. Diriger. Commander.
régicide m. Assassin d'un roi. Meurtre d'un roi.
régie f. Administration chargée de la perception de certaines taxes. Organisation matérielle d'un spectacle.
regimber vi. Refuser d'obéir.
régime m. Forme de gouvernement. Prescriptions alimentaires. Grappe de bananes, etc.
régiment m. Corps militaire formé de plusieurs bataillons.
région f. Étendue de pays. Circonscription groupant plusieurs départements.
régional, e adj. D'une région.
régir vt. Gouverner, administrer.
régisseur m. Qui régit ; administrateur.
registre m. Livre où l'on inscrit certaines choses. Étendue de l'échelle vocale.
réglage m. Action de régler.
règle f. Instrument pour tracer des lignes. Principe, loi. Statuts. Exemple, modèle.
règlement m. Action de régler. Statuts.
réglementaire adj. Conforme au règlement.
réglementer vt. Soumettre à un règlement.
régler vt. Tirer des lignes à la règle. Conclure, trancher. Payer.
réglisse f. Plante à racine sucrée.

règne m. Gouvernement d'un souverain. Grande division du monde vivant.
régner vi. Gouverner comme roi. Dominer.
regorger vi. Avoir en abondance.
régression f. Retour en arrière ; diminution.
regret m. Action de regretter, repentir.
regrettable adj. Fâcheux.
regretter vt. Être fâché d'avoir fait une chose, de ne plus avoir quelque chose.
régulariser vt. Rendre régulier.
régularité f. Qualité de ce qui est régulier.
régulateur, trice adj. Qui règle : *un appareil —.*
régulier, ère adj. Conforme à la règle. Bien proportionné. Exact, ponctuel.
réhabiliter vt. Rétablir dans ses droits.
rehausser vt. Surélever. Donner plus de valeur.
rein [rɛ̃] m. Viscère qui sécrète l'urine. pl. Lombes, bas du dos.
réincarner (se) vpr. Revivre dans un nouveau corps.
reine f. Femme du roi. Souveraine. — *-claude*, une prune. — *-marguerite*, sorte de marguerite.
réintégrer vt. Rétablir dans un droit. Rentrer de nouveau : — *son logis.*
réitérer vt. Répéter : — *une demande.*
rejaillir vi. Jaillir avec force. Retomber sur.
rejet m. Action de rejeter, de ne pas accepter.
rejeter vt. Jeter de nouveau. Jeter hors de soi. Faire retomber. Ne pas agréer.
rejeton m. Pousse d'une plante. FAM. Descendant.
rejoindre vt. Réunir. Aboutir à.
réjouir vt. Mettre en joie. Divertir.
relâche f. Interruption. Repos. Lieu d'escale.
relâchement m. État de ce qui n'est plus tendu. Diminution de l'activité.

relâcher vt. Diminuer la tension. Libérer.
relais m. Dispositif électrique transmettant les signaux.
relance f. Action de donner un nouvel élan, un nouvel essor.
relancer vt. Lancer de nouveau. Harceler.
relater vt. Raconter avec des détails.
relatif, ive adj. Qui a rapport à. Incomplet.
relation f. Rapport, correspondance. Récit. Personne avec qui l'on est en rapport.
relaxer vt. Libérer. vpr. Se détendre.
relayer vt. Remplacer : *— un coureur. (-laie.)*
reléguer vt. Mettre à l'écart : *— en province.*
relent m. Mauvaise odeur persistante.
relève f. Remplacement d'une troupe, d'une équipe par une autre.
relevé, e adj. Épicé. Noble. m. Liste.
relever vt. Remettre debout. Retrousser. Donner plus de goût. Copier, noter.
relief m. Ce qui fait saillie. Inégalités de la surface terrestre. Ouvrage de sculpture. Éclat.
relier vt. Lier, réunir. Couvrir les feuillets d'un livre d'un carton.
relieur, euse n. Spécialiste de la reliure.
religieux, euse adj. De la religion. Pieux. n. Personne qui s'engage par des vœux dans un institut de l'Église.
religion f. Culte à la divinité. Foi, piété.
reliquaire m. Coffret à reliques.
reliquat m. Ce qui reste dû. Suites.
relique f. Souvenir matériel d'un saint.
reliure f. Art de relier. Couverture reliée.
reluire vi. Briller en réfléchissant la lumière.
remake m. Nouvelle version d'un film.
remanier vt. Modifier.

remarquable adj. Digne d'être noté, éminent.
remarque f. Note, observation.
remarquer vt. Observer, noter. Distinguer.
remblai m. Terre rapportée pour combler.
remblayer vt. Combler un creux par un remblai.
rembourrer vt. Remplir de bourre. Capitonner.
rembourser vt. Rendre l'argent déboursé.
remède m. Médicament. Ce qui guérit.
remédier vi. Porter remède à.
remembrer vt. Réunir ce qui est démembré.
remémorer vt. Rappeler. Remettre en mémoire.
remerciement m. Action de remercier.
remercier vt. Dire merci. Congédier.
remettre vt. Mettre de nouveau. Livrer. Confier. Pardonner. Reconnaître. Différer.
réminiscence f. Souvenir vague, inconscient.
remise f. Action de remettre. Rabais. Lieu où l'on garde les voitures.
remiser vt. Mettre dans une remise. Ranger.
rémission f. Pardon. Accalmie d'une maladie.
remonter vt. Monter de nouveau. vpr. Reprendre des forces.
remontrance f. Avertissement, reproche.
remontrer vt. Montrer de nouveau. vi. *En* —, être supérieur.
remords m. Regret, repentir.
remorque f. Traction d'un véhicule par un autre. Voiture remorquée.
remorquer vt. Traîner à sa suite.
remorqueur m. Bateau qui remorque.
rémouleur m. Qui aiguise les couteaux, etc.
remous m. Tournoiement d'eau. FIG. Mouvements divers.
rempailler vt. Regarnir de paille (siège).
rempart m. Muraille de fortification.

remplacer vt. Mettre à la place de. Suppléer. Succéder à. Tenir lieu de. *(Remplaça.)*
remplir vt. Emplir. Occuper (poste, emploi). Compléter : *— un questionnaire.*
remplissage m. Action de remplir. Chose inutile.
remplumer (se) vpr. FAM. Se rétablir.
remporter vt. Emporter ce qu'on avait apporté. Obtenir : *— une victoire.*
remuant, e adj. Qui remue beaucoup : *enfant —.*
remuer vt. Mouvoir. Émouvoir. vi. Bouger.
rémunération f. Prix d'un travail.
rémunérer vt. Payer, rétribuer.
renâcler vi. Rechigner.
renaissance f. Nouvel essor. Mouvement d'idées au XVe siècle (avec maj.).
renaître vi. Naître de nouveau. Reparaître.
rénal, e adj. Des reins.
renard m. Mammifère carnassier à fourrure.
renchérir vt. En dire ou en faire plus.
rencontre f. Action de rencontrer. Choc.
rencontrer vt. Se trouver en présence de. vpr. Se trouver en même temps au même endroit.
rendement m. Production, rapport total.
rendez-vous m. Convention pour se rencontrer.
rendre vt. Restituer. Vomir. Exprimer. Prononcer : *— un arrêt.* vpr. Aller. Capituler devant.
rêne f. Courroie pour guider le cheval.
renégat m. Qui a renié sa religion, sa foi.
renfermer vt. Enfermer de nouveau. Contenir.
renfoncement m. Partie en retrait d'une construction.
renforcer vt. Rendre plus fort. *(Renforça.)*
renfort m. Ce qui renforce. Troupe de secours.
renfrogné, e adj. Bourru, maussade.
rengaine f. FAM. Chanson populaire. Paroles répétées à satiété.

rengorger (se) vpr. Faire l'important.
renier vt. Désavouer. Renoncer à : — *sa foi.*
renifler vt. Aspirer fortement par le nez.
renne m. Cervidé des pays froids.
renom m., **renommée** f. Réputation. Célébrité.
renoncement m. Abnégation.
renoncer vi. Ne plus revendiquer. Au jeu, ne pas fournir de la couleur demandée.
renonciation f. Action de renoncer.
renoncule f. Plantes à fleurs jaunes.
renouer vt. Reprendre après interruption. vi. Se réconcilier.
renouveau m. Retour du printemps. Regain.
renouveler vt. Remplacer : — *ses vêtements.* Recommencer. Remettre à neuf.
rénover vt. Moderniser, restaurer.
renseignement m. Indication, éclaircissement.
renseigner vt. Donner des renseignements.
rentabilité f. Aptitude à produire un bénéfice.
rente f. Revenu annuel.
rentier, ère n. Qui vit de ses rentes.
rentré, e adj. Creux. f. Action de rentrer. Reprise du travail après les vacances. Recouvrement de fonds, d'impôts.
rentrer vi. Entrer de nouveau. S'emboîter. Figurer dans. vt. Porter dedans.
renversant, e adj. FAM. Qui étonne.
renverse (à la) loc. adv. Sur le dos : *tomber —.*
renversement m. Action de renverser.
renverser vt. Faire tomber, abattre. Étonner.
renvoi m. Action de renvoyer.
renvoyer vt. Envoyer de nouveau. Ne pas accepter. Congédier. Ajourner : — *à un autre jour.*
réouverture f. Action de rouvrir.
repaire m. Lieu de refuge.

repaître (se) vpr. Assouvir ses désirs.
répandre vt. Laisser couler. Colporter, propager. Exhaler : — *un parfum.*
reparaître vi. Paraître de nouveau.
réparation f. Action de réparer.
réparer vt. Arranger ce qui est détérioré. Corriger. Rétablir. Expier.
repartir vi. Partir de nouveau. Répliquer.
répartir vt. Partager, distribuer.
répartition f. Partage, distribution.
repas m. Nourriture quotidienne à heures fixes.
repassage m. Action de repasser le linge.
repasser vi. Passer de nouveau. vt. Revoir : — *sa leçon.* Aiguiser. Défriper au fer chaud.
repêcher vt. Retirer de l'eau ce qui y est tombé.
repentir m. Vif regret.
repentir (se) vpr. Regretter vivement.
répercussion f. Conséquence.
répercuter vt. Réfléchir, renvoyer. Transmettre.
repère m. Marque, jalon : *avoir des points de —.*
repérer vt. Marquer de repères. Localiser.
répertoire m. Table, liste. Ensemble des pièces qu'un théâtre peut mettre à l'affiche.
répéter vt. Dire, faire de nouveau.
répétiteur, trice n. Qui donne des répétitions.
répétition f. Action de répéter. Redite. Leçon particulière.
repeupler vt. Peupler de nouveau.
répit m. Arrêt momentané. Repos.
replacer vt. Remettre en place.
replet, ète adj. Qui a de l'embonpoint.
repli m. Pli double. Recul.
replier vt. Plier de nouveau. vpr. Se courber, se plier. Se retirer en bon ordre (armée).
réplique f. Réponse. Repartie.

répliquer vt. Répondre : — *brusquement.*
répondre vt. et i. Faire une réponse. vi. Objecter. Avoir une attitude réciproque ou opposée.
réponse f. Ce qu'on dit ou écrit à la suite d'une question. Explication. Réaction.
report m. Action de reporter.
reportage m. Ensemble d'informations transmises par la presse, la radio, la télévision.
reporter vt. Porter de nouveau. Réinscrire ailleurs. Ajourner. vpr. Se référer à.
reporter [-tɛr] m. Journaliste enquêteur.
repos m. Cessation de mouvement, de travail. Sommeil, tranquillité.
reposer vt. Poser de nouveau. Ôter la fatigue. vi. Dormir. Être enterré. vpr. Prendre du repos.
repoussant, e adj. Qui inspire de la répugnance.
repousser vt. Pousser en arrière. Ne pas accepter. Ne pas céder à.
repoussoir m. Ce qui fait valoir une autre chose par contraste.
répréhensible adj. Qui mérite d'être blâmé.
reprendre vt. Prendre de nouveau. Continuer. Réprimander. vpr. Se rétracter.
représailles fpl. Mal fait pour se venger.
représentation f. Action de représenter.
représenter vt. Présenter de nouveau. Jouer une pièce. Figurer par la peinture, etc. vpr. Former dans son esprit l'image de, imaginer.
répression f. Action de réprimer.
réprimande f. Blâme, semonce, observation.
réprimander vt. Blâmer, gronder : — *un élève.*
réprimer vt. Arrêter, mater. Contenir. Refouler.
reprise f. Action de reprendre. Continuation après interruption. Raccommodage. Répétition.
repriser vt. Faire des reprises, raccommoder.

réprobation f. Action de condamner un acte odieux.
reproche m. Action de reprocher, blâme.
reprocher vt. Adresser un blâme ; critiquer.
reproducteur, trice adj. et n. Qui reproduit.
reproduction f. Action de reproduire.
reproduire vt. Produire de nouveau. Imiter. vpr. Se multiplier par génération.
réprouvé, e n. et adj. Damné.
reptile m. Tout vertébré terrestre rampant, avec ou sans pattes.
repu, e adj. Rassasié.
républicain, e adj. De la république. n. Partisan de la république.
république f. Forme d'un État où le gouvernement est exercé par les délégués du peuple.
répudier vt. Renvoyer sa femme. Renier.
répugnance f. Dégoût, aversion.
répulsion f. Horreur. Répugnance.
réputation f. Renom : *avoir une bonne* —.
réputé, e adj. Qui jouit d'un grand renom.
requérir vt. Réclamer. Nécessiter.
requête f. Demande, supplique.
requin m. Squale de grande taille.
requis, e adj. Nécessaire, exigé : *condition* —.
réquisition f. Action de requérir pour un service public des hommes, des vivres, etc.
réquisitionner vt. Procéder à une réquisition.
rescapé, e adj. Sorti vivant d'un accident.
rescousse (à la) loc. adv. À l'aide : *venir* —.
réseau m. Ensemble de lignes, de fils entrelacés, de routes, de fleuves, etc. Ensemble de personnes en liaison clandestine.
réserve f. Action de réserver. Ce qu'on réserve. Restriction. Discrétion. Militaire qui n'est pas en service actif.

réservé, e adj. Discret, circonspect.
réserver vt. Mettre de côté. Destiner à.
réserviste m. Homme de la réserve de l'armée.
réservoir m. Dépôt pour emmagasiner l'eau.
résidence f. Séjour habituel. Habitation confortable.
résident m. Qui réside dans un pays étranger.
résider vi. Demeurer. Consister en.
résidu m. Reste.
résignation f. Renoncement, soumission.
résigner vt. DR. Renoncer à. vpr. Se soumettre.
résilier vt. Annuler : — *un bail.*
résille f. Filet pour les cheveux.
résine f. Substance produite par le pin.
résineux, euse adj. et n. Qui produit de la résine.
résistance f. Action de résister. Force qui permet de supporter. Conducteur électrique.
résister vi. Ne pas céder. Se défendre.
résolu, e adj. Hardi, déterminé.
résolution f. Action de résoudre. Décision prise. Disparition d'une tumeur. Texte adopté par une assemblée.
résonance f. Capacité de prolonger un son.
résonner vi. Renvoyer un son.
résorber vt. Faire disparaître peu à peu.
résorption f. Action de résorber.
résoudre vt. Décomposer. Trouver la solution. Décider. (Conj. comme *absoudre*, p. p. *résolu.*)
respect [rɛspɛ] m. Considération. pl. Hommages.
respectable adj. Digne de respect.
respecter vt. Traiter avec égard.
respectif, ive adj. Qui a rapport à chacun.
respectueux, euse adj. Qui marque du respect.
respiration f. Action de respirer.
respirer vi. Aspirer et rejeter l'air pour renouveler

l'oxygène de l'organisme. Vivre. vt. Humer. Fig. Exprimer.

responsabilité f. Obligation de réparer une faute, de remplir un engagement.

responsable adj. Qui se porte garant de ses actions. n. Personne qui a la capacité de prendre certaines décisions.

ressac m. Retour violent des vagues.

ressaisir (se) vpr. Redevenir maître de soi.

ressasser vt. Répéter sans cesse.

ressemblance f. Conformité de forme, etc.

ressembler vi. Avoir de la ressemblance.

ressemeler vt. Remettre des semelles.

ressentiment m. Vif souvenir d'une injure.

ressentir vt. Sentir, éprouver.

resserrer vt. Serrer davantage. Rendre plus étroit : *— l'amitié.*

ressort m. Organe élastique. Activité, énergie. Pouvoir, compétence.

ressortir vi. Sortir de nouveau. Être saillant.

ressortir vi. Être du ressort de. (Prés. ind. *is, is, it.*)

ressortissant, e n. Qui appartient à une nationalité et est protégé par son consul.

ressource f. Ce à quoi on a recours. pl. Moyens de vie ; argent.

ressusciter vt. Ramener à la vie. vi. Revenir à la vie.

restant, e adj. Qui reste. m. Le reste.

restaurant m. Établissement où l'on sert à manger au public.

restaurateur m. Qui tient un restaurant.

restauration f. Réparation. Rétablissement d'une dynastie déchue. Métier du restaurateur.

restaurer vt. Rétablir en bon état. Réparer.

reste m. Ce qui demeure. Mets entamé. Trace. Différence entre deux quantités.

rester vi. Demeurer : — *chez soi.* Continuer à être.
restituer vt. Redonner ce qui a été pris. Rétablir.
restreindre vt. Réduire, limiter. *(-eign-.)*
restriction f. Action de restreindre.
résultat m. Ce qui résulte de.
résulter vi. Être la conséquence de.
résumé m. Abrégé, sommaire : — *d'histoire.*
résumer vt. Présenter en moins de mots.
résurrection f. Retour de la mort à la vie.
retable m. Construction contre laquelle est appuyé l'autel d'une église.
rétablir vt. Remettre en état. Ramener.
rétablissement m. Action de rétablir.
retard m. Fait d'arriver tard. Différence d'heure marquée par une horloge qui retarde.
retardement (à) loc. adv. *Bombe à —*, qui explose après un temps déterminé.
retarder vt. Différer. Faire arriver plus tard, empêcher. vi. Marquer une heure moins avancée que l'heure réelle.
retenir vt. Faire demeurer. Prélever. Conserver. Maintenir, modérer.
retentir vi. Résonner.
retentissement m. Répercussion.
retenue f. Modération, discrétion. Action de retenir. Ce qu'on retient.
réticence f. Omission volontaire. Hésitation.
rétif, ive adj. Indocile : *cheval —.*
rétine f. Membrane du fond de l'œil.
retiré, e adj. Peu fréquenté. À la retraite.
retirer vt. Porter en arrière. Extraire. Ôter. Dégager. vpr. Partir, s'en aller.
retomber vi. Tomber de nouveau. Atteindre en retour.
rétorquer vt. Riposter.

retors, e adj. Rusé : *maquignon* —.
retoucher vt. Corriger, perfectionner.
retour m. Action de revenir, de se reproduire. Répétition. Action réciproque.
retourner vt. Tourner dans un autre sens. Renvoyer. vi. Aller de nouveau. vpr. Se tourner.
retracer vt. Raconter, exposer.
rétracter (se) vpr. Se contracter. Revenir sur ce qu'on a dit.
retrait m. Diminution de volume. Action de retirer : — *d'argent.* Évacuation : — *des troupes.*
retraite f. Marche en arrière d'une armée. Abandon du monde, de la société. Cessation d'un emploi à partir d'un certain âge. Pension.
retrancher vt. Ôter d'un tout. vpr. S'abriter.
rétrécir vt. Rendre plus étroit. vi. Diminuer.
rétribuer vt. Payer pour un travail.
rétribution f. Salaire, récompense.
rétroactif, ive adj. Qui agit sur le passé.
rétrocéder vt. Céder ce qu'on a acheté.
rétrograde adj. Qui va en arrière. Réactionnaire.
rétrograder vt. Ramener à un grade inférieur. vi. Retourner en arrière.
rétrospectif, ive adj. Relatif au passé.
retrousser vt. Relever : — *ses manches.*
retrouver vt. Trouver ce qui a été perdu.
rets [rɛ] m. Filet. Piège.
réunion f. Action de réunir. Assemblée.
réunionnais, e adj. et n. De la Réunion.
réunir vt. Joindre ce qui était séparé, grouper.
réussir vi. Avoir un heureux résultat. S'acclimater. Parvenir. vt. Faire avec succès.
réussite f. Succès. Jeu de patience (cartes).
revaloriser vt. Donner une valeur nouvelle.
revanche f. Vengeance. Seconde partie d'un jeu.

rêvasser vi. S'abandonner à la rêverie.
rêve m. Images qui se présentent à l'esprit pendant le sommeil.
revêche adj. Grincheux. Hargneux.
réveil m. Cessation du sommeil.
réveil m. Passage du sommeil à la veille. Pendule à sonnerie.
réveiller vt. Tirer du sommeil. Susciter.
réveillon m. Repas au milieu de la nuit (Noël et jour de l'an).
révélateur m. Bain de développement (photo).
révélation f. Action de révéler.
révéler vt. Découvrir ce qui est caché.
revenant m. Spectre, esprit de l'autre monde.
revendication f. Action de revendiquer.
revendiquer vt. Réclamer comme sien.
revendre vt. Vendre ce qu'on a acheté.
revenir vi. Venir de nouveau. Plaire. Coûter. Avoir lieu à nouveau. Incomber.
revenu m. Ce que rapporte un capital. Profit.
rêver vi. Faire des rêves. vt. Voir en rêve. Imaginer.
réverbérer vt. Réfléchir la lumière, etc.
révérence f. Respect. Salutation profonde.
rêverie f. Imagination vague.
revers m. Côté opposé au principal. Partie repliée d'un vêtement. Malheur.
réversible adj. Qui peut changer de sens.
revêtement m. Ce qui revêt : — *métallique*.
revêtir vt. Vêtir. Recouvrir.
rêveur, euse n. Qui rêve.
revient m. *Prix de —*, coût de fabrication.
revirement m. Changement complet : — *d'idées*.
réviser vt. Examiner de nouveau, revoir. Remettre en état de marche.

révision f. Action de réviser.
revivre vi. Revenir à la vie. Reprendre des forces. Renaître, se renouveler.
révocation f. Action de révoquer.
revoir vt. Voir de nouveau. m. *Au* —, parole qu'on dit quand on s'en va.
révolte f. Rébellion, soulèvement.
révolter vt. Indigner. vpr. Se soulever contre.
révolution f. Mouvement circulaire. Changement politique, social, économique, violent.
révolutionnaire adj. et n. De la révolution.
révolutionner vt. Troubler, bouleverser.
revolver [-vɛr] m. Arme à feu à répétition.
révoquer vt. Priver d'un emploi. Annuler.
revue f. Inspection. Publication périodique. Parade militaire. Spectacle de music-hall.
révulsé, e adj. Retourné, bouleversé : *les yeux* —.
rez-de-chaussée [rɛd-] m. Partie d'une maison au niveau du sol.
rhabiller vt. Habiller de nouveau.
rhétorique f. Art de l'éloquence.
rhinocéros m. Mammifère d'Afrique portant deux cornes sur le nez.
rhododendron m. Une plante ornementale.
rhubarbe f. Une plante purgative.
rhum [rɔm] m. Eau-de-vie tirée de la canne à sucre.
rhumatisme m. Maladie caractérisée par des douleurs articulaires, musculaires.
rhume m. Irritation des muqueuses respiratoires.
riant, e adj. Qui exprime la gaieté. Agréable.
ribambelle f. Grande quantité : — *d'enfants*.
ricaner vi. Rire à demi, sottement ou méchamment.
riche adj. Qui a de la richesse. Fertile. Magnifique. n. Personne riche.

richesse f. Abondance de biens. Fertilité.
ricin m. Plante qui donne une huile purgative.
ricocher vi. Faire des ricochets.
ricochet m. Bond fait en heurtant une surface plane : *projectile qui fait des* —.
rictus [-tys] m. Contraction de la bouche qui donne l'apparence du rire.
ride f. Pli de la peau dû à l'âge. Ondulation.
rideau m. Draperie qui coulisse. Ligne d'objets cachant la vue : — *d'arbres*.
rider vt. Produire des rides, des plis.
ridicule adj. Propre à exciter la moquerie. m. Ce qui est ridicule.
ridiculiser vt. Tourner en ridicule, persifler.
rien pron. indéf. Aucune chose. m. Bagatelle.
rieur, euse adj. Qui rit, qui aime à rire.
rigide adj. Raide, inflexible.
rigole f. Petite tranchée.
rigorisme m. Austérité, puritanisme.
rigoureux, euse adj. Sévère. Dur, rude.
rigueur f. Grande sévérité. Dureté, âpreté.
rillettes fpl. Viande de porc hachée.
rime f. Retour d'un même son à la fin des vers.
rimer vt. Mettre en vers. vi. Faire des vers.
rincer vt. Passer dans l'eau après lavage.
ripaille f. Fam. Excès de nourriture, de boisson.
riposte f. Réponse vive ; représailles.
riposter vi. et t. Répondre vivement.
rire vi. Marquer de la gaieté par un mouvement, un bruit de la bouche. Avoir un air gai, agréable : *yeux qui* —, m. Action de rire.
ris m. Partie d'une voile qu'on serre. Glande comestible du cou du veau.
risée f. Moquerie collective.
risible adj. Ridicule : *prétentions* —.

risque m. Dommage possible. Préjudice éventuel.
risquer vt. Exposer à un risque. Tenter.
rissoler vt. Faire cuire en dorant.
ristourne f. Réduction ; remise.
rite m. Cérémonial religieux. Tout cérémonial.
ritournelle f. Refrain musical. FAM. Propos répétés.
rituel, elle adj. Relatif aux rites.
rivage m. Rive, bord : *le — de la mer.*
rival, e adj. et n. Qui est en concurrence avec.
rivalité f. Concurrence entre personnes, etc.
rive f. Bord d'un fleuve, d'un lac, d'une mer.
river vt. Solidariser deux pièces par des rivets.
riverain, e adj. et n. Qui habite au bord de.
rivet m. Clou en métal pour river.
rivière f. Cours d'eau affluent. Collier, parure.
rixe f. Querelle violente accompagnée de coups.
riz m. Graminée des pays chauds.
rizière f. Champ de riz.
robe f. Vêtement féminin d'un seul tenant. Costume des magistrats. Pelage.
robinet m. Pièce qui permet de retenir ou de laisser couler l'eau.
robot m. Appareil qui agit de façon automatique.
robuste adj. Fort, vigoureux.
roc m. Masse de pierre dure fixée dans le sol.
rocailleux, euse adj. Plein de pierres. Dur.
rocambolesque adj. Extraordinaire.
roche f. Grande masse de pierre.
rocher m. Roc escarpé. Os du crâne.
rocheux, euse adj. Couvert de rochers.
rock and roll [rɔkɛnrɔl] ou **rock** m. Style musical rythmé d'origine américaine. Danse sur cette musique.
rococo adj. Décoration du style Louis XV. FAM. Démodé : *avoir l'air —.*

rodage m. Action de roder : *voiture en —.*
roder vt. Ajuster par frottement. Mettre en état de marche.
rôder vi. Tourner autour en épiant.
rogaton m. FAM. Reste d'un repas.
rogner vt. Retrancher sur quelque chose.
rognon m. Rein d'un animal : *— de veau.*
rognure f. Ce que l'on détache en rognant.
rogue adj. Arrogant, dédaigneux.
roi m. Souverain d'un État. Pièce des échecs. Figure dans un jeu de cartes.
roitelet m. Roi d'un petit État. Un oiseau.
rôle m. Liste, catalogue. Ce qu'un acteur doit jouer dans une pièce. *À tour de —,* par ordre.
romain, e adj. et n. De Rome : *histoire —. Chiffres —,* en lettres (I, V, X, L, C, D, M, qui valent respectivement 1, 5, 10, 50, 100, 500, 1 000). f. Sorte de balance.
roman, e adj. Se dit des langues latines. Se dit d'une architecture des pays latins (Ve-XIIe s.). m. Œuvre d'imagination en prose.
romance f. Chanson sentimentale.
romancier, ère n. Auteur de romans.
romanesque adj. Qui tient du roman. Rêveur.
romanichel, elle n. Tsigane nomade.
romantique adj. et n. Relatif au romantisme. Sentimental.
romantisme m. École littéraire du XIXe siècle.
romarin m. Plante aromatique.
rompre vt. Briser. vi. et pr. Se briser.
rompu, e adj. Accablé de fatigue. Habile.
romsteck ou **rumsteck** [rɔmstɛk] m. Partie haute de la croupe de bœuf.
ronce f. Arbuste à épines.
ronchonner vi. FAM. Grogner.

rond adj. Circulaire. Gros et court. Franc. m. Cercle, anneau : — *de serviette.*
ronde f. Inspection de surveillance. Chanson accompagnée d'une danse en rond.
rondeau m. Sorte de petit poème.
rondelet, ette adj. *Somme* —, importante.
rondelle f. Petit disque : — *de cuir.*
rondeur f. État de ce qui est rond. Franchise.
rondin m. Bûche ronde.
rond-point m. Carrefour circulaire. (pl. —*s* - —*s*.)
ronflant, e adj. Emphatique et creux : *des mots* —.
ronflement m. Bruit fait en ronflant.
ronfler vi. Faire un bruit sourd en respirant quand on dort.
ronger vt. Manger peu à peu. Corroder. Miner.
rongeur, euse adj. Qui ronge. mpl. Mammifères à incisives, sans canines (rat, lapin, etc.).
ronron m. Bruit que fait le chat satisfait.
ronronner vi. Faire un ronron.
roquet m. Petit chien hargneux.
rosace f. Ornement d'architecture rond.
rosbif m. Morceau de bœuf pris dans l'aloyau.
rose f. Fleur du rosier. Ornement en forme de rose. adj. De la couleur de la rose : *des joues* —. m. La couleur de la rose.
rosé, e adj. Teinté de rose. m. Vin de couleur rosée.
roseau m. Une plante aquatique.
rosée f. Vapeur déposée en gouttelettes.
rosette f. Insigne d'un ordre, porté à la boutonnière.
rosier m. Arbuste épineux à belles fleurs.
rosir vi. Devenir rose.
rosse f. Cheval sans force. Personne méchante.
rosser vt. FAM. Battre violemment.

rossignol m. Un oiseau chanteur. Marchandise démodée, défraîchie. Sorte de fausse clef.
rotation f. Mouvement tournant.
rotative f. Presse à imprimer en continu.
rôti m. Viande rôtie.
rotin m. Sorte de roseau : *canne de —*.
rôtir vt. Faire cuire à sec. vi. Être rôti.
rôtissoire f. Ustensile qui sert pour rôtir.
rotonde f. Bâtiment, pavillon de forme ronde.
rotule f. Os rond du genou.
roturier, ère adj. et n. Qui n'est pas noble.
rouage m. Ensemble des roues d'un mécanisme.
roublard, e adj. et n. Fam. Rusé.
rouble m. Monnaie russe.
roucouler vi. Faire entendre son cri (pigeon).
roue f. Organe circulaire mobile sur un axe.
roué, e adj. Rusé, sans scrupule.
rouelle f. Tranche de cuisse de veau.
rouer vt. *— de coups*, battre violemment.
rouge m. Couleur du sang, du feu. adj. Qui est de couleur rouge. Révolutionnaire.
rougeaud, e adj. Qui a le visage rouge.
rouge-gorge m. Genre de passereaux. (pl. *—s-—s.*)
rougeole f. Une maladie contagieuse.
rouget m. Poisson marin de couleur rouge.
rougeur f. Couleur rouge. Teinte rouge du visage. pl. Taches rouges sur la peau.
rougir vt. Rendre rouge. vi. Devenir rouge. Avoir honte de : *— d'une faute*.
rouille f. Oxyde de fer rouge, qui se produit à l'air humide. Maladie des plantes.
rouiller vt. Produire de la rouille.
roulade f. Vocalise sur une seule syllabe.
rouleau m. Objet cylindrique : *— compresseur*.

roulement m. Mouvement de ce qui roule. Remplacement alternatif : *le — d'une équipe*. Circulation. Bruit sourd et prolongé.
rouler vt. Faire avancer en faisant tourner. Plier en rouleau. FAM. Duper, tromper. vi. Avancer en tournant.
roulette f. Petite roue. Jeu de hasard.
roulis m. Oscillations latérales du bateau.
roulotte f. Voiture de nomades.
roumain, e adj. et n. De Roumanie.
round [rawnd *ou* rund] m. Chaque phase d'un combat de boxe.
rousseur f. Qualité de ce qui est roux.
roussi m. Odeur d'une chose brûlée.
roussir vt. Brûler légèrement.
route f. Voie de communication terrestre. Parcours. Trajet. Direction.
routier, ère adj. Relatif, propre à la route. m. Cycliste qui court sur route.
routine f. Ce qui se fait par pure habitude.
routinier, ère adj. Qui agit par routine.
rouvrir vt. Ouvrir de nouveau.
roux, rousse adj. D'une couleur entre jaune et rouge : *cheveux —*. m. Une sauce.
royal, e [rwajal] adj. De roi : *palais —*.
royaliste adj. et n. Partisan de la royauté.
royaume [rwajom] m. État gouverné par un roi.
royauté f. Dignité de roi. Monarchie.
ruade f. Action de ruer.
ruban m. Tissu mince et étroit.
rubicond, e adj. Rouge (visage).
rubis m. Une pierre précieuse rouge.
rubrique f. Article de journal : *— sportive*.
ruche f. Habitation des abeilles. Ornement plissé.
rude adj. Âpre. Raboteux. Pénible, difficile.

rudesse f. État de ce qui est rude. Dureté.
rudiments mpl. Premières notions.
rudoyer vt. Traiter durement : — *un enfant.*
rue f. Voie de circulation bordée de maisons.
ruée f. Action de se ruer.
ruelle f. Petite rue étroite.
ruer vi. Jeter en l'air avec force les membres postérieurs (cheval). vpr. Se précipiter avec impétuosité.
rugby m. Jeu d'équipe utilisant un ballon ovale.
rugir vi. Pousser des rugissements.
rugissement m. Cri du lion. Cri très fort.
rugueux, euse adj. Qui a des aspérités.
ruine f. Destruction. Perte de la fortune. Vestige.
ruiner vt. Causer la ruine de. Détruire.
ruineux, euse adj. Qui provoque la ruine.
ruisseau m. Petit cours d'eau. Caniveau.
ruisseler vi. S'écouler sous forme de filets d'eau continus. *(Ruisselle.)*
ruissellement m. Action de ruisseler.
rumeur f. Bruit confus.
ruminant, e adj. Qui rumine. mpl. Mammifères qui ruminent (bœuf, mouton, etc.).
ruminer vi. et t. Remâcher les aliments ramenés dans la bouche. FIG. Ressasser.
rumsteck V. ROMSTECK.
rupture f. Action de rompre.
rural, e adj. Relatif à la campagne : *vie —.*
ruse f. Artifice pour tromper : *agir par —.*
rusé, e adj. Qui a de la ruse : *un — compère.*
ruser vi. User d'artifices.
russe adj. et n. De Russie.
rustaud, e adj. Rustre, grossier.
rustique adj. De la campagne.

rustre m. Homme grossier.
rutabaga m. Sorte de navet.
rutilant, e adj. Étincelant, flamboyant.
rythme m. Cadence, mouvement régulier.

S

sabbat m. Jour de repos chez les juifs. Assemblée nocturne de sorcières.
sable m. Gravier fin.
sabler vt. Couvrir de sable.
sablier m. Petit appareil utilisant l'écoulement du sable pour mesurer le temps.
sablière f. Carrière de sable.
sablonneux, euse adj. Plein de sable.
sabord m. Ouverture dans le flanc d'un navire.
saborder vt. Couler volontairement un navire. FIG. Faire échouer une entreprise.
sabot m. Chaussure de bois. Corne du pied de certains animaux.
saboter vt. Exécuter vite et mal. Détériorer volontairement.
sabre m. Épée à un seul tranchant.
sabrer vt. Frapper à coups de sabre.
sac m. Espèce de poche ouverte. Son contenu. Pillage : *mettre à —*.
saccade f. Secousse brusque.
saccager vt. Mettre à sac. Dévaster.
saccharine f. Produit remplaçant le sucre.
sacerdoce m. Dignité, fonction du prêtre.
sacerdotal, e adj. Du sacerdoce : *fonctions —*.
sachet m. Petit sac : *un — parfumé*.
sacoche f. Gros sac de cuir.
sacre m. Consécration d'un roi, d'un évêque.
sacré, e adj. De la religion. Inviolable.
sacrement m. Acte, rite religieux.
sacrer vt. Conférer un caractère sacré moyennant certaines cérémonies religieuses. vi. Jurer.
sacrifice m. Offrande à une divinité. Renoncement.

sacrifier vt. Offrir en sacrifice. Renoncer à.
sacrilège m. Profanation. adj. Qui profane.
sacripant m. Vaurien, fripon.
sacristain m. Qui a soin de la sacristie.
sacristie f. Partie d'une église où l'on range les ornements du culte.
sacrum [-ɔm] m. Os au bas de la colonne vertébrale.
sadisme m. Plaisir pervers à voir ou à faire souffrir autrui.
safari m. En Afrique noire, expédition de chasse.
safran m. Plante aromatique.
sagace adj. Fin, perspicace.
sagaie f. Arme de jet primitive.
sage adj. Prudent, circonspect. Calme, docile.
sage-femme f. Femme qui fait des accouchements. (pl. *—s - —s.*)
sagesse f. Prudence, circonspection. Docilité.
sagouin m. Petit singe. Homme malpropre.
saharien, enne adj. et n. Du Sahara.
saignée f. Prise de sang. Creux entre le bras et l'avant-bras.
saignement m. Écoulement de sang : *— de nez.*
saigner vt. Tirer du sang en ouvrant une veine. vi. Perdre du sang : *— du nez.*
saillant, e adj. Qui sort, se détache.
saillie f. Partie saillante. Boutade.
saillir vi. S'avancer en dehors. Dépasser.
sain, e adj. En bonne santé. Non altéré.
saindoux m. Graisse de porc fondue.
sainfoin m. Plante fourragère.
saint, e adj. Qui est dédié à Dieu. n. Qui est reconnu par l'Église comme digne d'un culte.
sainte-nitouche f. Hypocrite. (pl. *—s - —s.*)
sainteté f. Qualité de ce, celui qui est saint.

saisie f. Acte par lequel un créancier s'empare légalement des biens de son débiteur.
saisir vt. Comprendre. S'emparer de.
saisissant, e adj. Surprenant.
saisissement m. Émotion vive, frayeur.
saison f. Grande division de l'année. Période.
salade f. Légumes assaisonnés avec du sel, de l'huile et du vinaigre. FAM. Confusion.
saladier m. Récipient pour la salade.
salaire m. Rémunération régulière d'un travail.
salaison f. Viande salée.
salamandre f. Un genre de batraciens.
salarié, e adj. Qui reçoit un salaire.
sale adj. Malpropre. Se dit d'une couleur terne. Insupportable ; malfaisant.
saler vt. Assaisonner avec du sel. FAM. Demander un prix excessif.
saleté f. État de ce qui est sale. Chose sale. Action vile.
salière f. Récipient pour le sel.
salin, e adj. Qui contient du sel ; propre au sel.
saline f. Mine de sel.
salir vt. Rendre sale. Déshonorer.
salissant, e adj. Qui salit, se salit.
salive f. Liquide qui humecte la bouche.
saliver vi. Sécréter de la salive.
salle f. Grande pièce d'un édifice. Public qui remplit une salle.
salmis [-mi] m. Sorte de ragoût de gibier.
saloir m. Récipient pour la viande salée.
salon m. Pièce de réception. Exposition d'ouvrages d'art, etc. : — *d'automne*.
salopette f. Vêtement de travail.
salpêtre m. Matière pulvérulente des murs humides.

salsifis m. Plante à racine comestible.
saltimbanque m. Comédien ambulant.
salubre adj. Sain : *climat* —.
saluer vt. Donner des marques de respect.
salut m. Fait d'échapper à un danger. Action de saluer.
salutaire adj. Propre à conserver la santé, etc.
salutation f. Action de saluer. Geste de salut.
salve f. Décharge d'armes à feu en même temps. Applaudissements éclatants et unanimes.
samedi m. Sixième jour de la semaine
sanatorium [-rjɔm] m. Établissement de cure pour malades, convalescents, etc.
sanction f. Approbation, confirmation. Punition.
sanctionner vt. Ratifier. Donner une sanction.
sanctuaire m. Édifice religieux.
sandale f. Sorte de chaussure très simple.
sandwich [sɑ̃dwitʃ] m. Tranche de jambon, de fromage, etc., entre deux morceaux de pain.
sang m. Liquide rouge circulant dans les veines. — *-froid*, maîtrise de soi.
sanglant, e adj. Taché de sang.
sangle f. Bande pour serrer, attacher.
sangler vt. Serrer avec une sangle : — *un cheval*.
sanglier m. Porc sauvage.
sanglot m. Contraction spasmodique du diaphragme par l'effet de la douleur, de l'émotion.
sangloter vi. Pleurer en sanglotant.
sangsue [sɑ̃sy] f. Genre de vers qui étaient utilisés pour faire des saignées.
sanguin, e adj. Relatif au sang : *vaisseau* —.
sanguinaire adj. Cruel : *tyran* —.
sanguine f. Crayon d'ocre rouge pour le dessin.
sanguinolent, e adj. Sanglant : *linges* —.
sanitaire adj. De la santé, l'hygiène. mpl. Ensemble des installations de propreté.

sans prép. marquant la privation.
sans-culotte m. Révolutionnaire de 1792.
sanskrit m. Langue sacrée de l'Inde.
sansonnet m. Étourneau (oiseau).
santal m. Un arbre d'Asie.
santé f. État de celui dont l'organisme fonctionne bien.
sapajou m. Petit singe.
saper vt. Détruire, miner. vpr. Pop. S'habiller.
sapeur m. Soldat du génie en général. — *-pompier*, volontaire ou professionnel entraîné à la lutte contre l'incendie.
saphir m. Pierre précieuse bleue.
sapin m. Arbre conifère.
sarabande f. Danse ancienne. Tapage.
sarbacane f. Tube pour lancer des projectiles.
sarcasme m. Raillerie acerbe.
sarcastique adj. Qui tient du sarcasme.
sarcelle f. Oiseau sauvage proche du canard.
sarcler vt. Arracher les mauvaises herbes.
sarcome m. Tumeur maligne.
sarcophage m. Cercueil : *les — égyptiens*.
sarde adj. et n. De Sardaigne.
sardine f. Petit poisson de mer.
sardonique adj. D'une ironie méchante.
sarment m. Jeune rameau de vigne.
sarrasin m. Blé noir.
sarrau m. Tablier de travail ou d'écolier.
sas [sa] ou [sas] m. Petite pièce étanche qui permet le passage entre deux milieux différents.
satanique adj. Diabolique. Méchant.
satellite m. Planète qui tourne autour d'une autre. Engin placé par une fusée sur une orbite dont le centre de la Terre est l'un des foyers.
satiété [sasjete] f. État d'une personne rassasiée.

satin m. Une étoffe de soie lustrée.
satiner vt. Donner l'aspect du satin.
satire f. Discours, écrit qui attaque les défauts et les vices de l'époque.
satirique adj. Qui tient de la satire.
satisfaction f. Contentement, joie.
satisfaire vt. Contenter, plaire.
satisfaisant, e adj. Qui satisfait.
satisfait, e adj. Content, assouvi.
saturer vt. Encombrer, remplir à l'excès.
satyre m. Demi-dieu rustique. Homme lubrique.
sauce f. Assaisonnement liquide d'un mets.
saucer vt. Tremper dans la sauce.
saucière f. Récipient pour servir les sauces.
saucisse f. Boyau rempli de chair hachée.
saucisson m. Grosse saucisse assaisonnée.
sauf, sauve adj. Hors de danger. prép. À la réserve de, excepté.
saugrenu, e adj. Bizarre, absurde : *réponse —*.
saule m. Arbre vivant près de l'eau.
saumâtre adj. Un peu salé.
saumon m. Un poisson très estimé.
saumure f. Liquide salé pour conserves.
sauna m. Bain de chaleur sèche et de vapeur.
saupoudrer vt. Poudrer de sel, de sucre, etc.
sauriens mpl. Lézards, crocodiles, etc.
saut m. Action de sauter. Chute d'eau.
saute f. Changement brusque : *— d'humeur*.
sauter vi. S'élever de terre avec effort. Voler en éclats. Changer brusquement. vt. Franchir.
sauterelle f. Un insecte sauteur.
sauterie f. Petite soirée dansante.
sauteur, euse adj. et n. Qui saute.
sautiller vi. Faire de petits sauts.
sautoir m. Collier féminin très long.

sauvage adj. Qui n'est pas apprivoisé. Non civilisé. Désert, inculte. Solitaire.
sauvageon m. Arbrisseau non greffé.
sauvagerie f. Caractère sauvage.
sauvegarde f. Protection, garantie.
sauver vt. Tirer du danger. Rendre la santé. Pallier. vpr. Fuir. S'échapper.
sauvetage m. Action de sauver.
sauveur m. Celui qui sauve.
savane f. Région couverte d'herbe de la zone tropicale.
savant, e adj. et n. Qui a des connaissances étendues.
savate f. Vieille pantoufle, soulier usé.
saveur f. Sensation produite par certains corps sur la langue, goût.
savoir vt. Connaître. Être instruit. *(Sais, savons ; sus, saurai, sache, sachant, su.)* m. Ensemble de connaissances. — *-faire*, habileté. — *-vivre* pratique des usages du monde.
savon m. Produit utilisé pour le lavage.
savonner vt. Nettoyer avec du savon.
savonnette f. Savon parfumé pour la toilette.
savonneux, euse adj. Qui contient du savon.
savourer vt. Déguster. Se délecter.
savoureux, euse adj. De saveur agréable.
saxophone m. Un instrument à vent.
scabreux, euse adj. À risque. Grivois.
scalpel m. Couteau de chirurgien.
scalper vt. Détacher la peau du crâne.
scandale m. Indignation soulevée par un acte honteux. Affaire malhonnête.
scandaleux, euse adj. Qui cause du scandale.
scandaliser vt. Soulever l'indignation.
scander vt. Marquer la mesure des vers.

scanner [-nɛr] m. Appareil associant les rayons X et l'informatique, pour l'exploration du corps humain.
scaphandre m. Équipement de plongeur hermétiquement clos.
scaphandrier m. Plongeur muni de scaphandre.
scarabée m. Insecte coléoptère.
scarifier vt. Faire une incision superficielle.
scarlatine f. Maladie fébrile contagieuse.
scarole f. Sorte de chicorée.
scatologique adj. Relatif aux excréments.
sceau [so] m. Cachet. Caractère distinctif.
scélérat, e adj. et n. Criminel. Ignoble.
sceller vt. Appliquer un sceau. Cacheter. Fixer dans la pierre avec du mortier.
scellés mpl. Ruban fixé par deux cachets de cire revêtus d'un sceau officiel.
scénario m. Rédaction des divers épisodes d'un film.
scène f. Partie du théâtre où jouent les acteurs. Lieu de l'action. Subdivision des dialogues d'une pièce.
scénique adj. De la scène, du théâtre.
sceptique adj. et n. Qui doute de tout.
sceptre [sɛptr] m. Bâton, insigne de la royauté.
schéma [ʃema] m. Dessin représentant les grandes lignes d'un mécanisme, d'une organisation.
schématique adj. Réduit à l'essentiel.
schisme [ʃism] m. Division au sein d'une Église.
schiste m. Roche feuilletée.
schizophrénie [skizɔfreni] f. Maladie mentale caractérisée par l'incohérence et la rupture de contact avec le monde extérieur.
sciatique f. Douleur à la hanche.
scie f. Lame d'acier à dents pour scier.

sciemment adv. En connaissance de cause.
science f. Connaissance, savoir. pl. La physique, la chimie, les mathématiques, etc.
science-fiction f. Genre littéraire où le récit est situé dans l'avenir.
scientifique adj. Qui concerne la science.
scier vt. Couper à la scie : — *du bois.*
scierie f. Usine où l'on débite le bois.
scinder vt. Diviser, fractionner.
scintiller vi. Briller par intervalles.
scission f. Division : — *d'un parti.*
sciure f. Poudre tombant d'une chose sciée.
sclérose f. Durcissement d'un tissu, d'un organe.
sclérotique f. Blanc de l'œil.
scolaire adj. Relatif à l'école, à l'enseignement.
scolastique adj. Des écoles du Moyen Âge.
scoliose f. Déviation de la colonne vertébrale.
scoop [skup] m. Information sensationnelle donnée en exclusivité.
scooter [skutœr] m. Petite motocyclette où le conducteur n'est pas assis à califourchon.
scorbut [skɔrbyt] m. Maladie due à l'absence de certaines vitamines.
score m. Nombre de points acquis dans une compétition.
scorie f. Résidu de la fusion des métaux.
scorpion m. Arachnide à queue venimeuse.
scout [skut] m. Membre d'une association de scoutisme.
scoutisme m. Organisation de jeunesse.
scrupule m. Inquiétude de conscience due à une grande délicatesse morale.
scrupuleux, euse adj. Minutieux, exact.
scruter vt. Examiner à fond.
scrutin m. Vote par bulletins : — *secret.*

sculpter [skylte] vt. Tailler en relief : *— sur bois.*
sculpteur m. Artiste qui sculpte.
sculpture f. Art du sculpteur : *la — grecque.*
se pron. pers. de la 3e pers. des deux genres et des deux nombres.
séance f. Réunion d'une assemblée. Temps que dure la réunion. *— tenante,* tout de suite.
séant, e adj. Décent, convenable.
seau m. Récipient pour puiser, porter de l'eau.
sébacé, e adj. Qui produit du sébum : *glande —.*
sébile f. Petit récipient pour mendier.
sébum [-bɔm] m. Sécrétion grasse.
sec, sèche adj. Sans humidité. Qui n'est plus vert : *feuilles —.* Maigre. Brusque : *bruit — ; réponse —.* Peu sensible : *cœur —.*
sécante f. Ligne qui en coupe une autre.
sécateur m. Outil pour couper des rameaux.
sécession f. Séparation : *faire —.*
sécher vt. Rendre sec. vi. Devenir sec.
sécheresse f. État de ce qui est sec. Caractère de ce qui est sec : *— de cœur.*
séchoir m. Endroit, appareil pour sécher.
second, e adj. et n. Qui vient après le premier. m. Second étage. Personne qui en assiste une autre.
secondaire adj. Qui vient au second rang. m. Qui suit le premier (enseignement, terrain).
seconde f. 60e partie d'une minute. Temps très court.
seconder vt. Aider. Assister.
secouer vt. Agiter fortement. Choquer.
secourable adj. Qui porte secours.
secourir vt. Aider, porter secours : *— un blessé.*
secours m. Aide, assistance : *porter — à quelqu'un.*
secousse f. Choc, ébranlement : *— nerveuse.*
secret, ète adj. Caché. Discret. m. Ce qu'on cache.

secrétaire n. Qui tient la correspondance. m. Meuble pour écrire.
sécréter vt. Produire un liquide organique : *le foie — la bile*.
sécrétion f. Action de sécréter : — *interne*.
sectaire adj. Intolérant. n. Partisan intolérant.
secte f. Personnes rassemblées par une doctrine en marge d'une religion.
secteur m. Partie de cercle entre deux rayons. Division d'une ville, d'un ensemble.
section f. Action de couper. Coupe. Division.
sectionner vt. Diviser, couper : — *un câble*.
séculaire adj. Qui a un siècle : *arbre* —.
séculariser vt. Rendre à la vie laïque.
séculier, ère adj. Qui ne vit pas en communauté (clergé).
sécurité f. Confiance, absence d'inquiétude.
sédatif, ive adj. et m. Qui calme la douleur.
sédentaire adj. Qui sort peu de chez soi.
sédiment m. Dépôt laissé par les eaux.
sédition f. Révolte contre l'autorité établie.
séducteur, trice adj. et n. Qui séduit.
séduction f. Action de séduire. Charme.
séduire vt. Attirer, captiver, charmer.
séduisant, e adj. Qui séduit.
segment m. Portion de cercle entre un arc et sa corde. Portion, section.
ségrégation f. Séparation des races, des religions.
seiche f. Mollusque à coquille interne.
seigle m. Graminée comestible : *pain de* —.
seigneur m. Possesseur d'un fief. *Notre*—, Jésus-Christ.
seigneurial, e adj. Du seigneur : *droit* —.
seigneurie f. Titre, autorité du seigneur.
sein m. Poitrine. Mamelle. FIG. L'intérieur.

seing [sɛ̃] m. *Sous — privé*, non établi devant notaire.
séisme m. Tremblement de terre.
séismique ou **sismique** adj. Des séismes.
seize adj. et m. Dix et six. Seizième.
seizième adj. et n. Qui vient après le quinzième.
séjour m. Action de séjourner. Endroit, durée de séjour. Salle où vit la famille.
séjourner vi. Demeurer un temps dans un lieu.
sel m. Substance blanche pour l'assaisonnement, la conservation.
sélect adj. Choisi, distingué.
sélection f. Choix raisonné.
selle f. Siège pour monter à cheval. pl. Matières fécales.
seller vt. Mettre la selle : — *un cheval.*
sellier m. Qui fait des selles, des harnais.
selon prép. Suivant, d'après.
semailles fpl. Action de semer. Époque où l'on sème.
semaine f. Période de sept jours.
sémaphore m. Appareil à signaux.
semblable adj. et n. Pareil.
semblant m. Apparence. *Faire* —, feindre.
sembler vi. Avoir l'air. Paraître.
semelle f. Dessous d'une chaussure : — *de cuir.*
semence f. Graine qu'on sème. Petit clou.
semer vt. Mettre une graine en terre. Répandre çà et là. Propager : — *la discorde.*
semestre m. Période de six mois.
semeur, euse n. Qui sème.
semi préf. signifiant *demi.*
sémillant, e adj. Très vif, gai : *allure* —.
séminaire m. Collège pour futurs prêtres. Groupe d'études.

séminariste m. Élève d'un séminaire.
semis m. Action de semer. Végétaux semés.
semoir m. Machine pour semer.
semonce f. Réprimande. Avertissement.
semoule f. Grains moulus grossièrement.
sempiternel, elle adj. Continuel.
Sénat m. Une assemblée politique.
sénateur m. Membre du Sénat.
sénile adj. De vieillard : *allure —*.
sens m. Faculté de recevoir les impressions. Jugement. Opinion. Signification. Direction.
sensation f. Perception par un organe des sens.
sensationnel, elle adj. Impressionnant.
sensé, e adj. Conforme à la raison.
sensibiliser vt. Rendre sensible.
sensibilité f. Faculté de sentir. Penchant à la pitié. Faculté de réagir : *— d'une balance*.
sensible adj. Doué de sensibilité : *cœur —*.
sensiblerie f. Sensibilité excessive.
sensualité f. Caractère sensuel.
sensuel, elle adj. Qui flatte les sens. Attaché aux plaisirs des sens.
sentence f. Maxime, pensée. Jugement.
sentencieux, euse adj. D'une gravité affectée.
senteur f. Odeur, parfum.
sentier m. Chemin étroit.
sentiment m. Intuition. Impression. Passion, mouvement de l'âme. Opinion.
sentimental, e adj. Très sensible.
sentinelle f. Soldat qui fait le guet.
sentir vt. Éprouver un sentiment, une sensation. Percevoir par l'odorat. Exhaler une odeur.
seoir [swar] vi. Convenir, aller bien. (Participe prés. et 3e pers. : *sied, seyait, siéra, seyant*.)
sépale m. Pièce du calice d'une fleur.

séparation f. Action de séparer.
séparer vt. Éloigner l'une de l'autre des choses, des personnes qui étaient ensemble. Trier. Diviser.
sépia f. Matière colorante d'un rouge brun.
sept [sɛt] adj. et m. Six plus un. Septième.
septembre m. Neuvième mois de l'année.
septennat m. Période de sept ans.
septentrional, e adj. Du côté du nord.
septicémie f. Infection généralisée.
septième adj. et n. Qui vient après le sixième.
septuagénaire adj. et n. Âgé de 70 ans.
sépulcre m. Tombeau.
sépulture f. Lieu où on enterre un mort.
séquelle f. Conséquence fâcheuse.
séquence f. Au cinéma, suite d'images formant un tout.
séquestre m. Dépôt d'un objet en litige.
séquestrer vt. Mettre sous séquestre. Enfermer.
sérail [seraj] m. Harem.
serein, e adj. Pur, calme. Tranquille.
sérénade f. Concert, le soir sous, sous les fenêtres.
sérénité f. Calme, tranquillité.
serf, serve n. Qui est à l'état de servitude.
serge f. Tissu léger de laine.
sergent m. Sous-officier d'infanterie.
sériciculture f. Élevage des vers à soie.
série f. Suite. Ensemble. Catégorie.
sérieux, euse adj. Grave. m. Gravité.
sérigraphie f. Procédé d'impression à l'aide d'un écran de tissu.
serin m. Petit oiseau jaune. FAM. Niais.
seriner vt. Répéter souvent.
seringue f. Petite pompe pour injecter.
serment m. Affirmation, promesse solennelle.

sermon m. Discours en chaire. Remontrance.
sermonner vt. Faire des remontrances.
séropositif, ve adj. et n. Qui présente un diagnostic positif, en particulier pour le virus du sida.
sérosité f. Liquide analogue à la lymphe.
serpe f. Outil pour couper le bois.
serpent m. Reptile sans pattes.
serpenter vi. Suivre un trajet sinueux.
serpillière f. Toile servant à laver par terre.
serpolet m. Plante aromatique.
serre f. Griffe d'oiseau. Local vitré pour cultiver certaines plantes.
serrement m. — *de cœur*, vive émotion.
serrer vt. Exercer une pression. Causer une émotion. Rapprocher.
serrure f. Mécanisme de fermeture.
serrurier m. Qui fait des serrures.
sertir vt. Enchâsser.
sérum [-rɔm] m. Partie liquide du sang, qui s'en sépare après coagulation.
servage m. État de serf.
servante f. Domestique.
serveur m. Celui qui sert la clientèle.
serviable adj. Qui aime à rendre service.
service m. Action de servir. Ce qu'on fait pour aider : *rendre* —. Exercice d'un emploi. Fonctionnement organisé, personnel qui le met en œuvre.
serviette f. Linge de table, de toilette. Grand portefeuille : — *d'avocat*.
servile adj. Obséquieux, soumis.
servilité f. Basse soumission.
servir vt. Être au service de. Être utile à. Donner, présenter. vi. Être domestique, soldat, etc. Être utile.

serviteur m. Qui est au service de.
servitude f. Dépendance, esclavage. Contrainte.
sésame m. Une plante oléagineuse.
session f. Temps pendant lequel siège un corps délibérant.
seuil m. Dalle de pierre en bas de l'ouverture d'une porte. Début : — *de la vie*.
seul, e adj. Sans compagnon. Unique.
sève f. Liquide qui circule dans la plante.
sévère adj. Sans indulgence. Grave, austère.
sévérité f. Caractère sévère.
sévices mpl. Mauvais traitements.
sévir vi. Punir sévèrement : — *contre quelqu'un*.
sevrer vt. Cesser d'allaiter un enfant pour lui donner un autre aliment. Priver.
sexagénaire adj. et n. De 60 ans.
sexe m. Chacune des deux grandes distinctions : mâle et femelle, pour perpétuer l'espèce. Organes génitaux.
sextant m. Instrument de mesure d'angles.
sextuple adj. Six fois plus grand.
sexuel, elle adj. Du sexe : *caractères* —.
seyant, e adj. Qui va bien : *robe* —.
shampooing [ʃɑ̃pwɛ̃] m. Produit pour le lavage des cheveux. Lavage des cheveux.
shilling [ʃiliŋ] m. Monnaie anglaise.
si conj. Indique le doute, l'hypothèse, le vœu. adv. Tellement. Oui (après négation, doute). m. Note de musique.
siamois, e adj. *Frères* —, jumeaux soudés.
siccatif, ive adj. Propre à sécher.
sida m. Maladie grave qui se transmet par voie sexuelle ou sanguine.
sidéral, e adj. Des astres.
sidérurgie f. Métallurgie du fer.

siècle m. Espace de cent ans.
siège m. Meuble pour s'asseoir. Résidence. Opération militaire pour prendre une place.
siéger vi. Faire partie d'une assemblée. Tenir séance.
sien, enne adj. poss. À lui, à elle. m. Ce qui est à lui, à elle. pl. Ses parents, ses alliés.
sieste f. Repos pris après le repas de midi.
sieur m. Monsieur (style juridique).
sifflement m. Bruit fait en sifflant. pl. Huées.
siffler vi. Produire un son aigu avec les lèvres, etc. vt. Appeler, critiquer en sifflant.
sifflet m. Instrument pour siffler.
sigle m. Groupe de lettres initiales constituant l'abréviation de termes fréquemment employés.
signal m. Signe. Avertissement : — *d'alarme*.
signalement m. Description détaillée.
signaler vt. Annoncer par des signaux. Attirer l'attention sur. vpr. Se distinguer.
signalisation f. Installation de signaux.
signataire m. Qui signe un acte, une pièce.
signature f. Nom mis au bas d'un écrit pour attester qu'on en est l'auteur ou qu'on l'approuve.
signe m. Marque, indice. Geste, mimique pour faire connaître sa pensée.
signer vt. Mettre sa signature. vpr. Faire le signe de la croix.
signet m. Marque mise dans un livre.
significatif, ive adj. Expressif, clair.
signification f. Ce que signifie une chose.
signifier vt. Avoir le sens de, vouloir dire. Déclarer, notifier.
silence m. Le fait de se taire. Absence de bruit. Pause dans la phrase musicale.
silencieux, euse adj. Qui garde le silence.

silex m. Roche très dure.
silhouette f. Dessin de profil. Ligne générale du corps.
silice f. Substance minérale très dure.
sillage m. Trace que laisse un bateau.
sillon m. Trace de la charrue sur le sol.
sillonner vt. Traverser en tous sens.
silo m. Réservoir pour garder les grains.
simagrées fpl. Manières affectées, hypocrites.
simiesque adj. Qui rappelle le singe : *gestes* —.
similaire adj. Semblable.
simili préf. indiquant la ressemblance.
similitude f. Ressemblance parfaite, analogie.
simple adj. Non composé, non compliqué. Naturel, sans recherche.
simplicité f. Caractère de ce qui est simple.
simplifier vt. Rendre simple : — *une question*.
simulacre m. Fausse apparence, semblant.
simulation f. Action de simuler.
simuler vt. Feindre : — *une maladie*.
simultané, e adj. Qui a lieu en même temps.
sincère adj. Qui dit la vérité. Réel, éprouvé.
sincérité f. Qualité de ce qui est sincère.
sinécure f. Emploi n'exigeant presque aucun travail.
singe m. Mammifère de l'ordre des primates.
singer vt. Imiter, contrefaire.
singerie f. Grimace. Imitation ridicule.
singularité f. Caractère singulier.
singulier, ère adj. Relatif à un seul. Bizarre, extraordinaire. Unique, rare.
sinistre adj. Qui présage le malheur. Sombre. m. Événement qui entraîne de grandes pertes matérielles : — *maritime*.
sinon conj. Autrement, sans quoi.

sinueux, euse adj. Tortueux : *chemin —*.
sinuosité f. État de ce qui est sinueux.
sinus [-nys] m. Cavité dans certains os de la tête : *— frontal*.
siphon m. Tube recourbé pour transvaser.
sire m. Titre donné aux souverains.
sirène f. Être fabuleux, moitié femme, moitié poisson. Appareil avertisseur puissant.
sirop m. Liquide très sucré, aromatisé ou médicamenteux : *— de fraise*.
siroter vt. FAM. Boire à petits coups, en savourant.
sirupeux, euse adj. De la nature du sirop.
sismique adj. V. SÉISMIQUE.
site m. Paysage : *un — enchanteur*.
sitôt adv. Aussitôt.
situation f. Position, emplacement. Emploi. Conjoncture.
situer vt. Localiser.
six adj. et m. Cinq plus un. Sixième.
sixième adj. et n. Qui suit le cinquième.
sixte f. MUS. Intervalle entre six notes.
sketch m. Petite œuvre théâtrale.
ski m. Patin de bois pour glisser sur la neige.
skieur, euse n. Personne chaussée de skis.
slave adj. et n. Se dit des Russes, des Polonais, des Tchèques, des Croates, des Serbes.
slogan m. Brève formule publicitaire, politique.
smoking m. Costume habillé d'homme.
snack-bar [snakbar] ou **snack** m. Restaurant servant des repas à toute heure.
snob n. Qui suit ce qui est en vogue.
sobre adj. Qui mange, boit modérément.
sobriété f. Tempérance. Modération.
sobriquet m. Surnom : *un — injurieux*.
soc m. Fer de charrue.

sociable adj. Capable de vivre en société.
social, e adj. De la société : *système* —.
socialisme m. Doctrine qui subordonne les intérêts particuliers au bien général.
socialiste m. Partisan du socialisme.
sociétaire n. Membre d'une société.
société f. Groupement d'individus sous une loi commune. Corps social. Association commerciale, industrielle, etc.
sociologie f. Science des phénomènes sociaux.
socle m. Support, piédestal.
soda m. Boisson gazeuse sucrée.
sœur f. Fille de même père ou de même mère qu'une autre personne. Religieuse.
soi pron. pers. de la 3e pers. — *-disant,* prétendu.
soie f. Filament produit par un ver à soie. Étoffe qu'on en fait. — *artificielle,* rayonne.
soierie f. Étoffe de soie.
soif f. Désir, besoin de boire. Vif désir.
soigner vt. Donner des soins.
soigneux, euse adj. Qui apporte du soin à.
soin m. Attention, application. pl. Moyens par lesquels on traite un malade.
soir m. Fin du jour. Fig. Déclin.
soirée f. Temps compris entre le déclin du jour et le moment où l'on s'endort. Réunion du soir.
soixante adj. et m. Six fois dix. Soixantième.
soja m. Plante alimentaire d'origine asiatique.
sol m. Terre, terrain. Note de musique.
solaire adj. Du Soleil : *cadran* —.
solanacées fpl. Famille de plantes (tabac, etc.).
soldat m. Militaire. Militaire sans grade.
soldatesque f. Soldats indisciplinés.
solde f. Paye d'un militaire : *toucher sa* —. m. Différence entre le crédit et le débit. pl. Marchandises vendues au rabais.

solder vt. Acquitter une dette. Vendre au rabais : *— des marchandises.*
sole f. Un poisson plat. Partie horizontale d'un four.
solécisme m. Faute contre la syntaxe.
soleil m. Astre qui nous éclaire (avec maj.). Lumière du soleil : *il faut du —.* Tournesol.
solennel, elle [sɔlanɛl] adj. Pompeux, majestueux.
solennité f. Cérémonie solennelle. Emphase.
solfège m. Recueil de morceaux de chant, pour l'étude de la musique.
solidaire adj. Qui est dans un rapport d'aide mutuelle.
solidariser vt. Fixer une pièce à une autre.
solidarité f. Sentiment qui pousse les hommes à s'entraider.
solide adj. Consistant, robuste. m. En mathématiques, portion d'espace bien délimitée.
solidifier vt. Rendre solide.
solidité f. Qualité de ce qui est solide.
soliloque m. Monologue.
soliste n. Artiste qui joue un solo.
solitaire adj. et n. Qui est seul. Écarté, désert. m. Diamant monté seul.
solitude f. État de celui qui est seul.
solive f. Poutre d'un plancher.
solliciter vt. Demander. Attirer, provoquer.
sollicitude f. Soins attentifs : *— maternelle.*
solo m. Morceau joué ou chanté par un seul.
solstice m. Temps où le Soleil est le plus loin de l'équateur (début de l'été et de l'hiver).
soluble adj. Qui peut se dissoudre.
solution f. État d'un corps dissous. Réponse à un problème. Dénouement.
solvable adj. Qui peut payer.

sombre adj. Peu éclairé. Foncé. Inquiétant.
sombrer vi. Couler, s'enfoncer.
sommaire adj. Abrégé. Expéditif. m. Résumé.
sommation f. Action de sommer.
somme f. Résultat de l'addition. Ensemble, total. Charge : *bête de —*. m. Sommeil.
sommeil m. Repos périodique de la vie animale. Envie de dormir : *avoir —*. FIG. État d'inertie.
sommeiller vi. Dormir légèrement.
sommelier m. Chargé de la cave d'un restaurant.
sommer vt. Demander de façon impérative.
sommet m. Partie la plus élevée, cime, faîte.
sommier m. Partie du lit soutenant le matelas.
sommité f. Personne éminente.
somnambule adj. Qui marche, agit pendant son sommeil.
somnifère adj. et m. Qui provoque le sommeil.
somnoler vi. Dormir à demi.
somptuaire adj. Se dit d'une dépense superflue.
somptueux, euse adj. Magnifique, splendide.
son adj. poss. À lui. m. Bruit : *le — du cor*. Enveloppe des graines de céréales.
sonate f. Pièce de musique, suite de morceaux de caractère différent.
sondage m. Action de sonder ; son résultat. Procédé d'étude d'une opinion publique.
sonde f. Instrument pour explorer le sol, mesurer la profondeur de l'eau.
sonder vt. Reconnaître avec la sonde. Interroger.
songe m. Rêve : *la clef des —*.
songer vi. Penser à une chose.
sonnant, e adj. Qui sonne : *à 8 heures —*.
sonner vi. Rendre un son. Tirer un son de. vt. Tirer un son de. Appeler par une sonnerie.
sonnerie f. Son de plusieurs cloches. Appel du téléphone, etc.

sonnet m. Pièce de poésie de quatorze vers.
sonnette f. Clochette : — *d'alarme.*
sonore adj. Qui produit des sons. Qui retentit.
sonoriser vt. Munir d'une installation destinée à l'amplification des sons.
sonorité f. Qualité de ce qui est sonore.
sophisme m. Raisonnement fallacieux.
sophistiquer vt. Perfectionner à l'extrême un appareil, une étude, etc.
soporifique adj. et m. Ce qui fait dormir.
soprano m. Voix aiguë de femme, d'enfant.
sorbet m. Glace sans crème, à base de fruits.
sorcellerie f. Magie recourant à des procédés secrets et maléfiques.
sorcier, ère n. Qui pratique la sorcellerie.
sordide adj. Sale, dégoûtant : *logement* —.
sornettes fpl. Propos extravagants. Balivernes.
sort m. Destinée. Hasard. Maléfice : *jeter un* —.
sorte f. Espèce, genre. Manière.
sortie f. Action de sortir. Issue. Invective.
sortilège m. Pratique, prédiction maléfique.
sortir vi. Aller dehors. Arriver à la fin d'une période. Être publié. S'écarter de. Faire saillie. Pousser. vt. Tirer dehors. (Conj. c. *partir.*)
S.O.S. m. Signal de détresse émis par un bateau ou un avion en danger.
sosie m. Personne qui ressemble à une autre.
sot, otte adj. et n. Sans jugement.
sottise f. Manque d'intelligence. Parole, action sotte.
sou m. *Être sans le* —, sans argent. pl. Argent : *donner des* —.
soubassement m. Base : — *d'une colonne.*
soubresaut m. Tressaillement.
soubrette f. Servante de comédie.

souche f. Base d'un tronc d'arbre coupé. Source, origine. Partie d'un feuillet adhérente à un registre.
souci m. Inquiétude. Plante à fleurs jaunes.
soucier (se) vpr. S'inquiéter.
soucieux, euse adj. Inquiet, préoccupé.
soucoupe f. Petite assiette sous une tasse.
soudain, e adj. Qui se produit tout à coup. adv. Au même instant.
soude f. Carbonate de sodium.
souder vt. Joindre par une soudure. Réunir.
soudoyer [sudwaje] vt. Payer pour obtenir la complicité de.
soudure f. Mode d'assemblage de matières métalliques ou synthétiques sous l'action de la chaleur. Endroit soudé.
souffle m. Air chassé des poumons par la bouche. Agitation de l'air dans l'atmosphère. Inspiration.
soufflé m. Mets qui gonfle en cuisant.
souffler vi. Rejeter de l'air par la bouche. Se déplacer (air). vt. Éteindre. Faire savoir discrètement à une personne ce qu'elle doit dire.
soufflerie f. Machine qui sert à produire un vent.
soufflet m. Instrument pour souffler. Coup du plat de la main.
souffleur, euse n. Personne qui souffle leur rôle aux acteurs. Ouvrier façonnant le verre en soufflant pour le gonfler.
souffrance f. Malaise, douleur, peine.
souffrant, e adj. Qui souffre.
souffreteux, euse adj. Maladif, chétif.
souffrir vt. Ressentir, subir. Tolérer. vi. Sentir de la douleur, du tourment.
soufre m. Corps simple de couleur jaune.
souhait m. Aspiration, désir.

souhaiter vt. Désirer. Exprimer un vœu.
souiller vt. Salir. Déshonorer, flétrir.
souillon m. Personne malpropre.
souillure f. Ce qui porte atteinte à l'honneur.
souk m. Marché arabe.
soûl, e adj. Repu, rassasié. Ivre.
soulager vt. Alléger. Aider, secourir.
soûler vt. Gorger, rassasier. Enivrer.
soulèvement m. Mouvement de révolte collective.
soulever vt. Élever, hausser. Irriter. vpr. Se révolter.
soulier m. Chaussure à semelle résistante.
souligner vt. Tirer un trait sous. Accentuer.
soumettre vt. Réduire à l'obéissance. vpr. Obéir.
soumission f. Action de soumettre, de se soumettre.
soupape f. Pièce mobile qui règle le mouvement d'un fluide.
soupçon m. Doute, idée vague. Petite quantité.
soupçonner vt. Porter ses soupçons sur.
soupçonneux, euse adj. Méfiant.
soupe f. Aliment fait de bouillon et de pain.
soupente f. Réduit aménagé dans la partie haute d'une pièce, sous un escalier.
souper m. Repas que l'on prend dans la nuit, à la sortie d'un spectacle, etc. vi. Prendre un souper.
soupeser vt. Évaluer le poids en soulevant.
soupière f. Récipient pour servir la soupe.
soupir m. Respiration forte et prolongée.
soupirail m. Ouverture pour aérer une cave.
soupirer vi. Pousser des soupirs.
souple adj. Qui se plie aisément. Docile.
souplesse f. Flexibilité, docilité.
source f. Eau qui sourd de terre. Cause, origine.

sourcier m. Qui découvre les sources.
sourcil m. Saillie garnie de poils, au-dessus de l'orbite de l'œil : *froncer les —*.
sourciller vi. Remuer les sourcils.
sourcilleux, euse adj. Pointilleux, sévère.
sourd, e adj. et n. Qui n'entend pas. Peu sonore, peu éclatant.
sourdine f. *En —*, sans bruit.
sourdre vi. Sortir de terre (eaux).
souriant, e adj. Qui sourit : *visage —*.
souricière f. Piège pour les souris. FIG. Piège.
sourire vi. Rire légèrement. Avoir un air agréable. m. Action de sourire.
souris f. Petit rongeur.
sournois, e adj. Fourbe, hypocrite.
sournoiserie f. Caractère sournois.
sous prép. Marque la situation inférieure, intérieure, la dépendance, le temps, l'aspect, etc.
sous-bois m. Végétation sous les arbres.
souscripteur m. Qui souscrit.
souscription f. Engagement de s'associer à, de payer une somme, etc.
souscrire vi. Consentir. Prendre part à une souscription.
sous-développé, e adj. Dont le développement industriel, agricole est faible.
sous-entendre vt. Faire comprendre ce qu'on pense sans le dire de manière explicite.
sous-entendu m. Ce qu'on sous-entend.
sous-lieutenant m. Officier immédiatement au-dessous du lieutenant.
sous-louer vt. Louer un logement dont on est soi-même locataire.
sous-main m. inv. Accessoire de bureau sur lequel on place son papier pour écrire. *En —*, clandestinement.

sous-marin, e adj. Qui est sous la mer. m. Bateau qui navigue sous l'eau.
sous-officier m. Militaire de grade au-dessous du sous-lieutenant.
sous-préfecture f. Subdivision de préfecture.
soussigné, e adj. et n. Qui signe au bas d'un acte.
sous-sol m. Couche du sol sous la terre végétale. Construction sous le rez-de-chaussée.
sous-titre m. Titre secondaire.
soustraction f. Action de soustraire. Opération par laquelle on retranche un nombre d'un autre.
soustraire vt. Enlever. Retrancher.
sous-vêtement m. Pièce de lingerie portée sous les vêtements. (pl. — - —*s*.)
soutane f. Robe longue d'ecclésiastique.
soute f. Partie d'un navire, d'un avion servant à recevoir la cargaison.
soutènement m. Action de soutenir. Appui.
soutenir vt. Tenir par-dessous en supportant une partie du poids. Secourir, réconforter. Affirmer.
souterrain, e adj. Sous terre. m. Galerie sous terre.
soutien m. Ce qui soutient, protège.
soutien-gorge m. Pièce de lingerie féminine soutenant la poitrine.
soutirer vt. Transvaser. Obtenir par ruse.
souvenir m. Rappel d'un fait par la mémoire. Ce qui rappelle qqch.
souvenir (se) vpr. Avoir dans l'esprit une image liée au passé.
souvent adv. Fréquemment.
souverain, e adj. Suprême. Qui exerce un pouvoir souverain. m. Prince, monarque.
souveraineté f. Autorité du souverain.
soviet [sɔvjɛt] m. Comité révolutionnaire de l'ex-U.R.S.S.

soyeux, euse adj. De la nature de la soie.
spacieux, euse adj. Vaste, étendu.
spaghetti mpl. Une sorte de pâte alimentaire.
sparadrap m. Adhésif pour maintenir les pansements.
spartiate adj. De Sparte. Très austère.
spasme m. Contraction involontaire des muscles.
spatial, e adj. Relatif à l'espace : *vaisseau* —.
spatule f. Sorte de cuiller plate.
speaker, ine [spikœr, spikrin] n. Qui annonce les programmes, les nouvelles à la radio, etc.
spécial, e adj. Particulier. Exceptionnel.
spécialiser (se) vpr. Se consacrer à un domaine particulier.
spécialiste adj. et n. Qui est spécialisé.
spécialité f. Activité du spécialiste. Produit caractéristique d'une marque, d'une région, etc.
spécieux, euse adj. Qui n'a que l'apparence de la vérité, trompeur : *argument* —.
spécifier vt. Déterminer de façon précise.
spécifique adj. Propre à une chose.
spécimen [-mɛn] m. Échantillon, modèle.
spectacle m. Ce qui se présente au regard. Représentation théâtrale.
spectaculaire adj. Qui fait impression.
spectateur, trice n. Témoin oculaire. Qui assiste à un spectacle.
spectre m. Fantôme. Ensemble coloré résultant de la décomposition de la lumière blanche.
spéculateur m. Qui fait des spéculations.
spéculation f. Opération de Bourse en vue d'un gain d'argent. Recherche abstraite.
spéculer vi. Faire des spéculations financières.
spermatozoïde m. Gamète mâle de l'homme, des animaux et de certaines plantes.

sperme m. Liquide émis par les glandes reproductrices mâles, et contenant les spermatozoïdes.
sphère f. Corps en forme de boule régulière. Milieu : — *d'influence*.
sphérique adj. En forme de sphère : *ballon* —.
sphinx m. Monstre fabuleux. Personne impénétrable. Sorte de papillon.
spirale f. Courbe qui tourne autour d'un axe.
spire f. Tour d'une spirale.
spirite n. Adepte du spiritisme.
spiritisme m. Évocation des esprits par un médium.
spiritualisme m. Doctrine qui admet l'existence de l'esprit comme réalité substantielle.
spiritualité f. Ce qui concerne la vie spirituelle.
spirituel, elle adj. Qui appartient à l'esprit, à l'âme. Qui a l'esprit fin et vif.
spiritueux m. Liqueur alcoolisée.
splendeur f. Magnificence, éclat.
splendide adj. Magnifique, éclatant.
spolier vt. Dépouiller, déposséder.
spongieux, euse adj. Poreux comme l'éponge.
spontané, e adj. Que l'on fait de soi-même.
sporadique adj. Qui existe par endroits, de temps en temps.
spore f. Organe reproducteur des cryptogames.
sport m. Pratique des exercices physiques.
sportif, ive adj. Relatif aux sports. n. Qui pratique les sports.
squale [skwal] m. Requin.
square m. Jardin public.
squelette m. Charpente osseuse de l'homme et des vertébrés.
stabiliser vt. Rendre stable.
stable adj. Dans une situation ferme.

stade m. Lieu destiné à des manifestations sportives. Degré, période : *les divers — de la vie*.
staff m. Équipe dirigeante.
stage m. Période d'essai, d'études pratiques.
stagiaire n. Qui fait un stage.
stagnant, e adj. Qui ne coule pas. Inactif.
stalactite f. Concrétion au plafond d'une grotte, opposée à la *stalagmite*, sur le sol.
stalle f. Siège du chœur dans une église. Compartiment d'une écurie, etc.
stance f. Groupe de vers à sens complet.
stand [stɑ̃d] m. Espace réservé à un exposant. Salle de tir à la cible.
standard m. Norme, modèle. Dispositif pour desservir de nombreux postes téléphoniques. adj. Conforme à une norme.
standardisation f. Normalisation.
standardiste n. Personne affectée au service d'un standard téléphonique.
star f. Vedette de cinéma.
starter [-tɛr] m. Qui donne le départ (course).
station f. Façon de se tenir. Pause, arrêt. Lieu aménagé pour l'arrêt des véhicules de transport urbain.
stationnaire adj. Qui ne change pas de place. Qui ne progresse pas : *situation —*.
stationnement m. Action de stationner.
stationner vi. S'arrêter momentanément en un lieu.
statique adj. Relatif à l'équilibre. Immobile.
statistique f. Évaluation numérique des faits.
statuaire m. Sculpteur de statues. f. Art du statuaire.
statue f. Sculpture représentant une figure isolée.
statuer vt. et i. Décider avec autorité.
stature f. Hauteur, taille : *— gigantesque*.

statut m. Règle établie : — *d'une société*.
stéarine f. Corps gras, principal constituant des graisses animales.
stèle f. Colonne brisée portant une inscription.
stellaire adj. D'étoiles, des étoiles : *amas* —.
sténodactylo n. Personne qui est à la fois sténographe et dactylographe.
sténographe n. Qui pratique la sténographie.
sténographie f. Écriture rapide au moyen de signes abréviatifs.
sténographier vt. Écrire en sténographie.
stentor [stɑ̃tɔr] m. Homme à voix retentissante.
steppe f. Grande plaine semi-aride.
stère m. Unité de mesure pour le bois (1 m^3).
stéréophonie f. Procédés d'enregistrement, de reproduction et de diffusion, reconstituant le relief sonore.
stéréotype m. Formule, expression banale.
stérile adj. Qui ne porte pas de fruits. Inapte à la reproduction. Qui ne contient pas de germe infectieux.
stériliser vt. Rendre stérile.
stérilité f. Caractère stérile.
sternum [-nɔm] m. Os plat de la poitrine.
stéthoscope m. Instrument pour ausculter.
stigmate m. Marque, cicatrice.
stigmatiser vt. Flétrir, condamner : — *un crime*.
stimuler vt. Exciter : — *l'appétit*.
stipendié, e adj. PÉJOR. Qui a été soudoyé.
stipuler vt. Énoncer une condition.
stock m. Marchandises disponibles.
stocker vt. Mettre en stock, en dépôt.
stoïcisme m. Une doctrine philosophique. FIG. Attitude ferme et constante dans le malheur.
stoïque adj. Qui montre du stoïcisme.

stomacal, e adj. De l'estomac.
stop ! interj. Ordre de s'arrêter. m. Signal de stop.
stopper vt. Arrêter. Retisser une étoffe.
store m. Rideau qui se lève et s'abaisse.
strabisme m. Défaut de celui qui louche.
strangulation f. Action, effet d'étrangler.
strapontin m. Siège que l'on peut relever.
strass m. Imitation du diamant.
stratagème m. Ruse, feinte : *user de —*.
stratégie f. Art de diriger les armées. Art de manœuvrer pour atteindre un but.
stratification f. Disposition en couches.
stratosphère f. Partie haute de l'atmosphère.
streptocoque m. Microbe responsable d'infections graves.
strict, e adj. Rigoureux. Sévère. Sans ornement.
strident, e adj. Qui rend un son aigu.
strie f. Cannelure, sillon.
strier vt. Faire des stries dans : *— une roche*.
strip-tease [striptiz] m. Déshabillage lent et aguichant en public.
strophe f. Division d'un poème.
structure f. Manière dont les parties d'un ensemble sont organisées.
strychnine f. Poison violent.
stuc m. Enduit imitant le marbre.
studieux, euse adj. Qui aime l'étude. Appliqué.
studio m. Atelier d'artiste. Petit appartement.
stupéfaction f. Grand étonnement.
stupéfiant m. Drogue dont l'usage répété conduit à la toxicomanie.
stupéfier vt. Abasourdir, méduser.
stupeur f. Grand étonnement.
stupide adj. Sot, inintelligent.
stupidité f. Caractère, acte, parole stupide.

style m. Manière d'écrire. Genre d'un artiste, d'une époque.
styliser vt. Simplifier un dessin d'ornement.
styliste n. Qui conçoit des formes nouvelles dans la mode, l'ameublement, etc.
stylo m. Porte-plume à réservoir d'encre.
suaire m. Linceul pour ensevelir un mort.
suave adj. Doux, agréable : *odeur —*.
suavité f. Caractère suave.
subalterne adj. et n. Subordonné : *employé —*.
subdiviser vt. Diviser de nouveau.
subir vt. Supporter, être soumis à. Se résigner à. Soutenir un examen, une épreuve.
subit, e adj. Soudain : *changement —*.
subjectif, ive adj. Qui varie avec la personnalité de chacun.
subjonctif m. Un mode du verbe.
subjuguer vt. Envoûter.
sublime adj. Le plus élevé dans le domaine moral.
sublimer vt. Faire passer de l'état solide à l'état gazeux.
submerger vt. Inonder. Engloutir.
submersible adj. Qui peut être submergé. m. Sous-marin.
subordination f. Dépendance.
subordonné m. Personne qui est sous la dépendance d'une autre.
subordonner vt. Faire dépendre de.
suborner vt. Séduire, acheter (témoins, etc.).
subreptice adj. Furtif et déloyal.
subside m. Secours en argent. Subvention.
subsistance f. Nourriture et entretien.
subsister vi. Exister encore. Vivre.
substance f. Matière. Ce qu'il y a de meilleur, d'essentiel, *la — d'un livre*.

substantiel, elle adj. Nourrissant. Essentiel.
substantif m. GRAMM. Syn. de NOM.
substituer vt. Mettre à la place de.
substitut m. Magistrat chargé de remplacer le procureur.
subterfuge m. Moyen détourné, ruse.
subtil, e adj. Ingénieux, perspicace. Sagace.
subtiliser vt. Rendre subtil. Voler habilement.
subtilité f. Caractère subtil. Parole subtile.
subvenir vi. Procurer ce qui est nécessaire.
subvention f. Aide financière accordée par l'État.
subversif, ive adj. Propre à bouleverser l'ordre établi.
subversion f. Action de troubler, de renverser un état de choses, des lois, etc.
suc m. Liquide d'un tissu animal ou végétal.
succédané m. Produit de remplacement.
succéder vi. Venir après. vpr. Venir l'un après l'autre.
succès m. Issue heureuse d'une affaire.
successeur m. Qui succède à un autre.
successif, ive adj. Qui se succède. Continu.
succession f. Suite non interrompue. Biens transmis par un défunt.
succinct, e adj. Bref : *ordre* —. Peu abondant.
succion f. Action de sucer.
succomber vi. Mourir. Être vaincu.
succulent, e adj. Délicieux, savoureux.
succursale f. Établissement dépendant d'un autre.
sucer vt. Aspirer avec la bouche.
sucre m. Substance de saveur douce tirée de divers végétaux : — *de betterave*.
sucré, e adj. Qui a le goût du sucre.
sucrer vt. Additionner de sucre.
sucrerie f. Fabrique de sucre. pl. Friandises.

sucrier, ère adj. Du sucre. m. Récipient pour le sucre. Fabricant de sucre.
sud m. Point cardinal au midi, opposé au nord.
sudation f. Transpiration.
suédois, e adj. et n. De Suède.
suée f. Transpiration abondante.
suer vi. Émettre de la sueur : — *de peur.*
sueur f. Liquide qui suinte par les pores de la peau.
suffire vi. Être en quantité assez grande.
suffisant, e adj. Qui suffit. Vaniteux : *air* —.
suffixe m. Terminaison ajoutée à la racine d'un mot.
suffoquer vi. Étouffer : — *de chaleur, de rage.*
suffrage m. Vote : — *universel.* Approbation.
suggérer vt. Conseiller. Faire naître une idée.
suggestion f. Action de suggérer. Chose suggérée.
suicide m. Action de se donner la mort.
suicider (se) vpr. Se donner la mort.
suie f. Matière noire que produit la fumée.
suif m. Graisse des ruminants.
suint [sɥɛ̃] m. Graisse de la laine du mouton.
suinter vi. S'écouler insensiblement.
suisse adj. et n. De Suisse.
suite f. Cortège. Série. Ce qui vient après.
suivant, e adj. et n. Qui vient après. prép. Selon.
suivi, e adj. Fréquenté. Qui a de la logique.
suivre vt. Aller, venir après. Accompagner. S'intéresser à. Longer, marcher le long de. *(Je suis, suivi.)*
sujet, ette adj. Porté à, enclin à. n. Celui qui est soumis à. m. Cause. Matière traitée. Être humain : *brillant* —.
sujétion f. État de celui qui est dominé.
sulfate m. Sel de l'acide sulfurique.

sulfure m. Composé du souffre et d'un élément.
sulfureux, euse adj. De la nature du soufre.
sulfurique adj. Se dit d'un acide du soufre.
sultan m. Titre donné à certains princes musulmans et à l'empereur des Turcs.
super préf. indiquant la supériorité.
superbe adj. Très beau. f. Orgueil.
supercherie f. Fraude ou tromperie calculée.
superficie f. Surface, étendue. Aire.
superficiel, elle adj. De la surface. Frivole.
superflu, e adj. Inutile, excessif.
supérieur, e adj. Qui est au-dessus. n. Qui est placé au-dessus des autres dans une hiérarchie.
supériorité f. Qualité de ce qui est supérieur.
superlatif, ive adj. et m. Au plus haut degré.
supermarché m. Magasin de grande surface où l'on vend tous les produits en libre-service.
superposer vt. Poser l'un sur l'autre.
superstitieux, euse adj. Qui a de la superstition.
superstition f. Croyance irrationnelle en certains signes.
supplanter vt. Prendre la place de quelqu'un.
suppléer vt. Remplacer dans ses fonctions.
supplément m. Ce qu'on ajoute.
supplémentaire adj. Qui sert de supplément.
supplication f. Prière faite avec insistance et humilité.
supplice m. Peine corporelle entraînant ou non la mort. Vive souffrance.
supplicier vt. Faire subir un supplice.
supplier vt. Adresser une supplication à.
supplique f. Requête écrite.
support m. Ce qui supporte, appuie ou soutient. INFORM. Milieu matériel pouvant recevoir des informations et les restituer.

supporter vt. Porter, soutenir. Permettre. Subir.
supposer vt. Admettre par hypothèse. Attribuer à.
supposition f. Action de supposer.
suppositoire m. Médicament solide introduit par l'anus.
suppôt m. Complice des mauvais desseins de quelqu'un.
suppression f. Action de supprimer.
supprimer vt. Faire disparaître. Tuer. Annuler.
suppuration f. Production de pus.
suppurer vi. Produire du pus : *plaie qui —.*
supputer vt. Calculer, évaluer : *— une dépense.*
suprématie f. Situation dominante, hégémonie.
suprême adj. Au-dessus de tout. Ultime.
sur prép. marquant une position au-dessus. À la surface. Contre. En arrière. D'après : *— parole.*
sur, e adj. D'une saveur acide et aigre.
sûr, e adj. Assuré. Infaillible. De confiance : *ami —.* Sans danger : *route —.*
surabonder vi. Être très abondant.
suralimenter vt. Donner une ration alimentaire supérieure à la normale.
suranné, e adj. Qui n'est plus en usage.
surcharge f. Charge supplémentaire ou excessive.
surcharger vt. Imposer une charge nouvelle.
surchauffer vt. Chauffer à l'excès.
surcroît m. Surplus. *De —, par —,* en plus.
surdité f. Infirmité du sourd.
sureau m. Arbre au bois plein de moelle.
surélever vt. Élever davantage : *— un mur.*
surenchère f. Enchère plus élevée que la précédente. Promesse, offre supérieure.
surestimer vt. Estimer au-delà de son prix.
sûreté f. Sécurité. Certitude. Garantie.
surexciter vt. Exciter à l'excès.

surface f. Partie extérieure d'un corps. Aire.
surfiler vt. Faire un surjet.
surgeler vt. Congeler rapidement à très basse température.
surgir vi. Apparaître brusquement.
surhomme m. Homme supérieur.
surhumain, e adj. Qui est ou qui semble au-dessus des forces ou des qualités de l'homme.
surjet m. Sorte de couture pour assembler deux bords.
surlendemain m. Jour après le lendemain.
surmener vt. Fatiguer par excès de travail.
surmonter vt. Avoir le dessus, vaincre.
surnager vi. Rester à la surface d'un liquide.
surnaturel, elle adj. Qui dépasse les forces ou les lois de la nature.
surnom m. Nom ajouté au nom propre.
surnombre m. Excédent : *être en —*.
surnommer vt. Donner un surnom.
surnuméraire m. Qui est en surnombre.
suroît m. Chapeau de toile imperméable.
surpasser vt. Être supérieur à : *— ses rivaux*.
surplomber vi. et t. Saillir par rapport à la base.
surplus m. Ce qui est en plus. Excédent.
surprendre vt. Prendre à l'improviste. Étonner.
surprise f. Action de surprendre. Étonnement. Plaisir inattendu : *une — agréable*.
surréalisme m. Mouvement littéraire et artistique.
sursaut m. Mouvement brusque : *se lever en —*.
sursauter vi. Faire un sursaut.
surseoir vi. Remettre, différer. *(Sursois, -soyons ; sursoyais ; sursis ; surseoirai ; sursoie ; sursoyant, sursis.)*
sursis m. Suspension de l'exécution d'une peine. Ajournement.

surtaxe f. Taxe supplémentaire.
surtout adv. Par-dessus tout, principalement.
surveillance f. Action de surveiller.
surveiller vt. Veiller sur. Prendre soin de. Observer.
survenir vi. Arriver inopinément, tout à coup.
survivre vi. Demeurer en vie après un autre.
sus [sys] adv. *En* —, en plus.
susceptible adj. Capable de subir une modification, de produire un effet. Qui se vexe facilement.
susciter vt. Faire naître. Provoquer.
suscription f. Adresse sur une enveloppe.
suspect [syspɛ], **e** adj. Douteux. Soupçonné de.
suspecter vt. Tenir pour suspect. Soupçonner.
suspendre vt. Accrocher, pendre. Interrompre.
suspens (en) loc. adv. Non résolu, non terminé.
suspense m. Moment où l'action tient le spectateur dans l'angoisse.
suspensif, ive adj. Qui suspend une action.
suspension f. Action de suspendre. Lampe suspendue au plafond. Interruption.
suspicion f. Soupçon.
susurrer vt. et i. Murmurer.
suture f. Couture chirurgicale : *points de* —.
suzerain, e n. Seigneur féodal.
svelte adj. De forme élancée.
syllabe f. Lettres prononcées ensemble.
syllogisme m. Raisonnement à trois propositions.
sylviculture f. Entretien des bois et forêts.
symbole m. Ce qui représente une réalité abstraite. Emblème.
symbolique adj. Qui est le symbole de.
symboliser vt. Exprimer par un symbole.
symbolisme m. Mouvement poétique du XIXe s.
symétrie f. Correspondance exacte, harmonie.

sympathie f. Inclination, penchant pour.
sympathique adj. Qui inspire de la sympathie.
sympathiser vi. Avoir de la sympathie pour.
symphonie f. Composition musicale pour orchestre.
symptôme m. Signe révélant une maladie. Indice, présage.
synagogue f. Temple juif.
synchronisme m. État de ce qui se fait dans le même temps. Coïncidence de dates.
syncope f. MÉD. Perte de connaissance subite et totale.
syndic m. Chargé des intérêts d'un groupe, etc.
syndical, e adj. Relatif au syndicat.
syndicat m. Groupement pour la défense d'intérêts professionnels.
syndiquer vt. Organiser en syndicat.
syndrome m. Ensemble des symptômes qui caractérisent une maladie, une affection.
synode m. Assemblée ecclésiastique.
synonyme adj. et m. Qui a le même sens.
synoptique adj. Qui présente un ensemble d'un seul coup : *tableau* —.
synovie f. Liquide des articulations.
syntaxe f. Partie de la grammaire traitant de la fonction et de la disposition des mots.
synthèse f. Démonstration qui procède du simple au composé. Fabrication artificielle.
synthétique adj. De synthèse : *corps* —.
syphilis f. Maladie transmise par les rapports sexuels.
système m. Ensemble de principes formant une doctrine. Combinaison d'éléments. Mode de gouvernement.
systole f. Contraction du cœur et des artères.

T

tabac m. Plante dont on fume la feuille.
tabagisme m. État d'une personne intoxiquée par l'abus de tabac.
tabatière f. Boîte pour le tabac à priser.
tabernacle m. Petit coffre où on conserve le ciboire.
table f. Meuble sur lequel on mange, on écrit, etc. Mets servis. Liste, index.
tableau m. Peinture. Liste méthodique. Division d'un acte théâtral.
tablée f. Ensemble de personnes réunies autour d'une table pour manger.
tablette f. Petite planche. Préparation alimentaire de forme plate : *— de chocolat.*
tablier m. Pièce d'étoffe que l'on met devant soi pour protéger ses vêtements. Rideau de cheminée. Plate-forme horizontale d'un pont.
tabou, e adj. Sacré, qu'on ne peut toucher.
tabouret m. Siège sans dossier ni bras.
tache f. Marque salissante, de couleur, de lumière.
tâche f. Ouvrage à faire en un temps fixé.
tacher vt. Faire une tache.
tâcher vi. S'efforcer de.
tâcheron m. Qui effectue une tâche ingrate
tacheté, e adj. Marqué de taches diverses.
tacite adj. Sous-entendu : *convention —.*
taciturne adj. Qui parle peu, silencieux.
tact m. Délicatesse, doigté.
tacticien m. Habile dans la tactique.
tactique f. Art de disposer les troupes pour le combat. FIG. Moyens employés pour réussir.
taffetas m. Une étoffe de soie.

taie f. Enveloppe d'oreiller. Tache sur l'œil.
taillader vt. Faire des entailles.
taille f. Action de tailler. Ancien impôt. Hauteur du corps humain. Partie du corps humain rétrécie au-dessus des hanches.
tailler vt. Couper : — *un vêtement*. Élaguer.
tailleur m. Qui taille. Costume féminin comprenant une jupe et une veste assorties.
taillis m. Petit bois coupé fréquemment.
tain m. Amalgame d'étain derrière une glace.
taire vt. Ne pas dire. vpr. Garder le silence.
talc m. Poudre blanche utilisée pour la toilette.
talent m. Aptitude, habileté innée ou acquise.
talion m. Punition identique à l'offense.
talisman m. Porte-bonheur.
Talmud m. La tradition juive écrite.
taloche f. FAM. Gifle. Outil de maçon.
talon m. Partie postérieure du pied, d'une chaussure, d'un bas, etc. Reste d'une chose entamée. Partie fixe d'une feuille, d'un carnet à souches.
talonner vt. Presser. Poursuivre. Harceler.
talonnette f. Petite plaque placée sous le talon, à l'intérieur de la chaussure.
talus m. Pente d'un terrassement, d'un fossé.
tamanoir m. Mammifère édenté d'Amérique.
tambour m. Instrument de musique. Celui qui en joue. Cylindre pour divers usages.
tambourin m. Tambour long et étroit ou bas et large, et que l'on bat avec une seule baguette.
tambouriner vi. Frapper à coups répétés.
tamis m. Instrument pour filtrer, cribler. Crible, passoire.
tamiser vt. Passer au tamis : — *la farine*.
tampon m. Gros bouchon. Petite masse textile pour frotter ou imprégner : — *d'ouate*. Cachet officiel. Cheville pour recevoir une vis, un clou.

tamponner vt. Heurter violemment. Apposer un cachet.
tam-tam m. Tambour de bois africain. (pl. — -—*s*.)
tan m. Écorce du chêne employée pour tanner.
tanche f. Un poisson d'eau douce.
tandem m. Bicyclette à deux places.
tandis [-di] **que** loc. conj. Pendant que. Au lieu que.
tangage m. Oscillation d'avant en arrière.
tangent, e adj. Qui est en contact par un seul point. f. MATH. Ligne droite qui n'a qu'un point commun avec une courbe.
tangible adj. Qu'on peut toucher, visible.
tango m. Une danse populaire moderne.
tanguer vi. Osciller d'avant en arrière.
tanière f. Repaire de bêtes sauvages.
tanin m. Substance tannante du chêne, etc.
tank m. Char de combat.
tanner vt. Préparer les cuirs avec le tanin.
tanneur m. Celui qui tanne les cuirs.
tant adv. En si grande quantité. Telle quantité. Aussi longtemps. Aussi loin.
tante f. Sœur du père, de la mère.
tantième m. Part proportionnelle d'une quantité.
tantôt adv. FAM. Cet après-midi. — ..., — ..., indique l'alternance.
taon [tã] m. Grosse mouche qui pique.
tapage m. Grand bruit désordonné, vacarme.
tapageur, euse adj. Qui fait du tapage. Criard.
tape f. Coup de la main.
taper vt. Donner des tapes, frapper. FAM. Emprunter. Écrire à la machine.
tapinois (en) loc. adv. En cachette : *sortir* —.
tapioca m. Fécule de manioc.

tapir m. Mammifère d'Amérique à long museau.
tapir (se) vpr. Se cacher en se blottissant.
tapis m. Étoffe qui couvre un meuble, un parquet. Ce qui couvre : *un — de verdure*.
tapisser vt. Recouvrir de tapisserie.
tapisserie f. Ouvrage fait sur canevas. Pièce de tissu décorative. Papier pour recouvrir les murs.
tapissier, ère n. Qui vend ou pose les tentures.
tapoter vt. Donner de petites tapes.
taquet m. Petite cale.
taquin, e adj. Qui aime à taquiner : *enfant —*.
taquiner vt. Agacer, impatienter par malice.
taquinerie f. Action, parole taquine.
tarabiscoté, e adj. Chargé d'ornements excessifs.
tarabuster vt. FAM. Troubler, importuner.
tard adv. Après un temps long. m. *Sur le —*, à la fin de la journée, vers la fin de la vie.
tardif, ive adj. Qui vient tard.
tare f. Poids de l'emballage. Défaut congénital.
taré, e adj. Qui présente une tare, un défaut.
tarentule f. Une grosse araignée.
targette f. Petit verrou plat.
targuer (se) vpr. Se vanter de.
tarif m. Tableau des prix. Prix, montant.
tarir vt. Mettre à sec. vi. Cesser. S'arrêter.
tarots mpl. Jeu de 78 cartes.
tarse m. Ossature postérieure du pied.
tartan m. Étoffe de laine à carreaux.
tarte f. Pâtisserie plate contenant des fruits, etc.
tartine f. Tranche de pain beurrée, etc.
tartre m. Sédiment du vin ; dépôt autour des dents ; dépôt calcaire dans un tuyau.
tartufe m. Fourbe, hypocrite.
tas m. Monceau d'objets entassés.
tasse f. Vase à boire avec anse. Son contenu.

tasseau m. Pièce de bois pour soutenir, caler.
tasser vt. Réduire de volume, par pression. Serrer.
tâter vt. Explorer à l'aide du toucher.
tatillon, onne adj. et n. FAM. Trop minutieux.
tâtonner vi. Chercher en tâtant. Hésiter.
tâtons (à) loc. adv. En tâtant, en tâtonnant.
tatou m. Un mammifère édenté, écailleux.
tatouer vt. Imprimer sur la peau un dessin.
taudis m. Logement sale, misérable.
taupe f. Petit mammifère insectivore.
taupinière f. Monticule de terre d'une taupe.
taureau m. Mâle reproducteur de l'espèce bovine.
tauromachie f. Art de combattre les taureaux.
taux m. Intérêt annuel d'un prêt.
taverne f. Cabaret. Sorte de café-restaurant.
taxe f. Impôt perçu par l'État.
taxer vt. Frapper d'un impôt. Accuser.
taxi m. Voiture automobile de location munie d'un compteur de distance et de temps.
te pron. pers. V. TU.
té m. Règle en forme de T.
technicien, enne n. Versé dans une technique.
technique adj. Propre à un art. f. Ensemble de procédés d'un art, d'une science, d'un métier.
technocrate n. Partisan de la technocratie.
technocratie f. Système politique dans lequel les techniciens ont une grande influence.
technologie f. Étude générale des techniques.
tee-shirt ou **t-shirt** [tiʃœrt] m. Maillot à manches courtes, en forme de T. (pl. — - —*s*.)
tégument m. ANAT., BOT. Enveloppe.
teigne f. Petit papillon. Maladie du cuir chevelu. FAM. Personne méchante.
teindre vt. Colorer.
teint, e adj. Qui a reçu une teinture. m. Couleur du visage. f. Nuance de couleur.

teinter vt. Couvrir d'une teinte. Colorier.
teinture f. Liquide pour teindre. Action de teindre. Solution alcoolique : — *d'iode*.
teinturier, ère n. Qui teint ou nettoie les vêtements.
tel, telle adj. Pareil, semblable.
télécommande f. Système permettant de commander à distance une manœuvre quelconque.
télécopie f. Transmission à distance de documents, de dessins, etc.
téléfilm m. Film réalisé pour la télévision.
télégramme m. Message transmis par télégraphe.
télégraphe m. Système de télécommunication des messages écrits.
télégraphier vt. Transmettre par télégraphe.
téléguider vt. Conduire ou piloter à distance.
télémètre m. Instrument de mesure des distances.
téléphérique m. Véhicule se déplaçant le long d'un câble aérien.
téléphone m. Appareil transmettant au loin la parole : — *automatique*.
téléphoner vt. et i. Parler par téléphone.
télescope m. Grand instrument d'astronomie.
télescoper vt. Entrer en collision avec.
téléspectateur, trice n. Personne qui regarde la télévision.
téléviser vt. Transmettre par télévision.
téléviseur m. Appareil récepteur de télévision.
télévision f. Transmission à distance d'une image, d'une vue animée. Téléviseur.
téméraire adj. Trop hardi.
témérité f. Hardiesse excessive.
témoignage m. Déclaration de témoin. Marque.
témoigner vt. Montrer. vi. Porter témoignage.
témoin n. Qui déclare ce qu'il a vu. Qui assiste un autre dans un acte. Preuve.

tempe f. Partie latérale du crâne.
tempérament m. Caractère, constitution.
tempérance f. Modération, sobriété.
température f. Intensité mesurable du froid ou de la chaleur. Fièvre.
tempérer vt. Modérer, atténuer.
tempête f. Vent violent accompagné de pluie, de neige.
tempêter vi. Gronder bruyamment, fulminer.
temple m. Édifice religieux de l'Antiquité. Lieu de culte des protestants.
temporaire adj. Qui ne dure qu'un temps.
temporel, elle adj. Non spirituel : *pouvoir* —.
temporiser vi. Retarder, différer.
temps m. Durée. Époque, moment. Délai. État de l'atmosphère. Forme du verbe exprimant le présent, le passé, le futur. *À* —, assez tôt. *En même* —, ensemble. *De — en* —, quelquefois.
tenace adj. Difficile à enlever. Durable. Résolu.
ténacité f. Obstination. Acharnement.
tenailles fpl. Outil pour tenir, arracher.
tenailler vt. Faire souffrir. Tourmenter.
tenancier m. Gérant d'un bar, d'un hôtel, etc.
tenant, e n. Détenteur d'un record sportif. adj. *Séance* —, immédiatement.
tendance f. Inclination : *lutter contre une* —.
tendancieux, euse adj. Qui marque l'intention d'imposer une opinion.
tendeur m. Lanière élastique pour fixer.
tendon m. Extrémité d'un muscle.
tendre adj. Qui n'est pas dur. Affectueux.
tendre vt. Raidir. Bander. Avancer. vi. Se diriger, avoir pour but.
tendresse f. Sentiment tendre.
ténèbres fpl. Obscurité. FIG. Ignorance.

ténébreux, euse adj. Obscur. Sombre, noir.
teneur f. Contenu d'un écrit. Ce qu'un corps contient d'une certaine substance.
ténia m. Ver plat parasite intestinal.
tenir vt. Avoir à la main. Garder. Entretenir. Diriger. Avoir reçu, entendu. — *des propos*, parler. — *compte de*, avoir égard à. vi. Être fixé. Ressembler à. Résulter de. *(Tiens, tiendrai, tienne.)*
tennis [tɛnis] m. Un jeu de balle.
tenon m. Bout rentrant d'un assemblage.
ténor m. Voix d'homme la plus haute.
tension f. État de ce qui est tendu. Différence de potentiel électrique. — *artérielle*, pression du sang dans les artères.
tentacule m. Appendice mobile (mollusques).
tentation f. Attrait d'une chose défendue.
tentative f. Action de tenter.
tente f. Abri portatif de toile.
tenter vt. Entreprendre. Essayer. Séduire.
tenture f. Étoffe pour orner, tapisser, etc.
tenu, e adj. Soigné : *maison bien* —. f. Manière de tenir, de soigner. Uniforme, habillement.
térébenthine f. Résine du pin : *essence de* —.
tergiverser vi. User de détours, hésiter.
terme m. Fin, limite. Époque d'un paiement. Mot, expression. Élément d'une proposition.
terminaison f. Fin. Partie finale d'un mot.
terminal, e adj. De l'extrémité. m. Calculateur relié à un ordinateur central.
terminer vt. Achever, finir.
terminus [-nys] m. Dernier arrêt (bus, métro).
termite m. Insecte des régions chaudes.
terne adj. Sans éclat, sans couleur.
ternir vt. Rendre terne.
terrain m. Espace de terre.

terrasse f. Levée de terre. Toit en plate-forme.
terrassement m. Action de creuser, de transporter la terre. Remblai.
terrasser vt. Soutenir par de la terre. Abattre.
terrassier m. Qui fait des terrassements.
terre f. Planète où nous vivons (avec maj.). Partie solide du globe terrestre. Terrain. — *ferme*, continent. m. et adj. — *à* —, prosaïque.
terreau m. Terre mêlée de fumier décomposé.
terre-plein m. Terrasse, plate-forme.
terrer (se) vpr. Se cacher. S'isoler.
terrestre adj. De la Terre. Temporel.
terreur f. Épouvante, frayeur.
terreux, euse adj. De la nature de la terre.
terrible adj. Qui inspire la terreur. Violent.
terrier m. Trou du sol où vit un animal. Sorte de chien de chasse.
terrifier vt. Frapper de terreur, épouvanter.
terrine f. Récipient en terre pour cuire.
territoire m. Espace terrestre, maritime, ou aérien, dépendant d'une juridiction, d'un État, etc.
territorial, e adj. Du territoire.
terroir m. Terres d'une région ; leur production.
terroriser vt. Frapper de terreur.
terrorisme m. Stratégie politique reposant sur des actes de violence.
tertiaire adj. et m. Ère géologique.
tertre m. Petite éminence de terrain.
tesson m. Débris de verre ou de poterie.
test m. Épreuve, essai.
testament m. Déclaration des dernières volontés. Livres saints (maj.) : *Ancien, Nouveau* —.
testateur, trice n. Qui fait un testament.
testicule m. Glande génitale mâle.
tétanos m. Maladie infectieuse caractérisée par la rigidité des muscles.

têtard m. Première forme des batraciens.
tête f. Extrémité supérieure du corps. Crâne. Esprit : *perdre la* —. Personne. Sommet, premier rang. Commencement.
tête-à-tête m. Conversation entre deux personnes seules.
tête-bêche loc. adv. À côté mais en sens inverse.
tétée f. Ce qu'un bébé tète en une fois.
téter vt. Sucer le lait du sein, de la mamelle.
tétine f. Mamelle. Embouchure en caoutchouc permettant de téter le biberon.
tétraèdre m. Solide à quatre faces triangulaires.
tétralogie f. Ensemble de quatre œuvres sur un même sujet ou un même thème.
têtu, e adj. Obstiné : *— comme un mulet.*
texte m. Écrit, œuvre : *lire un — intéressant.*
textile adj. Dont on peut faire un tissu. Relatif au tissu. m. Matière textile.
textuel, elle adj. Conforme au texte.
texture f. Tissage. Disposition des parties d'un corps, d'un objet.
T.G.V. m. Train à grande vitesse.
thalassothérapie f. Traitement médical par les bains de mer.
thé m. Arbrisseau de Chine dont les feuilles servent à faire une infusion. Cette infusion.
théâtral, e adj. Relatif au théâtre. Emphatique.
théâtre m. Lieu où l'on représente des ouvrages dramatiques. Art dramatique. *Coup de* —, changement inattendu.
théière f. Récipient pour infuser et servir le thé.
thème m. Sujet d'un discours, etc. Texte qu'on traduit dans une autre langue.
théologie f. Étude approfondie de ce que Dieu a révélé à l'homme.

théorème m. Proposition scientifique démontrable.
théorie f. Doctrine, système. Spéculation.
théorique adj. De la théorie : *enseignement —.*
thérapeutique adj. et f. Relatif au traitement médical.
thérapie f. Traitement d'une maladie.
thermal, e adj. Se dit des eaux minérales chaudes : *établissement —.*
thermes mpl. Chez les Anciens, bains publics
thermidor m. Mois du calendrier républicain.
thermique adj. De la chaleur : *radiation —.*
thermomètre m. Instrument qui sert à mesurer la température.
thésauriser vt. et i. Amasser de l'argent.
thèse f. Proposition que l'on soutient.
thon m. Poisson de mer de grande taille.
thorax m. Cavité limitée par les côtes.
thriller [srilœr] m. Film ou roman policier à suspense.
thuya m. Genre de conifères.
thym [tɛ̃] m. Plante aromatique.
thyroïde f. Une glande en avant du larynx.
tiare f. Couronne du pape.
tibia m. Gros os de la jambe.
tic m. Contraction convulsive d'un muscle.
ticket m. Billet : *— de métro.*
tiède adj. Entre chaud et froid. Sans ardeur.
tiédeur f. État de ce qui est tiède.
tiédir vt. Rendre tiède. vi. Devenir tiède.
tien, tienne adj. poss. À toi.
tiercé m. Pari dans les courses de chevaux.
tiers, tierce adj. Troisième. m. Partie d'un tout divisé en trois. Troisième personne.
tiers-monde m. Ensemble des pays économiquement peu développés. (pl. — - —*s.*)

tige f. Partie du végétal qui sort de terre. Partie allongée et fine de quelque chose. Barre, tringle.
tigre, esse n. Grand quadrupède carnassier.
tigré, e adj. Marqué de raies.
tilleul m. Arbre à fleurs médicinales.
timbale f. Tambour semi-sphérique. Moule de cuisine. Gobelet de métal.
timbre m. Sorte de sonnette. Son qu'elle rend. Son de la voix, etc. Cachet officiel sur le papier. Marque apposée sur un document. Vignette postale : *des —s-poste*.
timbré, e adj. FAM. Un peu fou.
timbrer vt. Apposer un timbre sur.
timide adj. et n. Sans hardiesse : *enfant* —.
timidité f. Manque de hardiesse.
timon m. Barre d'une voiture pour atteler deux chevaux.
timoré, e adj. et n. Hésitant, timide.
tintamarre m. Grand bruit, vacarme.
tintement m. Bruit d'une cloche, etc.
tinter vt. et i. Sonner lentement (une cloche).
tintouin m. FAM. Embarras, souci. Vacarme.
tique f. Insecte parasite du chien, du bœuf.
tiquer vi. FAM. Manifester sa surprise, son mécontentement.
tir m. Lancement d'un projectile avec une arme. Lieu où l'on s'exerce au tir.
tirade f. Ce qu'on récite d'un trait.
tirage m. Action de tirer. Difficulté.
tiraillement m. Déchirement moral.
tirailler vt. Tirer à plusieurs reprises. vi. Tirer sans régularité mais souvent.
tirant m. Cordon, ganse pour tirer. Hauteur dont un bateau plonge dans l'eau.
tire-bouchon m. Appareil pour déboucher.

tire-d'aile (à) loc. adv. En volant très vite.
tire-ligne m. Instrument de dessinateur pour tracer des lignes. (pl. — - —*s*.)
tirelire f. Petit vase muni d'une fente par où on glisse des pièces de monnaie à économiser.
tirer vt. Attirer à soi. Faire sortir. Obtenir. Déduire. Tracer. Faire partir (armes). Imprimer. vi. Exercer une traction. Exécuter un tir.
tiret m. Petit trait horizontal de ponctuation.
tirette f. Tablette mobile.
tireur, euse n. Qui tire avec une arme.
tiroir m. Petite case mobile emboîtée dans un meuble.
tisane f. Infusion médicinale.
tison m. Morceau de bois à moitié brûlé.
tisonner vt. Remuer le feu pour l'attiser.
tisonnier m. Tringle de fer pour tisonner.
tissage m. Action, manière de tisser.
tisser vt. Former une étoffe avec des fils.
tisserand ou **tisseur** m. Qui tisse.
tissu m. Ouvrage de fils croisés. Combinaison d'éléments anatomiques : — *osseux*.
titan m. Personne d'une puissance colossale.
titanesque adj. Surhumain.
titiller vt. Chatouiller légèrement.
titre m. Inscription en tête d'un livre, d'un chapitre. Qualification honorifique. Acte fixant un droit. Degré d'un alliage, d'une solution.
titrer vt. Donner un titre.
tituber vi. Chanceler : *ivrogne qui* —.
titulaire adj. et n. Qui possède un titre.
toast [tost] m. Tranche de pain grillée.
toboggan m. JEUX. Piste glissante.
tocsin m. Sonnerie d'alarme d'une cloche.
toge f. Manteau romain. Robe d'avocat, etc.

tohu-bohu m. inv. Confusion, désordre.
toi pron. pers. V. TU.
toile f. Tissu de lin, de chanvre, de coton. Toile pour peindre. Tableau.
toilette f. Soins du corps. Habillement, parure. pl. Cabinets d'aisances.
toiser vt. Mesurer. Regarder avec dédain.
toison f. Poil, laine d'un animal.
toit m. Couverture d'un bâtiment. Maison.
toiture f. Ce qui forme le toit.
tôle f. Fer ou acier en feuilles.
tolérance f. Action de tolérer.
tolérer vt. Supporter. Permettre.
tollé m. Cri d'indignation : *soulever un* —.
tomate f. Plante à fruit comestible rouge.
tombe f. Sépulture.
tombeau m. Monument sur une tombe.
tombée f. — *de la nuit*, début de la nuit, fin du jour.
tomber vi. Être entraîné de haut en bas. Pendre. Devenir : — *malade*. Baisser.
tombereau m. Chariot basculant.
tombola f. Loterie avec lots en nature.
tome m. Division d'un livre en volumes.
ton, ta, tes adj. poss. À toi.
ton m. Degré de hauteur du son. Caractère du style : — *oratoire*. Force, vigueur. Teinte.
tonalité f. Le ton d'un morceau de musique.
tondeuse f. Machine à tondre.
tondre vt. Couper ras : — *les cheveux, le gazon*.
tonifier vt. Donner de la vigueur.
tonique adj. et m. Qui tonifie. Qui est accentué : *syllabe* —.
tonitruant, e adj. Bruyant comme le tonnerre.
tonnage m. Capacité de transport d'un navire.
tonneau m. Récipient de bois pour le transport des liquides. Voltige. Culbute accidentelle.

tonnelle f. Treillage en forme de voûte, sur lequel on fait grimper des plantes.
tonner vi. Faire du bruit (tonnerre). Parler avec véhémence, condamner : *— contre le vice.*
tonnerre m. Bruit accompagnant la foudre.
tonte f. Action de tondre.
topaze f. Pierre fine de couleur jaune.
topinambour m. Plante à tubercules comestibles.
topographie f. Description sur un plan d'un terrain, d'une région.
toquade f. FAM. Caprice.
toque f. Coiffure sans bords.
toqué, e adj. et n. FAM. Un peu fou.
torche f. Flambeau grossier.
torcher vt. Essuyer pour nettoyer. FAM. Bâcler.
torchère f. Sorte de candélabre.
torchis m. Mortier de terre et de paille.
torchon m. Linge pour essuyer.
tordre vt. Tourner par les deux bouts en sens contraire. Tourner violemment. vpr. Rire.
torero m. Celui qui combat les taureaux dans l'arène.
tornade f. Coup de vent très violent.
torpeur f. Engourdissement, léthargie.
torpille f. Engin explosif sous-marin.
torpiller vt. Attaquer à la torpille.
torpilleur m. Bateau lanceur de torpilles.
torréfier vt. Griller : *— du café.*
torrent m. Cours d'eau rapide des montagnes.
torride adj. Très chaud : *climat —.*
tors, e [tɔr] adj. Tordu : *jambes —.*
torsade f. Frange tordue en spirale.
torse m. Buste : *un — en marbre.*
torsion f. Action, manière de tordre.
tort m. Ce qui n'est pas juste. Dommage : *porter —. Avoir —,* se tromper.

torticolis m. Douleur rhumatismale dans le cou.
tortiller vt. Tordre plusieurs fois.
tortue f. Reptile à carapace osseuse.
tortueux, euse adj. Sinueux. Sans loyauté.
torture f. Supplice. Tourment.
torturer vt. Faire subir une torture à.
tôt adv. De bonne heure.
total, e adj. Complet, entier.
totaliser vt. Faire la somme, le total de.
totalité f. Le tout, le total : *prendre en* —.
totem m. Représentation de l'animal ou du végétal protecteur d'une tribu.
touareg ou **targui** adj. et n. Nomade du Sahara.
touchant, e adj. Qui émeut. prép. Au sujet de.
touche f. Pièce d'un clavier. Manière de peindre, etc.
touche-à-tout m. inv. Qui se mêle de tout.
toucher vt. Être en contact avec. Recevoir : — *une somme*. Émouvoir. Atteindre. vi. Être en contact. m. Sens qui nous renseigne sur le caractère extérieur des corps.
touffe f. Bouquet : — *d'herbe, de poils*.
touffu, e adj. Épais, serré : *un taillis* —.
toujours adv. Sans cesse. Encore.
toupet m. Petite touffe de cheveux. FIG. Audace.
toupie f. Jouet que l'on fait tourner.
tour f. Bâtiment élevé. m. Mouvement circulaire. Circuit, circonférence. Exercice d'adresse. Rang, ordre. Machine-outil usinant une pièce en rotation.
tourbe f. Charbon de qualité médiocre.
tourbillonner vi. Tournoyer rapidement.
tourelle f. Petite tour. Tour blindée d'un char.
tourisme m. Action de voyager par agrément.
touriste n. Qui voyage pour son plaisir.

tourmaline f. Minéral de coloration variée.
tourment m. Grande douleur physique ou morale.
tourmente f. Tempête violente.
tourmenter vt. Martyriser. Obséder.
tournant, e adj. Qui tourne. m. Coude d'un chemin, d'une rivière. Moment critique.
tourné, e adj. Fait d'une certaine façon. Aigri, altéré : *lait* —.
tournedos m. Filet de bœuf en tranche.
tournée f. Voyage circulaire. Promenade.
tournemain (en un) loc. adv. En un instant.
tourner vt. Mouvoir en rond. Mettre dans un autre sens : — *la page*. Façonner au tour. Interpréter. Présenter, exprimer. Éluder : — *la difficulté.* vi. Se mouvoir circulairement. S'altérer.
tournesol m. Plante à fleur jaune.
tourneur, euse n. et adj. Ouvrier, ouvrière qui travaille au tour.
tournevis [-vis] m. Outil pour serrer, desserrer les vis.
tourniquet m. Mécanisme tournant, à l'entrée d'un passage, etc.
tournoi m. Fête militaire du temps de la chevalerie. Compétition amicale.
tournoiement m. Action de tournoyer.
tournoyer vi. Tourner sur soi-même.
tournure f. Manière dont une chose évolue. Caractère, aspect. Agencement de mots.
tourteau m. Résidu de graines oléagineuses. Gros crabe.
tourtereau m. Jeune tourterelle. pl. Amoureux.
tourterelle f. Sorte de pigeon.
Toussaint f. Fête de tous les saints (1er nov.).
tousser vi. Avoir un accès de toux.
toussoter vi. Tousser peu et souvent.

tout, e pl. **tous, -tes** adj. Exprime l'ensemble. Chaque : *il vient — les jours*. adv. Entièrement : *elle est tout heureuse*. m. La totalité.
toutefois adv. Néanmoins.
tout-puissant, e adj. et n. Qui a un pouvoir sans limites.
toux [tu] f. Expiration brusque et convulsive.
toxicomanie f. Habitude maladive d'absorber des substances toxiques ou stupéfiantes.
toxine f. Poison produit par un organisme vivant.
toxique m. Poison. adj. Qui empoisonne.
trac m. Peur, en particulier devant un public.
tracas m. Souci, embarras. Préoccupation.
tracasser vt. Agiter, inquiéter.
trace f. Empreinte, vestige. Impression.
tracé m. Dessin, représentation.
tracer vt. Dessiner. Marquer, indiquer.
trachée f. Canal respiratoire. (On dit aussi *trachée-artère*.)
tract m. Feuille ou brochure de propagande.
tractation f. Négociation.
tracteur m. Véhicule automobile servant à remorquer un autre véhicule ou une machine agricole.
traction f. Action de tirer.
tradition f. Transmission de coutumes, de légendes, de doctrines, etc.
traditionnel, elle adj. Fondé sur la tradition.
traducteur, trice n. Qui traduit.
traduction f. Transposition en une autre langue. Ouvrage traduit.
traduire vt. Transposer dans une autre langue. Exprimer.
trafic m. Commerce illégal. Mouvement, circulation de véhicules.
trafiquer vi. Faire du commerce illégal.

tragédie f. Pièce dramatique dont le sujet provoque la crainte, la pitié. Événement funeste.
tragédien, enne n. Acteur tragique.
tragique adj. De la tragédie. Terrible, funeste.
trahir vt. Abandonner : — *son pays*. Manquer à. Révéler : — *un secret*.
trahison f. Action de trahir.
train m. Wagons traînés par une locomotive.
traînant, e adj. Qui traîne. FIG. Languissant.
traînard m. Qui reste en arrière.
traîne f. Partie de vêtement qui traîne à terre.
traîneau m. Chariot sans roues pour la neige.
traînée f. Chose répandue en longueur.
traîner vt. Tirer derrière soi. Déplacer avec peine. vi. Pendre jusqu'à terre.
traintrain m. Routine : *le — de la vie*.
traire vt. Tirer le lait de : — *les vaches. (Je trais, il trait ; trayant, trait.)*
trait m. Ligne d'un dessin. Ligne du visage. Pensée vive, ingénieuse.
traitant, e adj. *Médecin* —, qui soigne habituellement.
traite f. Action de traire. Chemin fait sans s'arrêter. Effet de commerce. Trafic.
traité m. Ouvrage qui traite de. Convention.
traitement m. Manière de traiter. Appointements. Moyens employés pour guérir une maladie.
traiter vt. Agir envers qqn. Accueillir, donner à manger. Exposer. Qualifier. Soigner.
traiteur m. Restaurateur qui prépare des repas sur commande.
traître, esse adj. et n. Qui trahit.
traîtrise f. Action de trahir ; perfidie, déloyauté.
trajectoire f. Ligne que suit un projectile.
trajet m. Espace parcouru : *un — sinueux*.

trame f. Fils passés dans la chaîne d'un tissu. Canevas d'un récit.
tramer vt. Croiser les fils de la trame avec ceux de la chaîne. Machiner, comploter.
tramway [tramwɛ] m. Chemin de fer urbain de surface. Véhicule qui circule sur cette voie.
tranchant, e adj. Qui coupe. Impérieux. m. Côté affilé d'un couteau, d'une épée, etc.
tranche f. Morceau coupé mince.
tranché, e adj. Bien marqué, distinct.
tranchée f. Excavation longitudinale.
trancher vt. Couper. Résoudre : — *la difficulté*. vi. Décider. Ressortir : *couleur qui* —.
tranquille adj. Sans agitation.
tranquillité f. Absence d'agitation.
transaction f. Opération commerciale. Concession.
transatlantique m. Paquebot qui traverse l'Atlantique.
transborder vt. Porter d'un bateau, d'un train dans un autre.
transcendant, e adj. Supérieur, excellent.
transcrire vt. Copier un écrit. Reproduire.
transe f. Vive inquiétude. Exaltation, transport.
transept m. Galerie transversale qui coupe la nef d'une église.
transférer vt. Faire passer. Transmettre.
transfert m. Action de transférer.
transfigurer vt. Changer l'aspect de.
transformation f. Action de transformer.
transformer vt. Faire changer de forme, de caractère, de nature.
transfuge m. Déserteur. Qui change de parti.
transfusion f. Opération qui consiste à faire passer du sang d'un individu à un autre.
transgresser vt. Ne pas obéir à (loi, règle).

transhumance f. Migration des troupeaux.
transi, e [-zi] adj. Saisi : — *de froid.*
transiger [-ziʒe] vi. Faire des concessions.
transir vt. Pénétrer de froid.
transistor m. Petit récepteur radiophonique équipé d'un dispositif électronique.
transit [-it] m. Action de passer par un lieu sans y séjourner.
transiter vt. Passer en transit.
transitif [-zi-] adj. Se dit du verbe qui a un complément direct.
transition f. Passage. Degré, stade intermédiaire.
transitoire adj. Passager, fugitif.
translucide adj. Qui laisse passer la lumière.
transmettre vt. Faire parvenir. Léguer. Propager.
transmission f. Action de transmettre. Communication d'un mouvement à un autre organe.
transmutation f. Changement d'un élément chimique en un autre : *la — du plomb en or.*
transparence f. Qualité de ce qui est transparent.
transparent, e adj. Qui permet de voir à travers : *le verre est —.* FIG. Clair, évident.
transpercer vt. Percer de part en part, traverser.
transpiration f. Sécrétion de la sueur.
transpirer vi. Suer. FIG. Être divulgué.
transplanter vt. Planter en un autre sol.
transport m. Action de transporter. Navire pour transporter des troupes. Sentiment vif.
transporter vt. Porter dans un autre lieu.
transporteur m. Qui transporte.
transposer vt. MUS. Changer le ton d'un morceau. Placer dans une autre situation.
transposition f. Action de transposer.
transvaser vt. Verser d'un vase dans un autre.

transversal, e adj. Disposé en travers : *voie —*.
trapèze m. Quadrilatère à deux côtés parallèles et inégaux. Appareil de gymnastique.
trappe f. Porte pratiquée dans un plancher. Piège au-dessus d'une fosse.
trappeur m. Chasseur de l'Amérique du Nord.
trapu, e adj. Gros et court.
traquenard m. Piège.
traquer vt. Poursuivre, serrer de près.
traumatisme m. Trouble causé par un choc physique ou psychique.
travail m. Activité humaine en vue d'un résultat. Ouvrage. Action continue et progressive. Étude écrite.
travailler vi. Faire un travail. Fonctionner. vt. Façonner : *— le bois*.
travailleur, euse adj. et n. Qui travaille.
travée ARCHIT. f. Espace entre deux points d'appui.
travers (à) prép. En traversant.
traverse f. Pièce en travers de deux autres.
traversée f. Voyage à travers une mer, un pays.
traverser vt. Passer à travers d'un côté à l'autre.
traversin m. Oreiller long.
travesti m. Déguisement. Personne qui adopte les vêtements, les attitudes de l'autre sexe.
travestir vt. Habiller de façon à rendre méconnaissable.
travestissement m. Déguisement.
trébucher vi. Buter du pied et perdre l'équilibre.
tréfiler vt. Étirer un métal en fils.
trèfle m. Plante fourragère. Couleur du jeu de cartes.
tréfonds m. Ce qui est au plus profond de.
treillage m. Assemblage de lattes en treillis.
treille f. Vigne qui est fixée à un treillage.

treillis m. Ouvrage de bois, de métal entrelacé. Vêtement de travail en toile très résistante.
treize adj. et m. Dix et trois. Treizième.
treizième adj. et n. Qui vient après le douzième.
tréma m. Double point sur une voyelle.
tremble m. Espèce de peuplier.
tremblement m. Agitation de ce qui tremble.
trembler vi. Éprouver de petits mouvements saccadés, convulsifs. Avoir peur.
trembloter vi. Trembler un peu : *— de froid.*
trémolo m. MUS. Tremblement de la voix.
trémousser (se) vpr. S'agiter, remuer.
trempe f. Dureté de l'acier trempé. FIG. Fermeté de caractère.
tremper vt. Mouiller. Donner la trempe : *— l'acier.* vi. Être plongé dans un liquide.
tremplin m. Planche inclinée et élastique pour sauter. FIG. Moyen de parvenir à un but.
trentaine f. Nombre de 30. Âge de 30 ans.
trente adj. et m. Trois fois dix.
trentième adj. et n. Qui suit le vingt-neuvième.
trépan m. Instrument de chirurgie pour percer les os, le crâne. Outil pour forer.
trépaner vt. Ouvrir la boîte crânienne.
trépas m. Mort, décès.
trépasser vi. Mourir, décéder
trépidation f. Tremblement : *la — d'un moteur.*
trépied m. Meuble, ustensile à trois pieds.
trépigner vi. Taper du pied vivement.
très adv. marquant un degré élevé : *— bon.*
trésor m. Amas de richesses, de choses précieuses. Administration qui gère les fonds de l'État. Personne, chose précieuse.
trésorerie f. Administration du Trésor public. Capitaux disponibles d'une entreprise.

trésorier m. Celui qui gère les fonds de l'État, d'une communauté.
tressaillement m. Brusque secousse du corps.
tressaillir vi. Avoir un tressaillement. (Conj. comme *assaillir*.)
tresse f. Galon de fils entrelacés. Mèche de cheveux partagée en trois et entrelacée.
tresser vt. Arranger en tresse : — *ses cheveux*.
tréteau m. Pièce de bois portée sur quatre pieds et servant à soutenir une table.
treuil m. Cylindre horizontal sur lequel s'enroule une corde pour soulever un fardeau.
trêve f. Suspension d'hostilités. Relâche.
tri préf. signifiant *trois*.
tri m. Triage.
triage m. Action de trier. Choses triées.
triangle m. MATH. Polygone à trois sommets.
triangulaire adj. En forme de triangle.
tribord m. Côté droit du navire en regardant vers l'avant.
tribu f. Groupement de familles sous l'autorité d'un même chef.
tribulations fpl. Mésaventures.
tribun m. Orateur populaire éloquent.
tribunal m. Lieu où siège un magistrat, un juge.
tribune f. Lieu élevé d'où parle l'orateur. Galerie, installation formant des gradins.
tribut [-by] m. Contribution imposée à qqn ; impôt forcé.
tributaire adj. Dépendant de. Affluent (fleuve).
tricher vi. Ne pas respecter la règle du jeu.
tricheur, euse adj. et n. Qui triche.
tricolore adj. De trois couleurs : *drapeau* —.
tricorne m. Chapeau à trois cornes.

tricot m. Tissu à mailles tricotées.
tricoter vt. Faire un tissu à mailles entrelacées.
tricycle m. Véhicule à trois roues.
trident m. Fourche à trois dents.
triennal, e adj. Qui dure trois ans, revient tous les trois ans.
trier vt. Séparer, choisir en éliminant.
trigonométrie f. Étude des propriétés mathématiques du triangle.
trille m. MUS. Un ornement musical.
trilogie f. Ensemble de trois œuvres sur un même sujet ou un même thème.
trimer vi. FAM. Travailler, peiner.
trimestre m. Espace de trois mois.
Trinité f. RELIG. Dieu unique en trois personnes.
trinôme m. Polynôme à trois termes.
trinquer vi. Boire à la santé des autres.
trio m. Groupe de trois personnes. Morceau de musique à trois voix.
triomphal, e adj. Éclatant ; enthousiaste.
triomphant, e adj. Qui marque la fierté.
triomphateur, trice adj. Qui a triomphé.
triomphe m. Grande victoire. Succès.
triompher vi. Remporter la victoire. Manifester sa fierté d'avoir gagné.
tripartite adj. Composé de trois éléments, trois parties.
tripe f. Boyau d'un animal.
triperie f. Commerce du tripier.
tripier, ère n. Qui vent des tripes, des abats.
triple adj. Qui contient trois fois une chose. m. Valeur trois fois plus grande.
tripler vt. Rendre triple : — *une mise*.
tripot m. PÉJOR. Maison où l'on joue de l'argent.

tripotage m. FAM. Manœuvre douteuse.
tripoter vt. Manier sans soin. vi. Faire des opérations malhonnêtes.
triptyque m. Tableau à trois volets.
trique f. Gros bâton.
trisaïeul, e n. Père, mère du bisaïeul.
triste adj. Qui a du chagrin. Mélancolique.
tristesse f. Abattement, mélancolie.
triton m. Petit batracien des mares.
triturer vt. Broyer, écraser. Manier en tous sens.
triumvirat [-ra] m. Association de trois personnes qui exercent un pouvoir.
trivial, e adj. D'une grossièreté obscène.
trivialité f. Caractère trivial.
troc m. Échange d'un objet contre un autre.
troène m. Arbuste à fleurs blanches.
troglodyte m. Habitant des cavernes.
trogne f. FAM. Visage rougeaud : *une — d'ivrogne*.
trognon m. Cœur d'un fruit, d'un légume.
trois adj. et m. Deux et un
troisième adj. et n. Qui suit le deuxième.
trois-mâts m. Navire qui a trois mâts.
trombone m. Instrument de musique à vent. Petite agrafe.
trompe f. Sorte de trompette. Protubérance nasale de certains animaux : *— d'éléphant.*
trompe-l'œil m. inv. Peinture qui donne l'illusion de la réalité. Apparence trompeuse.
tromper vt. Induire en erreur. Être infidèle. Distraire. vpr. Commettre une erreur.
tromperie f. Action de tromper.
trompette f. Instrument à vent, d'un son éclatant. m. Celui qui joue de la trompette.
trompeur, euse adj. et n. Qui trompe.
tronc m. Tige d'un arbre. Corps humain considéré sans tête ni membres.

tronçon m. Morceau coupé : — *de bûche.*
tronçonner vt. Couper par tronçons.
trône m. Siège de cérémonie des souverains.
trôner vi. Faire l'important. Attirer les regards.
tronquer vt. Retrancher une partie de.
trop adv. Plus qu'il ne faut.
trophée m. Objet qui témoigne d'un succès.
tropical, e adj. Relatif aux tropiques : *plante* —.
tropique m. Chacun des deux grands cercles parallèles, de chaque côté de l'équateur.
trop-plein m. Ce qui dépasse une capacité.
troquer vt. Échanger un objet pour un autre.
trot m. Allure du cheval entre le pas et le galop.
trotter vi. Aller au trot. Marcher rapidement.
trotteur, euse adj. Qui trotte.
trottiner vi. Marcher vite à petits pas.
trottinette f. Un jouet d'enfant.
trottoir m. Espace pour les piétons, sur les côtés d'une rue.
trou m. Ouverture, cavité. FAM Petit village.
troubadour m. Poète lyrique provençal du Moyen Âge.
trouble adj. Qui n'est pas clair : *liquide* —. m. Désordre. Émotion. pl. Soulèvement populaire.
trouble-fête m. inv. Importun.
troubler vt. Rendre trouble. Jeter le désordre. Émouvoir. Inquiéter. Interrompre. Intimider.
trouée f. Percée, ouverture.
trouer vt. Percer un trou dans.
troupe f. Réunion de gens. Animaux vivant ensemble. Réunion de soldats, d'acteurs.
troupeau m. Troupe d'animaux domestiques sous la garde d'un berger : — *de moutons.*
trousse f. Étui, portefeuille, etc., renfermant divers objets : — *de pharmacie.* pl. *Aux — de*, à la poursuite de.

trousseau m. Vêtements, linge d'une mariée, d'un enfant au collège. — *de clefs*, clefs réunies par un anneau.
trousser vt. — *un discours*, l'écrire vite et facilement.
trouvaille f. Découverte, ce qu'on trouve.
trouver vt. Rencontrer après avoir cherché. Découvrir. Éprouver : — *du plaisir*. Estimer : — *bon*.
trouvère m. Poète de langue d'oïl au Moyen Âge.
truand m. Voyou. Bandit.
trublion m. Individu qui sème le trouble.
truc m. Moyen adroit.
trucage m. Procédé de cinéma pour créer l'impression de la réalité.
truculent, e adj. Dont le langage est assez cru.
truelle f. Outil de maçon.
truffe f. Champignon souterrain comestible.
truffer vt. Garnir de truffes : — *une volaille*. FIG. Remplir : — *un discours de citations*.
truie f. Femelle du porc.
truisme m. Vérité banale.
truite f. Poisson carnassier, à chair fine.
trumeau m. Espace d'un mur entre deux fenêtres.
truquage m. Autre forme de TRUCAGE.
truquer vt. et i. Falsifier.
trust [trœst] m. Association d'entreprises visant à obtenir un monopole.
tsar m. Ancien titre du souverain russe.
tsarisme m. Gouvernement des tsars.
tsé-tsé f. Mouche d'Afrique qui propage la maladie du sommeil.
tsigane adj. et n. V. TZIGANE.
tu, toi, te pron. pers. de la 2e pers. du sing.
tube m. Tuyau cylindrique. Conduit naturel.
tubercule m. Renflement cellulaire souterrain de certaines plantes : *les — de la pomme de terre*.

tuberculeux, euse adj. et n. Atteint de tuberculose.
tuberculose f. Maladie infectieuse, contagieuse, qui atteint souvent les poumons.
tubéreuse f. Plante aux fleurs en grappes.
tuer vt. Causer la mort. Fatiguer, éreinter.
tuerie f. Massacre.
tue-tête (à) loc. adv. À pleine voix : *crier à —.*
tueur, euse n. Personne qui tue.
tuf m. Pierre poreuse.
tuile f. Carreau de terre cuite pour couvrir les toits. FAM. Mésaventure.
tuilerie f. Fabrique de tuiles.
tulipe f. Fleur décorative à bulbe.
tulle m. Tissu léger à mailles.
tuméfier vt. Causer une enflure.
tumeur f. Grosseur dans une partie du corps.
tumulte m. Grand bruit, confusion.
tumultueux, euse adj. Plein de tumulte.
tumulus [-ys] m. Tas de pierres sur un tombeau.
tungstène m. Un métal de couleur noirâtre.
tunique f. Vêtement féminin porté sur une jupe. Redingote d'uniforme. ANAT. Membrane.
tunisien, enne adj. et n. De Tunisie.
tunnel m. Souterrain de communication.
turban m. Coiffure formée d'une pièce d'étoffe enroulée autour de la tête.
turbine f. Roue hydraulique.
turbot m. Un grand poisson plat.
turbulence f. Caractère turbulent.
turbulent, e adj. Remuant.
turc, que adj. et n. De Turquie.
turf m. Sport hippique.
turgescent, e adj. MÉD. Gonflé, enflé.
turlupiner vt. FAM. Tracasser, tourmenter.
turpitude f. Infamie, ignominie.

turquoise f. Pierre précieuse bleue.
tutélaire adj. Protecteur, favorable.
tutelle f. Protection, sauvegarde.
tuteur, trice n. Qui a la tutelle de. m. Perche soutenant une jeune plante.
tutoyer vt. User des mots *tu, toi, te*, en parlant à quelqu'un.
tuyau [tɥijo] m. Conduit cylindrique. FAM. Renseignement.
tuyauterie f. Ensemble de tuyaux.
tuyère f. Ouverture d'une soufflerie.
tympan m. Partie vibrante de l'oreille.
type m. Modèle abstrait, idéal. FAM. Individu quelconque.
typhoïde f. Maladie infectieuse contagieuse.
typhon m. Ouragan de l'océan Indien.
typhus [-ys] m. Maladie épidémique.
typique adj. Caractéristique.
typographe n. Ouvrier qui compose des textes à l'aide de caractères mobiles.
typographie f. Art de la composition destinée à l'imprimerie.
tyran m. Souverain, chef despotique.
tyrannie f. Pouvoir autoritaire et répressif.
tyrannique adj. Qui exerce une tyrannie.
tyranniser vt. Exercer une tyrannie.
tzigane ou **tsigane** adj. et n. D'un peuple nomade originaire de l'Inde.

U

ubiquité [ybikɥite] f. Présence en plusieurs endroits à la fois.
ulcération f. Formation d'ulcère.
ulcère m. Plaie persistante suppurante.
ulcérer vt. Vexer profondément.
ultérieur, e adj. Qui vient après.
ultimatum [-ɔm] m. Exigence impérative d'un État.
ultime adj. Dernier, final : — *espoir.*
ultra préf. signifiant *au-delà.* n. Qui professe une opinion exagérée en politique, etc.
ultrason m. Son d'une fréquence très élevée, inaudible à l'oreille humaine.
ululement m. Cri des oiseaux de nuit.
un, une adj. et n. Le premier de tous les nombres. Seul, unique. art. indéf. Désigne les choses ou les personnes : *un livre, une fille.*
unanime adj. Qui marque un accord complet.
unanimité f. Accord complet : *voter à l'—.*
uni, e adj. Sans inégalités. Sans ornement.
unification f. Action d'unifier.
unifier vt. Amener à l'unité.
uniforme adj. Qui a la même forme. Sans variété. m. Habit militaire.
uniformiser vt. Rendre uniforme.
uniformité f. Caractère uniforme.
unilatéral, e adj. Situé d'un seul côté.
union f. Association. Conformité. Mariage.
unique adj. Seul en son genre.
unir vt. Joindre en un. Lier, relier. Marier.
unisson m. *À l'—*, en accord parfait.
unitaire adj. Relatif à l'unité politique.
unité f. Caractère de ce qui est unique, qui forme un tout. Quantité prise comme mesure.

univers m. Ensemble de ce qui existe.
universalité f. Caractère universel.
universel, elle adj. Qui s'étend à tout, à tous.
universitaire adj. De l'université.
université f. Groupe d'établissements d'enseignement supérieur.
uranium [-jɔm] m. Métal doué de radioactivité.
urbain, e adj. De la ville : *transports —*.
urbanisme m. Art d'aménager les villes.
urbanité f. Politesse, courtoisie.
urée f. Substance du sang et de l'urine.
urémie f. Intoxication du sang par l'urée.
uretère m. Canal qui va du rein à la vessie.
urètre m. Canal d'expulsion de l'urine.
urgence f. Qualité de ce qui est urgent.
urgent, e adj. Qui presse, qu'on ne peut différer : *une affaire —*.
urinaire adj. De l'urine : *voies —*.
urine f. Liquide sécrété par les reins.
uriner vt. et i. Évacuer l'urine.
urinoir m. Endroit aménagé pour uriner.
urne f. Sorte de vase. Boîte pour déposer les bulletins de vote.
urticaire f. Une éruption cutanée.
us [ys] mpl. *— et coutumes*, traditions.
usage m. Emploi. Coutume : *s'habituer à un —*.
usager m. Qui utilise : *les — du rail*.
user vi. Faire usage de. vt. Consommer. Détériorer.
usine f. Établissement industriel où l'on transforme des matières premières en produits finis.
usité, e adj. En usage : *mot peu —*.
ustensile m. Petit objet ou appareil à usage ménager.
usuel, elle adj. Dont on se sert d'habitude.

usufruit m. Jouissance d'un bien dont la propriété appartient à un autre.
usuraire adj. Où il y a usure.
usure f. Intérêt excessif. Détérioration d'un objet par l'usage : *l' — d'un vêtement*.
usurier, ère n. Qui prête à usure.
usurpateur, trice n. Qui usurpe.
usurpation f. Action d'usurper.
usurper vt. S'emparer de. Obtenir sans droit.
ut m. Autre nom de *do*.
utérin, e adj. Né de la même mère seulement.
utérus [-ys] m. Organe de la gestation chez la femme et chez la femelle des mammifères.
utile adj. Qui rend service. m. Ce qui sert.
utilisation f. Action d'utiliser.
utiliser vt. Tirer parti de. Se servir de.
utilitaire adj. Qui vise l'utilité.
utilité f. Caractère de ce qui est utile. pl. THÉÂTR. Rôle subalterne.
utopie f. Projet ou système irréalisable.
utopiste adj. Qui forme des projets irréalisables.

V

vacance f. État de ce qui est vacant. pl. Période de repos : *partir en —*.
vacancier, ère n. Qui est en vacances.
vacant, e adj. Vide, non occupé.
vacarme m. Bruit tumultueux.
vacation f. Temps consacré à l'examen d'une affaire. Honoraires.
vaccin m. Substance qui, inoculée, confère l'immunité contre une maladie.
vacciner vt. Administrer un vaccin à.
vache f. Femelle du taureau. Sa peau.
vacherie f. Pop. Méchanceté.
vacillation f., **vacillement** m. Mouvement de ce qui vacille.
vaciller [vasije] vi. Chanceler. Trembloter.
vacuité f. État de ce qui est vide.
va-et-vient m. Mouvement alternatif d'un point à un autre.
vagabond, e adj. et n. Qui erre çà et là.
vagabondage m. État de vagabond : *vivre en —*.
vagin m. Canal qui va de l'utérus à la vulve.
vagir vi. Pousser des vagissements.
vagissement m. Cri du nouveau-né.
vague f. Mouvement de la mer qui s'élève et s'abaisse. adj. Indécis, confus : *bruit —*.
vaillamment adv. Avec vaillance.
vaillance f. Bravoure, courage.
vaillant, e adj. Qui a de la vaillance.
vain, e adj. Sans résultat : *— efforts*. Illusoire.
vaincre vt. L'emporter sur. Surmonter. *(Vainquis, vainquant, vaincu.)*
vainqueur m. Qui a vaincu. adj. Triomphant.

vairon adj. Se dit des yeux de couleur différente. m. Petit poisson.
vaisseau m. Grand navire. Canal anatomique. — *spatial*, engin pour explorer l'espace.
vaisselier m. Meuble pour la vaisselle.
vaisselle f. Ustensiles à l'usage de la table.
val m. Vallée très large.
valable adj. Recevable, admissible.
valence f. Nombre d'atomes d'hydrogène qui peuvent se combiner avec un corps.
valériane f. Une plante médicinale.
valet m. Domestique masculin.
valeur f. Ce que vaut une personne, une chose. Durée d'une note, intensité d'un ton.
valeureux, euse adj. Vaillant.
valide adj. En bonne santé. Valable.
valider vt. Rendre valable.
validité f. Qualité de ce qui est valide.
valise f. Petite malle légère.
vallée f. Espace entre des montagnes. Bassin d'un cours d'eau : *la — du Rhône*.
vallon m. Petite vallée.
vallonné, e adj. Formé de vallons.
valoir vi. Avoir un prix. Mériter. vt. Procurer, faciliter. *(Vaux, valus, vaudrai, vaille, valant, valu.)*
valoriser vt. Donner une plus grande valeur à.
valse f. Une danse.
valser vi. et t. Danser la valse.
valseur, euse n. Personne qui valse.
valve f. Moitié d'une coquille, d'une gousse. Clapet de fermeture.
valvule f. ANAT. Petite soupape : *les — du cœur*.
vampire m. Mort qui, suivant la superstition, suce le sang des vivants. Espèce de grande chauve-souris.

van m. Voiture pour le transport des chevaux.
vandale adj. et n. Qui mutile, détruit tout.
vandalisme m. Acte de vandale.
vanille f. Fruit parfumé d'une plante tropicale.
vanillé, e adj. Parfumé à la vanille.
vanité f. Orgueil futile. Caractère vain.
vaniteux, euse adj. et n. Qui a de la vanité.
vanne f. Panneau mobile pour régler le débit d'un fluide.
vanné, e adj. FAM. Fatigué à l'excès.
vanneau m. Un oiseau échassier.
vannerie f. Marchandise du vannier.
vannier m. Qui fait des paniers, etc.
vantail m. Battant de porte.
vantard, e adj. et n. Qui se vante beaucoup.
vantardise f. Défaut du vantard.
vanter (se) vpr. S'attribuer des mérites qu'on n'a pas.
va-nu-pieds m. Miséreux.
vapeur f. Exhalaison gazeuse. Liquide rendu gazeux par la chaleur. m. Bateau à vapeur.
vaporeux, euse adj. Léger et flou : *robe* —.
vaporisateur m. Appareil pour vaporiser du parfum.
vaporiser vt. Convertir en vapeur.
vaquer vi. — *à*, s'appliquer à.
varech [varɛk] m. Algue marine.
vareuse f. Veste d'uniforme.
variable adj. Sujet au changement.
variante f. Forme différente : — *d'un texte*.
variation f. Changement : — *de climat*.
varice f. Dilatation permanente d'une veine.
varicelle f. Maladie contagieuse sans gravité.
varier vt. Rendre divers. vi. Changer.
variété f. Diversité. Différence. Subdivision d'une espèce. pl. Spectacle de music-hall.

variole f. Maladie infectieuse éruptive.
varlope f. Sorte de grand rabot.
vase f. Boue déposée par l'eau. m. Récipient.
vaseline f. Une graisse minérale.
vaseux, euse adj. Qui contient de la vase.
vasistas [vazistɑs] m. Petite fenêtre basculante.
vasque f. Bassin de fontaine.
vassal, e adj. et n. Lié à son suzerain.
vaste adj. De grande étendue : — *domaine*.
vaudeville m. Petite pièce de théâtre amusante.
vau-l'eau (à) loc. adv. Au gré du courant. À la dérive.
vaurien, enne n. Personne sans valeur morale.
vautour m. Genre d'oiseaux rapaces.
vautrer (se) vpr. Se rouler, se coucher dans.
veau m. Petit de la vache. Sa chair, sa peau.
vecteur m. Segment de droite orienté.
vedette f. Embarcation à moteur. Artiste en vue.
végétal, e adj. Des plantes. m. Plante.
végétarien, enne adj. et n. Qui ne se nourrit que de végétaux.
végétation f. Les végétaux d'un lieu.
végéter vi. Croître difficilement. Être stagnant.
véhémence f. Emportement, impétuosité.
véhément, e adj. Ardent, impétueux.
véhicule m. Moyen de transport par terre ou par air.
véhiculer vt. Transporter.
veille f. Privation de sommeil. État de celui qui est éveillé. Jour qui précède.
veillée f. Temps du dîner au coucher. Réunion de personnes qui passent la veillée ensemble.
veiller vi. Ne pas dormir. Surveiller. vt. Passer la nuit près d'un malade, d'un mort.
veilleur, euse n. Qui veille : — *de nuit*. f. Petite lumière pour la nuit. *En* —, au ralenti.

veinard, e adj. et n. FAM. Qui a de la veine.
veine f. Vaisseau sanguin. Ligne sinueuse dans le bois, le marbre. Filon d'un minerai. FAM. Chance.
veiné, e adj. Qui a des veines (bois, pierre).
veineux, euse adj. Des veines : *sang* —.
vêler vi. Mettre bas (se dit des vaches).
vélin m. Peau de veau préparée pour l'écriture.
velléité f. Volonté faible, hésitante et inefficace.
vélo m. Bicyclette.
vélocité f. LITT. Vitesse, rapidité.
vélodrome m. Piste pour les courses cyclistes.
velours m. Étoffe à poils serrés : — *de coton*.
velouté, e adj. Lisse, satiné, soyeux, moelleux.
velu, e adj. Couvert de poils.
vélum [-ɔm] m. Grand voile qui sert de toiture.
venaison f. Chair de grand gibier (cerf, etc.).
vénal, e adj. Qui peut s'acheter : *charge* —. Que l'on peut corrompre.
vénalité f. Caractère vénal : *la — d'un juge*.
vendange f. Récolte du raisin.
vendanger vt. et i. Récolter le raisin.
vendangeur, euse m. Personne qui vendange.
vendémiaire m. Mois du calendrier républicain.
vendetta f. En Corse, vengeance héréditaire.
vendeur, euse n. Qui vend.
vendre vt. Céder moyennant un prix.
vendredi m. Cinquième jour de la semaine.
venelle f. Petite rue.
vénéneux, euse adj. Qui empoisonne : *fruit* —.
vénérable adj. Digne de vénération.
vénération f. Admiration profonde. Culte.
vénérer vt. Avoir de la vénération pour.
vénerie f. Chasse aux chiens courants.
vengeance f. Action de se venger.
venger vt. Tirer réparation d'une offense. vpr. Agir de façon à punir l'auteur d'une offense.

vengeur, eresse adj. Qui venge : *justice —.*
véniel, elle adj. THÉOL. *Péché —*, péché léger.
venimeux, euse adj. Qui a du venin : *serpent —.*
venin m. Liquide toxique animal.
venir vi. Se rendre à, dans. Arriver, survenir. Être originaire de. Se présenter à l'esprit. (Conj. c. *tenir.*)
vent m. Mouvement de l'air.
vente f. Action de vendre.
venter vimpers. Faire du vent.
ventilateur m. Appareil pour ventiler.
ventiler vt. Aérer : *— un tunnel.* Répartir.
ventôse m. Mois du calendrier républicain.
ventouse f. Vx. Ampoule de verre dans laquelle on raréfie l'air pour appeler le sang à la peau. Petite calotte de caoutchouc qui se fixe par pression.
ventre m. Cavité du corps où sont les intestins. Partie renflée d'un vase, etc.
ventricule m. Cavité du cœur, etc.
ventriloque n. Qui semble parler du ventre.
ventru, e adj. Qui a un gros ventre.
venu, e adj. Arrivé : *nouveau —.*
ver m. Animal mou et allongé, sans pattes.
véracité f. Conformité à la vérité.
véranda f. Galerie, balcon couvert.
verbal, e adj. Fait de vive voix : *promesse —.*
verbaliser vi. Dresser un procès-verbal.
verbe m. Parole : *avoir le — haut.* Mot qui, dans la phrase, exprime l'action ou l'état du sujet.
verbiage m. Bavardage inutile.
verdâtre adj. Qui tire sur le vert.
verdeur f. Défaut de maturité. Vigueur.
verdict m. Jugement : *— de culpabilité.*
verdir vt. Rendre vert. vi. Devenir vert.
verdoyer vi. Devenir vert.

verdure f. Couleur verte des végétaux. Herbe, feuillage verts.
véreux, euse adj. Qui a des vers. Malhonnête.
verge f. Baguette de bois. Membre viril.
verger m. Lieu planté d'arbres fruitiers.
vergetures fpl. Raies provenant d'une distension de la peau.
verglas m. Couche mince de glace sur le sol.
vergogne f. *Sans —*, sans honte.
vergue f. Pièce de bois horizontale en travers d'un mât.
véridique adj. Conforme à la vérité.
vérifier vt. Examiner si une chose est exacte : — *une addition.* Confirmer.
vérin m. Machine pour soulever une charge.
véritable adj. Qui existe vraiment.
vérité f. Qualité de ce qui est vrai.
vermeil, eille adj. Rouge foncé. m. Argent doré.
vermicelle m. Sorte de fine pâte à potage.
vermifuge m. Remède contre les vers intestinaux.
vermillon [vɛrmijɔ̃] m. Couleur rouge vif.
vermine f. Insectes parasites. Canaille.
vermisseau m. Petit ver de terre.
vermoulu, e adj. Mangé par les vers : *bois —*.
vermoulure f. Trace que laissent les vers.
vermouth m. Vin blanc aromatisé.
vernir vt. Enduire de vernis.
vernis m. Enduit de protection. Éclat, apparence : *un — d'élégance*.
vernissage m. Action de vernir. Ouverture d'une exposition de peinture.
vérole f. FAM. Syn. de SYPHILIS. *Petite —*, variole.
véronique f. Une plante à fleurs bleues.
verrat m. Porc mâle.
verre m. Corps solide, transparent, obtenu par

fusion de sable et de soude. Vase de verre pour boire.
verrerie f. Art de faire le verre. Ouvrage de verre : *la — vénitienne.*
verrier m. Qui travaille le verre : *ouvrier —*.
verrière f. Toit vitré. Baie garnie de vitraux.
verroterie f. Menus objets de verre coloré.
verrou m. Appareil de fermeture composé d'un pêne et d'une gâche.
verrouiller vt. Fermer au verrou.
verrue f. Petite excroissance de chair.
vers m. Assemblage de mots rythmés. mpl. Poésie. prép. Dans la direction de. À peu près.
versant m. Pente d'une montagne.
versatile adj. Qui change facilement d'opinion.
verse (à) loc. adv. Abondamment (pluie).
versé, e adj. — *dans*, savant, fort en.
versement m. Action de verser de l'argent.
verser vt. Répandre. Transvaser. Renverser. Déverser. Payer.
verset m. Paragraphe : *— de la Bible.*
versifier vi. Faire des vers.
version f. Traduction. Chacun des états successifs d'une œuvre. Manière personnelle de raconter un événement.
verso m. Revers d'un feuillet.
vert, e adj. De la couleur de l'herbe. Qui n'est pas mûr : *fruit —*. Frais, nouveau. Jeune, alerte : *vieillard encore —*. m. Couleur verte.
vert-de-gris m. Oxyde de cuivre.
vertébral, e adj. Des vertèbres ; formé de vertèbres : *colonne —*.
vertèbre f. Chacun des os de l'épine dorsale.
vertébré, e adj. Qui a des vertèbres (mammifères, poissons, reptiles, batraciens).

vertement adv. Rudement, vivement.
vertical, e adj. Perpendiculaire au plan de l'horizon. f. Direction du fil à plomb.
vertige m. Étourdissement, manque d'équilibre.
vertigineux, euse adj. Qui donne le vertige.
vertu f. Disposition à faire le bien. Qualité particulière ; efficacité.
vertueux, euse adj. Qui a de la vertu.
verve f. Éloquence pleine d'humour.
verveine f. Petite plante à fleurs bleues.
vésicule f. ANAT. Organe creux ayant la forme d'un sac : — *biliaire*.
vespasienne f. Urinoir public.
vespéral, e adj. LITT. Du soir : *clarté* —.
vessie f. Poche de l'abdomen qui reçoit l'urine.
veste f. Vêtement couvrant le buste. FAM. Insuccès.
vestiaire m. Dépôt pour les vêtements, parapluies, etc., dans un théâtre, etc.
vestibule m. Pièce d'entrée.
vestige m. Marque, reste, trace.
vestimentaire adj. Des vêtements : *élégance* —.
veston m. Veste d'homme.
vêtement m. Tout ce qui couvre le corps.
vétéran m. Ancien soldat. Homme expérimenté.
vétérinaire m. Qui soigne les animaux.
vétille f. Bagatelle.
vêtir vt. Couvrir de vêtements *(Vêts, vêtant, vêtu.)*
veto [veto] m. Opposition, refus : *opposer un* —.
vétuste adj. Vieux, usé : *bâtiments* —.
vétusté f. État vétuste.
veuf, veuve adj. et n. Dont le conjoint est mort.
veule adj. Faible, sans énergie.
veuvage m. État de veuf, de veuve.
vexer vt. Blesser l'amour-propre de.
viabilité f. Aptitude à vivre. Bon état d'une route.

viable adj. Capable de vivre : *enfant né* —.
viaduc m. Grand pont qui franchit une vallée.
viager, ère adj. Dont on jouit sa vie durant.
viande f. Chair des animaux.
viatique m. Ce qui apporte une aide, un soutien.
vibration f. Action de vibrer.
vibrer vi. Être agité d'un vif tremblement.
vicaire m. Prêtre adjoint à un curé.
vice m. Disposition habituelle au mal. Imperfection grave.
vice- particule inv. indiquant la subordination : *vice-président.*
vice versa loc. adv. Réciproquement.
vichy m. Une toile de coton.
vicier vt. Gâter, corrompre.
vicieux, euse adj. Qui a un vice.
vicinal adj. Qui réunit des villages (chemin).
vicissitudes fpl. Événements de la vie.
vicomte m. Un titre de noblesse.
victime f. Personne tuée ou blessée. Personne qui souffre par la faute d'autrui ou par la sienne.
victoire f. Succès remporté à la guerre, sur un rival.
victorieux, euse adj. Qui a triomphé.
victuailles fpl. Vivres, provisions.
vidange f. Action de vider pour nettoyer. pl. Matières tirées des fosses d'aisances.
vidanger vt. Effectuer la vidange.
vide adj. Qui ne contient rien. m. Espace vide.
vidéo f. et adj. Technique permettant d'enregistrer des images et du son avec une caméra, et de les restituer sur un écran de télévision.
vide-poches m. inv. Corbeille, coupe, etc., où l'on dépose les menus objets que l'on porte sur soi.
vider vt. Rendre vide. Évacuer. Expulser.

vie f. Existence. Moyens de subsistance. Biographie. Entrain, mouvement.
vieillard m. Homme dont l'âge est avancé.
vieillerie f. Objet ancien. Idée démodée.
vieillesse f. Âge avancé. Vieilles gens.
vieillir vi. Devenir vieux. Se démoder.
vieillot, otte adj. Démodé.
vierge f. et adj. Qui n'a pas eu de relations sexuelles. adj. Intact. Non exploité.
vietnamien, enne adj. et n. Du Viêt-nam.
vieux ou **vieil, vieille** adj. et n. Avancé en âge. Ancien, usagé.
vif, vive adj. Prompt, agile. Coléreux. Brillant, éclatant. Rapide.
vigie f. Matelot placé en observation.
vigilance f. Veille, surveillance. Soin.
vigilant, e adj. Qui veille. Attentif.
vigile m. Garde privé qui fait des rondes la nuit.
vigne f. Plante qui produit le raisin. Terre plantée en vigne.
vigneron, onne n. Qui cultive la vigne.
vignette f. Petite gravure. Étiquette attestant le paiement de certains droits.
vignoble m. Étendue de pays plantée de vigne.
vigogne f. Lama du Pérou. Sa laine.
vigoureux, euse adj. Qui a de la vigueur. Fort.
vigueur f. Force physique, énergie. Autorité.
V.I.H. m. Nom du virus responsable du sida.
vil, e adj. Bas, abject.
vilain, e adj. Déplaisant. Désagréable. Malhonnête. Dangereux.
vilebrequin m. Outil qui sert pour percer. Arbre coudé d'un moteur.
vilipender vt. Dire du mal de ; décrier.
villa f. Maison d'habitation avec jardin.

village m. Petite agglomération rurale.
villageois, e adj. Habitant d'un village.
ville f. Vaste ensemble de maisons disposées par rues. Habitants d'une ville.
villégiature f. Séjour à la campagne, à la mer, etc.
vin m. Boisson obtenue en faisant fermenter le jus de raisin.
vinaigre m. Vin aigri par l'acide acétique.
vinaigrette f. Sauce à base de vinaigre.
vindicatif, ive adj. Qui cherche à se venger.
vineux, euse adj. Qui a le goût, l'odeur, la couleur du vin.
vingt adj. et m. Deux fois dix.
vingtaine f. Nombre de 20. Âge de 20 ans.
vingtième adj. et n. Qui suit le dix-neuvième.
vinicole adj. Relatif à la production du vin.
viol m. Action de violer.
violacé, e adj. Tirant sur le violet.
violation f. Action de violer : — *de serment.*
violence f. Caractère violent. Acte violent.
violent, e adj. Qui use avec brutalité de sa force. D'une grande intensité.
violenter vt. Violer une femme.
violer vt. Contraindre par la force à un rapport sexuel. Enfreindre : — *une loi.*
violet, ette adj. De la couleur de la violette.
violette f. Plante à fleurs très odorantes.
violon m. Instrument de musique.
violoncelle m. Instrument de musique.
violoncelliste n. Qui joue du violoncelle.
violoniste n. Qui joue du violon.
vipère f. Serpent venimeux. FIG. Personne méchante.
virage m. Changement de direction. Partie courbe d'une route, d'une piste.

viral, e adj. Provoqué par un virus.
virement m. Action de virer de l'argent.
virer vi. Tourner. Changer. Changer de nuance (étoffe teinte, photographie). vt. Faire passer d'un compte bancaire à un autre.
virevolte f. Tour rapide sur soi-même.
virginal, e adj. Immaculé, pur.
virginité f. État d'une personne vierge.
virgule f. Signe de ponctuation.
viril, e adj. D'homme. Mâle, énergique.
virilité f. Caractère viril.
virole f. Petit anneau de métal.
virtuel, elle adj. Potentiel ; théorique.
virtuose n. Personne d'un grand talent.
virulence f. Caractère virulent.
virulent, e adj. Agressif et mordant : *critique* —.
virus [-rys] m. Microbe responsable des maladies contagieuses.
vis [vis] f. Pièce cannelée en spirale.
visa m. Formule qui authentifie un acte. Cachet sur un passeport permettant d'entrer dans un pays.
visage m. Face de l'homme. Aspect.
vis-à-vis loc. adv. En face.
viscère m. Chacun des organes contenus dans les cavités du corps.
viscosité f. Caractère visqueux.
visée f. Dessein, prétention : — *ambitieuses*.
viser vt. Diriger une arme vers. Chercher à atteindre. Mettre un visa sur.
viseur m. Appareil pour viser.
visible adj. Qui peut être aisément vu. Évident.
visière f. Rebord de casquette, de képi.
vision f. Perception visuelle. Hallucination.
visionnaire n. Qui a des visions. Qui devance son temps par la hardiesse de ses vues.

visite f. Action de visiter.
visiter vt. Aller voir par civilité, par curiosité.
visiteur, euse n. Qui visite.
vison m. Sorte de putois, recherché pour sa fourrure.
visqueux, euse adj. Gluant, poisseux.
visser vt. Fixer avec des vis.
visuel, elle adj. Qui a rapport à la vue.
vital, e adj. Essentiel à la vie.
vitalité f. Intensité de la vie. Dynamisme.
vitamine f. Substance indispensable à l'organisme.
vite adv. Avec vitesse : *parler* —.
vitesse f. Célérité, rapidité : *agir avec* —.
viticole adj. Relatif à la culture de la vigne.
viticulture f. Culture de la vigne.
vitrage m. Châssis vitré.
vitrail m. Panneau de verres colorés. (pl. *vitraux*.)
vitre f. Panneau de verre pour fenêtre.
vitrer vt. Garnir de vitres : *châssis* —.
vitreux, euse adj. Qui ressemble au verre.
vitrier m. Qui vend ou pose les vitres.
vitrifier vt. Changer en verre par fusion. Recouvrir d'une substance transparente.
vitrine f. Vitrage de boutique. Armoire vitrée.
vitriol m. Vx. Acide sulfurique.
vitupérer vt. Blâmer avec virulence.
vivace adj. Qui persiste. Se dit des plantes qui durent plusieurs années.
vivacité f. Vitalité. Promptitude à comprendre.
vivant, e adj. Qui vit. Qui donne l'impression de la vie : *portrait* —. m. Personne en vie.
vivat [-va *ou* -vat] m. Acclamation.
vive f. Poisson à nageoires épineuses.
viveur m. Noceur.
vivier m. Bassin pour garder du poisson.

vivifiant, e adj. Qui vivifie.
vivifier vt. Donner de la vigueur à.
vivipare adj. Qui met au monde des petits vivants (par opposition à *ovipare*).
vivisection f. Opération chirurgicale sur un animal vivant, dans un but d'étude.
vivoter vi. Vivre péniblement, dans la gêne.
vivre vi. Être en vie. Habiter. Mener une sorte de vie : *— richement*. Se nourrir. *(Vis, vécus, vécu.)* m. Nourriture : *le — et le couvert*. pl. Aliments.
vocable m. Mot : *un — technique*.
vocabulaire m. Ensemble de mots. Lexique.
vocal, e adj. Relatif à la voix : *corde —*.
vocalise f. Ce que l'on chante en vocalisant.
vocaliser vi. Chanter sans nommer les notes ni prononcer les paroles.
vocation f. Penchant, aptitude spéciale.
vociférer vi. Parler en criant et avec colère.
vodka f. Eau-de-vie de grain d'origine russe.
vœu [vφ] m. Promesse faite à Dieu, à soi-même. Souhait.
vogue f. Popularité, réputation.
voguer vi. Litt. Naviguer : *— au gré du vent.*
voici prép. indiquant ce qui est proche.
voie f. Route. Moyen de transport. Moyen employé. Ligne de rails de chemin de fer.
voilà prép. indiquant ce qui est éloigné.
voile m. Étoffe qui couvre, qui protège. Ce qui cache. f. Toile forte qui, sur un bateau, reçoit l'effort du vent. Bateau à voile.
voiler vt. Couvrir d'un voile : *— un tableau*. Déformer : *roue —*.
voilier m. Navire à voiles.
voilure f. Ensemble des voiles d'un bateau.
voir vt. Percevoir par la vue. Visiter. Examiner.

(Vois, ils voient ; vis ; verrai ; voie, voient ; voyant ; vu.)
voire adv. LITT. Et même.
voirie f. Ensemble des routes, rues, etc.
voisin, e adj. Proche. n. Qui vit auprès.
voisinage m. Habitations proches de la résidence de. Personnes qui y vivent.
voisiner vi. Être voisin de.
voiture f. Véhicule de transport.
voiturette f. Petite voiture.
voix f. Ensemble des sons qui sortent de la bouche. Conseil. Vote, suffrage.
vol m. Déplacement dans l'air (oiseaux, avions).
vol m. Action de voler, de dérober. Chose volée.
volage adj. Changeant, léger.
volaille f. Oiseau de basse-cour : *manger une —*.
volant m. Roue pesante qui régularise un mouvement. Garniture de dentelle. Appareil de direction dans une automobile.
volatil, e adj. Qui se transforme aisément en vapeur.
volatile m. Oiseau de basse-cour.
volatiliser vt. Transformer en vapeur.
volcan m. Relief édifié par les laves et les projections issues de l'intérieur de la Terre.
volée f. Envol. Bande d'oiseaux. FAM. Série de coups pour punir.
voler vi. Se maintenir dans l'air avec les ailes. Aller vite. vt. et i. Prendre le bien d'autrui. Dérober.
volet m. Panneau plein qui ferme une fenêtre.
voleur, euse n. Qui vole le bien d'autrui.
volière f. Grande cage à oiseaux.
volontaire adj. Fait par un acte de volonté. m. Celui qui remplit une mission sans y être obligé.
volontariat m. Engagement volontaire.

volonté f. Faculté de vouloir. Énergie, fermeté. *À —*, autant qu'on veut.
volontiers adv. De bon gré ; avec plaisir.
volt m. Unité de différence de potentiel électrique.
voltage m. Tension électrique.
volte-face f. inv. Action de se retourner à demi.
voltige f. Acrobatie de toute sorte.
voltiger vi. Voler çà et là. Flotter au gré du vent.
volubile adj. Bavard, loquace.
volume m. Espace occupé par un corps. Livre : *— relié.*
volumineux, euse adj. De grand volume.
volupté f. Vif plaisir. Jouissance sexuelle.
voluptueux, euse adj. Qui aime la volupté.
volute f. Ornement en spirale.
vomir vi. et t. Rejeter le contenu de l'estomac.
vomissement m. Action de vomir.
vorace adj. Qui mange beaucoup.
voracité f. Avidité à manger.
vos adj. poss. Pl. de *votre*.
votant, e adj. et n. Qui vote.
vote m. Action de voter.
voter vi. Donner sa voix dans une élection.
votif, ive adj. Relatif à un vœu.
votre adj. poss. Qui est à vous.
vôtre pron. poss. Ce qui est à vous.
vouer vt. Promettre par vœu. Destiner
vouloir vt. Avoir le dessein, l'intention de.
vous pron. pers. Pl. de *tu*.
voûte f. Ouvrage de maçonnerie cintré.
voûté, e adj. En forme de voûte. Courbé.
vouvoyer vt. Désigner par *vous* et non par *tu*.
voyage m. Fait de se déplacer hors de sa région, de son pays. Allée et venue : *faire plusieurs —.*
voyageur, euse adj. et n. Qui voyage.

voyant, e adj. Qui attire l'œil. m. Signal lumineux. f. Qui prédit l'avenir.
voyelle f. Son produit avec la bouche plus ou moins ouverte. Lettre qui le représente.
voyeur, euse n. Personne qui se plaît à regarder un spectacle érotique sans se faire voir.
voyou m. Individu malhonnête.
vrac (en) loc. adv. Pêle-mêle, sans emballage.
vrai, e adj. Conforme à la vérité. Sincère. m. La vérité.
vraisemblable adj. Qui semble vrai, probable.
vraisemblance f. Ce qui a l'apparence de la vérité.
vrille f. Organe de certaines plantes, qui s'enroule sur un support. Outil pour percer.
vriller vt. Percer avec une vrille : *— une planche*.
vrombissement m. Ronflement vibrant.
vue f. Faculté de voir. Action de regarder. Paysage. Idée.
vulcaniser vt. Chauffer le caoutchouc avec du soufre pour le rendre inaltérable.
vulgaire adj. Commun, trivial.
vulgariser vt. Mettre à la portée de tous.
vulgarité f. Caractère vulgaire.
vulnérable adj. Qui peut être blessé, attaqué.
vulve f. Ensemble des parties génitales externes chez la femme et la femelle des animaux supérieurs.

W

wagon [vagɔ̃] m. Voiture de chemin de fer.
wagonnet m. Petit chariot sur rails. Benne.
wallon, onne [wa-] adj. et n. De la Belgique du S.-E.
water-closet [watɛrklɔzɛt] m. ou **w.-c.** mpl. Cabinets. (pl. *—s - —s.*)
watt [wat] m. Unité de mesure de puissance électrique.
week-end [wikɛnd] m. Congé de fin de semaine, le samedi et le dimanche. (pl. *— - —s.*)
western [wɛstɛrn] m. Film racontant les aventures des pionniers et des cow-boys américains.
whisky [wiski] m. Eau-de-vie de grain écossaise. (pl. *whiskys* ou *whiskies.*)

X

X m. *Rayons* —, radiation qui a la propriété de traverser les corps, utilisée en radiologie.
xénon m. Un des gaz rares de l'atmosphère.
xénophobie f. Haine des étrangers.
xérès [xerɛs] m. Un vin espagnol très estimé.
xylographie f. Gravure sur bois.

Y

yacht [jot] m. Bateau de plaisance.
yachting [jotiŋ] m. Navigation de plaisance.
yack m. Ruminant du Tibet.
yankee [jɑ̃ki] n. Habitant des États-Unis.
yaourt [jaurt] m. Syn. de YOGOURT.
yard m. Mesure anglaise (0,91 m).
yen m. Unité monétaire japonaise.
yeux pl. de *œil*.
yiddish m. Langue allemande parlée par les Juifs d'Europe centrale.
yoga m. Discipline spirituelle et corporelle originaire de l'Inde.
yogourt m. Lait caillé à l'aide d'un ferment.
youyou m. Petite embarcation, canot.
yucca m. Plante d'origine américaine.

Z

zapper vi. Changer souvent de chaîne de télévision avec une télécommande.
zèbre m. Mammifère africain à pelage rayé.
zébrer vt. Marquer de raies, de rayures.
zébrure f. Rayure.
zèle m. Vive ardeur : *montrer du —*.
zélé, e adj. Qui a du zèle : *serviteur —*.
zénith m. Point du ciel situé verticalement au-dessus d'un point de la Terre.

zéphyr m. Vent léger.
zéro m. Signe numérique qui note une valeur nulle.
zeste m. Écorce du citron, de l'orange.
zézaiement m. Défaut de celui qui zézaye.
zézayer vi. Prononcer mal le *j*, le *ch*.
zibeline f. Sorte de martre à poil très fin.
zigzag m. Ligne brisée en forme de *z*.
zigzaguer vi. Faire des zigzags. Tituber.
zinc m. Métal d'un gris bleuâtre. FAM. Comptoir dans un bar.
zizanie f. Désunion : *semer la —*.
zodiaque m. Zone du ciel qui contient les douze constellations que parcourt le Soleil.
zone f. Espace limité d'une surface plus importante : *— frontière*. Ce qui est du domaine de : *— d'activité*. Chacune des divisions de la Terre entre les cercles polaires et les tropiques.
zoo [zo] m. Parc où sont rassemblés des animaux sauvages que l'on vient voir.
zoologie f. Étude des animaux.
zootechnie f. Art d'élever les animaux domestiques.
zouave m. ANC. Soldat d'un corps d'infanterie française. FAM. *Faire le —*, faire le pitre.
zut ! interj. de mépris, de dépit.